# FILLES DE SHANGHAI

*La Mort scarabée*, Calmann-Lévy, 1998 ; Pocket, 2000.
*Fleur de Neige*, Flammarion, 2006 ; J'ai lu, 2007.
*Le Pavillon des pivoines*, Flammarion, 2008 ; J'ai lu, 2009.

Lisa SEE

# FILLES DE SHANGHAI

*Traduit de l'anglais (États-Unis)*
*par Pierre Ménard*

Flammarion

Titre original : *Shanghai Girls*
Éditeur original : Random House,
an imprint of the Random House Publishing Group,
a division of Random House, Inc.
© Lisa See, 2009
Pour la traduction française :
© Éditions Flammarion, 2010
ISBN : 978-2-0812-2822-1

Pour ma cousine Leslee Leong,
ma complice dans l'entretien
du souvenir.

## Note de l'auteur

L'action de *Filles de Shanghai* se déroule de 1937 à 1957. Les lecteurs y trouveront un certain nombre d'expressions que nous qualifierions aujourd'hui de politiquement incorrectes, mais qui étaient à l'époque d'un usage courant. J'ai utilisé le système Wade-Giles pour la translittération des mots chinois – qu'il s'agisse du mandarin, du cantonais ou des dialectes de Sze Yup et de Wu –, soucieuse là encore de respecter l'usage de l'époque.

Concernant les taux de change : la monnaie qui avait cours à Shanghai jusqu'en novembre 1935 était le dollar d'argent ; le yuan chinois lui a succédé à partir de cette date. Les deux monnaies avaient à peu près la même valeur. J'ai choisi de m'en tenir aux dollars et aux cents, étant donné qu'ils étaient encore en circulation et que cette monnaie est plus familière aux lecteurs occidentaux. La valeur des petites pièces en cuivre allait de 300 à 330 piécettes pour un dollar d'argent (ou un yuan).

# Première partie

## LE SORT

## « JEUNES BEAUTÉS »

— Notre fille ressemble à une paysanne du sud de la Chine avec ces joues rouges, se plaint mon père, ignorant ostensiblement la soupe qu'on a posée devant lui. Tu ne peux vraiment rien y faire ?

Maman le regarde, mais que peut-elle répondre ? J'ai un assez joli visage – certains le qualifient même de charmant – mais il n'a pas la pâleur de la perle dont je porte le nom. J'ai tendance à rougir pour un rien. Pire encore, je suis sujette aux coups de soleil. Dès que j'ai eu cinq ans, ma mère a commencé à m'enduire le visage et les bras de diverses crèmes. Elle mélangeait aussi de la poudre de perles à mon *jook*, le potage de riz matinal, dans l'espoir que leur blancheur naturelle imprégnerait ma peau. Cela s'est avéré inefficace. Pour l'instant, mes joues sont écarlates – ce que mon père a en horreur – et je me recroqueville sur ma chaise. J'ai tendance à me faire toute petite devant lui, mais c'est encore pire quand ses yeux délaissent ma sœur pour se porter sur moi. Je suis plus grande que mon père, ce qui a le don de l'irriter. Nous vivons à Shanghai, où le fait de posséder la plus grande voiture, la plus grande maison ou le plus grand immeuble, témoigne que l'on est une personne d'importance. Je ne suis pas une personne d'importance.

— Elle se croit maligne, poursuit mon père.

Il porte un costume occidental, d'excellente coupe. Ses cheveux laissent apparaître quelques rares mèches grises. On le sent tendu depuis quelque temps, mais ce soir son humeur est encore plus sombre qu'à l'ordinaire. Peut-être son cheval préféré a-t-il perdu aux courses ou les dés ne lui ont-ils pas été favorables.

— Une chose est sûre, continue-t-il, c'est qu'elle n'est pas bonne à grand-chose.

C'est une autre critique favorite de mon père, inspirée d'un propos de Confucius qui prétend qu'« une femme cultivée est une femme inutile ». Les gens me trouvent trop studieuse – ce qui, même en 1937, est loin d'être un compliment. Et j'ai beau être maligne, j'ignore comment me prémunir contre les propos de mon père.

La plupart des familles mangent autour d'une table ronde, de façon à manifester leur unité, sans que des angles pointus viennent s'interposer entre leurs membres. Nous avons quant à nous une table carrée en teck et nous nous asseyons toujours aux mêmes places : mon père à côté de May et ma mère en face d'elle – ils peuvent ainsi tous les deux profiter de ma sœur à part égale. Chaque repas – jour après jour, année après année – me rappelle donc que je ne suis pas la favorite et que je ne le serai jamais.

Tandis que mon père continue d'énumérer mes défauts, je cesse de lui prêter attention et fais mine de m'intéresser à la décoration de notre salle à manger. Sur le mur mitoyen de la cuisine trônent d'habitude quatre rouleaux de peinture, représentant comme il se doit les quatre saisons. Ce soir, ils ont été ôtés et seuls leurs contours vides se découpent sur le mur. Ce ne sont pas les seules choses qui manquent. Nous avions autrefois un ventilateur au plafond, mais l'an dernier papa a estimé que le luxe suprême serait que les domestiques nous éventent pendant que nous mangeons. Ils ne sont pas là ce soir et la pièce baigne dans une chaleur étouffante. D'ordinaire, un lampadaire art-déco en verre teinté et des appliques murales assorties dispensent une lumière dorée dans la pièce. Ils ont également disparu. Je n'y accorde pas sur le moment une attention excessive, me disant qu'on a probablement ôté les peintures pour éviter que la soie souffre de l'humidité ; sans doute papa a-t-il donné congé pour la soirée aux domestiques, à l'occasion d'un mariage ou d'un anniversaire quelconque ; quant aux éclairages, on a dû les enlever temporairement afin de les nettoyer.

Le cuisinier – qui n'est pas marié et n'a pas d'enfant – débarrasse nos bols de soupe et apporte les plats principaux : crevettes sautées aux châtaignes d'eau, porc braisé dans la sauce de soja aux légumes séchés et aux pousses de bambou, anguille à la vapeur, ainsi qu'un plat de légumes des « huit trésors », sans parler du riz. Mais la chaleur m'a coupé l'appétit. Je préférerais boire quelques gorgées de jus de prunes glacé, accompagné d'une soupe aux haricots à la menthe ou d'un bouillon d'amandes douces.

Quand maman lance : « Je suis passée chez l'artisan qui raccommode nos paniers, il n'y est pas allé de main morte aujourd'hui », je me détends un peu. Si les critiques de mon père à mon égard sont généralement prévisibles, les récriminations de ma mère concernant ses tracas quotidiens ne le sont pas moins. Elle est vêtue avec élégance, comme toujours. Des aiguilles d'ambre maintiennent son chignon impeccablement noué au-dessus de sa nuque. Sa robe, une *cheongsam* en soie bleu nuit dont les manches s'arrêtent aux coudes, a été taillée sur mesure, en tenant compte de son âge et de son statut. Un bracelet en jade massif pend à son poignet. Le bruit qu'il émet en heurtant le bord de la table est aussi familier que rassurant. Elle a les pieds bandés et une bonne partie de ses manières relèvent d'un héritage tout aussi ancestral. Elle nous interroge régulièrement sur nos rêves et les interprète en fonction des éléments qu'ils contiennent, considérés comme de bon ou de mauvais augure. Elle croit en l'astrologie, nous félicitant et nous blâmant tour à tour pour une chose ou pour une autre, May et moi, sous prétexte que nous sommes respectivement nées sous le signe de la Chèvre et du Dragon.

Maman mène une vie heureuse. Son mariage avec notre père, arrangé par sa famille, semble relativement paisible. Le matin, elle lit les sutras bouddhiques, prend un pousse-pousse pour aller déjeuner chez l'une ou l'autre de ses amies, joue au mah-jong jusqu'en fin d'après-midi et papote avec d'autres épouses du même milieu qu'elle à propos du climat, de l'indolence des domestiques et du peu d'efficacité des médicaments modernes contre le hoquet, la goutte ou les hémorroïdes. Elle n'a vraiment pas de quoi se plaindre, mais une discrète amertume et de constantes récriminations imprègnent tous ses propos. « Les histoires finissent toujours mal », aime-t-elle à répéter. Pourtant, elle est belle et sa démarche ondulante a la délicatesse d'une jeune branche de bambou balancée par la brise.

— Cette paresseuse que nos voisins ont engagée comme domestique ne s'est pas foulée, la nuit dernière, dit-elle. Elle s'est contentée de vider leur pot de chambre dans la rue, on sent encore les effluves de leurs excréments. Et le cuisinier, ajoute-t-elle avec un sifflement désapprobateur, nous a servi des crevettes tellement vieilles que leur odeur m'a coupé l'appétit.

Nous ne la contredisons pas, mais l'odeur qui nous suffoque tous n'émane ni de ces excréments nocturnes, ni de crevettes périmées, mais tout simplement d'elle... Comme les domestiques ne sont pas là pour assurer un minimum d'aération dans la pièce, les relents de pus sanguinolents qui filtrent à travers les bandages enveloppant les minuscules pieds de maman me restent littéralement en travers de la gorge.

Maman continue de déverser ses reproches lorsque papa l'interrompt :

— Vous ne pourrez pas sortir ce soir, les filles. Il faut que je vous parle.

Il s'adresse à May, qui le regarde avec l'un de ces sourires dont elle a le secret. Nous ne sommes pas des débauchées, toutefois nous avons des projets pour la soirée et écouter papa nous sermonner parce que nous faisons couler trop d'eau pour notre bain ou que nous laissons toujours des grains de riz au fond de nos bols n'en fait assurément pas partie. La plupart du temps, papa réagit au charme de May en souriant à son tour et en perdant le fil de son propos. Mais cette fois-ci, il cligne des yeux à plusieurs reprises et se tourne vers moi. Je me recroqueville à nouveau sur ma chaise. Il m'arrive de penser que le fait de me faire ainsi toute petite devant mon père est ma seule véritable marque de piété filiale. Je me considère comme une fille de Shanghai, c'est-à-dire comme quelqu'un de moderne. Je refuse de croire à ces préceptes d'obéissance aveugle qu'on enseignait jadis aux filles. Or la vérité, c'est qu'en dépit de l'adoration dont bénéficie ma sœur, nous ne sommes que des filles, May et moi. Aucune de nous deux ne transmettra le nom de notre famille ni n'accomplira le culte des ancêtres, lorsque nos parents nous auront quittées. Nous incarnons la fin de la lignée des

Chin, ma sœur et moi. Quand nous étions très jeunes, le peu de valeur que nous représentions faisait que nos parents se souciaient peu de nous canaliser : nous ne méritions pas un tel effort. Par la suite, il se produisit un phénomène étrange : mes parents tombèrent sous le charme de leur fille cadette, lui vouant un amour aveugle et absolu. Cela nous permit de bénéficier d'une petite marge de liberté. Résultat : les manières souvent négligées de ma sœur passent souvent inaperçues, comme le peu de cas que nous faisons du devoir et du respect filial. Cette attitude que d'aucuns jugeraient indigne et irrespectueuse, nous la qualifions de moderne et de libérée.

— Tu ne vaux même pas une piécette en cuivre, me lance sèchement papa. Je ne sais même pas comment je vais…

— Oh, pa… Arrête de t'en prendre à Perle. Tu as de la chance d'avoir une fille comme elle. Et j'ai encore plus de chance de l'avoir pour sœur.

Nous nous tournons tous vers May. Il en va toujours ainsi, avec elle : quand elle parle, on ne peut pas s'empêcher de l'écouter. Et quand elle se trouve dans une pièce, on ne peut pas s'empêcher de la regarder. Tout le monde l'adore – nos parents, les conducteurs de pousse-pousse qui travaillent pour mon père, les missionnaires qui nous donnent des leçons, les artistes, les révolutionnaires et les étrangers que nous avons été amenées à fréquenter, ces dernières années.

— Tu ne veux pas savoir ce que j'ai fait aujourd'hui ? demande-t-elle d'une voix aussi souple et légère qu'une aile d'oiseau.

À partir de là, je cesse d'exister aux yeux de mes parents. J'ai beau être l'aînée, d'une certaine façon c'est May qui prend soin de moi.

— Je suis allée voir un film au Métropole, poursuit-elle, puis je me suis rendue avenue Joffre pour acheter des chaussures. De là, je n'avais qu'un saut à faire pour me rendre à la boutique de Mme Garnet, à l'hôtel Cathay, afin de récupérer ma nouvelle robe. (May poursuit, une nuance de reproche dans la voix.) Mais elle m'a dit que je ne pouvais pas l'emporter avant que vous ne lui ayez donné votre accord.

— Une jeune fille n'a pas besoin de s'acheter une robe par semaine, dit doucement maman. Tu ferais mieux d'imiter ta sœur dans ce domaine. Un Dragon n'a que faire des dentelles, des volants et des froufrous. Perle a l'esprit trop pratique pour ça.

— Papa peut se le permettre, rétorque May.

Je vois les mâchoires de mon père se crisper. Est-ce à cause de ce que May vient de dire, ou va-t-il me critiquer à nouveau ? Il ouvre la bouche et s'apprête à parler, mais ma sœur le devance :

— Nous sommes dans le septième mois et la chaleur est déjà insupportable. Quand comptes-tu nous envoyer à Kuling, papa ? Tu ne veux tout de même pas que nous tombions malades, maman et moi ? L'été est tellement désagréable en ville et nous sommes beaucoup mieux dans les montagnes à cette époque de l'année.

May a habilement évité de faire allusion à moi. Or tout son babillage n'est destiné qu'à detourner l'attention de nos parents. Le regard de ma sœur croise le mien et acquiesce imperceptiblement. Puis elle se lève et me lance :

— Viens, Perle. Allons nous préparer.

Je repousse ma chaise, heureuse d'échapper à la désapprobation paternelle.

— Non !

Papa a tapé du poing sur la table. Les plats tressautent. Maman, surprise, a un léger frisson. Je me fige sur place. Les gens dans notre rue admirent mon père pour ses talents commerciaux. Il a vécu le rêve de tous les habitants de Shanghai, aussi bien ceux qui sont nés ici que ceux qui ont débarqué des quatre coins du monde afin d'y faire fortune. Parti de rien, il s'est forgé une belle situation, pour sa famille et lui. Avant ma naissance, il travaillait déjà dans les pousse-pousse, à Canton : l'affaire ne lui appartenait pas, il était un simple intermédiaire et louait les véhicules 70 cents par jour ; il les sous-louait ensuite pour 90 cents à un autre intermédiaire, qui les louait à son tour 1 dollar par jour à leurs conducteurs. Après avoir mis suffisamment d'argent de côté, il est venu s'installer à Shanghai et a monté sa propre entreprise de pousse-pousse. « J'ai profité des circonstances », aime-t-il répéter, comme sans doute des milliers d'autres personnes en ville. Papa ne nous a jamais dit de quelle manière il est devenu si riche, ni comment ces « circonstances » se sont présentées à lui – et je n'ai jamais eu le courage de le lui demander ! Chacun s'accorde à dire – et cela au sein de la plupart des familles – qu'il vaut mieux ne pas trop s'interroger sur le passé : tout le monde ou presque est venu à Shanghai pour fuir une situation incertaine ou en ayant quelque chose à cacher.

May ne se soucie nullement de tout ça. Je la regarde et je sais exactement ce qu'elle aimerait dire : *Je n'ai pas envie de t'entendre nous répéter que tu n'aimes pas notre coiffure – ou nous reprocher d'exposer nos bras nus et nos mollets. Non, nous ne cherchons pas à décrocher « un travail à plein-temps ». Tu es peut-être mon père, mais malgré tout l'air que tu brasses tu es un homme faible et je ne veux pas t'écouter.* Au lieu de ça, elle se contente d'incliner la tête et de lancer à mon père une œillade qui le laisse sans voix. Elle a appris ce truc quand elle était bébé et l'a perfectionné en grandissant. Son aisance et sa désinvolture feraient fondre n'importe qui. Un léger sourire se forme sur ses lèvres. Elle tapote l'épaule de papa, dont le regard s'attarde sur les ongles de sa fille : elle les a peints, comme moi, après leur avoir appliqué plusieurs couches de jus de balsamine. Toucher quelqu'un – même un membre de sa propre famille – n'est pas complètement tabou, mais ne fait certainement pas partie de l'usage courant. Dans une famille bien éduquée et digne de ce nom, les gens ne s'embrassent pas, ne s'étreignent pas et ne manifestent aucun signe d'affection. May sait donc pertinemment ce qu'elle fait en posant ainsi la main sur l'épaule de notre père. Profitant de sa surprise et de sa répulsion, elle fait volte-face et je m'empresse de la suivre. Nous avons déjà grimpé quelques marches lorsque papa s'écrie :

— Ne partez pas, s'il vous plaît !

Mais May se contente de rire, comme à son habitude.

— Nous allons travailler ce soir. Ne nous attendez pas.

Je la suis dans l'escalier, où les voix de nos parents nous accompagnent, comme une chanson discordante. C'est maman qui conduit la mélodie :

— Je plains vos futurs maris… « Je veux une nouvelle robe, peux-tu nous acheter des billets pour l'Opéra »…

Papa tient le rôle de la basse, avec sa voix plus grave :

— Revenez… Revenez, je vous en prie… J'ai quelque chose à vous dire…

May les ignore et j'essaie de faire comme elle, admirant la faculté qu'elle a de se boucher les oreilles et de rester insensible à leurs prières. Nous sommes à l'opposé sur ce point, comme sur tant d'autres.

Dès qu'on est en présence de deux sœurs – mais c'est vrai de l'ensemble des enfants d'une même famille, quels que soient leur nombre et leur sexe – les comparaisons sont inévitables. Nous sommes nées, May et moi, dans le village de Yin Bo, à moins d'une demi-journée de marche de Canton. Si trois ans seulement nous séparent, nous ne pourrions pas être plus différentes. Ma sœur est drôle, tandis qu'on me reproche d'être trop sérieuse. Elle est petite avec des formes séduisantes, alors que je suis grande et maigre. May vient juste de terminer ses études secondaires et la lecture ne l'intéresse pas, en dehors des potins qu'on trouve dans les journaux. J'ai obtenu mon diplôme à l'université il y a cinq semaines à peine.

Ma langue maternelle est le Sze Yup, le dialecte parlé dans les Quatre Districts de la province du Guandong, dont notre famille est originaire. J'ai eu des professeurs anglais et américains depuis l'âge de cinq ans, ce qui fait que je parle anglais quasiment à la perfection. Je maîtrise à peu près couramment quatre langues : l'anglais britannique, l'anglo-américain, le dialecte de Sze Yup (l'une des nombreuses variantes du cantonais) et le dialecte de Wu (une version très particulière du mandarin, parlé uniquement dans la région de Shanghai). Je vis dans une ville internationale et je me sers donc des termes anglais pour désigner des villes ou des régions de la Chine telles que Canton, Chunking ou le Yunan ; je préfère le cantonais *cheongsam* au mandarin *ch'ipao* pour désigner nos robes traditionnelles ; j'utilise indifféremment le mandarin *fan gwaytze* (diables étrangers) ou le cantonais *lo fan* (fantômes blancs) pour parler des Occidentaux ; et je préfère le cantonais *moy moy* au mandarin *mei mei* – qui désignent l'un et l'autre la sœur cadette – quand je fais allusion à May. Ma sœur n'a aucun don pour les langues. Lorsque nous sommes venus nous installer à Shanghai, c'était encore un bébé et elle n'a jamais appris le dialecte de Sze Yup, en dehors de quelques mots désignant des plats ou divers ingrédients. May parle uniquement l'anglais et le dialecte de Wu. Si on laisse de côté les spécificités des dialectes, le mandarin et le cantonais se ressemblent à peu près comme l'anglais et l'allemand – c'est-à-dire qu'ils ont des points communs mais restent incompréhensibles à ceux qui ne les ont pas appris. Ce pourquoi il nous arrive de profiter de l'ignorance de May, mes parents et moi, et de nous servir du dialecte de Sze Yup pour l'abuser ou lui jouer un tour.

Maman prétend toujours que nous ne pourrions pas changer, May et moi, même si nous le voulions. Ma sœur est censée être aussi docile et placide que la Chèvre, qui est son année de naissance. La Chèvre est le plus féminin de tous les signes, selon maman : élégante, artiste et compatissante, elle a besoin de quelqu'un qui prenne soin d'elle et lui procure la nourriture, l'abri et les vêtements dont elle a besoin. En même temps, elle est connue pour son affection débordante. La chance sourit souvent à la Chèvre en raison de sa nature pacifique et de son cœur dévoué, mais – et c'est là une nuance de taille, selon maman – elle pense d'abord et avant tout à son intérêt et à son propre confort.

Je possède pour ma part le désir dévorant du Dragon, qui ne sera jamais pleinement satisfait. « Aucun lieu ne te sera interdit, grâce à tes larges pattes », me dit souvent maman. Toutefois le Dragon, qui est le plus puissant de tous les signes, a aussi ses mauvais côtés. « Le Dragon est loyal, exigeant, responsable, c'est un dompteur de destinées, dit maman. Mais toi, ma Perle, tu seras toujours gênée par les vapeurs qui émanent de ta bouche. »

Suis-je jalouse de ma sœur ? Comment pourrais-je l'être, alors que je l'adore ? Nous partageons le *Long* (Dragon), le nom de génération qui nous est commun : Perle Long (Dragon de Perle) et May Long (Beau Dragon). May a adopté l'orthographe occidentale pour son prénom, mais en mandarin *mei* signifie beauté – ce qui chez elle n'est pas usurpé. Mon devoir en tant que sœur aînée est de la protéger, de m'assurer qu'elle suive le droit chemin et de faire en sorte que soient préservés sa précieuse existence et l'amour auquel elle a droit dans notre famille. Bien sûr, il m'arrive parfois d'être en colère contre elle – comme ce jour où elle avait porté sans ma permission ma paire de chaussures italiennes préférée, en soie rose et à talons hauts, et l'avait ramenée en lambeaux, toute gondolée par la pluie. Mais la vérité, c'est que ma sœur m'adore. Je suis sa *jie jie*, sa sœur aînée. Selon la hiérarchie des familles chinoises, je serai toujours au-dessus d'elle, même si mes parents n'ont pas autant d'amour pour moi que pour elle.

Le temps que j'aie regagné notre chambre, May a déjà ôté sa robe, qu'elle abandonne en tas sur le sol. Je referme la porte derrière moi, et sur notre univers de « jeunes beautés ». Nous avons des lits jumeaux symétriques avec des baldaquins de lin blanc à liseré bleu, brodés de motifs représentant des glycines. Dans la plupart des chambres, à Shanghai, on trouve une affiche ou un calendrier où figure une « jeune beauté ». Mais nous, nous en avons plusieurs. Nous posons pour les artistes qui exécutent ces images et nous avons choisi celles que nous préférons pour décorer les murs : May assise sur un canapé, dans une veste en soie couleur citron vert, brandissant une cigarette « Hatamen » dans un porte-cigarette en ivoire ; moi, enveloppée d'hermine, les genoux ramenés sous le menton et fixant l'objectif, adossée à une colonne érigée devant un lac mythique (il s'agit d'une publicité pour les pilules roses du Dr Williams, destinées aux personnes ayant la peau trop claire) ; nous deux enfin, assises côte à côte dans un boudoir élégant et tenant chacune dans nos bras un bébé joufflu – symbole de richesse et de prospérité – pour vanter les mérites d'une marque de lait en poudre destinée aux nourrissons, preuve que nous sommes des mères modernes, ayant recours aux inventions les plus modernes pour élever notre progéniture moderne.

Je traverse la pièce et rejoins May devant l'armoire. C'est à cet instant-là que notre journée commence vraiment. Nous allons poser ce soir pour Z. G. Li, le plus talentueux des peintres spécialisés dans les réclames, les calendriers et les affiches des « jeunes beautés ». La plupart des familles seraient scandalisées que leurs filles servent ainsi de modèles et s'absentent souvent toute la nuit. Mes parents l'étaient d'ailleurs, au début. Mais lorsque nous avons commencé à gagner de l'argent, leurs scrupules se sont envolés. Papa s'est chargé de placer nos revenus, en nous disant que lorsque nous tomberions amoureuses et déciderions de nous marier, nous n'arriverions pas les mains vides dans les familles de nos futurs époux.

Nous sélectionnons plusieurs *cheongsam* assorties, susceptibles d'évoquer la fraîcheur printanière et la promesse du bonheur auprès des futurs acheteurs du produit dont nous nous
apprêtons à faire la promotion. Je porte finalement mon choix
sur une robe en soie couleur pêche, rehaussée de broderies écarlates. Elle me moule si étroitement le corps que le tailleur a dû
la fendre sur le côté plus haut que d'ordinaire, afin que je puisse
marcher. Des grenouilles du même rouge que les broderies
apparaissent au niveau du col, en travers de la poitrine, sous
l'aisselle et le long du flanc droit. May se glisse quant à elle
dans une *cheongsam* de soie jaune pâle, brodée d'infimes fleurs
blanches aux étamines rouges, et arborant elle aussi des grenouilles écarlates. Son col mandarin monte si haut qu'il lui
effleure les oreilles et ses manches courtes soulignent la min-
ceur de ses bras. Elle donne à ses sourcils la forme des feuilles
de saule – longues, fines, épurées – tandis que je me tamponne
les joues avec de la poudre de riz pour estomper leur rougeur.
Nous enfilons ensuite nos escarpins vermillon à talons hauts et
complétons le tout par un rouge à lèvres assorti.

Récemment, nous avons coupé nos longs cheveux et adopté
les permanentes. May sépare les miens avec soin et rabat les
boucles derrière mes oreilles, d'où elles émergent comme des
pétales de pivoine noirs. Je peigne ensuite les siens, de manière
à ce que ses boucles encadrent son visage. Nous complétons
cela par des boucles d'oreilles en cristal rose, des bagues de jade
et des bracelets d'or. Nos regards se croisent dans le miroir.
Les nombreuses images qui nous représentent sur les affiches
viennent s'ajouter à notre reflet. Nous restons quelques instants
ainsi, savourant cette image de nous-mêmes. Nous avons respectivement dix-huit et vingt et un ans. Nous sommes jeunes,
nous sommes belles, et nous vivons dans le Paris de l'Asie.

Nous descendons les escaliers quatre à quatre, lançons un
rapide bonsoir à la cantonade et émergeons dans la nuit de
Shanghai. Notre maison est située dans le quartier de Hongkew,
juste en face de la rade de Soochow. Elle ne fait pas partie de la
Concession internationale proprement dite, mais celle-ci est suffisamment proche pour que nous nous sentions à l'abri de toute
invasion étrangère. Nous ne sommes pas extrêmement riches
– toutefois cette notion n'est-elle pas toujours relative ? Selon

les normes anglaises, américaines ou japonaises, nous nous en sortons à peine, mais selon les critères chinois nous sommes à la tête d'une véritable fortune – même si certains de nos compatriotes ici ont amassé des fortunes colossales, bien supérieures à celles de nombreux étrangers. Nous sommes des *kaoten Huajen* – des Chinois d'en haut, ayant adopté la religion du *ch'ung yang*, c'est-à-dire idolâtrant tout ce qui vient de l'étranger. Cela va de l'occidentalisation de nos prénoms à l'amour du cinéma, du fromage et du bacon. En tant que membres de la *bu-er-ch'iao-ya* – de la classe bourgeoise –, notre famille est suffisamment prospère pour que nos sept domestiques prennent leurs repas à tour de rôle sur les marches de notre perron, pour bien montrer aux conducteurs de pousse-pousse et aux mendiants qui passent que les employés de la famille Chin disposent d'un toit et mangent à leur faim.

Nous marchons jusqu'à l'angle de la rue et discutons avec plusieurs conducteurs de pousse-pousse, pieds nus et débraillés, afin d'obtenir le meilleur prix. Puis nous grimpons dans le véhicule et nous asseyons côte à côte.

— À la Concession française ! lance May.

Les muscles du jeune homme se contractent sous l'effort qu'il doit faire pour lancer son véhicule, puis il atteint rapidement une certaine vitesse, ce qui soulage la tension que supportent ses épaules et son dos. Il tracte notre pousse-pousse comme une bête de somme, bien que j'éprouve pour ma part un sentiment de totale liberté. Le jour, j'emporte toujours un parasol lorsque je vais faire du shopping, rendre visite à une amie ou donner mes cours d'anglais, mais la nuit, je n'ai pas à m'inquiéter pour mon teint. Assise bien droite, je prends une profonde inspiration et jette un regard à May. Elle est tellement insouciante qu'elle laisse la brise soulever les pans de sa *cheongsam*, ce qui lui dénude les jambes jusqu'à mi-cuisse. Elle qui est un peu aguicheuse ne pourrait pas rêver d'un meilleur endroit que Shanghai pour mettre en valeur ses talents, son rire, sa peau splendide et le charme de sa conversation.

Nous franchissons le pont qui traverse la rade de Soochow puis obliquons sur la droite, laissant derrière nous le Whangpoo et ses effluves nauséabonds d'huile, de charbon, d'algues et d'eaux usées. J'aime Shanghai. C'est une ville absolument unique en Chine. Au lieu des maisons traditionnelles aux toits recourbés et aux tuiles vernissées, nous avons des *mo t'ien talou* – littéralement : de grands bâtiments magiques – qui se dressent dans le ciel. Au lieu des portails en forme de lune, des paravents destinés à nous protéger des esprits, des fenêtres au treillis serré et des colonnes laquées de rouge, nous avons des immeubles néo-classiques en granite, ornés de ferronneries art-déco, de verre gravé et de motifs géométriques. Et au lieu des bosquets de bambous le long des cours d'eau ou des saules pleureurs dont les branches effleurent la surface des bassins, nous avons des villas européennes aux façades strictes et aux élégants balcons, des allées de cyprès et des pelouses soigneusement entretenues, agrémentées de parterres fleuris. La vieille ville chinoise abrite toujours ses temples et ses jardins, mais le reste de Shanghai se prosterne devant les dieux du commerce, de la richesse, de l'industrie et du péché. La ville possède des comptoirs où les marchandises sont déchargées et stockées, des champs de courses pour les chevaux et les lévriers, d'innombrables salles de cinéma et une multitude de clubs dévoués à la danse, à la consommation d'alcool et au commerce charnel. Shanghai est la patrie idéale des millionnaires et des mendiants, des gangsters et des flambeurs, des patriotes et des révolutionnaires, des artistes et des seigneurs de la guerre – et bien sûr de la famille Chin.

Notre conducteur nous entraîne dans des ruelles juste assez larges pour permettre le passage des piétons, des pousse-pousse et des charrettes équipées de bancs qui transportent quelques passagers, moyennant finance. Il débouche enfin sur Bubbling Well Road et s'engage dans l'élégant boulevard, sans se soucier du flot des Chevrolet, des Daimler et des Isotta-Fraschini qui défilent à toute allure. À un feu rouge, une cohorte d'enfants se faufilent à travers les voitures et s'attroupent autour de notre pousse-pousse, tirant sur nos vêtements pour nous quémander un peu d'argent. Chaque bâtiment que nous longeons déverse ses odeurs de mort et de décrépitude, de gingembre et de canard laqué, d'encens et de parfums français. Les voix tonitruantes des natifs de Shanghai, le cliquetis régulier des bouliers et le chuintement métallique des pousse-pousse arpentant les rues – tout cet arrière-plan sonore témoigne que je me trouve bien chez moi.

Notre jeune conducteur s'arrête à la frontière qui sépare la Concession internationale de la Concession française. Nous le payons, traversons la rue – en contournant le cadavre d'un enfant abandonné sur le trottoir – et dénichons un autre pousse-pousse, que sa licence autorise à pénétrer dans la Concession française. Nous lui donnons l'adresse de Z. G., avenue La Fayette.

Notre nouveau conducteur est encore plus sale et transpire encore plus que le précédent. Sa chemise en lambeaux dissimule à peine son torse aux contours squelettiques. Il hésite un instant avant de s'engager dans l'avenue Joffre. Si son nom est français, l'artère est essentiellement occupée par des Russes blancs. Des panneaux en caractères cyrilliques s'étalent sur les façades et de délicieuses odeurs de pain frais et de gâteaux s'échappent des boulangeries russes. Les échos de la musique et de la danse se déversent déjà des clubs. Tandis que nous approchons de l'appartement de Z. G., le quartier change encore d'allure. Nous franchissons l'allée de la Recherche du Bonheur, qui abrite plus de cent cinquante bordels. C'est dans cette rue que les Fleurs Célèbres de Shanghai – les plus talentueuses prostituées de la ville – sont élues chaque année, avant de faire la une des magazines.

Notre conducteur nous dépose et nous le payons. Pendant que nous grimpons jusqu'au troisième étage l'escalier branlant de l'immeuble où habite Z. G., je redonne du bout des doigts un peu de volume à mes cheveux, m'humecte les lèvres et ajuste ma *cheongsam* afin qu'elle retombe impeccablement sur mes hanches. Lorsqu'il ouvre la porte, je suis une fois de plus frappée par la beauté de Z. G. : son épaisse crinière noire, quelque peu hirsute, ses grosses lunettes rondes à monture métallique, l'intensité de son regard, ainsi que toute son attitude, qui trahit ses longues nuits de veille, son tempérament artistique et sa ferveur politique. Je suis relativement grande, mais il l'est encore plus. C'est une des choses que j'aime en lui.

— Vous portez la tenue idéale ! s'exclame-t-il avec enthousiasme. Entrez, entrez !

Nous ne savons jamais à l'avance en quoi consistera notre séance de pose. Récemment, les jeunes femmes jouant au mini-golf, s'apprêtant à plonger au bord d'une piscine ou brandissant un arc pour décocher une flèche se sont avérées extrêmement populaires. Avoir l'air efficace et en bonne santé, voilà l'idéal. Qui sera le mieux à même d'élever les futurs enfants de la Chine ? Réponse : les femmes qui savent jouer au tennis, conduire une voiture, fumer une cigarette, tout en ayant l'air aussi disponibles, mutines et sophistiquées que possible. Z. G. va-t-il nous demander de poser comme si nous nous apprêtions à nous rendre à un thé dansant ? Ou va-t-il composer une scène totalement fictive, qui exigera que nous nous costumions ? May va-t-elle se transformer en Mulan, la grande guerrière, ressuscitée pour les besoins d'une marque de vin ? Vais-je me déguiser en Du Liniang, l'héroïne du *Pavillon des pivoines*, pour vanter les mérites de la savonnette Lux ?

Z. G. nous entraîne devant le décor qu'il a déjà dressé : un coin d'intérieur confortable, avec un fauteuil bien rembourré, un paravent chinois minutieusement sculpté et un grand vase en céramique orné d'un motif alambiqué, d'où émergent quelques branches de prunier en fleur, censées donner une illusion de fraîcheur.

— Aujourd'hui, annonce-t-il, nous vendons les cigarettes « My Dear ». May, je voudrais que tu t'installes dans le fauteuil.

Une fois ma sœur assise, il se recule et la fixe intensément. J'aime Z. G. à cause de la gentillesse et de la sensibilité dont il fait preuve à l'égard de ma sœur. Elle est encore jeune, après tout, et la plupart des jeunes filles bien élevées sont loin de se livrer à ce genre d'activité.

— Détends-toi, lui dit-il. Comme si tu avais passé toute la nuit dehors et que tu t'apprêtais à confier un secret à une amie.

Après avoir installé May, Z. G. m'appelle à mon tour. Il me prend par les hanches et me fait pivoter jusqu'à ce que je sois en appui contre le dossier du fauteuil.

— J'aime ta silhouette élancée et tes longues jambes, me dit-il en disposant mon bras vers l'avant, de façon à ce que mon poids repose sur ma main tandis que je me penche vers May.

Il écarte mes doigts, séparant l'auriculaire des autres. Sa main s'attarde un moment, puis il se recule pour considérer sa composition. Apparemment satisfait, il nous tend les cigarettes.

— Maintenant, Perle, penche-toi vers May comme si tu voulais allumer ta cigarette à l'extrémité de la sienne.

J'obéis. Il s'avance une dernière fois pour déplacer une boucle de cheveux de May et incliner son menton afin que la

27

lumière souligne mieux ses pommettes. C'est peut-être moi que Z. G. préfère peindre – et même effleurer de la main, provoquant en moi de troubles élans – mais le visage de May pourrait vendre n'importe quoi, des allumettes aux carburateurs.

Z. G. s'installe derrière son chevalet. Il n'aime pas que nous parlions pendant qu'il travaille, mais essaie de nous distraire en mettant de la musique sur son phonographe ou en nous tenant des propos badins.

— Perle, pourquoi sommes-nous ici ? Pour nous amuser ou pour gagner de l'argent ? (Il n'attend pas ma réponse, sa question étant purement rhétorique.) Pour ternir ou redorer notre réputation ? Ni l'un ni l'autre, à mon avis. Notre activité est d'un autre ordre. Shanghai est le centre de la beauté et de la modernité. Les Chinois aisés peuvent s'offrir tous les produits qu'ils voient sur nos calendriers. Ceux qui ont moins d'argent peuvent espérer les acquérir un jour. Quant aux pauvres, ma foi, ils doivent se contenter de rêver.

— Lu Hsün pensait autrement, intervient May.

Je pousse un soupir agacé. Tout le monde admire Lu Hsün, le grand écrivain qui est mort l'an dernier, mais cela n'autorise pas May à parler de lui pendant que nous posons. Je me tiens néanmoins tranquille et garde la pose.

— Il rêvait d'une Chine moderne, poursuit May, débarrassée des *lo fan* et de leur influence. Et il se montrait plutôt critique à l'égard des « jeunes beautés ».

— Je sais, je sais, répond Z. G. d'une voix égale.

Je suis surprise par les connaissances de ma sœur. Elle n'a jamais été une grande lectrice, c'est le moins qu'on puisse dire. Elle doit chercher à impressionner Z. G. et cela marche apparemment assez bien.

— J'étais présent le soir où il a prononcé ce discours, poursuit le peintre. Tu aurais bien ri, May – et toi aussi, Perle. Il a justement montré à l'assistance un calendrier où vous figuriez toutes les deux.

— Lequel ? demandé-je en rompant mon silence.

— Il ne s'agissait pas de l'un des miens, mais il vous représente en train de danser le tango. C'est toi, Perle, qui mène ta partenaire et renverse May en arrière. L'image est assez…

— Je m'en souviens très bien ! lance May. Maman était très fâchée quand elle l'a vue. Tu te rappelles, Perle ?

Je m'en souviens parfaitement moi aussi. Maman avait récupéré cette affiche dans la boutique de Nanking Road où elle achète les serviettes destinées à la « petite visiteuse mensuelle ». Elle avait poussé les hauts cris, nous accusant de jeter l'opprobre sur la famille Chin en nous comportant comme des danseuses russes ou de vulgaires entraîneuses. Nous avions essayé de lui expliquer que les calendriers des « jeunes beautés » expriment au contraire les valeurs traditionnelles et la piété filiale. Les commerçants les offrent à leurs meilleurs clients au moment du Nouvel An, tant chinois qu'occidentaux, ou à l'occasion d'une promotion spéciale. Certains finissent chez les colporteurs des rues, qui les revendent aux pauvres pour quelques piécettes. Ces calendriers, avions-nous insisté, sont sans doute les objets les plus précieux aux yeux de la plupart des Chinois, même si nous ne partageons pas nous-mêmes cette croyance. Qu'ils soient riches ou pauvres, les gens règlent leur vie en fonction du soleil, de la lune, des étoiles – et, à Shanghai, des marées du Whangpoo. Jamais ils n'entreprendront une tractation commerciale, ne détermineront la date d'un mariage ou ne commenceront à planter leur riz sans tenir compte des auspices du *feng shui*. Tous ces renseignements figurent dans les calendriers des « jeunes beautés », qui servent ainsi d'almanachs et permettent de déterminer l'ensemble des facteurs relatifs à l'année en cours, qu'ils soient favorables ou potentiellement dangereux. Ils permettent de surcroît de décorer pour une somme modique les foyers des plus démunis.

— Nous embellissons la vie des gens, avait expliqué May. C'est pour cela qu'on nous appelle les « jeunes beautés ».

Mais maman ne s'était calmée qu'après avoir appris qu'il s'agissait d'une publicité pour l'huile de foie de morue.

— Nous participons à la campagne pour la santé des enfants, avait dit May. Tu devrais être fière de nous !

Maman avait finalement accroché le calendrier à la cuisine, près du téléphone, ce qui lui permettait de noter sur nos bras et nos jambes dénudées des numéros importants – ceux du marchand de lait de soja, de l'électricien, de Mme Garnet – ou les dates d'anniversaire des domestiques. Nous faisions néanmoins attention, depuis cet incident, aux affiches que nous ramenions à la maison. Et nous redoutions parfois que certaines d'entre elles ne finissent par tomber entre ses mains, offertes par l'un ou l'autre des commerçants du quartier.

— Lu Hsün prétend que ces affiches sont dépravées et dégoûtantes, reprend May sans pratiquement bouger les lèvres, afin de ne pas altérer son sourire. Il dit que les femmes qui posent pour ces images sont malades – et que cette maladie n'est pas due à la société…

— Mais qu'elle provient des peintres, conclut Z. G. à sa place. Il considère notre activité comme décadente et affirme qu'elle n'aidera en rien la révolution. Mais dis-moi, ma petite May, comment la révolution pourrait-elle se faire sans nous ? Ne réponds pas… Reste assise et tiens-toi tranquille, sinon nous allons y passer la nuit.

Je suis heureuse que le silence revienne. Si j'étais née autrefois, avant la République, il y a belle lurette qu'il m'aurait fallu rejoindre le domicile de mon futur mari, enfermée dans un palanquin laqué de rouge. J'aurais déjà mis au monde plusieurs enfants, en priant chaque fois pour que ce soient des fils. Mais je suis née en 1916, durant la quatrième année de la République. Le bandage des pieds a été banni et la vie des femmes a profondément changé. À Shanghai, les gens considèrent désormais les mariages arrangés comme une pratique rétrograde. Tout le monde veut se marier par amour. En même temps, nous croyons à l'amour libre. Ce qui ne signifie pas que je sois prête à donner ma virginité au premier venu. Mais si Z. G. me le demandait, j'accepterais volontiers.

Il m'a disposée de telle façon que mon visage se trouve en angle droit par rapport à celui de May, et pourtant je ne dois pas le quitter des yeux. Je garde la pose et le dévisage, en songeant à notre avenir commun. L'amour libre est une chose, mais je veux que nous nous mariions. Toutes les nuits, pendant qu'il peint, je songe aux grandes réceptions auxquelles j'ai déjà assisté et j'imagine celle qu'organisera mon père pour notre mariage, à Z. G. et moi.

Un peu avant dix heures, nous entendons l'appel du marchand qui vend des soupes *wonton* :

— Une soupe bien chaude vous aide à transpirer… Cela rend la peau et la nuit plus douce…

Z. G. se fige, le pinceau à la main, et fait mine de se demander où il va poser sa prochaine touche, attendant de voir laquelle de nous deux craquera la première.

Au moment où le marchand passe au pied de l'immeuble, May bondit brusquement en s'exclamant :

— Je n'y tiens plus !

Elle se précipite à la fenêtre, hèle le marchand et lui adresse notre commande habituelle. Puis à l'aide d'une corde que nous avons fabriquée en nouant bout à bout plusieurs paires de bas de soie, elle fait descendre un bol. Le marchand nous fait successivement monter par ce moyen plusieurs bols de soupe, que nous avalons avec appétit. Cet intermède terminé, nous reprenons nos places et nous remettons au travail.

Peu après minuit, Z. G. repose son pinceau.

— C'est tout pour aujourd'hui, dit-il. Je continuerai le décor en attendant votre prochaine séance. Et maintenant, sortons !

Tandis qu'il se change, revêtant un costume à rayures, une cravate et un feutre mou, nous nous étirons, May et moi, pour délasser nos membres engourdis, avant de nous peigner et de nous remaquiller. Et nous voilà bientôt tous les trois dans la rue, bras dessus bras dessous, longeant l'immeuble en riant tandis que les marchands derrière leurs stands nous détaillent leurs spécialités du jour :

— Noix de *gingko* brûlantes ! Bien grosses et bien soufflées !

— Prunes à la vapeur saupoudrées de réglisse ! Dix cents seulement le sachet !

Il y a des vendeurs de pastèques à chaque coin de rue, tous promettant le fruit le plus sucré, le plus frais et le plus juteux de la ville. Aussi alléchantes que soient leurs promesses, nous les ignorons : pour que leurs pastèques soient plus lourdes, la plupart leur injectent de l'eau prélevée dans le fleuve ou dans l'une des baies de la ville. Une simple bouchée suffirait à vous donner la dysenterie, sans parler de la typhoïde ou du choléra…

Nous arrivons au « Casanova », où des amis doivent nous rejoindre plus tard. On nous reconnaît, May et moi, en tant que « jeunes beautés » et on nous installe à une bonne table, près de la piste de danse. Nous commandons du champagne et Z. G.

m'invite à danser. J'aime la manière dont il me tient tandis que nous tournoyons sur la piste. Au bout de deux morceaux, je regarde notre table où May est restée assise, seule dans son coin.

— Peut-être devrais-tu inviter ma sœur à danser, lui dis-je.

— Si tel est ton souhait…

Nous regagnons notre table. Z. G. prend la main de May. L'orchestre vient d'entamer un slow. May pose sa tête contre la poitrine de Z. G., comme si elle écoutait son cœur. Le peintre la fait évoluer avec grâce au milieu des autres couples. Son regard croise soudain le mien et il me sourit. J'ai de vrais rêves de gamine : je songe à notre nuit de noces, à la vie que nous mènerons une fois mariés, aux enfants que nous aurons…

— Te voilà donc !

Je sens un petit baiser sur ma joue, relève les yeux et aperçois mon amie Betsy Howell.

— Il y a longtemps que vous attendez ? reprend-elle.

— Nous venons d'arriver. Assieds-toi. Où est le serveur ? Il va falloir recommander du champagne. As-tu déjà mangé ?

Nous nous asseyons côte à côte, Betsy et moi. Puis nous trinquons et buvons une gorgée de champagne. Betsy est américaine. Son père travaille pour le Département d'État. Je l'apprécie beaucoup, ainsi que sa mère, parce qu'ils m'aiment bien et n'interdisent pas à leur fille de fréquenter une Chinoise, contrairement à tant de parents étrangers. Nous nous sommes connues toutes les deux à la mission méthodiste où l'on m'avait envoyée apprendre les manières occidentales. Est-ce ma meilleure amie ? Honnêtement, non : ma meilleure amie, c'est May. Betsy est loin derrière, en deuxième position.

— Tu es belle, ce soir, lui dis-je. J'aime beaucoup ta robe.

— Encore heureux ! C'est toi qui m'as aidée à la choisir. J'aurais tout l'air d'une vache si tu n'étais pas là.

Betsy est un peu trapue et elle est affligée d'une de ces mères américaines à l'esprit pratique, qui n'ont pas la moindre notion de la mode. Je l'ai donc entraînée chez une couturière qui lui a confectionné quelques vêtements dignes de ce nom. Elle est assez élégante ce soir dans son fourreau de satin vermillon. Une broche rehaussée d'un saphir et d'un diamant est épinglée au-dessus de son sein gauche. Ses boucles blondes retombent négligemment sur ses épaules constellées de taches de rousseur.

— Regarde comme ils sont mignons, me dit-elle en désignant du menton Z. G. et May.

Nous les regardons danser, tout en échangeant des potins sur nos anciennes copines. Lorsque le morceau prend fin, Z. G. et May regagnent notre table. Il a la chance d'avoir trois femmes autour de lui ce soir et il se comporte en galant homme, nous invitant à danser à tour de rôle. Il est près d'une heure du matin lorsque Tommy Hu arrive. Les joues de May s'empourprent légèrement lorsqu'elle l'aperçoit. Maman a joué au mah-jong avec ses parents pendant des années et les deux familles ont toujours rêvé de s'unir. Elle sera donc ravie lorsqu'elle entendra parler de cette rencontre.

À deux heures du matin, nous revoici dans la rue. Nous sommes en juillet, l'atmosphère est humide et chaude. Tout le monde est encore debout, y compris les vieillards et les enfants. C'est l'heure d'aller manger un morceau.

— Tu viens avec nous ? demandé-je à Betsy.

— Je ne sais pas. Où allez-vous ?

Tous les regards se portent sur Z. G. Il lance le nom d'un café de la Concession française, connu pour être le repaire des intellectuels, des artistes et des communistes.

Betsy n'hésite plus.

— Dans ce cas, en route ! Prenons la voiture de mon père.

Le Shanghai que j'aime est un espace fluide et mouvant, où se croisent les gens les plus passionnants. Parfois, Betsy m'emmène prendre un café américain, accompagné de toasts beurrés ; parfois, c'est moi qui l'emmène dans une ruelle étroite pour manger des *hsiao ch'ih* – des petites boulettes de riz gluant enveloppées dans des feuilles de roseaux – ou des gâteaux composés d'un mélange de sucre et de pétales de canéficier. Betsy est d'humeur aventureuse quand elle est avec moi. Elle m'a accompagnée un jour dans la vieille ville chinoise, pour acheter des cadeaux bon marché. Je suis parfois un peu nerveuse quand je pénètre dans les parcs de la Concession internationale : jusqu'à ce que j'aie dix ans, ils étaient interdits aux Chinois, en dehors des *amah* qui promenaient les enfants des étrangers et des jardiniers chargés d'entretenir les pelouses. Mais je n'ai jamais peur quand je suis en compagnie de Betsy, qui fréquente ces parcs depuis sa plus tendre enfance.

Le café est sombre et enfumé, nous ne nous y sentons pourtant pas déplacés, même avec nos vêtements chics. Nous rejoignons un groupe d'amis de Z. G. Tommy et May s'installent un peu à l'écart de notre table, pour parler tranquillement et éviter une discussion animée concernant les véritables « propriétaires » de notre ville : s'agit-il des Anglais, des Américains, des Français ou des Japonais ? Les Chinois sont largement plus nombreux que tous les étrangers réunis, y compris dans la Concession internationale, mais n'ont pratiquement aucun droit. Nous ne nous inquiétons guère de savoir si nous pourrions témoigner contre un étranger devant un tribunal, May et moi, ou si l'on nous laisserait pénétrer dans l'un de leurs clubs privés, mais Betsy vient d'un autre monde.

— D'ici la fin de l'année, dit-elle en nous fixant de ses grands yeux clairs, plus de vingt mille cadavres auront été ramassés dans les rues de la Concession internationale. On en aperçoit tous les jours, et je n'ai pourtant pas l'impression que cela empêche de dormir le moindre d'entre vous.

Betsy croit à la nécessité du changement. On pourrait bien sûr se demander comment elle fait pour nous supporter, May et moi, alors que nous ignorons délibérément ce qui se passe autour de nous…

— Tu nous demandes peut-être si nous aimons notre pays ? intervient Z. G. Il y a deux sortes d'amour, pourrait-on dire : le *ai kuo*, l'amour que l'on ressent pour son pays et pour son peuple ; et le *ai jen*, le sentiment qu'on éprouve pour celle que l'on aime. Le premier relève du patriotisme, le second du romantisme. (Il me regarde et je me sens rougir.) Ne pouvons-nous avoir les deux ?

Il est près de cinq heures du matin lorsque nous quittons le café. Betsy nous salue de la main, monte dans la voiture de son père et s'éloigne. Nous souhaitons bonne nuit – ou bonne journée – à Z. G. et Tommy et hélons un pousse-pousse. Cette fois encore, il nous faut changer de véhicule à la frontière qui sépare la Concession française de la Concession internationale. Le pousse-pousse emprunte ensuite les rues pavées qui nous ramènent jusqu'à chez nous.

La ville, comme une vaste mer, ne s'endort jamais. La nuit reflue, le cycle et le rythme du matin se remettent en route. Les hommes chargés des ordures poussent leurs charrettes dans les ruelles en criant : « Videz vos pots de chambre ! C'est l'heure du ramassage ! Videz vos pots de chambre ! » Shanghai est peut-être l'une des premières villes à posséder le gaz, l'électricité, le téléphone et l'eau courante, mais en matière d'hygiène, elle laisse encore à désirer… Pourtant, les paysans des campagnes environnantes paient un bon prix pour récupérer nos déjections, censées être particulièrement fertiles à cause de la teneur de nos aliments. Les collecteurs d'excréments seront suivis par les marchands qui proposent la nourriture du matin : bouillies à base de graines de lotus et d'abricot, gâteaux de riz à la vapeur à la rose et au sucre blanc, œufs aux cinq épices cuits dans des feuilles de thé…

Nous arrivons chez nous et payons le conducteur, avant de soulever le loquet du portail et de remonter l'allée jusqu'à la porte d'entrée. L'humidité de la nuit qui persiste accentue le parfum des fleurs, des arbustes et des arbres, nous enivrant de la senteur du jasmin, des magnolias et des pins miniatures que fait pousser notre jardinier. Nous grimpons les marches de pierre et franchissons l'écran de bois sculpté qui empêche les mauvais esprits de pénétrer dans la maison – à en croire les superstitions maternelles. Nos talons résonnent sur le parquet lorsque nous traversons l'entrée. La lumière est encore allumée au salon, sur notre gauche. Papa est éveillé, il nous a attendues.

— Asseyez-vous et laissez-moi parler, dit-il en désignant le canapé installé face à lui.

Je lui obéis et croise les chevilles, les mains sur mes genoux. Si une tempête se prépare, autant avoir l'air sage. Le regard préoccupé que mon père avait ces dernières semaines se fige et se durcit brusquement. Les mots qu'il prononce alors vont changer le cours de ma vie.

— J'ai arrangé vos deux mariages, dit-il. La cérémonie aura lieu après-demain.

## Les hommes de la Montagne d'Or

— Ce n'est pas drôle, dit May avec un petit rire.

— Je ne plaisante pas, dit papa. J'ai bel et bien arrangé vos mariages.

J'ai du mal à réaliser ce qu'il vient de dire.

— Que se passe-t-il ? dis-je. Maman est malade ?

— Je vais te le dire, Perle. Il faut que tu te décides à m'écouter et à respecter mes ordres. Je suis votre père et vous êtes mes filles. Telle est la situation.

J'aimerais pouvoir exprimer combien ce qu'il dit me semble absurde.

— Jamais je ne ferai une chose pareille ! s'exclame May avec indignation.

J'essaie de raisonner mon père :

— Ces temps anciens sont révolus. Nous ne sommes plus à l'époque où vous vous êtes mariés, maman et toi.

— Ta mère et moi nous sommes mariés deux ans après la proclamation de la République, répond-il d'une voix maussade, mais là n'est pas la question.

— Votre mariage n'en avait pas moins été arrangé, rétorqué-je. A-t-il fallu que tu répondes aux questions d'une entremetteuse concernant nos talents en matière de couture et de broderie ? (Le sarcasme est perceptible dans ma voix.) Pour ma dot, as-tu pensé à m'acheter une chaise percée décorée du motif du phénix et du dragon, symbolisant la perfection de cette union ? Et une autre pour May, remplie à titre propitiatoire d'œufs peints en rouge destinés à sa belle-famille, afin qu'elle ait de nombreux enfants ?

— Tu peux bien dire ce que tu veux, répond papa en haussant les épaules. Tu ne t'en marieras pas moins pour autant.

— Jamais je ne ferai une chose pareille ! répète May. Tu ne peux pas m'y obliger.

Elle a toujours été douée pour les larmes et éclate brusquement en sanglots.

Voyant que papa ne fait même pas attention à elle, je comprends que la situation est sérieuse. Il me dévisage comme s'il me voyait pour la première fois.

— Ne me dis pas que tu comptais te marier par amour, lance-t-il sur un ton à la fois cruel et triomphant. Personne ne se marie par amour. Et cela n'a pas été mon cas.

Je prends une profonde inspiration, me retourne et aperçois ma mère, encore en pyjama, dans l'embrasure de la porte. Nous la regardons traverser la pièce sur ses pieds bandés, de sa démarche ondulante, avant de s'effondrer dans un fauteuil sculpté en bois de poirier. Elle croise les mains et baisse les yeux. Au bout d'un moment, des larmes apparaissent au bord de ses paupières et tombent sur ses mains jointes. Personne ne dit un mot.

Je me redresse sur ma chaise, aussi droite que possible, de manière à pouvoir regarder mon père de haut, en sachant pertinemment qu'il déteste ça. Puis je prends la main de May. Nous sommes fortes si nous sommes ensemble. Et nous avons nos économies.

— Je parle pour nous deux, dis-je à mon père, et je te demande respectueusement de nous rendre l'argent que nous t'avons confié.

Une grimace déforme le visage de mon père.

— Nous sommes suffisamment grandes à présent pour aller vivre de notre côté, poursuis-je. Nous louerons un appartement, May et moi, et gagnerons notre vie comme nous l'entendons. Nous comptons décider nous-mêmes de l'avenir qui nous attend.

Tandis que je parle, May opine du menton en souriant à papa, mais les larmes qui sillonnent son visage atténuent une partie de son charme.

Maman trouve le courage de murmurer :

— Je ne veux pas que vous partiez vivre ailleurs.

— Cela ne risque pas d'arriver, de toute façon, dit papa. Nous n'avons plus d'argent. Et cela vaut pour le vôtre autant que pour le mien.

Un silence accablé s'installe à nouveau dans la pièce. Ma sœur et ma mère me laissent le soin de lui demander :

— Qu'as-tu donc fait ?

Dans son désespoir, papa rejette la faute sur nous :

— Ta mère est toujours en train de jouer avec ses amies. Quant à vous deux, vous dépensez sans compter. Aucune parmi vous n'est capable de voir ce qui se passe sous son nez.

Il n'a pas tort. La veille encore, je me demandais où étaient passés le lampadaire, les appliques murales, le ventilateur et...

— Que sont devenus nos domestiques ? lancé-je. Où sont Pansy, Ah Fong et...

— Je les ai congédiés, dit papa. Ils nous ont tous quittés, à l'exception du jardinier et du cuisinier.

Ces deux-là, il était bien obligé de les garder. Sinon, le jardin péricliterait vite et nos voisins comprendraient que quelque chose ne tourne pas rond. Quant au cuisinier, impossible de se passer de lui : maman est incapable de faire à manger, elle se contente de lui donner des ordres. Et May et moi ne serions pas fichues de préparer le moindre plat. Nous ne nous sommes jamais souciées d'apprendre à cuisiner, tellement nous étions loin de nous imaginer que cela pourrait un jour nous être utile. Mais le boy ? Les domestiques de papa ? Les deux servantes ? Et l'assistant du cuisinier ? Comment papa a-t-il pu causer du tort à tant de gens ?

— Tu as perdu cet argent au jeu ? Eh bien, regagne-le ! lancé-je sans ménagement. C'est ce que tu fais d'habitude.

Mon père a beau avoir la réputation d'être un homme important, je l'ai toujours vu pour ma part comme quelqu'un d'inefficace et de faible. Rien qu'à la façon dont il me regarde en ce moment, je lis en lui comme dans un livre ouvert.

— La situation est à ce point dramatique ?

J'ai beau être en colère – comment ne le serais-je pas ? – je ressens un sentiment croissant de pitié à l'égard de mon père, et plus encore de ma mère. Que va-t-il leur arriver ? Qu'allons-nous tous devenir ?

Papa baisse les yeux.

— Tout y est passé, dit-il. La maison, l'entreprise de pousse-pousse, vos économies, ce que j'avais pu mettre de côté… Nous n'avons plus rien.

Au bout d'un long moment, il relève la tête et me dévisage à nouveau. Son regard implorant est empli de remords et de détresse.

— Les histoires finissent toujours mal, ajoute maman, comme si ses sombres prédictions venaient enfin de se réaliser. On ne peut rien contre le mauvais sort.

Papa l'ignore et en appelle à mon sens de la piété filiale, ainsi qu'à mes devoirs de sœur aînée :

— Veux-tu que ta mère aille mendier dans les rues ? Sans parler de ce qui risque de vous arriver, à ta sœur et toi… En tant que « jeunes beautés », vous êtes déjà sur la mauvaise pente. La seule question qui se pose est la suivante : allez-vous vous placer sous la protection d'un homme ou tomberez-vous aussi bas que les prostituées qui arpentent la rue Sanglante à la recherche de marins étrangers ? Pour quel avenir allez-vous opter ?

J'ai reçu une certaine éducation, mais à quoi suis-je bonne ? J'enseigne l'anglais à un capitaine japonais trois matinées par semaine. May et moi posons pour des peintres, mais nos revenus ne suffiraient même pas à payer les robes, chapeaux, chaussures et gants dont nous avons besoin. Je n'ai aucune envie de nous voir réduites à la mendicité, et moins encore à la prostitution. Quoi qu'il advienne, je me dois de protéger ma sœur.

— Qui sont nos futurs maris ? dis-je enfin. Pouvons-nous d'abord les rencontrer ?

May ouvre de grands yeux.

— C'est contraire à la tradition, dit papa.

— Je refuse d'épouser qui que ce soit sans l'avoir d'abord rencontré, insisté-je.

— Ne comptez pas sur moi pour accepter une chose pareille, lance May.

Son intonation contredit ses paroles et témoigne qu'elle a capitulé. Nous pouvons nous comporter à bien des égards comme des jeunes filles modernes, nous n'échappons pas pour autant à notre condition : étant chinoises, nous devons obéir à notre père.

— Ce sont des hommes de la Montagne d'Or, dit papa. Des Américains. Ils sont venus en Chine pour se marier. C'est une bonne nouvelle, vraiment. La famille de leur père est originaire du même district que la nôtre. Nous sommes presque cousins. Vous ne serez pas obligées de partir à Los Angeles avec vos maris. Les Chinois d'Amérique sont heureux de laisser leurs épouses ici, en Chine, pour qu'elles s'occupent de leurs parents et de leurs ancêtres. Pendant ce temps, ils peuvent se consacrer à leurs maîtresses, aux blondes *lo fan* qu'ils ont là-bas en Amérique. Considérez qu'il s'agit d'une simple transaction commerciale, destinée à sauver votre famille du naufrage. Mais si vous choisissez de suivre vos maris, vous aurez droit à une belle maison, à des domestiques qui feront le ménage à votre place, à des *amah* qui s'occuperont de vos enfants. Et vous habiterez à *Haolaiwu* – à Hollywood. Je sais que vous aimez toutes les deux le cinéma. Cette vie te plaira, May, j'en suis sûr. *Haolaiwu*… Tu te rends compte !

— Mais nous ne les connaissons même pas ! lui rétorque May.

— Vous connaissez pourtant leur père, répond calmement papa. Vous avez déjà rencontré le Vieux Louie.

May a une moue dégoûtée. Nous l'avons effectivement rencontré. Je n'ai jamais aimé l'usage immodéré des surnoms que fait notre mère, mais pour May et moi, ce Chinois de l'étranger à la stature longiligne et à la mine sévère a toujours été le Vieux Louie. Comme l'a dit papa, il vit à Los Angeles, mais vient pratiquement tous les ans à Shanghai, afin de s'assurer de la bonne marche de ses affaires. Il possède ici une usine de meubles en rotin et une autre qui fabrique de la porcelaine à bas prix, destinée à l'exportation. Mais peu m'importe qu'il soit riche. Je n'ai jamais aimé la manière dont il nous observait, May et moi, avec l'expression d'un chat qui se lèche les babines. Cela m'était égal pour ce qui me concerne, mais May n'avait que seize ans la dernière fois qu'il est venu. Il n'aurait pas dû la dévorer ainsi des yeux à son âge – il a au moins soixante-cinq ans – et pourtant papa ne lui a rien dit, il s'est contenté de demander à May de lui resservir du thé.

La vérité m'apparaît brusquement.

— C'est en jouant avec le Vieux Louie que tu as tout perdu ? lancé-je.

— Pas exactement…

— Avec qui, alors ?

— Ces choses sont toujours difficiles à expliquer… (Papa tapote la table et détourne les yeux.) J'en ai perdu une partie par-ci, une autre par-là…

— Je te crois volontiers, puisque tu as également perdu l'argent que nous t'avions confié. Il t'a sûrement fallu des mois, des années peut-être, pour en arriver là !

— Perle...

Ma mère essaie de m'empêcher d'en dire davantage, mais la colère qui bout en moi est trop forte pour que je puisse la contenir.

— La perte doit être colossale, puisqu'elle menace tout ceci. (Je désigne d'un geste la pièce, les meubles, l'ensemble de la maison – tout ce que notre père était parvenu à édifier pour nous.) À combien se monte exactement ta dette ? Et comment comptes-tu la rembourser ?

May s'arrête de pleurer. Ma mère continue de se taire.

— J'ai tout perdu contre le Vieux Louie, reconnaît enfin papa avec réticence. Il nous laissera occuper cette maison, ta mère et moi, à condition que May épouse son fils cadet, et toi son fils aîné. Nous pourrons ainsi bénéficier d'un toit, en attendant que je trouve du travail. Vous, mes deux filles, vous êtes notre seul capital.

May porte la main à ses lèvres, se lève et se précipite hors de la pièce.

— Dis à ta sœur que j'organiserai une rencontre pour cet après-midi, opine papa. Et soyez-moi au moins reconnaissantes de m'être arrangé pour que vous épousiez deux frères : de la sorte, vous ne serez pas séparées. Monte dans ta chambre à présent. Nous avons des questions à régler, ta mère et moi.

Dans la rue, les vendeurs de petits déjeuners s'en sont allés, remplacés par une armée de colporteurs dont les voix s'élèvent, cherchant à séduire leur clientèle :

— *Pu, pu, pu*, la racine rouge qui éclaircit le teint ! Donnez-en à votre bébé et il échappera aux rougeurs de l'été !

— *Hou, hou, hou,* je rase les barbes, coupe les cheveux, taille les ongles !

— *A-hu-a, a-hu-a*, je rachète tous vos détritus ! J'échange vos vieilles bouteilles et votre verre brisé contre des allumettes !

Deux heures plus tard, je me rends dans le quartier japonais de Hongkew, où je dois retrouver mon élève. Pourquoi n'ai-je pas annulé le rendez-vous ? Quand le monde s'écroule, à quoi bon respecter ce genre d'engagement ? Mais nous avons besoin de cet argent, May et moi.

Dans une sorte de brume, l'ascenseur me conduit jusqu'à l'appartement du capitaine Yamasaki. Il a fait partie de l'équipe du Japon lors des jeux Olympiques de 1932 et aime évoquer les souvenirs glorieux qu'il a ramenés de Los Angeles. Ce n'est pas un mauvais bougre, mais il s'est entiché de May. Elle a commis l'erreur de sortir avec lui à deux ou trois reprises, aussi commence-t-il généralement par m'interroger à son sujet, chaque fois que je le retrouve.

— Où est votre sœur aujourd'hui ? me demande-t-il en anglais, lorsque nous avons fini d'examiner ensemble le travail qu'il avait à faire.

Je mens :

— Elle est malade. Elle dort encore en ce moment.

— Désolé d'apprendre si triste nouvelle. Chaque jour je vous demande quand elle sortira encore avec moi. Chaque jour vous me dites que vous ne savez pas.

— Erreur : nous ne nous voyons que trois fois par semaine.

— Aidez-moi, s'il vous plaît, à épouser May.

Il me tend une feuille de papier où il a noté sa proposition et ses conditions de mariage. Je vois bien qu'il s'est servi de son dictionnaire japonais-anglais, mais cela dépasse les bornes. Surtout en un jour pareil… Je regarde l'horloge : nous en avons encore pour trois-quarts d'heure. Je plie la feuille et la glisse dans mon sac à main.

— Je corrigerai les fautes et vous la rendrai la prochaine fois, dis-je.

— Donnez à May !

— Je *la* lui donnerai, mais comprenez qu'elle est trop jeune pour se marier. Mon père ne le permettrait pas.

Comme les mensonges me viennent aisément à la bouche…

— Il pourrait. Il devrait. C'est une époque d'Amitié, de Coopération et de Prospérité commune. Les races d'Asie devraient s'unir contre l'Occident. Les Chinois et les Japonais sont frères.

C'est vite dit… Nous traitons les Japonais de singes et de bandits nabots. Mais le capitaine revient souvent sur le sujet et il a fort bien assimilé ces slogans, tant en anglais qu'en chinois.

Il me considère d'un air maussade.

— Vous n'allez pas lui donner, n'est-ce pas ? (Et comme je ne réagis pas assez vite, il ajoute en fronçant les sourcils :) Je ne fais pas confiance aux Chinoises. Ce sont toutes des menteuses.

Il m'a déjà tenu des propos de ce genre et je ne les apprécie pas plus aujourd'hui que précédemment.

— Je ne vous mens pas, dis-je. (Ce qui est parfaitement contraire à la vérité.)

— Les Chinoises ne tiennent jamais leurs promesses. Elles mentent dans le cœur.

— Dans *leur* cœur, le corrigé-je. (Il faut que je fasse dévier la conversation sur un autre sujet. Aujourd'hui, cela vient facilement.) Vous avez aimé Los Angeles ?

— Beaucoup. Bientôt je retournerai en Amérique.

— Pour un autre championnat de natation ?

— Non.

— Comme étudiant ?

— Non, comme… (Il revient au chinois et utilise un mot qui lui est parfaitement familier dans notre langue.) Comme conquérant.

— Vraiment ? dis-je. Comment cela ?

— Nous marcherons sur Washington, dit-il en repassant à l'anglais. Les filles yankees laveront notre linge.

Il éclate de rire. Je ris à mon tour. Et la leçon continue.

Dès que l'heure s'est écoulée, j'empoche mon maigre salaire et rentre à la maison. May est endormie. Je m'allonge à ses côtés, pose la main sur sa hanche et ferme les yeux. J'ai envie de dormir mais les images et les émotions se bousculent dans ma tête. Je croyais que j'étais moderne. Je croyais que j'avais le choix. Je croyais que je ne ressemblais en rien à ma mère. Mais les dettes de jeu de mon père ont balayé tout ça. Sous peu je serai vendue – échangée comme tant d'autres filles avant moi – afin de venir en aide à ma famille. Je me sens tellement impuissante et prise au piège que je parviens à peine à respirer.

J'essaie de me dire que la situation n'est pas aussi désespérée qu'il y paraît. Mon père a même dit que nous ne serons pas obligées, May et moi, de suivre ces étrangers à l'autre bout du monde. Il suffira de signer les papiers, nos « maris » partiront et la vie reprendra comme auparavant – à une nuance près, mais elle est de taille : nous en profiterons pour quitter la maison familiale et nous débrouiller par nous-mêmes. J'attendrai que mon mari ait quitté le pays, puis je l'accuserai d'abandon et réclamerai le divorce. Je pourrai ensuite épouser Z. G. (Ce sera du coup un mariage plus modeste que je ne l'avais imaginé – peut-être une simple soirée dans un café avec nos amis artistes et quelques autres « jeunes beautés ».) Je travaillerai pendant la journée. May vivra avec nous jusqu'à ce qu'elle se remarie à son tour. Nous prendrons soin l'une de l'autre. Nous nous en sortirons.

Je me redresse et me frotte les tempes. Je suis idiote de rêver ainsi. Peut-être cela fait-il trop longtemps que je vis à Shanghai.

Je secoue doucement ma sœur par l'épaule.

— May... Réveille-toi...

Elle ouvre les yeux et pendant une fraction de seconde je retrouve dans son regard la douceur et la gentillesse qui correspondent à sa nature profonde, depuis sa plus tendre enfance. Puis la réalité lui revient à l'esprit et son regard s'assombrit.

— Il faut nous habiller, dis-je. Il est quasiment l'heure d'aller rencontrer nos maris.

Que devons-nous mettre ? Les fils de Louie étant chinois, peut-être devrions-nous porter des *cheongsam* traditionnelles ? Mais ils sont également américains : peut-être vaudrait-il mieux arborer une tenue montrant que nous sommes occidentalisées, nous aussi ? Ce n'est pas que nous cherchions à leur *plaire*, mais nous ne pouvons pas nous permettre non plus de faire capoter l'affaire. Nous enfilons finalement des robes en rayonne, ornées de motifs floraux. Nous échangeons un regard, May et moi, haussons les épaules devant l'inutilité de toute cette comédie et quittons la maison.

Nous hélons un pousse-pousse et demandons au conducteur de nous conduire à l'endroit qu'a choisi notre père pour ce rendez-vous : l'entrée du jardin de Yu Yuan, au cœur de la vieille ville chinoise. Le conducteur – dont le crâne rasé est constellé de cicatrices dues à la teigne – nous emmène dans la chaleur et la cohue de la rade de Soochow jusqu'au pont du Jardin, puis le long du Bund. Nous croisons des diplomates, des écolières en uniforme, des prostituées, des seigneurs accompagnés de leurs épouses et des membres de la célèbre Triade Verte, drapés dans leurs manteaux noirs. Hier, tout ce mélange me semblait encore excitant. Aujourd'hui, il me paraît sordide et inquiétant.

Le Whangpoo s'étire sur notre gauche comme un serpent indolent dont la peau noire de crasse ondulerait, parcourue de frissons. À Shanghai, on n'échappe pas au fleuve. C'est sur lui que débouchent toutes les rues situées à l'est de la ville. Sur ce vaste cours d'eau sont amarrés des navires de guerre anglais, français, japonais, italiens et américains. Des sampans tendus de cordages où sèchent du linge et des filets sont tassés les uns contre les autres, comme des insectes grouillant sur une carcasse. Des barques chargées d'excréments se fraient un passage au milieu des radeaux de bambou et des petits caboteurs attachés au service des paquebots. Des coolies torse nu, ruisselant de sueur, grouillent le long des quais, déchargeant les caisses d'opium et de tabac des navires marchands, les sacs de graines et de céréales des jonques qui ont remonté le fleuve et les paniers remplis de poulets, les jarres pleines de sauce de soja et les grands rouleaux de rotin des barques à fond plat qui sillonnent le port.

Sur notre droite se dressent les immeubles à cinq ou six étages – les palais étrangers de l'abondance, de l'avarice et du profit. Notre pousse-pousse longe l'hôtel Cathay et son toit en forme de pyramide, le bâtiment des douanes avec sa grande horloge et la banque de Hong Kong et de Shanghai avec ses lions de bronze majestueux, dont les passants caressent dévotement les pattes pour que le sort les favorise et que leurs épouses mettent au monde des fils. Parvenues à la limite de la Concession française, nous payons notre conducteur et poursuivons notre chemin à pied, le long de ce qui devient bientôt le quai de France. Quelques centaines de mètres plus loin, nous quittons les berges du fleuve et nous enfonçons dans la vieille ville chinoise.

Il y a quelque chose de rebutant et même d'un peu effrayant dans le fait de se retrouver ici, comme si nous retournions dans le passé – ce qui est précisément l'intention de papa, en nous obligeant à nous marier de la sorte. Et pourtant nous lui avons obéi, May et moi, avec la docilité des chiens et la stupidité des buffles. Je me couvre le nez de mon mouchoir parfumé à la lavande pour atténuer les relents de cadavres, d'huile rance et d'excréments – sans parler de la viande crue qui pourrit dans la chaleur ambiante.

D'ordinaire, j'ai tendance à ignorer les aspects les plus odieux de la ville où je réside, mais aujourd'hui je puis difficilement les éviter. On croise par ici des mendiants aux orbites vides et aux membres atrophiés, que leurs parents ont volontairement déformés pour susciter la pitié des passants. Certains présentent des plaies purulentes et des excroissances hideuses, gonflées à l'aide d'une pompe à vélo pour atteindre une taille monstrueuse. Nous nous frayons un chemin dans des ruelles où pendent des couches, des tissus destinés au bandage des pieds et des pantalons en loques. Dans la vieille ville chinoise, les femmes qui lavent ces articles sont trop paresseuses pour les essorer et l'eau nous ruisselle dessus comme une soudaine ondée. Chaque pas que nous faisons nous rappelle de quelle manière nous pourrions finir si nous refusions d'en passer par ces mariages.

Nous retrouvons les fils de Louie devant le portail du jardin de Yu Yuan. Nous nous adressons à eux en anglais, mais ils ne semblent pas vouloir se servir de cette langue. Leur père est originaire de la région des Quatre Districts, dans la province de Canton, ils parlent donc naturellement le dialecte de Sze Yup – que May ne maîtrise pas, mais je lui sers de traductrice. Comme nombre d'entre nous, ils ont opté pour des prénoms occidentaux. L'aîné se désigne : « Sam. » Puis il montre son frère cadet et déclare dans le dialecte de Sze Yup : « Son prénom est Vernon, mais nos parents l'appellent Vern. »

J'aime Z. G. – et même si ce Sam a une certaine allure, je ne vais pas me laisser impressionner pour autant. Quant au futur mari de May, le dénommé Vern, il doit à peine avoir quatorze ans et n'a même pas atteint sa taille adulte. Papa avait omis de nous préciser ce détail.

Nous nous dévisageons les uns les autres, mais ce spectacle n'enchante visiblement personne. Chacun baisse ensuite les yeux ou lève le nez en l'air pour se donner une contenance. Je me dis brusquement que les deux jeunes gens n'ont peut-être pas plus envie que nous de ce double mariage. Si tel est le cas, il suffit que nous considérions *tous* l'affaire comme une simple transaction commerciale. Nous signerons les papiers officiels et nous retournerons ensuite à nos vies respectives, sans avoir le cœur brisé ni nous être fait violence. Mais cela n'enlève rien au côté embarrassant de la situation.

— Peut-être devrions-nous faire quelques pas, dis-je.

Personne ne réagit. Toutefois, lorsque je me mets en marche, tout le monde m'emboîte le pas. Nos semelles crissent sur le sentier labyrinthique qui longe des bassins, des grottes et des rochers. Les saules frémissent dans la moiteur de l'air, procurant une illusion de fraîcheur. Des pavillons en bois sculptés et laqués d'or évoquent la grandeur d'un passé immémorial. Tout a été conçu pour créer un sentiment d'équilibre et d'unité, mais le jardin a souffert toute la matinée du soleil de juillet et l'atmosphère de l'après-midi est aussi lourde qu'étouffante.

Le jeune Vern se précipite vers l'un des amas de rocaille et entreprend d'escalader sa pente escarpée. May se tourne vers moi et son regard semble me demander : *Que dois-je faire à présent ?* Je n'en ai pas la moindre idée et Sam reste muet, lui aussi. Ma sœur fait demi-tour, s'avance jusqu'au pied de la pente rocheuse et demande d'une voix douce au jeune garçon de redescendre. Je ne pense pas qu'il comprenne ce qu'elle lui dit parce qu'il reste au sommet, dans une attitude qui évoque un peu celle d'un pirate en pleine mer. Sam et moi continuons de marcher et arrivons devant le rocher du Jade Exquis.

— Je suis déjà venu ici, murmure-t-il d'une voix hésitante, dans le dialecte de Sze Yup. Savez-vous comment cette pierre s'est retrouvée à cet endroit ?

Je m'abstiens de lui dire que j'évite généralement de mettre les pieds dans la vieille ville chinoise. Au lieu de ça, je lui réponds en essayant de me montrer polie :

— Asseyons-nous quelque part, vous allez me raconter ça.

Nous nous installons sur un banc et regardons la pierre, qui ressemble pour moi à n'importe quel rocher.

— Pendant la dynastie des Song du Nord, commence-t-il, l'empereur Hui Tsung avait un goût prononcé pour les curiosités naturelles. Il avait envoyé des émissaires dans les provinces du Sud afin qu'ils lui ramènent leurs plus étonnantes trouvailles. Ils découvrirent ce rocher et le chargèrent à bord d'un navire, mais il n'arriva jamais au palais impérial. Une tempête – due peut-être à un typhon, ou à la colère des dieux du fleuve – fit couler le navire au fond du Whangpoo.

Sam a une voix plutôt agréable – ni trop forte, ni trop autoritaire. Tandis qu'il parle, je garde les yeux baissés et observe ses pieds. Il a étendu ses jambes devant lui, exposant ses chaussures en cuir flambant neuves. Je m'enhardis et laisse remonter mon regard jusqu'à son visage. La nature l'a plutôt gâté. J'irai même jusqu'à dire qu'il est assez séduisant. Il a des traits fins et le visage long comme un grain de riz, ce qui accentue le tranchant de ses pommettes. Sa peau est un peu trop foncée à mon goût, mais c'est compréhensible : il vit à Hollywood, et j'ai entendu dire que là-bas les vedettes de cinéma prennent des bains de soleil pour que leur peau soit bronzée. Ses cheveux ne sont pas d'un noir impeccable, des reflets rouges y apparaissent à la lumière du soleil. On prétend par ici que ce sont les pauvres qui sont sujets à ce phénomène, à cause de leur mauvaise alimentation. Peut-être qu'en Amérique la nourriture est si riche et si abondante que cela provoque le même résultat... Il est habillé avec goût et je dois reconnaître que son costume neuf a été fort bien coupé. Et son père l'a déjà associé à ses affaires. Si je n'étais pas amoureuse de Z. G., Sam pourrait représenter un parti intéressant.

— La famille Pan a repêché le rocher dans le fleuve, poursuit-il, et l'a installé ici. Vous pouvez constater qu'il réunit toutes les conditions requises pour incarner la pierre idéale : il paraît poreux comme une éponge, il a une forme harmonieuse et il évoque à lui seul des centaines d'années d'histoire.

Il retombe à nouveau dans son silence. Un peu plus loin, les mains sur les hanches, May fait le tour de l'amas rocheux, visiblement contrariée. Elle appelle Vern une dernière fois puis regarde autour d'elle, en me cherchant des yeux. Elle lève ensuite les bras au ciel, en signe d'impuissance, et se dirige vers nous.

À côté de moi, Sam déclare brusquement :

— Vous me plaisez. Est-ce que je vous plais ?

Acquiescer semble encore la meilleure solution.

— Bien, commente-t-il. Je dirai à mon père que nous serons heureux ensemble.


Dès que nous avons quitté Sam et Vern, je hèle un pousse-pousse. May grimpe dans le véhicule, mais je ne l'imite pas.

— Rentre à la maison, lui dis-je. J'ai quelque chose à faire, je te rejoindrai plus tard.

— Mais il faut que je te parle… (Elle agrippe l'accoudoir du pousse-pousse avec une telle violence que les jointures de ses phalanges deviennent toutes blanches.) Ce garçon ne m'a même pas dit un mot !

— Tu ne parles pas le dialecte de Sze Yup.

— Ce n'est pas seulement dû à ça. Il se comporte comme un enfant. Et d'ailleurs, *c'est* encore un enfant…

— Ça n'a pas d'importance, May.

— Tu peux parler… Tu as hérité du plus beau des deux.

J'essaie de lui expliquer qu'il s'agit d'une simple transaction commerciale, mais elle ne m'écoute pas. Elle se met à taper du pied et le conducteur doit faire un effort pour que son véhicule ne se renverse pas.

— Je ne veux pas l'épouser ! gémit-elle. Si nous devons en passer par là, laisse-moi au moins épouser Sam !

Je pousse un soupir agacé. May est coutumière de ce genre de caprice et de ces brusques bouffées de jalousie, mais ils n'ont généralement pas plus de conséquence qu'une simple pluie d'été. Nous savons, mes parents et moi, que la meilleure façon de les gérer est de ne pas la contrarier et d'attendre que l'orage se soit dissipé.

— Nous parlerons de tout cela plus tard, dis-je. Je te retrouve à la maison.

Je fais signe au conducteur, qui donne de l'élan à son pousse-pousse et se met à courir, pieds nus sur la route pavée. J'attends qu'ils aient disparu au tournant et me dirige vers l'ancienne porte de l'Ouest, où je trouve un nouveau pousse-pousse. Je lui donne l'adresse de Z. G., dans la Concession française.

Une fois arrivé chez lui, je grimpe les escaliers quatre à quatre et tambourine à sa porte. Z. G. vient m'ouvrir, la cigarette aux lèvres, vêtu d'un maillot de corps et d'un pantalon militaire retenu à la taille par une cravate en guise de ceinture. Je tombe dans ses bras et fonds en larmes, donnant libre cours à la détresse que j'avais réussi à endiguer jusqu'ici. Je lui raconte tout : que ma famille est ruinée, que nous allons devoir épouser des Chinois de l'étranger, May et moi, mais que je l'aime à la folie.

Sur le chemin, en me rendant chez lui, j'ai essayé d'imaginer sa réaction. Peut-être allait-il me dire quelque chose du genre :

« Je ne crois pas au mariage, mais je t'aime et je veux que tu viennes partager ma vie. » Ou encore, plus courageusement : « Nous allons nous marier, ne t'inquiète pas, tout se passera bien. » Sans doute allait-il aussi me parler de May et proposer qu'elle vienne vivre avec nous, en m'assurant qu'il l'aimait comme une sœur. J'avais même envisagé qu'il se mette en colère et se précipite chez mon père, afin de lui donner la correction qu'il méritait. Mais en fin de compte, Z. G. me sort la seule réplique à laquelle je ne m'attendais pas :

— Tu devrais épouser cet homme. Il semble que ce soit un bon parti et tu as un devoir à remplir envers ton père. Souviens-toi de la maxime que nous avons tous apprise : « En tant que fille, obéis à ton père ; en tant qu'épouse, obéis à ton mari ; en tant que veuve, obéis à ton fils. »

— Je ne crois pas à ces bêtises ! Pas plus que toi, d'ailleurs ! Cette manière de raisonner est bonne pour ma mère, mais elle ne te convient guère. (Je suis blessée, mais plus encore : je suis très en colère.) Comment peux-tu me dire une chose pareille ? Nous nous aimons, toi et moi. On ne tient pas ce genre de propos à la femme qu'on aime.

S'il ne répond rien, son expression trahit l'ennui et l'irritation que lui inspire un comportement aussi infantile.

Blessée comme je le suis, indignée et trop jeune encore pour envisager une autre solution, je prends la fuite. Je dévale les escaliers en pleurant et me couvre de ridicule devant la logeuse de Z. G., en me comportant de manière aussi puérile que ma sœur. Cela n'a aucun sens, mais il arrive à beaucoup de femmes – ainsi qu'à certains hommes – d'agir de manière irréfléchie. J'imagine… Je ne sais pas trop ce que j'imagine… Qu'il va se précipiter à son tour dans l'escalier pour me rattraper. Me prendre dans ses bras comme au cinéma. M'enlever le soir même chez mes parents. Que nous nous enfuirons ensemble… Et même, dans le pire des cas, que j'épouserai Sam et que j'aurai une liaison ma vie durant avec l'homme que j'aime, comme le font de nos jours tant de femmes mariées à Shanghai. Ce qui n'est pas un dénouement si dramatique, après tout…

Quand je raconte à ma sœur comment les choses se sont passées avec Z. G., elle blêmit sous l'effet de la compassion.

— Je ne savais pas que tu nourrissais un tel sentiment pour lui, me dit-elle d'une voix si douce que je l'entends à peine.

Elle me serre dans ses bras et j'éclate en sanglots. Une fois calmée, je sens son cœur battre en harmonie avec le mien, au plus profond d'elle-même. Nous ne pourrions pas être plus proches. Quoi qu'il advienne, nous survivrons ensemble.

J'avais longtemps rêvé de mon mariage avec Z. G., mais la manière dont les choses se passent avec Sam ne correspond en rien à ce que j'avais pu imaginer. Pas de Chantilly, pas de voile de huit mètres de long, pas de pluie de pétales parfumés clôturant la cérémonie à l'occidentale. Pour le banquet à la chinoise, May et moi n'avons pas eu droit aux robes brodées de rouge ni aux coiffures en forme de phénix, qui auraient oscillé à chacun de nos pas. Pas plus qu'à un grand rassemblement familial, aux cancans et aux plaisanteries plus ou moins douteuses, aux enfants qui courent en riant dans tous les coins. À deux heures de l'après-midi, nous arrivons au tribunal, où nous retrouvons Sam, Vern et leur père. Le Vieux Louie correspond bien à mon souvenir, avec sa stature longiligne et sa mine sévère. Les mains croisées derrière le dos, il surveille les deux couples en train de signer les documents officiels : mariés, le 24 juillet 1937. À quatre heures, nous nous rendons au consulat américain et remplissons les formulaires destinés aux visas d'immigration. May et moi devons cocher les cases certifiant que nous n'avons jamais été en prison, dans un hospice ou un asile d'aliénés, que nous ne sommes pas alcooliques, anarchistes, mendiantes professionnelles, prostituées, simples d'esprit, épileptiques, tuberculeuses, illettrées, et que nous ne souffrons pas d'insuffisance psychopathique (quoi que puisse signifier ce terme). Dès que nous avons signé ces formulaires, le Vieux Louie les plie et les glisse dans la poche de sa veste. À six heures, nous retrouvons nos parents dans un hôtel banal, destinés aux Chinois et aux étrangers qui traversent une passe difficile, et nous dînons dans la salle à manger principale. L'assemblée se compose en tout et pour tout des quatre jeunes mariés, de mes parents et du Vieux Louie. Papa essaie bien d'entretenir la conversation, mais que pourrions-nous nous dire ? Un orchestre joue au fond de la salle, cependant nous ne dansons pas. Et si les plats se succèdent, le riz lui-même me dégoûte. Lorsque papa nous demande à May et à moi de servir le thé, comme c'est la coutume pour les jeunes mariées, le Vieux Louie écarte sa proposition d'un revers de la main.

Il est finalement l'heure de nous retirer dans nos chambres respectives. Mon père me chuchote à l'oreille :

— Tu sais ce qui te reste à faire. Une fois la chose accomplie, le plus dur sera passé.

Nous rejoignons notre chambre, Sam et moi. Il semble plus tendu que moi : il s'assoit sur le bord du lit, penché en avant, et regarde ses mains. J'avais passé des heures à imaginer ma cérémonie de mariage avec Z. G., mais plus encore à me représenter notre nuit de noces, avec tout l'aspect romantique que cela supposait. C'est l'image de ma mère qui me vient maintenant à l'esprit et je comprends enfin pourquoi elle parle toujours avec un certain mépris du devoir conjugal. « Mieux vaut accomplir la chose et l'oublier aussi vite », répète-t-elle souvent.

Je n'attends pas que Sam s'approche de moi, me prenne dans ses bras ou me couvre de baisers. Debout au milieu de la pièce, je défais les attaches de ma robe sur mon épaule, puis sur ma poitrine, avant de m'attaquer à celles qui la retiennent sur le côté. Sam relève la tête et me regarde défaire toute la rangée. Après quoi, je laisse glisser ma robe, qui tombe à mes pieds, et j'hésite, mal à l'aise, frissonnant malgré la chaleur de la nuit. Si mon courage m'a permis d'aller jusque-là, je ne sais pas trop quoi faire ensuite. Sam se lève et je me mords la lèvre.

La situation est embarrassante. Sam paraît anxieux à l'idée de devoir me toucher, mais nous finissons par faire ce qu'on attend de nous. Il y a une brève et violente douleur, puis tout est terminé. Sam reste quelques instants au-dessus de moi, en appui sur ses coudes, et me dévisage. J'évite son regard et fixe à la place le ruban galonné qui retient les rideaux. J'avais tellement hâte d'en finir avec cette affaire que je ne les ai même pas tirés. Est-ce une marque de défi ou de désespoir ?

Sam se détache de moi et roule sur le côté. Je ne bouge pas. Je ne veux pas parler, mais je n'ai pas envie de dormir non plus. Peut-être que cette nuit et cette première fois n'auront aucune importance, au bout du compte, comparées aux milliers de nuits qui m'attendent avec mon véritable mari – quelle que soit son identité. Mais comment les choses se sont-elles passées pour May ?

Je me lève alors qu'il fait encore nuit, prends un bain et me rhabille. Puis je vais m'asseoir sur une chaise, à côté de la fenêtre, et j'observe Sam qui dort encore. Il se réveille en sursaut juste avant l'aube et regarde autour de lui, comme s'il ne se rappelait pas où il était. Il m'aperçoit soudain et cligne des yeux. Je devine ce qu'il peut ressentir en se réveillant dans cette chambre, gêné sans doute de se retrouver nu alors que je suis assise à quelques pas de lui et qu'il va devoir s'habiller. Comme je l'ai fait la veille, je détourne les yeux. Il émerge des draps, se glisse hors du lit et se hâte de gagner la salle de bains. La porte se referme, j'entends bientôt le bruit de l'eau qui se met à couler.

Lorsque nous rejoignons la salle à manger, Vern et May sont déjà assis en compagnie du Vieux Louie. La peau de ma sœur a la pâleur de l'albâtre. Le jeune homme frotte ses poignets contre la nappe. Il ne relève pas les yeux lorsque nous nous asseyons, Sam et moi, et je me rends compte que je n'ai pas encore entendu le son de sa voix.

— J'ai déjà passé la commande, dit le Vieux Louie. Assurez-vous que tout arrive en même temps, ajoute-t-il en se tournant vers le serveur.

Nous buvons une gorgée de thé. Personne ne fait le moindre commentaire sur la vue ou le décor de l'hôtel, pas plus que sur les paysages que ces Chinois de l'étranger pourraient aller contempler aujourd'hui.

Le Vieux Louie claque des doigts. Le serveur revient vers notre table. Mon beau-père – le titre a quelque chose d'étrange, appliqué à lui – fait signe au serveur de se pencher et lui chuchote quelque chose à l'oreille. L'employé se raidit, serre les lèvres et quitte la pièce. Il revient quelques minutes plus tard en compagnie de deux femmes de chambre, portant chacune un tombereau de linge.

Le Vieux Louie fait signe à l'une des employées de s'approcher et saisit son tas de linge, qu'il se met à brasser. Au bout d'un moment, je réalise avec horreur qu'il est en train d'examiner nos draps de dessous. Les clients attablés autour de nous contemplent la scène avec un intérêt varié. La plupart des étrangers se demandent visiblement ce qui se passe. Un couple pourtant a l'air d'avoir compris et affiche une expression indignée. Mais les Chinois présents dans la pièce – qu'il s'agisse du personnel ou des clients de l'hôtel – paraissent plutôt curieux et amusés.

Le Vieux Louie s'interrompt soudain : il vient de découvrir une trace ensanglantée.

— De quelle chambre ce drap provient-il ? demande-t-il à l'employée.

— De la chambre 307, répond la fille.

Le Vieux Louie dévisage ses fils.

— Lequel de vous deux occupait cette chambre ?

— C'était la mienne, répond Sam.

Son père relâche le drap maculé et s'attaque à celui de May, avec la même et répugnante méticulosité. May entrouvre la bouche et pousse un infime soupir. La surface du drap continue de défiler et les gens autour de nous fixent la scène d'un air fasciné. Je sens sous la table la main de Sam se poser sur mon genou. Quand le Vieux Louie a fini de dérouler le drap, aucune tache de sang n'est apparue. À cet instant, May se penche en avant et vomit en travers de la table.

Cela met un terme au petit déjeuner. On appelle une voiture et, quelques minutes plus tard, le Vieux Louie, May et moi sommes en route pour la maison familiale. Une fois arrivés là-bas, on se dispense d'échanger des politesses et de proposer du thé pour en venir aux récriminations. Je passe le bras autour de la taille de May tandis que le Vieux Louie s'adresse à mon père :

— Nous avions un arrangement, dit-il d'une voix tranchante qui ne laisse aucune place à la discussion. L'une de vos filles vous a trompé. (Il lève la main, coupant court aux excuses que mon père s'apprête à avancer.) Toutefois, je veux bien fermer les yeux sur cet incident. La fille est jeune et mon fils…

Je suis soulagée – c'est un euphémisme – en comprenant que le Vieux Louie en a déduit que ma sœur et Vern ne se sont pas livrés la nuit dernière à l'activité que l'on attendait d'eux, au lieu de penser qu'ils avaient bel et bien consommé le mariage mais que May n'était plus vierge. Les conséquences de cette seconde hypothèse auraient pu en effet être carrément catastrophiques. Il aurait fallu la faire examiner par un médecin : si celui-ci avait déclaré qu'elle était intacte, on serait revenus à la case départ ; mais si tel n'était pas le cas, ma sœur aurait été obligée d'avouer la vérité et le mariage aurait été annulé, étant donné qu'elle s'était déjà livrée au commerce charnel. Les problèmes financiers de mon père nous seraient alors retombés dessus, probablement aggravés, et notre avenir à tous se serait avéré encore plus incertain. Sans parler du fait que la réputation de May aurait été ternie à jamais – même dans ces temps prétendument modernes – et que ses chances de se marier dans une famille honorable, comme celle de Tommy Hu, auraient été réduites à néant.

— Peu importe ce détail, dit le vieil homme à mon père, comme s'il répondait à mes pensées. Ce qui compte, c'est qu'ils soient mariés. Comme vous le savez, nous devons nous rendre à Hong Kong pour nos affaires, mes fils et moi. Nous partirons demain, mais je suis un peu inquiet : quelles garanties puis-je avoir que vos filles nous rejoindront bien là-bas ? Notre bateau partira pour San Francisco le 10 août, c'est-à-dire dans dix-sept jours à compter d'aujourd'hui.

Je sens mon cœur s'effondrer dans ma poitrine. Papa nous a encore menti ! May se détache de moi et se précipite à l'étage, mais je ne la suis pas. Je regarde mon père, en espérant qu'il va dire quelque chose – ce dont il se garde bien. Il se tord les mains, l'air aussi soumis qu'un conducteur de pousse-pousse.

— Je vais aller chercher leurs vêtements, dit le Vieux Louie.

Il n'attend même pas que papa intervienne ou que je m'y oppose. Il s'engage dans l'escalier, mon père et moi sur ses talons, et ouvre toutes les portes jusqu'à trouver la pièce où May est en train de pleurer, allongée en travers de son lit. Lorsqu'elle nous aperçoit, elle se précipite dans la salle de bains et claque la porte derrière elle. Nous l'entendons vomir à nouveau. Le vieil homme ouvre l'armoire, empoigne une série de robes qu'il jette sur le lit.

— Vous ne pouvez pas les emporter, dis-je. Nous en avons besoin pour poser.

Le vieil homme me reprend :

— Vous en aurez besoin dans votre nouveau foyer. Les maris aiment que leurs femmes soient bien habillées.

Il est froid, et cependant peu méthodique. Il néglige nos tenues occidentales ou les jette par terre, ignorant sans doute ce qui est à la mode à Shanghai cette année. Il écarte l'écharpe d'hermine, probablement parce qu'elle est blanche – la couleur de la mort – mais sélectionne une étole en renard que nous avons achetée d'occasion il y a déjà plusieurs années.

— Essayez ceux-ci, me dit-il en me tendant une pile de chapeaux qu'il a sortie de l'étagère supérieure de l'armoire.

Je lui obéis.

— C'est bon, lâche-t-il. Vous pouvez garder le vert et ce truc avec des plumes. J'emporte les autres. (Il se tourne vers mon père.) J'enverrai des gens emballer tout cela plus tard dans la journée. Je vous conseille de ne pas y toucher, ni vos filles ni vous. Vous m'avez bien compris ?

Mon père acquiesce. Le vieil homme se tourne vers moi. Il m'examine en silence, de la tête aux pieds.

— Votre sœur est malade, allez donc l'aider, dit-il avant de quitter la pièce.

Je frappe à la porte de la salle de bains et appelle doucement May. Elle entrouvre la porte, juste assez pour me laisser passer. Elle est étendue en travers du sol, la joue sur le carrelage. Je m'assois à côté d'elle.

— Tu te sens bien ? lui dis-je.

— Ce doit être le crabe du dîner d'hier soir, répond-elle. Je n'aurais pas dû en manger, ce n'est pas la saison.

Je m'adosse à la paroi et me frotte les yeux. Comment est-il possible que deux « jeunes beautés » aient pu déchoir à ce point, aussi rapidement ? Je baisse les bras et fixe le motif répété des carreaux – jaune, noir et turquoise – qui montent jusqu'au plafond.


Plus tard dans la journée, des coolies viennent emballer nos vêtements dans des caisses en bois, avant de les empiler à l'arrière d'un camion, sous les regards intrigués de nos voisins. Au milieu de tout ça, Sam débarque à son tour. Au lieu de s'adresser à mon père, il se dirige vers moi.

— Vous prendrez le bateau le 7 août pour nous rejoindre à Hong Kong, me dit-il. Mon père a réservé nos places sur le paquebot qui nous emmènera tous à San Francisco trois jours plus tard. Voici les papiers officiels, destinés aux services de l'Immigration. Il m'a dit que tout était en règle et que nous n'aurons aucun problème à l'arrivée, mais que vous deviez tout de même étudier le contenu de cette liasse d'instructions – simplement au cas où.

Ce qu'il me tend n'est pas un livre, mais quelques feuilles de papier pliées en deux et retenues par un trombone.

— Vous y trouverez toutes les réponses qu'il faudra faire aux officiers, si jamais nous avons le moindre problème à la descente du bateau.

Il s'interrompt et fronce les sourcils. Sans doute est-il en train de se faire la même réflexion que moi : puisque tout est en règle, à quoi bon lire ces instructions ?

— Ne vous faites pas de souci, ajoute-t-il, comme si j'avais besoin d'être rassurée par mon mari. Dès que nous aurons passé les services de l'Immigration, nous prendrons un autre bateau pour Los Angeles.

Je regarde les papiers que j'ai dans les mains.

— Je suis désolé, ajoute-t-il (et je suis à deux doigts de le croire). Je suis désolé pour toute cette affaire.

Il fait demi-tour et s'apprête à partir. Mon père, qui se souvient brusquement de ses devoirs d'hôte, lui demande :

— Voulez-vous que je vous appelle un pousse-pousse ?

Sam m'adresse un coup d'œil et répond :

— Non, non, je crois que je vais rentrer à pied.

Je le suis des yeux jusqu'à ce qu'il ait tourné au coin de la rue, puis je regagne la maison et jette à la poubelle les papiers qu'il vient de me donner. Le Vieux Louie, ses fils et mon père ont commis une terrible erreur s'ils croient que cette plaisanterie va se prolonger. Les trois Louie seront bientôt à bord d'un bateau qui les emmènera à des milliers de kilomètres d'ici. Il leur sera difficile de nous obliger à agir contre notre volonté. Nous avons payé un prix suffisant pour honorer les dettes de jeu de mon père. Il a perdu son entreprise, j'ai perdu ma virginité, May et moi avons perdu nos vêtements et sans doute notre gagne-pain, par voie de conséquence. Le sort nous a durement frappés, mais nous n'en sommes pas anéantis pour autant ni réduits à la misère, selon les critères de Shanghai.

## Une cigale dans un arbre

Cet épisode aussi consternant qu'épuisant étant désormais derrière nous, nous nous retirons May et moi dans notre chambre, orientée à l'est, ce qui lui permet généralement de conserver une certaine fraîcheur en été. Il fait toutefois si chaud et l'atmosphère est tellement étouffante que nous ne portons pratiquement rien, en dehors de nos légers sous-vêtements en soie rose. Nous ne pleurons pas. Nous ne ramassons pas les habits que le Vieux Louie a jetés par terre, pas plus que nous ne remettons de l'ordre dans l'armoire. Nous mangeons la nourriture que le cuisinier vient déposer sur un plateau devant la porte, c'est la seule chose que nous puissions faire. Nous sommes trop secouées l'une et l'autre pour parler de ce qui vient de se passer. Si nous évoquions ces événements à voix haute, cela n'impliquerait-il pas que nous acceptons d'envisager les bouleversements intervenus dans notre vie et la stratégie qu'il convient désormais d'adopter ? Pour ma part, mon esprit est dans un tel état de confusion, de désespoir et de colère que j'ai l'impression qu'un épais brouillard a envahi mon cerveau. Allongées sur nos lits respectifs, nous essayons de… Je ne trouve même pas le verbe approprié. De nous remettre ?

En tant que sœurs, nous partageons une forme d'intimité particulière. May est la seule personne qui soit toujours à mes côtés, quoi qu'il advienne. Nous sommes ensemble, toutes les deux, point final. Étant donné l'adversité qui nous accable, nos petites jalousies, ou la rivalité qui peut nous opposer pour savoir laquelle de nous deux est la préférée, se dissipent d'elles-mêmes. Nous devons nous épauler.

Je demande tout de même à May comment les choses se sont passées avec Vernon et elle me répond : « Je ne suis pas arrivée à le faire », avant de se mettre à pleurer. Je ne lui pose pas d'autres questions concernant sa nuit de noces et elle s'abstient de son côté de m'en poser sur la mienne. Je me dis que cela n'a pas d'importance, que nous avons agi dans l'intérêt de notre famille. J'ai beau me le répéter à tout bout de champ, il n'en demeure pas moins que j'ai perdu quelque chose de précieux. À dire la vérité, je suis plus désolée au fond de mon être par la scène que j'ai eue avec Z. G. que par la faillite de ma famille ou le fait d'avoir dû me livrer au devoir conjugal avec un étranger. Je voudrais retrouver mon innocence, mon insouciance, mon rire et ma joie.

— Tu te rappelles le jour où nous avons vu l'*Ode à la constance* ?

J'espère que cette évocation rappellera à May l'époque où nous étions encore suffisamment jeunes pour nous croire invincibles.

— Nous pensions être capables d'en faire une meilleure mise en scène, me répond-elle depuis son lit.

— Comme tu étais la plus jeune, et la plus petite, c'était toi qui interprétais la « jeune beauté ». D'ailleurs, tu jouais *toujours* le rôle de la princesse. Et c'était à moi d'incarner le prince, le mandarin, l'empereur ou le bandit.

— Oui, mais d'un autre côté tu avais *quatre* rôles à jouer, alors que je n'en avais qu'un.

Je souris. Combien de fois n'avions-nous pas eu ce désaccord, lors des représentations que nous organisions pour nos parents dans le grand salon, quand nous étions plus jeunes... Papa et maman applaudissaient et riaient aux éclats, en grignotant des graines de pastèque et en buvant du thé. Ils nous félicitaient, mais ne nous proposaient pas pour autant de nous inscrire aux cours de l'Opéra ou à l'École du cirque. Il faut dire que nous étions un peu pitoyables avec nos voix suraiguës, nos culbutes maladroites, nos décors et nos costumes improvisés... Ce qui comptait, c'était que nous passions des heures, May et moi, à comploter, à répéter dans notre chambre, à aller trouver maman pour lui emprunter une écharpe qui nous servirait de voile ou à supplier le cuisinier de nous tailler une épée dans du carton, afin que je puisse affronter les démons ou les fantômes qui nous menaçaient.

Je me souviens des nuits d'hiver où il faisait si froid que May venait se blottir dans mon lit : nous nous tenions chaud, serrées l'une contre l'autre. Je la revois en train de dormir, le pouce contre ses lèvres, l'extrémité de son majeur et de son index en équilibre le long de ses sourcils, juste au-dessus de son nez, son annulaire délicatement posé en travers de sa paupière et son petit doigt en suspens dans l'air. Le matin, elle était blottie derrière moi, m'enlaçant de son bras et me serrant fort contre elle. Je revois encore sa main avec une précision parfaite – si frêle, si pâle, si douce avec ses doigts fins et gracieux.

Je me souviens du premier été où j'étais allée en camp de vacances, à Kuling. Papa et maman avaient dû amener May pour qu'elle vienne me voir, parce qu'elle se sentait trop seule à la maison. Je devais avoir dix ans, et May à peine sept. Personne ne m'avait prévenue de leur arrivée, mais lorsque May m'avait aperçue elle s'était mise à courir, puis s'était immobilisée juste devant moi, en me regardant. Les autres filles s'étaient moquées de moi. Pourquoi est-ce que je m'embêtais avec un bébé pareil ? J'en savais déjà assez pour ne pas leur avouer la vérité : ma sœur me manquait, à moi aussi, et j'avais l'impression qu'une partie de moi-même était absente quand nous étions séparées. À la suite de cet incident, papa nous envoya toujours ensemble en camp de vacances.

Nous rions, May et moi, en évoquant ces souvenirs qui nous réconfortent un peu. Ils nous rappellent la force que nous trouvons dans notre relation, dans la manière dont nous nous entraidons – ainsi que l'époque où nous étions toutes les deux unies, seules contre le monde entier, et où nous nous amusions tant. Si nous sommes encore capables de rire, les choses finiront bien par s'arranger…

— Tu te souviens quand nous étions petites et que nous avions essayé les chaussures de maman ? lance May.

Je n'oublierai jamais ce jour-là. Maman était allée rendre visite à une amie et nous nous étions glissées dans sa chambre, sortant plusieurs paires de chaussures adaptées à ses pieds bandés. Les miens étaient déjà trop grands pour de telles chaussures et je les avais abîmées en essayant de les mettre. May pouvait enfiler les chaussons et s'était avancée jusqu'à la fenêtre en imitant la démarche ondulante de notre mère. Nous gambadions en éclatant de rire, mais maman était brusquement rentrée. Elle était furieuse. Nous savions May et moi que nous nous étions mal comportées, mais nous n'arrivions pas à réfréner notre fou rire tandis que maman titubait maladroitement dans la pièce en essayant de nous attraper pour nous tirer les oreilles. N'étant pas entravées comme elle, nous lui avions échappé, traversant le hall en courant pour aller nous réfugier dans le jardin, où nous nous étions écroulées sur l'herbe, toujours secouées par le rire. Notre mauvais tour s'était terminé en triomphe.

S'il était toujours facile d'échapper à maman, le cuisinier et les autres domestiques n'avaient guère d'indulgence pour nos sottises et n'hésitaient pas à nous punir.

— Perle… Tu te rappelles le jour où le cuisinier nous a appris à faire du *chiao-tzu* ? (May est assise en tailleur sur son lit, les coudes sur les genoux et le menton appuyé sur ses poings.) Il nous disait souvent : « Comment voulez-vous vous marier si vous n'êtes pas capables de faire à manger pour vos maris ? » Il ignorait encore que notre cas était désespéré.

— Il nous a donné des tabliers, mais ça n'a pas servi à grand-chose.

— Sauf quand tu as commencé à me lancer de la farine ! rétorque May.

Ce qui avait commencé comme un exercice s'était terminé en bataille rangée, à grand renfort de farine, et avait failli mal tourner. Le cuisinier, qui vivait avec nous depuis notre installation à Shanghai, était capable de faire la différence entre deux sœurs qui jouent et deux sœurs qui se battent… Il n'avait pas du tout apprécié le spectacle.

— Il était tellement en colère qu'il nous a interdit l'accès de la cuisine pendant des mois, poursuit May.

— Je lui répétais pourtant que j'avais juste voulu te poudrer le visage.

— Fini les casse-croûtes improvisés et les petits plats spécialement préparés à notre intention. (May éclate de rire à cette évocation.) Il se montrait parfois d'une telle sévérité… Il disait que des sœurs qui se battent ne méritent même pas qu'on les connaisse.

Maman et papa frappent soudain à la porte et nous demandent de sortir, mais nous refusons et déclarons que nous préférons rester encore un moment dans notre chambre. Peut-être cette attitude est-elle un peu puérile, mais nous avons toujours géré les conflits familiaux de cette façon, May et moi – en nous repliant et en dressant une barrière autour de nous, pour nous protéger de ce qui nous déplait ou nous heurte. Nous sommes plus fortes lorsque nous sommes ensemble, unies, et il est impossible dans ces cas-là de nous raisonner ou de nous faire changer d'avis : c'est aux autres de se plier à notre volonté. Seulement la calamité qui vient de nous frapper est sans précédent. Il ne s'agit plus cette fois-ci d'aller voir sa sœur dans son camp de vacances ou de se protéger contre la colère d'un parent, d'un domestique ou d'un professeur…

May se lève et ramène quelques magazines, dont nous feuilletons les pages consacrées à la mode et aux potins mondains. Nous nous peignons mutuellement les cheveux. Nous examinons le contenu de nos tiroirs et de notre armoire, essayant de voir combien de nouvelles tenues nous pouvons concevoir avec ce qu'on nous a laissé. Le Vieux Louie semble avoir emporté pratiquement tous nos vêtements chinois, nous abandonnant un assortiment de robes, de chemisiers, de jupes et de pantalons à l'occidentale. À Shanghai, où l'apparence est reine, il est important que nous continuions d'avoir l'air dans le coup et que nous ne nous habillions pas à la mode de l'année dernière. Si nos tenues paraissent démodées, non seulement les artistes ne voudront plus de nous comme modèles, mais les taxis ne s'arrêteront plus pour nous prendre, les portiers nous refuseront l'accès des hôtels ou des clubs et les ouvreuses de cinéma regarderont nos billets à deux fois avant de nous laisser entrer. Cette discrimination n'affecte pas seulement les femmes, les hommes la subissent aussi. Même s'ils appartiennent à la classe moyenne, ils préféreront dormir dans des logements envahis par les punaises et s'offrir de temps en temps un pantalon neuf, qu'ils glisseront sous leur oreiller pendant la nuit pour que son pli soit impeccable le lendemain matin.

Ai-je donné l'impression que nous sommes restées enfermées pendant des semaines dans notre chambre ? En vérité, cette réclusion n'a duré que deux jours. Comme nous sommes jeunes, nous nous remettons vite. Mais surtout, nous sommes curieuses. Nous avons perçu des bruits, de l'autre côté de la porte : nous les avons ignorés plusieurs heures durant, en essayant de ne pas faire attention au vacarme et aux coups de marteau qui ébranlaient la maison. Nous avons entendu des voix inconnues, feignant de les prendre pour celles de nos anciens domestiques. Lorsque nous ouvrons enfin la porte, notre maison a changé d'allure. Papa a vendu la plupart de nos meubles au prêteur sur gages du quartier. Le jardinier nous a quittés, seul le cuisinier est resté, parce qu'il ne sait pas où aller et qu'ici il aura au moins de quoi manger et un toit pour dormir. Notre maison a été divisée, des cloisons intérieures ont été ajoutées pour accueillir de nouveaux locataires : un policier, son épouse et ses deux filles ont emménagé à l'arrière de la maison ; un étudiant occupe désormais le deuxième étage du pavillon ; un cordonnier s'est aménagé l'espace demeuré libre sous les escaliers ; et deux danseuses se sont installées au grenier. Les loyers rapporteront un peu d'argent, mais ne suffiront pas à couvrir l'ensemble des besoins de la famille.

Nous pensions que la vie allait reprendre son cours normal et, à bien des égards, c'est en effet ce qui se passe. Maman donne toujours des ordres à tout le monde, y compris à nos locataires, ce qui fait que nous ne nous retrouvons pas du jour au lendemain dans l'obligation de vider nous-mêmes notre pot de chambre, de faire notre lit ou de balayer le sol. Cela n'empêche pas que nous ayons conscience de l'ampleur et de la rapidité de notre déchéance. Au lieu du lait de soja, des gâteaux au sésame et des beignets allongés du petit déjeuner, le cuisinier nous prépare du *p'ao fan* – une bouillie à base de restes de riz, agrémentée de condiments ou de légumes salés. Cette austérité culinaire s'étend à l'ensemble de nos repas. Nous faisions jusqu'alors partie de ces familles qui ont droit au *wu hun pu ch'ih fan* – c'est-à-dire qui mangent de la viande à tous les repas. Nous avons maintenant un régime de coolies : pousses de haricots, poisson séché, choux et légumes salés, accompagnés du sempiternel riz…

Papa quitte la maison tous les matins pour aller chercher du travail, mais nous ne l'encourageons pas, May et moi, et ne lui posons aucune question lorsqu'il rentre le soir. Après ce qu'il nous a fait, il est devenu insignifiant à nos yeux. Si nous l'ignorons de la sorte – et l'humilions en lui témoignant notre indifférence – sa chute et sa ruine ne pourront plus nous faire de mal. C'est notre manière de manifester notre colère et notre peine.

Nous essayons nous aussi de trouver du travail, mais il n'est pas facile de se faire embaucher. Cela demande du *kuang hsi*, des relations. Il faut qu'un parent ou un proche soit déjà en mesure de vous faire une recommandation. Et puis on doit offrir un cadeau d'une certaine importance – une cuisse de porc, une literie complète ou l'équivalent de deux mois de salaire – à l'individu chargé de vous présenter, puis à celui qui va vous engager, même s'il s'agit d'un malheureux poste d'ouvrière dans une fabrique d'allumettes ou de filets à cheveux. Nous n'en avons pas les moyens pour le moment et les gens le savent. À Shanghai, la vie s'écoule comme un fleuve paisible pour les riches, les fortunés et les nantis. Pour ceux qui n'ont pas été favorisés par le sort, les relents du désespoir sont aussi nauséabonds que ceux d'un cadavre en décomposition.

Nos amis écrivains nous emmènent dans les restaurants russes, nous régalant de bortch et de vodka à bas prix. Des jeunes gens branchés – nos compatriotes issus de familles aisées, qui font leurs études en Amérique et passent leurs vacances à Paris – nous invitent au Paramount, le plus grand night-club de la ville, où nous nous grisons de jazz, de gin et de rires. Nous traînons dans la pénombre des cafés avec Betsy et ses amis américains. Les garçons sont séduisants et nous nous étourdissons en leur compagnie. May disparaît parfois pendant des heures et je ne lui demande même pas où elle va, ni avec qui. Cela vaut mieux ainsi.

Nous n'échappons pas à ce sentiment d'avoir perdu pied, de glisser, de sombrer inexorablement.

May continue de poser pour Z. G., mais j'ai un peu honte d'y retourner après la scène que je lui ai faite. Ils ont terminé sans moi la réclame pour les cigarettes « My Dear » : May a tenu les deux rôles, posant d'abord à sa place initiale, puis allant occuper la mienne derrière le fauteuil. Elle me raconte ça et m'encourage à l'accompagner pour un nouveau calendrier qu'on vient de commander à Z. G. Je pose pour d'autres artistes, entre-temps, mais la plupart se contentent de me prendre en photo, travaillant ensuite à partir des clichés. Je gagne un peu d'argent, vraiment peu. Et au lieu de trouver de nouveaux élèves, j'ai perdu le seul que j'avais. Quand j'ai annoncé au capitaine Yamasaki que May ne pouvait pas accepter sa demande en mariage, il m'a déclaré qu'il se passerait désormais de mes services – ce qui n'est qu'un prétexte. Les Japonais se comportent en effet d'une drôle de manière, depuis quelque temps. Ceux qui habitaient le Petit Tokyo ont plié bagages et quitté leurs appartements. Les épouses, les enfants et la plupart des civils regagnent le Japon. Beaucoup de nos voisins désertent maintenant Hongkew et vont provisoirement s'installer de l'autre côté de la rade de Soochow, dans la Concession internationale. J'attribue ce phénomène au caractère superstitieux de la plupart de mes compatriotes – notamment les plus pauvres, qui redoutent au même titre le connu et l'inconnu, le monde matériel et immatériel, les vivants et les morts.

Pour moi, c'est comme si tout avait changé. La ville que j'aime depuis toujours est indifférente à la mort, à la misère ou au désespoir. Là où j'étais sensible autrefois au charme des lumières et des néons, je n'aperçois plus aujourd'hui que du gris : le gris de l'ardoise, des pierres, des eaux lentes du fleuve. Alors que le Whangpoo avait presque un air de fête à mes yeux, avec ses navires de guerre où flottaient les drapeaux multicolores de toutes les nations, je le trouve à présent oppressant, surtout depuis l'arrivée récente d'une dizaine de gros cuirassés japonais. Et là où je contemplais jadis de vastes avenues dominées par l'éclat scintillant du clair de lune, je ne vois plus dorénavant que des montagnes d'ordures, des hordes de rongeurs affamés et les hommes de main de Huang le Grêlé et de sa Triade Verte, rouant de coups les débiteurs et les prostituées. Aussi grande soit-elle, Shanghai est édifiée sur un limon mouvant. Rien n'y reste jamais en place. Les cercueils qu'on y enterre ne tardent pas à dériver, s'ils n'ont pas été lestés de plomb. Les banques engagent des gens qui vérifient quotidiennement l'état de leurs fondations, pour s'assurer que leurs tonnes d'or et d'argent ne font pas vaciller les bâtiments. May et moi, nous avons quitté le Shanghai cosmopolite et sécurisé pour nous engager sur un terrain aussi hasardeux que des sables mouvants.

Nous gardons désormais pour nous l'argent que nous gagnons, mais il est difficile d'en mettre de côté. Une fois que nous avons donné au cuisinier de quoi acheter à manger, il ne nous reste pratiquement plus rien. Je me fais tellement de souci que j'ai bien de la peine à m'endormir. Si les choses continuent de la sorte, nous devrons bientôt nous contenter d'un vulgaire bouillon. Si je veux économiser un peu d'argent, il va falloir que je retourne poser pour Z. G.

— J'ai tourné la page, dis-je à May. Je ne sais pas ce que je lui trouvais jadis. Il est trop maigre et je n'aime pas ses lunettes. D'ailleurs, je ne crois pas que je me marierai jamais. C'est tellement bourgeois… Tout le monde le dit.

Je n'en pense pas un traître mot, mais May, qui devrait pourtant bien me connaître, répond :

— Je suis heureuse que tu te sentes mieux. Je parle sincèrement. Tu rencontreras un jour le grand amour, j'en suis certaine.

J'ai *déjà* rencontré le grand amour… Je continue de souffrir intérieurement en pensant à Z. G., mais je dissimule mes sentiments. Nous nous habillons, May et moi, et dépensons quelques piécettes en cuivre pour monter à bord d'une charrette-taxi qui nous emmène jusque chez Z. G. En cours de route, tandis que le conducteur embarque et dépose d'autres passagers, j'appréhende ces retrouvailles : ne vais-je pas me sentir affreusement gênée en me retrouvant dans l'appartement du peintre, où j'ai nourri des rêves aussi puérils ? Toutefois lorsque nous arrivons, Z. G. se comporte comme s'il ne s'était rien passé.

— Perle… J'ai presque terminé un nouveau cerf-volant, qui représente un vol de loriots. Viens, je vais te le montrer.

Cela me fait un drôle d'effet de me retrouver ainsi tout près de lui. Il m'explique comment fonctionne le cerf-volant, qui est absolument somptueux. Il s'est arrangé pour que les yeux de chacun des oiseaux tournent selon les inflexions du vent. Sur chaque partie de l'engin, Z. G. a fixé des ailes articulées qui battront en cours de vol, agrémentées de petites plumes à leurs extrémités.

— Il est magnifique, dis-je.

— Nous irons l'essayer tous les trois lorsque je l'aurai terminé, dit Z. G.

Ce n'est pas une invitation, plutôt une sorte de constat. Puisqu'il n'a pas l'air de me tenir rigueur de mon comportement ridicule, je me dis que je devrais cesser moi aussi d'y attacher de l'importance. Il faut que je m'endurcisse, que j'apprenne à lutter contre mes sentiments les plus profonds, qui menacent sans cesse de me submerger.

— Bien volontiers, lui dis-je. Nous en serons enchantées, May et moi.

Z. G. échange un regard avec May, visiblement soulagé.

— Parfait, dit-il en se frottant les mains. Et maintenant, mettons-nous au travail.

May se glisse derrière un paravent pour se changer. Elle enfile un short rouge et un haut jaune vif très échancré, qui s'attache derrière la nuque. Z. G. dispose une écharpe sur ses cheveux, qu'il noue ensuite sous son menton. Je passe de mon côté un maillot de bain dont le motif représente des papillons. Il est muni d'une jupette et d'une ceinture fixée à la taille. Z. G. place un nœud rouge et blanc dans mes cheveux. May enfourche une bicyclette, un pied sur la pédale, l'autre en appui sur le sol. Je pose une main sur les siennes, déjà appuyées sur le guidon, mon autre main sur la selle, retenant le vélo. May me regarde par-dessus son épaule et je la fixe droit dans les yeux. Z. G. lance : « C'est parfait, ne bougez plus ! », mais je n'éprouve pas une seule fois la tentation de le regarder. Je me concentre sur May et lui adresse un large sourire, comme s'il n'y avait rien de plus exaltant que de pousser la bicyclette de sa sœur le long d'une colline verdoyante surplombant l'océan, pour vanter les mérites d'une bombe d'insecticide.

Z. G. reconnaît qu'il est difficile de tenir très longtemps cette pose et nous autorise à faire un break au bout d'un petit moment. Il en profite pour travailler le décor, ajoutant un voilier sur les vagues, avant de lancer brusquement :

— May… Nous devrions montrer à Perle le tableau sur lequel nous avons travaillé ces derniers temps.

Pendant que ma sœur va se changer derrière le paravent, Z. G. déplace la bicyclette, enroule la toile du décor et pousse un canapé au milieu de la pièce. May revient, vêtue d'une robe légère qu'elle ôte et laisse tomber par terre. Je ne sais pas ce qui me stupéfie le plus : que ma sœur se retrouve brusquement nue ou que ça n'ait pas l'air de la déranger. Elle s'allonge sur le côté, le coude replié et la tête en appui sur la main. Z. G. recouvre ses hanches d'une pièce de soie diaphane, si transparente que je distingue au travers les pointes de ses seins. Il s'éclipse ensuite un instant et revient avec un bouquet de pivoines roses, dont il coupe les tiges avant de disséminer avec soin les pétales autour de May. Il ôte ensuite le tissu qui recouvrait la toile installée sur un chevalet.

Le tableau est presque terminé et il est absolument divin. La douce texture des pétales de pivoine est en parfaite harmonie avec la peau de May. Z. G. a employé la technique du frottis, travaillant le portrait de ma sœur avant d'y appliquer de l'aquarelle pour rendre le rose de ses joues, de ses cuisses et de ses bras. Sur le tableau, elle donne l'impression de sortir d'un bain très chaud. Notre nouveau régime – moins de viande, davantage de riz – et la pâleur de son visage, due aux récents événements, lui donnent un air alangui. Z. G. a déjà appliqué une laque sombre sur les yeux, qui semblent suivre le spectateur d'un regard à la fois suggestif et prometteur. Qu'est-elle censée vendre ? Un remède contre la fièvre miliaire ? Une lotion pour les cheveux ? Une nouvelle marque de cigarettes ? Je l'ignore. Mais tandis que mes yeux vont de ma sœur au tableau, je me rends compte que Z. G. a réussi avec cette œuvre un *hua chin i tsai*, une peinture qui capte durablement les émotions – comme seuls les grands maîtres ont su en faire dans le passé.

Et pourtant je suis choquée, profondément choquée. Je me suis peut-être livrée au commerce charnel avec Sam, mais ce tableau me semble relever d'une intimité bien plus profonde. Et il souligne l'ampleur de notre chute, à ma sœur et moi. Je suppose qu'il s'agit d'une étape inévitable sur la route de notre déclin. Lorsque nous avons commencé de poser pour des peintres, on nous demandait de croiser les jambes, en tenant des bouquets de fleurs sur nos genoux. Cette attitude était une allusion discrète aux courtisanes de l'époque féodale, qui plaçaient de tels bouquets entre leurs jambes. On nous a ensuite demandé de croiser les mains derrière la nuque en montrant nos aisselles, attitude adoptée depuis les débuts de la photographie pour incarner la lascivité sensuelle des « Fleurs Célèbres » de Shanghai. Un artiste nous a ensuite représentées en train de chasser des papillons à l'ombre des saules. Chacun sait que les papillons symbolisent les amants, tandis que « l'ombre des saules » est un euphémisme désignant la partie pileuse du corps féminin. Mais cette nouvelle affiche va beaucoup plus loin : elle dépasse même celle où nous dansions le tango et qui avait tant contrarié maman. C'est un très beau tableau et May a dû poser nue pendant des heures, sous le regard de Z. G.

Je ne suis pas seulement choquée. Je suis également déçue que May ait laissé Z. G. l'entraîner dans cette affaire. Je suis en colère contre lui, car il a profité de la vulnérabilité de ma sœur. Et j'ai le cœur serré à l'idée que May et moi en soyons arrivées là. C'est exactement de cette façon que les femmes finissent par vendre leurs charmes dans les rues. On commence par faire un tout petit écart, pour savoir jusqu'où on peut aller, ce qu'on est capable de faire, et on se retrouve vite au fond du trou, comme ces prostituées de la plus basse catégorie qui vivent sur des bordels flottants, dans la rade de Soochow, et vendent leurs corps à des Chinois si pauvres qu'ils se soucient peu d'attraper une maladie affreuse en échange d'une brève et sordide étreinte.

Bien que cela me dégoûte un peu et me fende le cœur, je retourne chez Z. G. le lendemain, et les jours suivants. Nous avons besoin de cet argent. Et je ne tarde guère à me retrouver à moitié nue à mon tour. Les gens disent qu'il faut être fort, malin et un peu chanceux pour survivre dans des temps difficiles, à la guerre, à une catastrophe naturelle ou à la torture physique. Je prétends quant à moi que l'anxiété, la peur, la culpabilité et la déchéance liées à un choc émotif sont bien pires et qu'on s'en remet plus difficilement. C'est la première fois que nous sommes confrontées à une situation de ce genre, May et moi, et cela sape toute notre énergie. Conséquence : je ne ferme pratiquement pas l'œil de la nuit. May, au contraire, se réfugie dans les profondeurs du sommeil. Elle se lève rarement avant midi, fait la sieste, et il lui arrive même de s'endormir chez Z. G., au cours d'une séance de pose. Dans ces cas-là, il la laisse dormir sur le canapé et se concentre sur moi. Pendant qu'il travaille, je regarde May : sa main repliée dissimule en partie son visage, qui reste pensif même pendant son sommeil.

Nous sommes comme des homards jetés vivants dans une casserole d'eau bouillante. Nous posons pour Z. G., allons dans des soirées, buvons de l'*absinthe frappée*[1]. Nous fréquentons des clubs avec Betsy et laissons les autres payer à notre place. Nous allons au cinéma. Nous faisons du lèche-vitrines. Nous ne comprenons tout simplement pas ce qui nous arrive.

La date de notre départ pour Hong Kong – où nous sommes censées rejoindre nos maris – se rapproche. Nous n'avons pas la moindre intention, May et moi, de mettre les pieds à bord de ce bateau. D'ailleurs, même si nous le voulions nous ne le pourrions pas, étant donné que j'ai jeté les billets – détail que nos parents ignorent. Nous faisons donc semblant de préparer nos affaires afin de ne pas éveiller leurs soupçons et nous écoutons les conseils qu'ils nous donnent concernant ce voyage. La veille du départ, papa et maman nous emmènent dîner à l'extérieur et nous disent combien nous allons leur manquer. Nous nous réveillons très tôt le lendemain, May et moi, et quittons la maison avant qu'ils ne soient levés. Lorsque nous revenons le soir même – bien après le départ du navire – maman pleure de joie en voyant que nous sommes toujours là, mais papa est furieux que nous nous soyons ainsi dérobées à notre devoir.

— Vous ne réalisez pas ce que vous venez de faire ! hurle-t-il. Nous allons avoir des ennuis !

— Tu te ronges trop les sangs, rétorque May d'un air insouciant. Le Vieux Louie et ses fils ne sont plus à Shanghai et d'ici quelques jours ils auront définitivement quitté la Chine. Ils ne peuvent rien contre nous.

Le visage de papa écume de colère. Pendant une fraction de seconde, je me dis qu'il va frapper ma sœur. Mais il se retient, serre les poings, traverse le salon et sort en claquant la porte. May me regarde et hausse les épaules. Puis nous nous tournons d'un même élan vers notre mère, qui nous emmène à la cuisine et demande au cuisinier de nous servir du thé et de nous donner

---

1. En français dans le texte (*N.d.T.*)

à chacune l'un des précieux biscuits anglais au beurre qu'il a mis de côté dans une boîte en fer blanc.

Onze jours plus tard, alors qu'il a plu dans la matinée, ce qui rend la chaleur et l'humidité plus supportables. Z. G. fait une folie : il réquisitionne un taxi et nous emmène à la pagode de Lunghua, dans les faubourgs de la ville, pour étrenner son cerf-volant. L'endroit n'a pourtant rien de séduisant : il y a une piste d'atterrissage, un terrain d'entraînement et un camp de l'armée chinoise. Nous traversons le terrain jusqu'à ce que Z. G. ait trouvé l'endroit idéal pour procéder aux essais. Quelques soldats portant des chaussures de tennis usées et des uniformes délavés sur lesquels ont été épinglés de vagues insignes abandonnent le chien avec lequel ils jouaient pour nous donner un coup de main.

Chaque loriot est retenu par un crochet et un fil distinct à la corde principale. May soulève l'oiseau placé en tête. Avec l'aide des soldats, je fixe un nouveau loriot sur la corde, puis un autre, et la troupe des douze oiseaux ne tarde pas à prendre son envol. Ils paraissent si libres, là-haut dans le ciel... Les cheveux de May sont soulevés par la brise. Elle se protège les yeux de la main et regarde en l'air. La lumière se reflète sur les lunettes de Z. G., qui esquisse un sourire. Il me fait signe de le rejoindre et me tend la corde, pour que je prenne le contrôle du cerf-volant. Les loriots ont beau être en papier et en balsa, la force du vent est impressionnante. Z. G. se place derrière moi et me prend les mains pour m'aider à maîtriser l'engin. Ses cuisses appuient contre les miennes et son torse est collé à mon dos. L'intensité de ce contact me coupe le souffle. Il a forcément remarqué ce que je ressens pour lui. Même avec son aide, et alors qu'il me retient, la tension du cerf-volant est d'une force inouïe : j'ai l'impression que je vais être emportée dans les airs d'un instant à l'autre et disparaître en même temps que les loriots dans les nuages – et au-delà.

Maman nous racontait jadis l'histoire d'une cigale nichée dans les hauteurs d'un arbre. Elle chantait et s'apprêtait à boire une goutte de rosée, sans se soucier de la mante religieuse qui arrivait dans son dos. La mante dressait sa patte avant pour transpercer la cigale, mais n'avait pas vu le loriot qui s'était posé derrière elle. L'oiseau tendait le cou pour attraper la mante, dont il comptait faire son repas, mais n'apercevait pas le petit garçon qui venait de surgir dans le jardin et brandissait un filet. Ces trois créatures – la cigale, la mante religieuse et le loriot – avaient toutes convoité un objet ou un animal plus petit qu'elles, inconscientes du danger qui les guettait et auquel elles n'allaient pas pouvoir échapper.

Plus tard dans l'après-midi, il y eut un premier échange de coups de feu entre les troupes chinoises et japonaises.

## Des fleurs de prunier blanches

Le lendemain matin, le 14 août, nous émergeons tard dans la matinée, réveillées par le brouhaha qui règne à l'extérieur. Nous tirons les rideaux et apercevons devant notre maison une véritable marée humaine, d'où émergent çà et là des charrettes et des animaux. Ce spectacle éveille-t-il notre curiosité ? Pas le moins du monde… Notre esprit est obnubilé par une seule et unique question : comment allons-nous pouvoir dépenser le plus efficacement possible l'unique dollar dont nous disposons, lors des courses que nous comptons faire cet après-midi ? Et qu'on n'aille pas croire que nous soyons futiles : en tant que « jeunes beautés », nous sommes obligées de soigner notre apparence. Nous avons fait de notre mieux, May et moi, pour composer divers ensembles avec les tenues occidentales que le Vieux Louie nous a laissées, mais notre garde-robe a grand besoin d'être renouvelée. Nous ne songeons même pas à la mode de l'automne, car les artistes pour lesquels nous travaillons préparent déjà les réclames et les calendriers du printemps prochain. Quelle sera la tendance des couturiers occidentaux ? Rajouteront-ils un bouton aux poignets, les ourlets seront-ils plus courts, les décolletés plongeants, la taille resserrée ? Nous décidons de nous rendre sur Nanking Road et d'examiner le contenu des vitrines, pour essayer d'anticiper sur cette future évolution. Nous irons ensuite au rayon mercerie du grand magasin Wing On pour acheter des rubans, de la dentelle et d'autres garnitures destinées à rafraîchir nos ensembles.

May enfile une robe dont le motif représente des fleurs de prunier blanches sur fond bleu. J'opte de mon côté pour un pantalon ample en lin blanc et un haut bleu marine à manches courtes. Nous passons ensuite la matinée à étudier le contenu de notre armoire. May a l'habitude – c'est dans sa nature – de consacrer des heures à sa toilette, à choisir l'écharpe adaptée à sa tenue ou le sac à main qui ira le mieux avec ses chaussures. C'est elle qui m'énumère ce dont nous allons avoir besoin et je note tout cela sur une feuille de papier.

Il est déjà tard dans l'après-midi quand nous enfilons nos chapeaux et saisissons nos ombrelles pour nous protéger du soleil d'été. Le mois d'août, comme je l'ai dit, est d'une chaleur et d'une humidité accablantes à Shanghai – et le ciel souvent oppressant, chargé de gros nuages blancs. Aujourd'hui, toutefois, il est entièrement dégagé. La journée serait même agréable s'il n'y avait pas ces milliers de personnes qui ont envahi les rues, chargées de paniers, de volailles, de vêtements et de provisions diverses, ainsi que de leurs tablettes ancestrales. Des mères et des grand-mères sont juchées sur les épaules de leurs fils ou de leurs maris. Les aînés ploient sous les longues perches qu'ils tiennent en travers de l'épaule, à la manière des coolies : des paniers sont fixés à chaque extrémité, dans lesquels ont pris place leurs petites sœurs et leurs frères cadets. Des brouettes servent à véhiculer les vieillards, les malades et les infirmes. Ceux qui peuvent se le permettre ont engagé des coolies pour porter leurs valises, leurs malles et leurs caisses, mais la plupart de ces gens sont pauvres et arrivent de la campagne. Nous sommes soulagées, May et moi, de monter dans un pousse-pousse et de laisser cette cohue derrière nous.

— Qui sont tous ces gens ? demande May.

Je dois réfléchir avant de lui répondre, tellement je suis coupée des événements qui se produisent autour de nous. Je trouve enfin un mot que je n'avais encore jamais prononcé à voix haute :

— Ce sont des réfugiés, lui dis-je.

May fronce les sourcils en digérant la nouvelle.

Si je donne l'impression que cette brusque agitation semble surgir du néant, c'est parce que nous ressentons les choses ainsi. May n'a certes jamais prêté une grande attention à ce qui se passait dans le monde. Pour ma part, je ne suis tout de même pas restée dans l'ignorance des événements qui ont secoué la Chine récemment. En 1931, lorsque j'avais quinze ans, les bandits japonais ont envahi la Mandchourie, à l'extrême nord du pays, et y ont installé un gouvernement fantoche. Quatre mois plus tard, au début de la nouvelle année, ils ont traversé le district de Chapei, de l'autre côté de la rade de Soochow, juste à côté de Hongkew où nous habitons. Nous croyions au début qu'il s'agissait de feux d'artifice. Papa nous a emmenées tout au bout de North Szechuan Road et nous avons découvert la vérité. C'était affreux de voir les bombes exploser et plus insoutenable encore de voir les habitants de Shanghai en tenues de soirée, buvant de l'alcool dans des flasques, grignotant des sandwichs, fumant des cigarettes et riant aux éclats à la vue du spectacle. Sans l'aide des étrangers, qui s'étaient empressés de quitter la ville, la 19ᵉ Compagnie de l'armée chinoise a résisté vaillamment. Les Japonais ont attendu onze semaines avant d'accepter un cessez-le-feu. Chapei a été reconstruite et tout le monde s'est empressé d'oublier cet incident. Et puis, ces derniers mois, des tirs d'artillerie ont été échangés sur le pont Marco Polo, dans la capitale. La guerre a officiellement débuté, mais personne ne pensait que ces nabots de Japonais arriveraient aussi vite dans le Sud. Qu'ils envahissent donc le Hopei, le Shantung, le Shansi et une partie du Hunan, se disaient la plupart des gens : il allait falloir un peu de temps à ces macaques pour affermir leur contrôle sur un tel territoire et réprimer les soulèvements populaires avant de pouvoir s'attaquer au delta du Yangtse. Les malheureux qui allaient devoir vivre sous la domination étrangère seraient des *wang k'uo nou* – des esclaves du pays perdu. Nous ne nous rendons pas compte que la cohorte des réfugiés qui traversent le pont du Jardin en même temps que nous s'étend sur plus de quinze kilomètres à l'intérieur des terres. Il y a tant de choses que nous ignorons !

Nous voyons le monde à peu près comme les paysans l'ont vu pendant des millénaires. Ils ont toujours déclaré que les montagnes étaient hautes et que l'empereur était loin, signifiant par là que les intrigues de la cour et les menaces impériales n'avaient pas le moindre effet sur leur vie. Ils ont toujours agi comme s'ils pouvaient faire ce que bon leur semblait sans en redouter les conséquences. À Shanghai, nous estimons de la même manière que ce qui se passe dans le reste de la Chine ne nous atteindra jamais. Après tout, le pays est aussi vaste qu'arriéré, alors que nous vivons dans un port bénéficiant d'un statut spécial et gouverné par les étrangers – c'est-à-dire ne faisant même pas partie de la Chine, administrativement parlant. De surcroît, à supposer que les Japonais atteignent Shanghai, nous pensons sincèrement que notre armée leur tiendra tête et les repoussera, comme elle l'a fait il y a cinq ans. Mais le généralissime Tchang Kaï-chek voit les choses autrement. Il souhaite que l'affrontement avec les Japonais s'étende au delta, espérant que cela stimulera la fierté nationale et renforcera la résistance, tout en précipitant le rejet des communistes, qui parlent déjà de guerre civile.

Bien évidemment, nous sommes loin d'avoir ces idées en tête tandis que nous traversons le pont du Jardin et pénétrons dans la Concession internationale. Les réfugiés déposent leurs fardeaux, s'allongent sur les trottoirs, s'assoient sur les marches des banques, s'attroupent sur les quais… Des badauds s'agglutinent pour regarder nos avions qui essaient de larguer leurs bombes sur le navire-amiral japonais, l'*Idzumo*, ainsi que sur les destroyers, les dragueurs de mines et les croiseurs qui l'entourent. Les businessmen étrangers et les marchands locaux continuent de vaquer à leurs affaires sans se soucier de ce qui se passe dans le ciel, comme s'il s'agissait là d'un spectacle quotidien. L'atmosphère est à la fois désespérée, festive et résignée. Il est vrai que les bombardements peuvent passer ici pour un divertissement, étant donné que la Concession internationale, sous contrôle britannique, n'est pas directement menacée par les Japonais.

Notre pousse-pousse s'arrête à l'angle de Nanking Road. Nous payons la somme convenue au conducteur puis nous rejoignons la foule. Chaque fois qu'un avion passe au-dessus de nos têtes, cela déclenche un tonnerre d'applaudissements, mais il suffit qu'une bombe rate sa cible et tombe dans le Whangpoo pour que ces bravos et ces vivats se transforment en huées. On croirait presque qu'il s'agit d'un jeu, tour à tour monotone et excitant.

Nous remontons Nanking Road, May et moi, en évitant les réfugiés et en observant les vêtements des Shanghaiens et des Shanghaiennes. Devant le perron de l'hôtel Cathay, nous tombons sur Tommy Hu, vêtu d'un superbe costume en lin blanc et coiffé d'un chapeau de paille qu'il porte rejeté en arrière. Il semble excité de voir May, qui lui fait aussitôt les yeux doux. Je ne peux m'empêcher de me demander s'ils se sont déjà arrangés pour se retrouver en secret.

Je traverse la rue, laissant Tommy et May en tête à tête. Je me trouve juste devant le Palace Hôtel lorsque j'entends derrière moi un violent crépitement. J'ignore de quoi il s'agit, mais je me baisse instinctivement. Autour de moi, les gens se jettent au sol ou courent se réfugier sous les porches des maisons. Je jette un coup d'œil en arrière, en direction du Bund, et aperçois un avion argenté qui passe en rasant les immeubles. C'est l'un des nôtres, qui essaie d'échapper à la batterie antiaérienne d'un navire japonais. Il semble dans un premier temps que les macaques aient raté leur cible, aussi quelques personnes dans la foule poussent-elles des cris de joie. Mais nous voyons bientôt une épaisse spirale de fumée s'échapper de l'avion.

Touché par les tirs antiaériens, l'appareil vire au-dessus de Nanking Road. Le pilote doit savoir qu'il va s'écraser car il lâche brusquement les deux bombes fixées à ses ailes. Leur chute semble durer une éternité. J'entends un sifflement, suivi d'une formidable explosion qui me fait trembler de la tête aux pieds, tandis que l'un des projectiles atterrit devant l'hôtel Cathay. Ma vue se brouille, mes oreilles se bouchent et mes poumons se bloquent – je cesse de respirer, comme si l'explosion avait provoqué l'arrêt de mes fonctions vitales. Une seconde plus tard, l'autre bombe traverse le toit du Palace Hôtel et explose. Une pluie de verre brisé, de lambeaux de papiers, de chairs et de corps démantelés s'abat ensuite autour de moi.

On prétend que le pire, quand on est victime d'une explosion, ce sont les quelques secondes de silence et de paralysie complète qui succèdent au choc initial. On dirait alors – et je crois que l'expression est utilisée dans toutes les langues – que le temps s'est immobilisé. C'est ce qui se passe pour moi. Je me suis figée sur place alors que la fumée et la poussière des gravats s'élèvent lentement. Je finis tout de même par entendre le tintement des vitres qui tombent des fenêtres de l'hôtel. Quelqu'un gémit. Quelqu'un d'autre se met à hurler. Puis une brusque panique envahit la rue, tandis qu'un nouveau bombardier passe dans le ciel au-dessus de nous. Une ou deux minutes plus tard, nous entendons ses deux bombes exploser un peu plus loin : j'apprendrai par la suite qu'elles ont atterri à l'angle de l'avenue Edouard VII et de Thibet Road, non loin du champ de courses : de nombreux réfugiés convergent vers cet endroit, où on leur distribue gratuitement du thé et du riz. À elles quatre, les bombes ont tué ou blessé plusieurs milliers de personnes.

Ma première pensée est pour May : je dois la retrouver. Je bute contre deux cadavres déchiquetés, aux vêtements déchirés et ruisselants de sang. Je serais incapable de dire s'il s'agit de réfugiés ou de Shanghaiens. Plusieurs bras arrachés et d'autres morceaux de corps jonchent le sol. Un groupe de clients et d'employés pris de panique émergent sur le perron du palace et s'éparpillent dans la rue. La plupart poussent des cris, certains saignent abondamment. Les gens s'enfuient en piétinant les morts et les blessés. Je me mêle à cette cohue, il faut que je regagne l'endroit où j'ai laissé May en compagnie de Tommy. Je n'y vois rien. Je me frotte les yeux, essayant sans succès d'ôter la poussière qui les recouvre. Je finis par tomber sur les restes de Tommy : son chapeau et sa tête ont été arrachés, je reconnais pourtant son costume en lin. May n'est pas avec lui, Dieu merci, mais où est-elle passée ?

Je reprends la direction du Palace Hôtel, en me disant que j'ai dû la manquer dans ma précipitation. Nanking Road disparaît littéralement sous les morts et les mourants. Quelques individus gravement blessés titubent comme des ivrognes au milieu de la rue. Plusieurs voitures ont pris feu et beaucoup d'autres ont leurs vitres brisées : leurs carcasses abritent de nouvelles victimes. Les voitures, les pousse-pousse, les tramways, les charrettes et tous leurs passagers ont été déchiquetés par les éclats des bombes. Les immeubles, les panneaux d'affichage et les palissades sont constellés de lambeaux humains. Mes semelles glissent sur le trottoir inondé de sang. Les débris de verre scintillent dans la rue comme autant de diamants. La puanteur qui monte de tout cela dans la chaleur d'août me pique la gorge et les yeux.

— May !

J'avance de quelques pas, en l'appelant à nouveau et en essayant de distinguer sa réponse au milieu de la panique générale qui règne autour de moi. Je n'examine même plus les blessés ou les cadavres qui m'environnent : par quel miracle aurait-elle survécu, au milieu de tous ces morts ? Elle qui est si fragile, qu'un rien suffit à secouer...

Et soudain, parmi tous ces cadavres et ces lambeaux sanglants, je distingue un petit morceau de tissu, un motif de fleurs de prunier blanches sur fond bleu... Je me précipite et aperçois ma sœur, à moitié recouverte de plâtre et de débris de toutes sortes. Soit elle a perdu connaissance, soit elle est morte...

— May ! May !

Elle ne réagit pas. L'angoisse m'étreint. Je ne distingue pas de blessures sur son corps mais le sang d'une femme affreusement blessée à côté d'elle a maculé sa robe. J'écarte les débris qui la recouvrent et me penche tout près de son visage. Sa peau a la blancheur de la cire.

— May, dis-je doucement. Réveille-toi ! Allons, réveille-toi...

Elle remue légèrement. Je continue de lui parler et ses paupières clignent, s'entrouvrent. Elle pousse un grognement puis referme les yeux. Je la harcèle de questions :

— Es-tu blessée ? As-tu mal quelque part ? Peux-tu bouger ?

— Que s'est-il passé ?

En l'entendant répondre, tout mon corps se détend aussitôt.

— Une bombe est tombée. Je n'arrivais pas à te retrouver. Dis-moi que tu vas bien.

Elle remue une épaule, puis l'autre, en grimaçant un peu – cela n'a toutefois pas l'air trop douloureux.

— Aide-moi à me relever, dit-elle.

Je la saisis derrière la nuque et l'aide à se rasseoir. Lorsque je la relâche, ma main est gluante de sang.

Les blessés gémissent tout autour de nous. Certains appellent à l'aide. D'autres émettent un dernier râle, un ultime borborygme, une plainte brisée. D'autres encore se mettent à hurler, découvrant avec horreur le corps déchiqueté d'un de leurs proches. Mais je connais bien cette rue, j'y suis venue souvent, et le plus terrifiant est le silence qui plane au-delà, comme si les morts avaient aspiré tous les bruits des alentours dans leur ténébreux néant.

Je prends May dans mes bras et l'aide à se remettre sur pied. Elle vacille un peu et j'ai peur qu'elle ne perde à nouveau connaissance. Je la tiens par la taille et nous faisons quelques pas. Où aller ? Les ambulances ne sont pas encore arrivées, nous n'entendons même pas leurs sirènes dans le lointain. Puis soudain des gens commencent à émerger des rues du voisinage – indemnes, habillés et étrangement propres. Ils se précipitent et vont de blessé en blessé, d'un cadavre à l'autre.

— Et Tommy ? demande brusquement May.

Me voyant hocher négativement la tête, elle poursuit :

— Je veux le voir. Emmène-moi jusqu'à lui.

Je ne suis pas certaine que ce soit une bonne idée, cependant elle insiste. Lorsque nous arrivons devant son cadavre, les jambes de ma sœur fléchissent. Nous nous asseyons au bord du trottoir. Les cheveux de May sont tout blancs à cause de la poussière de plâtre, elle ressemble à un fantôme. Je dois probablement avoir la même allure.

— Il faut que je m'assure que tu n'es pas blessée, dis-je, en partie pour détourner l'attention de May qui a toujours les yeux rivés sur le cadavre. Laisse-moi regarder.

May se tourne, cessant du même coup de regarder Tommy. Le sang qui imprègne ses cheveux sur l'arrière de son crâne est déjà coagulé, ce que je considère comme un bon signe. J'écarte délicatement ses mèches et aperçois une entaille dans le cuir chevelu. Je ne suis pas médecin, mais la blessure n'a pas l'air de nécessiter des points de suture. Toutefois, elle a quand même été sonnée et je voudrais être sûre qu'il n'est pas imprudent de la ramener à la maison. Nous attendons un long moment. Malheureusement, même après l'arrivée des ambulances, nul n'est en mesure de nous aider : trop de personnes exigent des soins plus urgents. Tandis que le crépuscule s'étend, je décide de rentrer. May ne veut pas quitter Tommy.

— Nous le connaissons depuis toujours. Qu'est-ce que va dire maman si nous l'abandonnons ici ? Sans parler de sa propre mère…

Elle tremble encore, mais ne pleure pas. Le choc a été trop violent.

Comme les fourgons arrivent pour emporter les morts, nous sentons brusquement le sol trembler sous les impacts de nouvelles bombes et entendons des tirs d'artillerie dans le lointain. Personne ici ne se fait la moindre illusion quant à la signification d'un tel vacarme : les nabots étrangers sont passés à l'attaque. Ils ne vont pas bombarder la Concession internationale, ni les autres secteurs administrés par les Occidentaux, mais Chapei, Hongkew, la vieille ville et les banlieues environnantes doivent déjà être sous le feu de l'ennemi. Des gens se mettent à crier, à pleurer, mais nous luttons contre la peur, May et moi, et restons auprès du corps de Tommy jusqu'à ce qu'il soit hissé sur un brancard et chargé à l'arrière d'un fourgon.

— Je veux rentrer à la maison maintenant, dit May en regardant le fourgon s'éloigner. Maman et papa doivent se faire du souci. Et je ne tiens pas à être là quand le Généralissime décidera d'envoyer dans les airs une autre de nos escadrilles.

Elle n'a pas tort. Notre aviation a déjà fait la preuve de son incompétence et nous ne serons pas en sécurité dans les rues si d'autres avions décollent. Nous marchons donc jusqu'à la maison, couvertes de plâtre et de sang. Les passants s'écartent sur notre chemin, comme si la mort se lisait sur nos visages. Je sais que maman sera folle en voyant dans quel état nous sommes, mais j'ai hâte de la voir fondre en larmes, avant de donner libre cours à sa colère : pourquoi diable avons-nous pris des risques pareils ?

Nous franchissons la porte et pénétrons dans le salon. Les grands rideaux vert foncé bordés de petits glands de velours, à l'occidentale, ont été tirés. Conséquence des bombardements, l'électricité est coupée et la pièce éclairée à la lueur apaisante des bougies. Dans la folie de cette journée, j'avais oublié l'existence de nos locataires, mais ils ne se sont pas envolés pour autant. Le cordonnier est accroupi à côté de mon père. L'étudiant se penche vers le fauteuil de maman, essayant visiblement de la rassurer. Les deux danseuses sont adossées contre le mur, se tordant nerveusement les mains. L'épouse du policier et ses deux filles sont assises sur les marches de l'escalier.

Quand maman nous aperçoit, elle plonge son visage dans ses mains et se met à pleurer. Papa se précipite à travers la pièce et prend May dans ses bras, la portant presque jusqu'à sa chaise. Les autres s'attroupent autour d'elle et la palpent pour s'assurer qu'elle n'est pas blessée, lui caressant le visage, tapotant ses cuisses et ses bras. Tout le monde parle en même temps.

— Tu es blessée ?

— Que s'est-il passé ?

— Nous avons entendu dire qu'il s'agissait d'un avion ennemi. Ces macaques ne valent pas mieux que des avortons de tortue !

L'attention s'étant concentrée sur May, l'épouse du policier et ses deux filles s'approchent de moi. Je perçois l'anxiété dans les yeux de la femme. L'aînée des filles me tire par la manche.

— Notre papa n'est pas encore rentré, dit-elle d'une voix remplie d'espoir. Dites-nous que vous l'avez vu.

Je hoche négativement la tête. La fillette prend la main de sa petite sœur et retourne s'asseoir sur l'escalier. Leur mère ferme les yeux, rongée par l'inquiétude.

Maintenant que nous sommes tirées d'affaire, May et moi, je ressens brusquement le contrecoup des événements de la journée. Ma sœur est saine et sauve, nous sommes à la maison, la peur et l'excitation qui m'avaient jusqu'alors soutenue disparaissent d'un coup. Je me sens vidée, tremblante, épuisée. Les autres doivent s'en apercevoir, car des mains m'empoignent soudain et me conduisent jusqu'à un fauteuil dans lequel je m'effondre, au milieu des coussins. Quelqu'un porte une tasse à mes lèvres et je bois une gorgée de thé chaud et revigorant.

May, qui s'est relevée, énumère maintenant ce qu'elle présente comme la liste de mes exploits :

— Perle n'a pas pleuré. Elle n'a pas baissé les bras : elle m'a cherchée au milieu des gravats et m'a retrouvée. Elle s'est occupée de moi et m'a ramenée à la maison. Elle…

Quelque chose ou quelqu'un frappe soudain à la porte d'entrée. Papa serre les poings, comme s'il savait de quoi il s'agissait. Nous n'avons plus de domestiques pour aller ouvrir la porte, mais personne ne fait un geste. Nous avons tous peur. S'agit-il de réfugiés venant quémander de l'aide ? Les nabots étrangers ont-ils déjà investi la ville ? Le pillage a-t-il commencé ? Ou quelques petits malins se sont-ils imaginé qu'ils allaient profiter de la guerre pour s'enrichir en proposant à leurs concitoyens de les protéger, moyennant finances ? Nous regardons May qui se dirige vers la porte, en oscillant légèrement des hanches. Elle l'ouvre et recule aussitôt de quelques pas en levant les bras au ciel, comme si elle se rendait.

Si les trois hommes qui franchissent le seuil ne portent pas d'uniformes militaires, on ne se rend pas moins compte sur-le-champ qu'ils sont dangereux. Ils ont des chaussures en cuir à bout pointu, susceptibles d'infliger des coups très douloureux. Leurs chemises sont en coton noir de qualité supérieure, un tissu qui ne laisse pas voir les taches de sang. Ils sont coiffés de chapeaux en feutre mou, rabattus sur les yeux pour dissimuler leurs traits. Le premier brandit un pistolet, le second une sorte de matraque ; le troisième n'est pas armé, mais son physique trapu et son attitude menaçante s'avèrent tout aussi inquiétants. J'ai passé pratiquement toute ma vie à Shanghai et je sais donc reconnaître un membre de la Triade Verte quand j'en aperçois un. Je ne m'attendais pourtant pas à en voir débarquer un – et *a fortiori* trois – dans ma propre maison. Jamais je n'ai vu une pièce se vider aussi vite… Qu'il s'agisse des filles du policier, de l'étudiant ou des danseuses, nos locataires se sont dispersés comme des feuilles emportées par le vent.

Les trois malabars ignorent May et pénètrent d'un air faussement désinvolte dans le salon. Malgré la chaleur, je ne peux m'empêcher de frissonner.

— Monsieur Chin ? lance le petit trapu après être venu se planter devant mon père.

Je n'oublierai jamais cette scène : papa s'étrangle, déglutit, s'étrangle et déglutit à nouveau, comme un poisson qui s'étouffe sur une dalle en ciment.

— Vous avez un chat dans la gorge, ou quoi ?

Le ton moqueur de l'intrus m'oblige à détourner les yeux. Mon regard descend et ce que j'aperçois alors est encore pire : le pantalon de papa est trempé, il n'a pas pu se retenir et sa vessie l'a lâché. Le petit trapu, qui commande apparemment la bande, crache par terre pour manifester son dégoût.

— Vous n'avez pas honoré la dette que vous aviez à l'égard de Huang le Grêlé. Vous ne pouvez pas avoir perdu de telles sommes dans ses établissements ni lui avoir emprunté tant d'argent pendant des années pour permettre à votre famille de mener ce train de vie extravagant sans le rembourser un jour.

Les nouvelles ne pourraient pas être pires. Huang le Grêlé exerce sur la ville un contrôle absolu : on prétend que si n'importe quel habitant se faisait voler sa montre, ses sbires pourraient la lui restituer dans les vingt-quatre heures – moyennant finances, évidemment. Il a l'habitude d'envoyer des cercueils aux gens qui lui déplaisent et exécutent généralement tous ceux qui l'ont trompé d'une manière ou d'une autre. Nous pouvons même nous estimer heureux d'avoir droit à une telle visite…

— Huang le Grêlé avait conclu avec vous un accord honorable pour le remboursement de vos dettes, poursuit le truand. L'arrangement était un peu compliqué, mais il avait bien voulu s'en accommoder. (Le gangster s'interrompt et considère mon père.) Voulez-vous l'expliquer vous-même à vos filles, dit-il en nous désignant d'un geste négligent quoique lourd de menace, ou préférez-vous que je m'en charge ?

Nous attendons toujours que papa prenne la parole. Comme il ne le fait pas, le truand concentre son attention sur nous.

— Une dette d'un montant colossal devait nous être remboursée, explique-t-il. Au même moment, un marchand d'Amérique nous a contactés : il souhaitait acquérir une compagnie de pousse-pousse pour diversifier ses affaires et cherchait également à marier ses fils. Huang le Grêlé a donc imaginé un accord entre les trois partis, dans lequel chacun trouverait son intérêt.

J'ignore ce qu'il en est pour ma mère et May, mais j'espère toujours que papa va faire ou dire quelque chose qui oblige cet affreux bonhomme et ses acolytes à débarrasser le plancher. N'est-ce pas son rôle aussi bien en tant qu'homme, que père ou que mari ?

Le chef de la troupe se penche vers papa, d'un air menaçant.

— Notre patron vous a ordonné de faire don à M. Louie de la totalité de vos pousse-pousse, ainsi que de vos deux filles. Aucun argent ne vous serait versé en échange, mais votre épouse et vous conserveriez l'usage de cette maison. M. Louie, de son côté, nous règlerait le montant de votre dette, en dollars américains. De la sorte, chacun obtiendrait satisfaction et tout le monde aurait la vie sauve.

Je suis furieuse contre mon père, qui ne nous a pas dit la vérité, toutefois cette colère est de peu de poids comparée à la terreur que je ressens. Ce n'est pas seulement lui qui ne s'est pas comporté comme on l'attendait : nous faisions partie du marché, May et moi, et nous avons contrarié sans le savoir les plans de Huang le Grêlé. Le truand ne tarde d'ailleurs pas à aborder ce dernier point.

— Notre patron a bien reçu l'argent qui lui revenait, dit-il, mais un problème demeure en suspens. Vos filles ne se sont pas présentées à bord du bateau qu'elles devaient prendre. Quel genre de message adresserions-nous à ceux qui ont des dettes envers nous si nous ne réagissions pas devant un tel manquement ?

Le truand abandonne mon père et parcourt la pièce des yeux. Il nous désigne de la main, May et moi :

— Ce sont vos filles, n'est-ce pas ? (Il n'attend même pas que mon père lui réponde.) Elles devaient retrouver leurs maris à Hong Kong. Pourquoi ne l'ont-elles pas fait, M. Chin ?

— Je…

Il est triste d'être le témoin de la faiblesse de son père, mais plus terrible encore de découvrir son insignifiance. Sans y réfléchir, je lance brusquement :

— Ce n'est pas de sa faute.

L'individu tourne vers moi son regard cruel. Il s'avance jusqu'à ma chaise, s'accroupit devant moi, pose les mains sur mes genoux et les serre violemment.

— Comment cela, jeune fille ?

Pétrifiée, je retiens mon souffle.

May traverse la pièce et vient se placer à mes côtés. Elle prend la parole à son tour, prononçant chacune de ses déclarations comme s'il s'agissait d'une question :

— Nous ignorions que notre père devait de l'argent à la Triade Verte ? Nous pensions qu'il s'était seulement endetté auprès d'un Chinois d'outremer ? Nous avions pris le Vieux Louie pour un visiteur de passage, quelqu'un de peu d'importance ?

— Un homme dénué de mérites qui a des filles de qualité, voilà qui est un vrai gâchis, dit le chef de la bande sur le ton de la conversation.

Il se redresse et rejoint le milieu de la pièce. Ses acolytes viennent se placer à ses côtés. Il se tourne vers papa et lui dit :

— On vous avait laissé la jouissance de cette maison à la condition que vos filles rejoignent leur nouveau foyer. Comme vous n'avez pas respecté cet engagement, vous n'êtes plus ici chez vous. Vous devez partir. Et vous devez honorer votre dette. Dois-je emmener vos filles avec moi dès à présent ? Nous trouverons bien un moyen de les employer.

Redoutant la réponse de papa, j'interviens à nouveau :

— Il n'est pas trop tard. Nous pouvons encore nous rendre en Amérique. Les bateaux ne manquent pas.

— Huang le Grêlé n'aime pas les menteurs. Tu as déjà agi de manière malhonnête et il probable que tu mentes encore en ce moment.

— Nous vous promettons de faire ce que nous disons, murmure May.

Tel un cobra, la main du truand se dresse, empoigne May par les cheveux et la tire jusqu'à lui, approchant son visage du sien. Il sourit et lui dit :

— Ta famille est ruinée. Tu vas devoir vivre dans la rue. Je répète donc ma question : ne vaut-il pas mieux que vous veniez toutes les deux avec nous ? Nous apprécions les « jeunes beautés ».

— J'ai gardé leurs billets, lance soudain une toute petite voix. Je veillerai à ce qu'elles partent et que le marché que vous avez conclu avec mon mari soit respecté.

Au début, je ne suis même pas certaine de savoir qui a pris la parole. Les autres non plus, d'ailleurs. Nous regardons autour de nous jusqu'à ce que nos yeux se posent sur ma mère, qui n'avait pas dit un mot depuis l'arrivée des trois hommes. Je perçois en elle une dureté que je ne lui connaissais pas. Peut-être avons-nous toutes la même réaction à l'égard de nos mères : elles nous paraissent ordinaires, jusqu'au jour où elles font un coup d'éclat et s'avèrent sublimes.

— J'ai leurs billets, répète-t-elle.

Elle doit mentir. Je les ai jetés moi-même, tout comme les documents destinés aux services de l'Immigration et la liasse explicative que Sam m'avait donnés.

— Ces billets ne valent plus rien à présent, puisque vos filles n'ont pas pris ce bateau.

— Nous les échangerons et mes filles rejoindront leurs maris. (Maman tord un mouchoir entre ses mains.) J'y veillerai personnellement. Ensuite, nous quitterons cette maison, mon mari et moi. Dites cela à Huang le Grêlé. Si cela ne lui convient pas, qu'il vienne en discuter avec moi, pauvre femme qui…

Le bruit inquiétant d'un pistolet qu'on arme interrompt soudain notre mère. Le truand lève la main, faisant signe à ses hommes de se tenir prêts. Le silence s'étend comme un linceul sur la pièce. À l'extérieur, on perçoit le hurlement des sirènes et le crépitement des mitraillettes.

— Madame Chin, reprend le truand sur un ton badin, vous savez ce qu'il arrivera si nous découvrons que vous nous avez menti ?

Voyant qu'aucun de nos parents ne réagit, May trouve le courage de demander :

— Combien de temps nous laissez-vous ?

— Jusqu'à demain, grogne-t-il. (Puis il se met à rire, réalisant l'incongruité d'une si courte échéance.) Mais il ne va pas être facile de quitter la ville. Si la catastrophe d'aujourd'hui doit avoir une conséquence heureuse, c'est que les diables étrangers vont devoir nous quitter. Et ils auront la priorité absolue à bord des navires.

Ses acolytes se dirigent déjà vers May et moi. C'est la fin. Nous allons tomber entre les mains de la Triade Verte. May agrippe mon poignet. Puis un miracle se produit : le chef nous accorde un nouveau sursis.

— Je vous donne trois jours, dit-il. Au terme de cette échéance, il faudra que vous soyez en route pour l'Amérique, dussiez-vous y aller à la nage. Nous reviendrons demain – et les jours suivants – pour nous assurer que vous avez bien tenu votre promesse.

Après avoir laissé planer cette menace, les trois hommes quittent les lieux, non sans avoir renversé deux lampes et utilisé leur matraque pour briser les rares vases et bibelots que maman n'avait pas encore apportés chez le prêteur sur gages.

À peine sont-ils sortis que May s'effondre sur le sol. Personne ne fait un geste pour lui venir en aide.

— Tu nous as menti, dis-je à papa. Aussi bien sur tes liens avec le Vieux Louie que sur la véritable raison de ces mariages.

— Je ne voulais pas que vous vous fassiez du souci à cause de la Triade Verte, reconnaît-il d'une voix faible.

Cette réponse porte mon exaspération à son comble.

— Tu ne voulais pas que nous nous fassions *du souci* ?

Il paraît gêné, mais détourne ma colère en lançant :

— Quelle différence cela fait-il à présent ?

Nous méditons un long moment en silence cette déclaration. J'ignore ce que se disent ma mère et May, mais je ne vois pas pourquoi ni comment nous aurions agi autrement si nous avions su la vérité. Je suis convaincue que nous ne nous serions pas davantage embarquées à bord de ce bateau pour aller retrouver nos maris, May et moi. Mais nous aurions fait *quelque chose* – ne serait-ce que nous enfuir, nous cacher à la Mission, implorer Z. G. jusqu'à ce qu'il accepte de nous aider...

— J'ai gardé tout cela pour moi trop longtemps. (Papa se tourne vers ma mère et demande d'une voix pitoyable :) Qu'allons-nous faire à présent ?

Maman le dévisage d'un air méprisant.

— Nous allons faire tout ce qui est en notre pouvoir pour garder la vie sauve, dit-elle en glissant son mouchoir sous son bracelet en jade.

— Tu comptes vraiment nous envoyer à Los Angeles ? demande May.

— C'est impossible, dis-je. J'ai jeté les billets.

— Je les ai récupérés, dit maman.

Je vais me placer à côté de May. Je n'arrive pas à croire que maman veuille nous expédier en Amérique pour régler les problèmes de mon père et les siens. Mais les familles chinoises n'ont-elles pas eu la même attitude pendant des millénaires à l'égard de leurs filles dénuées de valeur – en les abandonnant, en les vendant et en se servant d'elles ?

Voyant ce sentiment de trahison se peindre sur nos visages, maman se hâte d'ajouter :

— Nous allons échanger vos billets pour l'Amérique contre des billets pour nous quatre, à destination de Hong Kong. Nous avons trois jours pour trouver des places à bord d'un bateau. Hong Kong est une colonie britannique, les Japonais ne risquent donc pas d'attaquer la ville. Lorsque la situation sera redevenue suffisamment sûre pour regagner le continent, nous prendrons un ferry ou le train pour Canton. De là, nous rejoindrons Yin Bo, le village natal de votre père. (Son bracelet de jade heurte le bord de la table avec un son mat qui témoigne de sa résolution.) Jamais la Triade Verte ne nous retrouvera là-bas.

## LES SŒURS DE LA LUNE

Le lendemain matin, nous nous rendons May et moi au bureau de la Dollar Steamship Line, dans l'espoir d'échanger nos deux billets – de Shanghai à Hong Kong, puis de Hong Kong à San Francisco et Los Angeles – contre quatre allers simples pour Hong Kong. L'accès de Nanking Road et les abords du champ de courses sont interdits au public, pour permettre aux ouvriers de dégager les cadavres et les lambeaux de corps déchiquetés, mais les citadins ont bien d'autres soucis en tête. Les réfugiés continuent d'affluer par milliers, fuyant l'avancée de l'armée japonaise. Il y a tellement de nourrissons abandonnés, morts le long des trottoirs, que l'Association des bénévoles chinois a mis sur pied une patrouille spéciale, chargée de recueillir les dépouilles de ces malheureux et de les entasser dans des camions pour aller les incinérer à l'intérieur des terres.

Mais si des milliers de personnes convergent vers la ville, un plus grand nombre encore cherchent à la quitter. Beaucoup de mes concitoyens s'entassent dans des trains pour regagner leur village natal, au fin fond des provinces. La plupart des amis – écrivains, artistes et intellectuels – que nous côtoyions dans les cafés prennent des décisions qui vont déterminer le reste de leur existence, qu'il s'agisse de se rendre à Chunking, où Tchang Kaï-chek a établi son état-major de guerre, ou dans le Yunnan pour rejoindre les maquis communistes. Les familles les plus aisées, chinoises ou étrangères, quittent la ville à bord des paquebots internationaux qui côtoient avec un air de défi les navires de guerre japonais amarrés le long du Bund.

Nous faisons la queue pendant des heures dans une file interminable, mais à cinq heures de l'après-midi nous n'avons pas avancé de trois mètres et nous rentrons à la maison sans avoir rien réglé. Je suis épuisée, May a le regard abattu. Papa a passé la journée à faire la tournée de ses amis, dans l'espoir de leur emprunter un peu d'argent pour faciliter notre fuite ; mais en ces temps brusquement incertains, qui pourrait se permettre de se montrer généreux envers un ami frappé par le destin ? Si les trois malfrats ne sont pas surpris de notre insuccès lorsqu'ils reviennent nous voir en fin de journée, cela ne semble pas les réjouir pour autant. Même eux paraissent ébranlés par le chaos qui règne alentour.

Cette nuit-là, la maison est secouée par les explosions qui ébranlent Chapei et Hongkew. Des tourbillons de cendres se mêlent aux volutes de fumée montant des bûchers où les Japonais incinèrent leurs propres morts.

Le lendemain matin, je me lève sans faire de bruit pour ne pas réveiller ma sœur. Elle m'a accompagnée sans se plaindre hier, mais à plusieurs reprises je l'ai surprise en train de se masser les tempes, croyant que je ne faisais pas attention à elle. Elle a pris de l'aspirine hier soir et j'ai peur qu'elle n'ait été victime d'une commotion cérébrale – probablement légère, mais comment en être sûre ? En tout cas, après tout ce que nous avons vécu ces derniers jours, elle a besoin de dormir, car la journée qui nous attend ne sera pas de tout repos, elle non plus. Les funérailles de Tommy Hu doivent avoir lieu à dix heures.

Je descends l'escalier et trouve maman au salon. Elle me fait signe de m'approcher.

— Tiens, me dit-elle, voici un peu d'argent. Va donc nous acheter des gâteaux au sésame, ainsi que quelques beignets.

Nous n'avons pas fait un festin pareil depuis la matinée où le cours de nos vies a brusquement changé.

— Il faut que nous prenions des forces, ajoute-t-elle, en prévision de ces funérailles.

Je prends l'argent et sors de la maison. J'entends le fracas des tirs lâchés par les cuirassés japonais qui pilonnent nos positions sur les berges, le crépitement des fusils et des mitraillettes, l'écho des explosions qui ébranlent Chapei et des combats qui font rage dans les districts environnants. Émanation des bûchers funéraires, une couche de cendres âcres s'est déposée la nuit dernière et a recouvert la ville, de sorte qu'il va falloir relaver le linge qui séchait sur les fils et asperger les voitures à grande eau. L'odeur est si prégnante qu'elle me prend à la gorge. Une foule considérable a envahi la rue. La guerre est peut-être imminente, nous n'en avons pas moins des choses à faire. Je marche jusqu'au coin de la rue, mais au lieu de faire les achats dont maman m'a chargée je grimpe à bord d'une charrette qui me conduit jusqu'à l'appartement de Z. G. Sans doute me suis-je conduite comme une gamine le jour où je suis allée le voir, cela n'efface pourtant pas des années d'amitié. Il doit bien éprouver un peu d'affection pour May et pour moi : sans doute nous aidera-t-il à trouver une solution, pour sortir de ce guêpier.

Je frappe à sa porte. Comme personne ne répond, je redescends et découvre sa logeuse dans la cour intérieure.

— Il est parti, me dit-elle. Mais qu'est-ce que ça peut vous faire ? Le temps des « jeunes beautés » est terminé. Croyez-vous que nous allons pouvoir contenir bien longtemps les macaques ? Une fois qu'ils auront pris le contrôle du pays, personne ne voudra plus de vos calendriers. (Je sens monter la colère de la vieille.) Les macaques auront peut-être besoin de vos services d'une autre façon… Est-ce là l'avenir dont vous rêvez, votre sœur et vous ?

— Dites-moi simplement où il est allé, lui dis-je sèchement.

— Il est parti rejoindre les communistes.

Chacune de ses syllabes s'enfonce comme un clou dans ma chair.

— Jamais il ne serait parti sans nous dire au revoir, dis-je d'un ton dubitatif.

— Vous êtes vraiment une idiote ! lance la vieille. Il est parti sans payer son loyer, en abandonnant ses toiles et ses pinceaux. Il n'a même pas emporté sa brosse à dents.

Je me mords les lèvres pour retenir mes larmes. Il va falloir que je m'occupe seule à présent de ma propre survie.

Soucieuse d'économiser mon argent, je monte à nouveau dans une charrette qui me ramène jusqu'à chez moi, tassée contre trois autres passagers. Tandis que nous avançons en cahotant sur la route, je dresse mentalement la liste des gens susceptibles de nous aider. Les hommes qui nous invitaient à danser ? Betsy ? L'un des artistes pour lesquels nous posions ? Mais chacun a ses propres soucis.

Je regagne une maison vide. Je me suis absentée si longtemps que j'en ai oublié les funérailles de Tommy.

May et maman rentrent deux heures plus tard, dans leurs tenues de deuil d'une blancheur immaculée. Ma sœur a les yeux aussi gonflés que des pêches trop mûres, à force d'avoir pleuré, et maman paraît vieille et fatiguée. Elles s'abstiennent toutefois de me demander où j'étais passée et pourquoi je n'ai pas assisté à la cérémonie. Papa n'est pas avec elles. Sans doute est-il resté en compagnie des autres hommes pour le banquet funéraire.

— Comment était-ce ? demandé-je.

May hausse les épaules et je n'insiste pas. Elle s'appuie contre le montant de la porte, croise les bras et baisse les yeux.

— Il faut que nous retournions sur les quais, dit-elle.

Je n'ai aucune envie de ressortir. L'histoire de Z. G. m'a rendue malade. Je suis sur le point de dire à May qu'il est parti, mais à quoi cela servirait-il ? Je suis désespérée par tout ce qui nous arrive et je voudrais que quelqu'un vienne me sauver. Sinon, je ne demande qu'à retourner dans mon lit, m'enfouir sous mes couvertures et pleurer toutes les larmes de mon corps. Mais je suis la sœur aînée de May. Je dois faire preuve de courage et surmonter mes émotions. Il faut triompher du mauvais sort. Je prends une profonde inspiration, me lève et dis :

— Allons-y. Je suis prête.

Nous retournons au bureau de la Dollar Steamship Line. La queue avance, aujourd'hui. Nous ne tardons pas à comprendre pourquoi : l'employé derrière le comptoir ne sert strictement à rien. Nous lui montrons nos billets, mais le surmenage lui a fait oublier les règles les plus élémentaires de la politesse, ainsi que celles de la grammaire.

— Qu'est-ce que vous voulez que je fasse de ça ? nous lance-t-il sans ménagement.

— Pouvons-nous les échanger contre quatre billets pour Hong Kong ? demandé-je, convaincue que l'employé verra dans cette proposition une bonne affaire pour la compagnie.

Il ne se donne même pas la peine de répondre et fait signe aux gens qui attendent derrière moi d'avancer.

— Au suivant !

Je ne bouge pas.

— Pouvons-nous embarquer sur un autre bateau ? insisté-je.

— Espèce d'idiote ! lance-t-il en frappant de la main la barrière qui nous sépare.

Décidément, l'opinion est unanime aujourd'hui en ce qui me concerne… L'employé empoigne ensuite la barrière et se met à la secouer.

— Plus de billets ! s'exclame-t-il. Fini, partez ! Au suivant !

Je perçois en lui la même colère et la même exaspération que chez la logeuse de Z. G. May s'avance alors et pose la main sur son bras. Ce genre de contact entre personnes de sexe opposé – *a fortiori* s'agissant de deux étrangers – est considéré comme assez osé. Le geste de ma sœur réduit l'employé au silence. À moins qu'il ne soit brusquement calmé par la beauté de la jeune fille qui s'adresse à lui d'une voix mélodieuse :

— Je suis sûre que vous pouvez nous aider, dit-elle.

Elle incline la tête et esquisse un sourire timide, ce qui fait passer l'expression de son visage du désespoir à la sérénité. L'effet est instantané.

— Faites-moi voir ces billets, dit l'employé.

Il les examine avec attention et va consulter deux ou trois registres.

— Je suis désolé, dit-il enfin, mais ces billets ne vous permettront pas de quitter Shanghai. (Il sort un carnet, remplit une fiche et la tend à May, en même temps que les billets.) Si vous parvenez à rejoindre Hong Kong, allez voir notre bureau là-bas et donnez-leur cette fiche. Cela vous permettra peut-être d'obtenir de nouveaux billets pour San Francisco. (Il marque une longue pause et ajoute.) J'ai bien dit : si vous parvenez à rejoindre Hong Kong.

Nous le remercions, mais son geste ne nous sert à rien. Nous ne voulons pas aller à San Francisco. Nous voulons nous enfuir dans le Sud pour échapper aux griffes de la Triade Verte.

Nous nous remettons en route pour rentrer, passablement accablées. Jamais le bruit de la circulation, les relents de sueur et de parfum mêlés ne nous ont paru aussi agressifs. Jamais l'irrépressible avidité, l'indolence éhontée des criminels et la désagrégation des valeurs spirituelles n'ont été empreintes à nos yeux d'une telle vanité et d'une telle futilité.

Nous trouvons maman assise sur les marches du perron, à l'endroit même où nos domestiques prenaient jadis fièrement leurs repas.

— Ils sont revenus ? lui demandé-je.

Je n'ai pas besoin de lui dire à qui je fais allusion. Les seuls individus que nous redoutions vraiment, ce sont les malfrats de la Triade Verte. Maman hoche négativement la tête. May et moi digérons la nouvelle. Ce qu'elle nous dit ensuite nous fait froid dans le dos :

— Et votre père n'est toujours pas rentré…

Nous nous asseyons à ses côtés. Et nous attendons, fouillant l'horizon du regard en espérant voir papa surgir au coin de la rue. Mais il n'apparaît pas. L'obscurité tombe et avec elle les bombardements s'intensifient. Les lueurs des tirs déchirent la nuit, du côté de Chapei, et les rais des projecteurs balaient le ciel. Mais quoi qu'il puisse advenir, les Concessions internationale et française seront épargnées, en tant que territoires étrangers.

— A-t-il dit qu'il devait aller quelque part après les funérailles ? demande May.

Sa voix ressemble à celle d'une petite fille. Maman hoche de nouveau la tête.

— Peut-être est-il en train de chercher du travail. Ou de jouer. À moins qu'il ne soit allé retrouver une femme.

D'autres hypothèses me viennent à l'esprit. Je regarde May, par-dessus la tête de notre mère, et je devine qu'elle a eu les mêmes idées. Papa nous a-t-il abandonnées, laissant sa femme et ses enfants gérer les conséquences de ses actes ? La Triade Verte a-t-elle décidé de l'exécuter avant la fin de l'échéance, à titre d'avertissement ? À moins qu'il n'ait été fauché par un shrapnel ou un tir de batterie antiaérienne ?

Vers deux heures du matin, maman finit par se donner une claque sur la cuisse, d'un air décidé.

— Nous ferions mieux d'aller dormir, dit-elle. Si votre père ne revient pas… (Elle hésite, puis prend une profonde inspiration.) S'il ne revient pas, nous suivrons néanmoins mon plan. Sa famille nous accueillera, nous sommes des leurs à présent.

— Mais comment allons-nous nous y rendre ? Nous ne pouvons pas changer nos billets.

La détresse crispe les traits de maman tandis qu'elle lance, un peu à l'aveuglette :

— Nous pouvons aller jusqu'à Woosong, ce n'est qu'à quelques kilomètres d'ici. Je marcherai s'il le faut. La Standard Oil possède là-bas un quai d'embarquement. Avec vos attestations de mariage, peut-être nous permettront-ils de monter à bord de l'une de leurs chaloupes et de rejoindre une autre ville. De là, nous pourrions repartir vers le sud.

— Je ne pense pas que ça marchera, dis-je. Pourquoi une compagnie pétrolière accepterait-elle de nous aider ?

Maman a une autre idée en réserve :

— Nous pourrions essayer de trouver un bateau qui nous ferait remonter le Yangzi…

— Tu oublies les macaques, intervient May. Ils sont nombreux le long du fleuve. Les *lo fang* eux-mêmes fuient l'intérieur des terres pour venir se réfugier ici.

— Nous pourrions remonter vers le nord jusqu'à Tientsin et tenter de trouver là-bas une place à bord d'un bateau. (Maman lève la main, cette fois-ci, pour nous empêcher de protester.) Je sais : les macaques occupent déjà la ville. Il est encore possible de faire route vers l'est, mais jusqu'à quand ces régions résisteront-elles à l'invasion ?

Elle s'interrompt pour réfléchir. J'ai l'impression de voir les rouages de son cerveau tourner à l'intérieur de son crâne tandis qu'elle soupèse les risques, selon que nous quitterons Shanghai dans telle ou telle direction. Finalement, elle se penche et nous confie en chuchotant, d'une voix cependant empreinte d'énergie :

— Nous allons partir vers le sud-ouest et rejoindre le Grand Canal. Une fois que nous l'aurons atteint, nous devrions pouvoir dénicher un bateau, une barque ou un sampan qui nous emmène jusqu'à Hangchow. De là, nous pourrons demander à des pêcheurs de nous conduire à Hong Kong ou Canton. (Elle nous dévisage à tour de rôle, May et moi.) Êtes-vous d'accord ?

N'ayant pas la moindre idée de ce qu'il conviendrait de faire, j'éprouve une sorte de grand vertige.

— Merci, maman, murmure May. Merci de prendre aussi bien soin de nous.

Nous regagnons l'intérieur de la maison. Les rayons du clair de lune filtrent à travers les fenêtres. Quand nous lui souhaitons bonsoir, la voix de maman se brise soudain, et elle se hâte de pénétrer dans sa chambre, refermant rapidement la porte.

May me dévisage dans l'obscurité.

— Qu'allons-nous faire ? demande-t-elle.

Il me semble que la bonne question serait : qu'allons-nous devenir ? Mais je m'abstiens de le lui dire. Étant la *jie jie* de May, je dois lui dissimuler mes craintes.

Le lendemain matin, nous emballons à la hâte quelques objets de première nécessité : des affaires de toilette, trois livres de riz par personne, une marmite et quelques ustensiles de cuisine, des draps, des robes et des chaussures. À la dernière minute, maman me demande de la suivre dans sa chambre. Elle ouvre l'un des tiroirs de son armoire et en sort un certain nombre de papiers officiels, dont la liasse d'instructions explicatives que Sam m'avait donnée et nos certificats de mariage. Elle empile ensuite sur sa coiffeuse nos albums de photos : ils sont trop lourds pour que nous puissions les emporter, aussi me dis-je que maman souhaite en prélever quelques-unes à titre de souvenirs. Elle en retire effectivement une de la page noire sur laquelle elle était fixée : derrière apparaît un billet plié en deux… Elle répète l'opération à plusieurs reprises, jusqu'à avoir récupéré une petite liasse de billets, qu'elle fourre dans ses poches. Elle me demande ensuite de l'aider à tirer l'armoire : derrière le meuble, suspendu à un clou fixé au mur, se trouve une petite sacoche dont elle s'empare aussitôt.

— Voilà tout ce qui reste de ma dot, dit-elle.

— Comment as-tu pu garder cela pour toi ? lui demandé-je avec indignation. Pourquoi n'as-tu pas proposé de payer la Triade Verte avec ça ?

— Cela n'aurait pas suffi.

— Mais cela aurait pu servir d'acompte.

— Ma mère me disait jadis : « Garde toujours quelque chose de côté, pour ton propre usage », m'explique-t-elle. Je savais que je pouvais avoir besoin de cet argent un jour ou l'autre. Eh bien, ce jour est arrivé.

Elle quitte la pièce. Je m'attarde un moment sur les photos : May bébé, ma sœur et moi en grande tenue, nous rendant à une soirée, la photo de mariage de papa et maman… Le souvenir de ces jours heureux et insouciants m'étreint brusquement. Mes yeux s'embuent et je dois lutter pour ravaler mes larmes. Je saisis deux ou trois photos, les fourre dans mon sac et redescends l'escalier. Maman et May m'attendent sur les marches du perron.

— Perle, trouve-nous un bon conducteur de charrette, m'ordonne maman.

Je lui obéis, bien qu'il s'agisse d'une femme aux pieds bandés qui n'a jamais élaboré un seul plan de sa vie, en dehors de ses parties de mah-jong, mais elle est ma mère et nous n'avons guère le choix.

Je vais me placer au coin de la rue, attendant de voir apparaître un conducteur de charrette qui ait l'air suffisamment costaud et dont le véhicule soit assez large. Dans l'échelle sociale, les conducteurs de charrette se situent en dessous des tireurs de pousse-pousse, et légèrement au-dessus des collecteurs d'excréments. On considère qu'ils appartiennent à la catégorie des coolies – c'est-à-dire des gens prêts à faire n'importe quoi en échange d'un peu d'argent ou de quelques bols de riz. Après en avoir abordé plusieurs, j'en trouve finalement un qui accepte d'engager la négociation. Il est si maigre que la peau de son ventre semble adhérer à sa colonne vertébrale.

— Vous voulez quitter Shanghai aujourd'hui ? me demande-t-il d'un air méfiant. Je ne tiens pas à me faire tuer par les macaques.

Je ne lui révèle évidemment pas que la Triade Verte est à nos trousses et lui donne cette explication :

— Nous devons rentrer chez nous, dans la province de Kwangtung.

— Je ne vais pas vous emmener jusque-là !

— Bien sûr que non. Mais si vous pouviez nous conduire jusqu'au Grand Canal…

J'accepte de lui verser le double de ce qu'il gagne généralement dans une journée.

Il me reconduit à la maison et nous aide à charger nos affaires sur sa charrette. Nous disposons les ballots enveloppés dans des étoffes qui contiennent nos vêtements à l'arrière du véhicule, afin que maman puisse s'y adosser.

— Avant que nous partions, dit maman, je veux vous donner ceci.

Elle accroche autour du cou de May, puis du mien, une chaînette à laquelle est fixée une petite bourse en tissu.

— Je les ai achetées chez un devin, nous explique-t-elle. Elles contiennent chacune trois piécettes en cuivre, trois grains de sésame et trois graines de haricot. Il m'a assurée que cela vous protégerait contre les mauvais esprits, la maladie et les machines volantes de ces brigands de nabots.

Notre mère est si influençable, si crédule et si arriérée... Combien lui ont coûté ces gris-gris ridicules ? Cinquante piécettes ? Davantage ?

Elle grimpe dans la charrette et s'installe le plus confortablement possible. Elle tient entre ses mains nos papiers – billets de bateau, certificats de mariage et instructions – enveloppés dans un carré de soie noué par un ruban. Nous jetons ensuite un dernier regard à notre maison. Ni le cuisinier ni les locataires ne sont sortis pour nous dire au revoir ou nous souhaiter bonne chance.

— Es-tu bien sûre qu'il faille partir ainsi ? demande May d'une voix inquiète. Et si papa revenait ? S'il était blessé quelque part ?

— Ton père a un cœur de hyène et un ventre de python, lui répond maman. Est-il resté pour vous attendre ? S'est-il inquiété de votre sort ? Dans ce cas, pourquoi n'est-il pas ici ?

Je ne pense pas que maman soit à ce point insensible. Papa nous a certes menti et placées dans une situation désastreuse – il n'en reste pas moins son mari et le père de ses filles. Elle a toutefois raison sur un point : s'il est encore en vie, il ne se soucie vraisemblablement pas de nous. Nous ne pouvons pas davantage nous permettre de nous inquiéter pour lui, si nous voulons avoir la moindre chance de survivre.

Le conducteur saisit les poignées de la charrette, maman se retient aux montants et le véhicule se met en route. Pour l'instant, nous suivons à pied de part et d'autre, May et moi. Un long chemin nous attend et nous ne voulons pas que le jeune homme se fatigue trop vite. Comme dit le proverbe : *aucun chargement n'est léger quand on doit le porter pendant des milliers de pas.*

Nous franchissons le pont du Jardin. Autour de nous, des hommes et des femmes vêtus d'épaisses vestes en coton transportent tout ce qu'ils possèdent : des oiseaux en cage, des poupées, des sacs de riz, des horloges, des affiches enroulées... Tandis que nous longeons le Bund, je regarde l'autre rive du Whangpoo : les croiseurs étrangers brillent au soleil, d'épais nuages de fumée noire s'élèvent de leurs cheminées. L'*Idzumo* et ses remorqueurs d'un gris d'acier se dressent fièrement sur l'eau, défiant toujours les tirs de l'armée chinoise. Des jonques et des sampans oscillent sur les eaux. De toutes parts, et bien que la guerre soit maintenant à nos portes, des coolies vont et viennent, chargés d'énormes caisses et de ballots.

Nous tournons à droite dans Nanking Road. On a répandu sur la chaussée du sable et du désinfectant pour absorber le sang et chasser la puanteur infecte des cadavres. Nanking Road débouche ensuite sur Bubbling Well Road : l'avenue ombragée et bordée d'arbres grouille d'animation et il s'avère difficile de se frayer un chemin jusqu'à la gare de l'Ouest. Les gens s'entassent dans les autocars dont ils occupent les quatre niveaux : le plancher, les sièges, les porte-bagages et le toit. Notre conducteur poursuit son chemin et bientôt – très vite en fait, à notre grande surprise – la pierre et le ciment cèdent la place aux rizières et aux champs de coton. Maman sort le casse-croûte qu'elle a préparé, en ayant soin d'en donner une portion généreuse au conducteur. Nous nous arrêtons à plusieurs reprises pour satisfaire un besoin naturel derrière un arbre ou un buisson, et poursuivons notre route dans la chaleur ambiante. Je jette parfois un coup d'œil derrière nous et vois les fumées qui s'élèvent au-dessus de Chapei et Hongkew en me demandant, un peu stupidement, quand ces foyers s'éteindront.

Des ampoules sont apparues sur nos pieds et nos talons, mais nous avons oublié d'emporter des bandages et des onguents. Lorsque les ombres commencent à s'étirer, notre conducteur bifurque sans nous demander notre avis dans un sentier poussiéreux menant à une petite ferme au toit de chaume. Un cheval attaché a le museau plongé dans un seau de graines jaunes et des poules picorent le sol devant l'entrée, dont la porte est ouverte. Le conducteur immobilise sa charrette et s'étire tandis qu'une femme émerge de la ferme.

— Je transporte trois femmes, lui dit-il dans son dialecte rural. Nous voudrions un peu de nourriture et un toit pour la nuit.

La femme ne répond pas, mais nous fait signe de la suivre à l'intérieur. Elle verse de l'eau chaude dans une bassine, puis désigne mes pieds et ceux de May. Nous enlevons nos chaussures et posons les pieds dans l'eau. La femme revient avec une jarre en terre cuite. Du bout des doigts, elle étale sur nos ampoules crevées une pommade à l'odeur infecte, qu'elle a dû fabriquer elle-même. Elle reporte ensuite son attention sur maman. Elle l'aide à prendre place sur un tabouret, dans l'angle de la pièce, verse à nouveau de l'eau chaude dans une bassine et se place de façon à s'interposer entre elle et nous. Malgré tout, j'entrevois maman qui se penche et entreprend de dénouer ses bandages. Je détourne aussitôt les yeux. Il s'agit de l'occupation la plus intime à laquelle elle puisse se livrer. Jamais je n'ai vu ses pieds dénudés et je n'ai pas l'intention de déroger à cette règle aujourd'hui.

Une fois les pieds de maman lavés et enveloppés de bandages propres, la femme se met en devoir de préparer le dîner. Nous lui donnons un peu de notre riz, qu'elle verse dans une marmite d'eau bouillante et entreprend de remuer avec une cuillère, jusqu'à ce que les deux ingrédients aient formé la bouillie que nous appelons *jook*.

Pour la première fois, je me laisse aller à observer ce qui m'entoure. La pièce est d'une saleté repoussante et je redoute de manger ou de boire quoi que ce soit dans un endroit pareil. La femme, qui a l'air de le sentir, pose des bols vides et des cuillères en fer-blanc sur la table, ainsi qu'une casserole d'eau bouillante, puis elle nous fait signe de les prendre.

— Qu'attend-elle de nous ? demande May.

Nous l'ignorons, maman et moi, mais le conducteur de la charrette s'empare de la casserole, verse de l'eau bouillante dans les bols, y plonge les cuillères et les agite un moment, avant de vider l'eau sur le sol en terre battue. La femme nous sert ensuite le *jook*, dans lequel elle ajoute des fanes de carotte sautées. Les feuilles sont amères et dures à avaler. La femme disparaît et revient quelques instants plus tard avec une portion de poisson séché, qu'elle ajoute dans le bol de May. Elle se tient ensuite derrière elle, en lui pétrissant l'épaule.

Je ressens une brusque pulsion de colère. Cette femme pauvre, sans la moindre éducation et parfaitement étrangère, a donné au conducteur le plus gros bol de *jook* ; puis elle s'est arrangée pour procurer à maman un peu d'intimité ; et la voilà à présent qui s'est entichée de May ! Qu'y a-t-il donc en moi, pour que les paysannes elles-mêmes se rendent compte que je n'ai pas la moindre valeur ?

Après le repas, le conducteur va dormir en plein air, à côté de sa charrette, tandis que nous prenons place sur des matelas de paille étalés à même le sol. Si je suis épuisée, maman semble animée d'une brusque flamme intérieure. La mauvaise humeur qui a toujours été l'élément majeur de son caractère se dissipe totalement et elle entreprend même de nous parler de son enfance et de la maison où elle a grandi.

— L'été, quand j'étais encore une enfant, nous dormions toutes en plein air – ma mère, mes tantes, mes sœurs et l'ensemble de mes cousines – sur des matelas strictement identiques à ceux-ci, se souvient-elle en parlant à voix basse pour ne pas déranger notre hôtesse, qui s'est allongée sur une estrade dressée auprès du poêle. Vous n'avez jamais vu mes sœurs… nous vous ressemblions un peu. (Elle a un petit rire contrit.) Nous nous aimions beaucoup et il arrivait bien sûr que nous nous disputions. Mais lors de ces soirées d'été où nous dormions à la belle étoile, jamais nous ne nous chamaillions. Nous écoutions notre mère nous raconter des histoires.

Dehors les cigales craquettent. Dans le lointain, on perçoit le vacarme étouffé des bombes qui s'abattent sur notre ville. Les explosions font vibrer le sol et se répercutent dans nos membres. May pousse un petit cri et maman ajoute :

— Je crois que vous n'êtes pas encore trop vieilles pour que je vous en raconte une à mon tour…

— Oh oui, maman ! la presse May. Raconte-nous l'histoire des Sœurs de la Lune.

Maman tend la main et tapote avec tendresse l'épaule de May.

— Dans les temps anciens, commence-t-elle d'une voix qui me ramène brusquement à mon enfance, il y avait deux sœurs qui habitaient sur la Lune. Elles étaient très belles. (J'attends, sachant précisément ce qu'elle va dire ensuite.) Elles étaient aussi belles que May – souples comme des tiges de bambou, gracieuses comme des branches de saule agitées par la brise, avec des visages d'un ovale parfait, semblable à celui d'une graine de melon. Et elles étaient aussi intelligentes et débrouillardes que Perle –

brodant leurs chaussons en forme de lis de plus de dix mille points chacun. Toute la nuit, les deux sœurs brodaient avec leurs soixante-dix aiguilles, et leur célébrité ne tarda pas à grandir, au point que les gens sur la Terre se rassemblaient pour les regarder.

Je connais par cœur le destin qui attend les deux sœurs de ce conte mythique, mais j'ai l'impression que maman cherche à lui donner ce soir une inflexion différente.

— Les deux sœurs connaissaient les règles qui concernent la conduite des futures épouses, poursuit-elle. Aucun homme ne devait les voir – et encore moins les *regarder*. Chaque nuit, elles étaient un peu plus malheureuses, jusqu'à ce que l'aînée ait finalement une idée : « Nous devrions changer de place avec notre frère. » La cadette n'était pas tout à fait convaincue, il y avait un soupçon de vanité en elle, mais c'était son devoir de respecter les décisions de sa *jie jie*. Les deux sœurs enfilèrent donc leurs plus belles robes rouges, brodées de dragons s'élançant au milieu de fleurs flamboyantes, et allèrent trouver leur frère, qui vivait sur le Soleil, pour lui demander d'échanger leur place avec la sienne.

May, qui aime depuis toujours cette partie de l'histoire, prend alors le relais :

— « Il y a plus de gens éveillés sur Terre de jour que de nuit, leur dit leur frère. Et plus de regards encore se tourneront vers vous. »

— Les deux sœurs se mirent à pleurer, reprend maman, un peu comme tu le faisais, May, quand tu voulais obtenir quelque chose de ton père.

Je suis étendue sur le sol en terre battue de cette masure, écoutant ma mère qui essaie de nous réconforter avec ses contes pour enfants, et d'amères pensées m'étreignent le cœur. Comment maman peut-elle parler de papa avec un tel détachement ? Aussi mauvais soit-il – était-il ? – ne devrait-elle pas éprouver de la peine à son sujet ? Pire encore : comment peut-elle choisir un moment pareil pour me rappeler que j'avais moins de valeur à ses yeux ? Papa ne cédait jamais à mes caprices, même quand je pleurais. Je secoue la tête, en essayant de chasser les mauvaises pensées qui me viennent : je devrais plutôt m'inquiéter pour lui. Je me dis que je suis trop fatiguée et trop inquiète pour réfléchir correctement. Mais cela me fait de la peine de ne pas avoir droit au même amour que ma sœur, alors même que nous traversons une telle épreuve.

— Le frère adorait ses deux sœurs et accepta finalement de changer de place avec elles, poursuit maman. Les sœurs emballèrent leurs aiguilles et se rendirent dans leur nouvelle demeure. Sur Terre, les gens levèrent les yeux et aperçurent un homme sur la Lune. « Où sont les deux sœurs ? se demandèrent-ils. Où sont-elles donc passées ? » Désormais, lorsque quelqu'un regarde le Soleil, les deux sœurs se servent de leurs soixante-dix aiguilles pour le piquer, afin qu'il ne les regarde pas trop longtemps. Et ceux qui refusent de détourner les yeux deviennent aveugles.

May pousse un lent soupir. Je la connais bien et je sais que d'ici quelques instants elle se sera endormie. Sur l'estrade dressée un peu plus loin, notre hôtesse grommelle. L'histoire lui a-t-elle déplu ? J'ai mal de partout à présent et mon cœur est douloureux, lui aussi. Je ferme les yeux pour retenir mes larmes.

## ENVOL DANS LE CIEL NOCTURNE

Le lendemain matin, la femme fait bouillir de l'eau pour que nous puissions nous laver le visage et les mains. Elle prépare du thé et nous donne à chacune un nouveau bol de *jook*. Puis elle étale une couche de pommade sur nos pieds et nous passe des bandages usés mais propres, que nous utilisons comme pansements. Pour finir, elle nous accompagne à l'extérieur et aide ma mère à s'installer sur la charrette. Maman veut la payer : la paysanne la repousse d'un geste, refusant même de nous regarder plus longtemps, comme si nous l'avions insultée.

Nous marchons toute la matinée. Le brouillard s'étend sur les champs et l'odeur du riz en train de cuire lentement sur des feux de paille arrive jusqu'à nous, en provenance des villages que nous longeons. Nos chapeaux à May et moi – ceux du moins qui ont survécu à la razzia du Vieux Louie – ont été emballés avec soin, aussi le soleil ne tarde-t-il pas à nous brûler la peau à mesure que le jour avance. Nous finissons par rejoindre maman dans la charrette. Jusqu'à présent, pas une fois le conducteur ne s'est plaint ni n'a menacé de nous abandonner ; il ne nous a même pas réclamé davantage d'argent. Il se contente d'avancer, posant stoïquement un pied devant l'autre.

En fin d'après-midi, comme la veille, il quitte la route principale et s'engage dans un sentier menant à une ferme qui semble encore plus misérable que la précédente. La femme trie des graines, charriant dans son dos un nourrisson endormi. Deux autres enfants l'aident, les traits fatigués et l'air maladif. Le mari nous dévisage, calculant déjà la somme qu'il va nous demander.

Lorsque son regard se pose sur les pieds bandés de ma mère, il affiche un sourire édenté. Il finit par nous céder pour un prix faramineux quelques galettes de maïs desséchées.

Maman et May s'endorment avant moi. Je regarde le plafond, en écoutant un rat qui se faufile le long de la paroi, s'arrêtant de temps à autre pour ronger un objet quelconque. Moi qui ai toujours mené une existence privilégiée, je songe soudain que nous pourrions aisément trouver la mort dans cette équipée, maman, May et moi. Comme tous ceux qui n'ont connu que le confort d'une vie aisée, nous ignorons ce que cela signifie de survivre et de tenir bon avec trois fois rien, jour après jour. En revanche, la famille qui habite ici et la femme qui nous a accueillies hier soir le savent, elles. Quand on ne possède pas grand-chose, il n'est pas très difficile de se priver davantage.

Le lendemain matin, nous contournons les ruines d'un village décimé par le feu. Sur la route, nous apercevons les cadavres des habitants qui avaient vainement cherché à s'enfuir : les hommes éventrés à coups de baïonnette, les bébés abandonnés et les femmes vêtues d'une simple tunique retroussée au-dessus des hanches, les jambes écartelées et constellées de sang. Peu après, nous découvrons les corps de soldats chinois qui pourrissent au soleil. L'un d'eux gît en position fœtale, la main plaquée contre la bouche comme s'il s'était mordu la paume dans les derniers instants pour endiguer la douleur.

Quelle distance avons-nous parcouru ? Je l'ignore. Peut-être une vingtaine de kilomètres par jour. Et sommes-nous encore loin du but ? Aucune d'entre nous ne le sait. Mais nous devons poursuivre notre route, en espérant ne pas croiser de Japonais avant d'atteindre le Grand Canal.

Une fois le soir venu, notre conducteur répète son manège : il emprunte un chemin de terre menant à une cabane dont les habitants sont absents. Ils sont visiblement partis depuis peu, car tous leurs biens sont restés en place, y compris leurs poules et leurs canards. Le conducteur farfouille sur les étagères et déniche une jarre de navets salés. Nous le regardons préparer du riz, en nous sentant aussi démunies qu'inutiles. Comment se fait-il qu'au bout de trois jours nous ne connaissions même pas son nom ? Il est plus âgé que May et moi, mais plus jeune que maman. Nous nous adressons pourtant à lui comme à un domestique et il nous répond avec le respect que lui impose sa condition inférieure. Une fois que nous avons mangé, il s'active encore un moment et finit par trouver de l'encens, qu'il allume pour chasser les moustiques. Puis il ressort et va dormir au pied de sa charrette. Nous passons dans la seconde pièce, où se trouve un lit formé d'un chevalet et de trois planches en bois. Une couette rembourrée est posée juste à côté. Il fait trop chaud pour dormir là-dessous, mais nous l'étalons sur les planches afin que la couche soit moins dure pour nos membres délicats.

Les Japonais débarquent au cours de la nuit. Nous entendons le martèlement de leurs bottes, leurs voix agressives et gutturales et les cris de notre conducteur qui implore leur pitié. Qu'il l'ait fait exprès ou non, son agonie nous laisse le temps de nous organiser. Il n'y a que deux pièces dans cette cabane : où pourrions-nous bien nous cacher ? Maman nous dit alors d'ôter les trois planches du chevalet et de les disposer contre le mur, à la verticale.

— Glissez-vous là derrière, ajoute-t-elle.

Nous nous dévisageons, May et moi. *Qu'a-t-elle donc en tête ?*

— Allez ! nous presse-t-elle. Dépêchez-vous !

Une fois que nous nous sommes faufilées derrière les planches, maman nous tend la sacoche contenant le reste de sa dot et le paquet enveloppé de soie qui renferme nos papiers.

— Prenez ça.

— Mais, maman...

— *Chut !*

Elle me saisit la main et y glisse de force la sacoche et le paquet. Nous l'entendons ensuite tirer le chevalet en travers de la pièce et le plaquer contre les planches : nous nous retrouvons coincées là-derrière, ma sœur et moi, obligées de tourner la tête sur le côté tellement l'espace est réduit. Mais nous ne sommes pas invisibles pour autant et les soldats n'auront guère de mal à nous trouver.

— Ne bougez pas d'ici, chuchote maman. Et surtout ne sortez pas de votre cachette, quoi qu'il advienne.

Elle m'attrape le poignet et le secoue violemment. Puis elle poursuit, dans le dialecte de Sze Yup pour que ma sœur ne comprenne pas :

— Je parle sérieusement, Perle. Ne bougez pas. Et ne laisse surtout pas ta sœur sortir d'ici.

Nous entendons maman quitter la pièce et refermer la porte. À côté de moi, May s'est immobilisée : chaque fois qu'elle respire, je sens un souffle tiède humecter ma joue. Mon cœur bat à tout rompre dans ma poitrine.

Dans la pièce voisine, nous percevons le bruit de la porte d'entrée qui s'ouvre violemment, puis un martèlement de bottes et des éclats de voix – celles des soldats japonais – et pour finir les supplications de maman, qui tente de discuter avec eux. À un moment donné, la porte donnant sur la pièce où nous nous trouvons s'ouvre et la lumière des lanternes jaillit dans l'obscurité, éclairant le mur de part et d'autre des planches qui nous servent de cachette. Maman pousse un cri aigu, la porte se referme et la lumière disparaît.

— Maman… gémit May.

— Calme-toi, lui murmuré-je.

Des rires et des grognements se font alors entendre, mais nous ne percevons plus la voix de notre mère. Est-elle déjà morte ? Dans ce cas, les soldats ne tarderont pas à venir nous déloger. Ne faut-il pas que je fasse quelque chose, pour laisser à ma sœur une chance de s'en sortir ? Je dépose les objets que maman m'a confiés et me glisse vers la gauche.

— Non ! lance May.

— *Tais-toi !*

Dans notre espace réduit, May m'a empoigné le bras.

— N'y va pas, Perle, implore-t-elle. Ne m'abandonne pas.

Je dégage mon bras et sa main retombe. J'émerge de notre cachette, le plus silencieusement possible. Sans l'ombre d'une hésitation, je me dirige vers la porte, l'ouvre et m'avance dans la pièce principale en tirant le battant derrière moi.

Maman est allongée sur le sol, les jambes écartées. Un soldat la pénètre. Je suis frappée par la maigreur de ses cuisses, résultat d'une longue vie passée à marcher – ou plutôt, à onduler – sur ses pieds bandés. Une douzaine de soldats, sanglés dans leurs uniformes jaunes et leurs bottes en cuir, leurs fusils en bandoulière, font cercle autour d'elle, contemplant la scène et attendant leur tour.

Maman pousse un gémissement en m'apercevant.

— Tu m'avais promis de ne pas sortir de ta cachette… (Elle parle d'une voix faible, empreinte de douleur et de tristesse.) C'était mon devoir à moi de vous sauver la vie.

Le nabot qui chevauche ma mère lui donne une gifle. Des mains puissantes m'empoignent et me tirent dans tous les sens. Qui va me posséder en premier ? Le plus costaud ? Le soldat qui est sur ma mère s'interrompt brusquement, remonte son pantalon et bouscule ses compagnons sans ménagement, cherchant à s'emparer de moi.

— Je leur avais dit que j'étais seule, murmure maman d'une voix désespérée.

Elle essaie de se relever, mais parvient seulement à se mettre à genoux. Malgré la frénésie ambiante, je réussis à garder mon calme. Maman se met à pleurer.

— Je voulais vous sauver, May et toi…

L'un des soldats me pousse. Deux autres se tournent vers maman et la frappent, sur la tête et les épaules. Ils nous crient après : peut-être ne veulent-ils pas que nous parlions, mais je n'en suis pas sûre. Je ne connais pas leur langue. L'un d'eux finit par essayer l'anglais :

— Que dit la vieille ? Qui d'autre essayez-vous de cacher ?

Je vois le désir briller dans ses yeux. Ils sont nombreux dans la pièce et il n'y a que deux femmes, dont l'une est âgée.

— Ma mère est contrariée parce que je ne suis pas restée cachée. Je suis sa fille unique.

Je n'ai pas besoin de faire semblant de pleurer. Les sanglots me viennent naturellement, terrifiée comme je le suis à l'idée de ce qui m'attend.

Et soudain je parviens à m'échapper, à oublier mon corps, la pièce, la terre elle-même, je prends mon envol dans le ciel nocturne, à la recherche des lieux et des gens que j'aime. Je pense à Z. G. : saura-t-il un jour par quoi j'ai dû en passer, pour témoigner de ma piété filiale ? Je pense à Betsy. Je pense même à mon étudiant japonais, le capitaine Yamasaki : serait-il par hasard dans les parages ? Ne pourrait-il pas me reconnaître et se dire que May ne devrait pas se trouver bien loin ? Lui qui voulait l'épouser, va-t-il maintenant pouvoir la posséder comme un simple trophée de guerre ?

Ma mère est sauvagement battue, mais ni ses cris ni la vue de son sang ne freinent l'ardeur des soldats. Ils dénouent et déroulent ses bandages, qui se déploient dans l'air comme les rubans d'un acrobate. Ses pieds ont la couleur d'un cadavre refroidi – d'un blanc verdâtre, avec des nuances de pourpre sous la peau tuméfiée. Les soldats les tirent dans tous les sens, avant de les frapper en essayant de leur redonner une forme « normale ». Les cris qu'elle émet alors n'ont rien à voir avec ceux qu'elle a dû pousser quand on a commencé son bandage, dans sa jeunesse, ni lorsqu'elle a mis ses enfants au monde. Ce sont les cris d'angoisse d'un animal qui doit faire face à une douleur atroce, dépassant sa compréhension.

Je ferme les yeux et essaie d'ignorer les actes auxquels ils se livrent, mais mes dents ne demanderaient pas mieux que de se planter dans l'épaule de l'homme allongé sur moi. Je n'arrête pas de revoir défiler dans mon esprit les cadavres des femmes que nous avons aperçus le long de la route, plus tôt dans la journée, et je redoute de finir de la même manière, les jambes affreusement écartées dans une posture inhumaine. Je ressens une douleur atroce, bien pire que pendant ma nuit de noces – comme si l'on fouillait à l'intérieur de mon corps et qu'on m'arrachait les entrailles. L'atmosphère est lourde, d'une moiteur épaisse, saturée par l'odeur suffocante du sang, des pieds dénudés de maman et de l'encens destiné à éloigner les moustiques.

De temps à autre – lorsque les cris de ma mère deviennent trop affreux – j'ouvre les yeux et me rends compte du traitement qu'ils lui infligent. *Maman, maman, maman...* ai-je envie de crier, mais je ne le fais pas. Je ne veux pas donner à ces macaques le plaisir de jouir de ma propre terreur. Je tends le bras et saisis la main de ma mère. Comment décrire le regard que nous échangeons, mère et fille, en train de nous faire violer jusqu'à ce que mort s'ensuive, selon toute vraisemblance ? Je vois défiler dans ses yeux l'instant de ma naissance, les tragédies infimes de l'amour maternel, une totale absence d'espoir – et puis quelque part, tout au fond de son regard baigné de larmes, une lueur féroce que je ne lui connaissais pas.

Pendant tout ce temps, je prie en silence pour que May reste planquée, qu'elle ne fasse pas de bruit et ne soit pas tentée de venir jeter un coup d'œil par ici. La seule chose que je serais incapable de supporter, ce serait de la voir dans cette pièce livrée à ces... à ces hommes. Je cesse peu à peu d'entendre maman et je perds la notion de l'endroit où je me trouve – et même de ce qui m'arrive. Je ne ressens plus que la douleur.

La porte d'entrée s'ouvre soudain et j'entends le bruit d'autres bottes martelant le sol en terre battue. C'est sans doute le pire moment de cette scène monstrueuse : je me dis que d'autres soldats vont succéder aux précédents. Mais je me trompe. Une voix furibonde, autoritaire et grinçante interpelle vivement les soldats. Ceux-ci se relèvent, rajustent leurs pantalons, lissent leurs cheveux et s'essuient les lèvres du revers de la main. Puis ils se mettent au garde-à-vous et font le salut militaire. Je reste allongée par terre, la plus immobile possible, en espérant qu'ils me croient morte. Le nouveau venu aboie des ordres – ou s'agit-il de reproches ? Les autres soldats rigolent.

La lame froide d'un sabre ou d'une baïonnette se plaque sur ma joue. Je ne réagis pas. Une botte me frappe. Là encore, je voudrais ne manifester aucune réaction, *faire la morte pour que cela ne recommence pas*, mais mon corps se recroqueville sur lui-même comme une chenille blessée. Personne ne rit, cette fois-ci, je ne perçois qu'un profond, un terrible silence, tandis que j'attends l'impact de la baïonnette.

Je sens à la place un courant d'air froid, puis le contact plus doux d'un tissu qu'on étend sur mon corps dénudé. Je réalise que l'officier en colère se dresse auprès de moi, hurlant des ordres auxquels répond le martèlement des bottes, tandis que les soldats quittent les lieux. L'homme se penche ensuite, rajuste le tissu pour mieux couvrir ma hanche et s'éclipse à son tour.

Pendant un long moment, un silence mortel emplit la pièce. Puis j'entends maman qui gémit et remue faiblement. J'ai toujours horriblement peur mais je lui chuchote :

— Ne bouge pas. Ils peuvent revenir.

Peut-être ai-je seulement rêvé avoir murmuré ces paroles, car maman ne semble pas tenir compte de mon avertissement. Elle rampe pour se rapprocher de moi, puis je sens le contact de ses doigts sur ma joue. Elle dont j'ai toujours cru qu'elle était dénuée de force physique, la voici qui me tire et m'installe sur ses genoux, avant de s'adosser à la paroi en boue séchée de la cabane.

— Ton père t'avait appelée Dragon de Perle, dit-elle en me caressant les cheveux, parce que tu étais née dans l'année du Dragon et que celui-ci aime jouer avec les perles. Mais ce nom me plaisait aussi pour une autre raison. Une perle pousse quand un grain de sable s'est logé dans une huître. J'étais jeune, j'avais à peine quatorze ans quand mon père avait arrangé mon mariage. Le devoir conjugal faisait partie de mes obligations et je m'y pliais, mais la chose que ton père mettait en moi était aussi désagréable que du sable. Et puis, un beau jour, qu'arriva-t-il ? Ma petite Perle était née.

Elle se met à fredonner, pendant quelques instants. Je me sens somnolente, tout mon corps me fait mal. Où est passée May ?

— Il y a eu un typhon le jour où tu es née, poursuit brusquement maman en utilisant le dialecte de Sze Yup, le langage de mon enfance, celui dont nous nous servions pour tenir May à l'écart de nos petits secrets. On dit qu'un Dragon né un jour de tempête connaîtra un destin particulièrement agité. Tu crois toujours avoir raison et cela te conduit à faire des choses dont tu devrais t'abstenir...

— Maman...

— Écoute-moi, pour une fois... et ensuite, tu essaieras d'oublier... tout ceci. (Elle se penche et chuchote à mon oreille.) Tu es un Dragon et le Dragon est le seul de tous les signes qui cherche à dompter le cours du destin. Ta sœur n'est qu'une Chèvre et tu t'es toujours comportée comme une mère à son égard, davantage que moi. (Je veux me redresser, mais maman m'immobilise.) N'essaie pas de discuter avec moi, nous n'avons pas le temps.

Sa voix me paraît brusquement d'une extrême beauté. Jamais à ce jour je n'avais ressenti avec une telle intensité son amour maternel. Mon corps se détend dans ses bras et plonge lentement dans les ténèbres.

— Tu dois prendre soin de ta sœur, me dit maman. Promets-le-moi, Perle. Promets-le-moi immédiatement.

Je le lui promets. Et puis, après un temps qui me paraît durer des jours et des semaines, l'obscurité retombe sur moi.

## LE GOÛT DES VAGUES ET DU VENT

Je me réveille une première fois, au contact d'une étoffe mouillée qu'on me passe sur le visage. J'ouvre les yeux et entrevois May – aussi pâle et indistincte qu'un spectre, le ciel au-dessus d'elle… Sommes-nous mortes ? Je referme les yeux et sens mon corps ballotter de droite à gauche.

La fois suivante, je me rends compte que nous sommes à bord d'un bateau. Ce coup-ci, je lutte pour rester éveillée. Je regarde sur ma gauche et aperçois des filets de pêche. Sur ma droite, un peu plus loin, se profile un rivage. Le bateau progresse à vitesse régulière et l'absence de vagues laisse à penser que nous ne sommes pas en pleine mer. Je soulève la tête et distingue une cage, au-dessus de mes pieds. À l'intérieur, un garçon de six ou sept ans – simple d'esprit, malade ou fou furieux ? – s'agite nerveusement. Je referme les yeux et me laisse bercer par le rythme du bateau qui fend lentement les eaux.

J'ignore combien de jours nous voyageons de la sorte. Je capte des images fuyantes et fragmentaires : la lune et les étoiles au-dessus de moi dans le ciel, le coassement continu des grenouilles, le son lancinant d'une *pi-pa*, le heurt mouillé d'une rame, des coups de fusil, la voix d'une mère au loin appelant son enfant… Dans les replis torturés de mon esprit, j'entends une voix demander : « Est-il vrai que les cadavres des hommes se retournent sur le ventre dans l'eau, tandis que ceux des femmes flottent sur le dos ? » Je ne sais pas qui a posé cette question, ni même si quelqu'un l'a vraiment formulée, mais je préfère continuer à contempler la noirceur liquide et infinie dans laquelle je baigne.

À un moment donné, je lève le bras pour me protéger du soleil qui tombe sur moi et sens quelque chose de lourd glisser à mon poignet. C'est le bracelet de jade de ma mère et je comprends aussitôt qu'elle est morte. L'intérieur de mon corps est brûlant de fièvre, tandis que ma peau est glacée et que je frissonne sans cesse. Des mains me soulèvent doucement. Je suis dans un hôpital. Des voix lointaines prononcent des mots tels que « morphine », « lacérations », « infection », « vagin », « chirurgie »… Lorsque je perçois la voix de ma sœur, je me sens rassurée. Sinon, je suis désespérée.

Je finis par émerger de mon périple parmi ceux que la mort a frôlés. May dort dans un fauteuil, à côté de mon lit d'hôpital. Posées sur ses genoux, ses mains recouvertes d'épais bandages ressemblent à deux grosses pattes blanches. Un homme – un médecin – penché au-dessus de moi porte un doigt à ses lèvres. Il désigne May d'un mouvement de tête et murmure :

— Laissez-la dormir, elle en a besoin.

Voyant qu'il approche son visage du mien, j'essaie de me dégager mais mes poignets ont été attachés aux montants du lit.

— Vous avez déliré pendant quelque temps et vous vous débattiez comme une tigresse, dit-il d'une voix douce. Mais vous êtes tirée d'affaire maintenant.

Il pose une main sur mon bras. Il est chinois, mais c'est avant tout un homme et je suis sur le point de hurler. Le médecin étudie un instant mon regard, avant de déclarer avec un sourire :

— Votre fièvre est retombée. Vous allez vous en sortir.

Au cours des jours suivants, j'apprends que May a hissé mon corps sur la charrette, qu'elle a conduite elle-même jusqu'au Grand Canal. En cours de route, elle a vendu la plupart des affaires que nous avions emportées. Nos possessions se résument désormais à trois tenues vestimentaires chacune, nos papiers et le reste de la dot de maman. Arrivée au Grand Canal, May a utilisé une partie de cet argent pour engager une famille de pêcheurs, qui nous ont emmenées jusqu'à Hangchow à bord de leur sampan. J'étais à l'article de la mort lorsqu'elle m'a déposée à l'hôpital. Pendant qu'on m'emmenait au bloc opératoire, d'autres médecins se sont occupés de ses mains qui avaient enflé, déformées par d'énormes ampoules à force de tirer la charrette. Elle a pu payer tous ces soins en vendant une partie des bijoux de maman à un prêteur sur gages.

Ses mains guérissent peu à peu et je dois pour ma part subir deux autres opérations. Un jour, les médecins viennent me trouver, l'air embarrassé, et m'annoncent qu'il est peu probable que je puisse par la suite avoir des enfants. May se met à pleurer, mais cela m'indiffère. Je préfère encore mourir que me livrer à l'avenir au commerce charnel. *Plus jamais*, me dis-je intérieurement, *plus jamais je ne ferai une chose pareille.*

Au bout de six semaines, les médecins acceptent enfin de me laisser quitter l'hôpital. Dès qu'elle apprend la nouvelle, May s'éclipse afin de régler les détails de notre départ pour Hong Kong. Le jour où elle vient me chercher, je vais me changer dans la salle de bains. J'ai perdu beaucoup de poids. La jeune fille qui me dévisage dans le miroir ne semble guère avoir plus de douze ans : grande, efflanquée, squelettique, les joues décharnées et les yeux soulignés par de profonds cernes noirs. Mes cheveux ont poussé et tombent à présent sur mes épaules. Ma peau a bruni, à cause des journées que j'ai passées exposée au soleil sans la protection d'une ombrelle ou d'un chapeau. Papa serait furieux s'il me voyait… Mes bras sont tellement émaciés que mes doigts paraissent trop longs et ressemblent à des griffes. La robe occidentale que j'enfile pend le long de mon corps comme une draperie trop large.

Lorsque je sors de la salle de bains, May m'attend, assise sur mon lit. Elle me lance un bref coup d'œil et me conseille de changer de tenue.

— La situation s'est aggravée pendant que tu te rétablissais, me dit-elle. Les macaques sont partout à présent, telles des fourmis attirées par le sirop.

Elle hésite un instant. Elle a évité jusqu'à présent de faire allusion à ce qui s'est passé dans la cabane, au cours de cette terrible nuit, et je lui en suis reconnaissante. Mais cet épisode demeure en suspens entre nous dans chaque mot, chaque geste, chaque regard que nous échangeons.

— Il faut s'adapter à la situation, reprend-elle avec une gaieté feinte. Nous devons nous fondre dans la foule.

Elle a vendu l'un des bracelets de maman et acheté avec cet argent deux tenues ordinaires : des pantalons de lin noir, des vestes bleues assez amples et des foulards pour nous couvrir la tête. Elle me tend ces habits de paysanne. Je n'ai jamais éprouvé la moindre timidité devant May, étant donné qu'elle est ma sœur, mais je crois que je ne serai plus capable désormais de me retrouver nue devant elle. Je prends les vêtements et retourne dans la salle de bains.

— Et j'ai une autre idée, lance-t-elle derrière la porte que j'ai eu soin de refermer. Seulement j'ignore si elle marchera. Ce sont deux missionnaires chinoises qui me l'ont suggérée. J'attends que tu sois sortie pour te montrer de quoi il s'agit.

En me regardant dans le miroir, cette fois-ci, je suis à deux doigts d'éclater de rire. Au cours des deux derniers mois, la « jeune beauté » que j'étais au départ s'est transformée en une paysanne inspirant davantage la pitié que l'envie. Lorsque je ressors de la salle de bains, May ne fait aucun commentaire et m'entraîne vers le lit. Elle sort un pot de crème de beauté et un sachet de poudre de cacao, qu'elle dispose sur ma table de nuit. Elle attrape une cuillère sur le plateau du petit déjeuner et fronce les sourcils en voyant qu'une fois de plus je n'ai rien mangé. Elle dépose ensuite deux cuillérées de crème sur le plateau.

— Verse un peu de poudre de cacao là-dessus, me dit-elle.

Je la dévisage sans comprendre.

— Fais-moi confiance, ajoute-t-elle en souriant.

Je saupoudre donc la crème d'un peu de poudre. May la remue aussitôt, jusqu'à ce que le tout soit bien mélangé.

— Nous allons étaler cette décoction sur notre visage et nos mains, dit-elle. Notre peau paraîtra plus foncée et nous passerons ainsi pour de vraies paysannes.

C'est une idée ingénieuse, mais ma peau a déjà bruni et cela n'effacera pas la barbarie des soldats. Néanmoins, lorsque je quitte l'hôpital, j'ai suivi la consigne de May.


Pendant que j'étais à l'hôpital, May a déniché un pêcheur qui profite des circonstances pour se remplir les poches en transportant des réfugiés de Hangchow à Hong Kong. Lorsque nous prenons place à bord de son bateau, nous rejoignons une dizaine d'autres passagers dans la cale sombre et étroite qui servait jusqu'alors à stocker le poisson. La seule lumière est celle du jour qui filtre au-dessus de nos têtes à travers les planches du pont. L'odeur de poisson est terriblement prégnante. Nous quittons la côte et ne tardons pas à être pris dans la queue d'un typhon. Tous les passagers ont le mal de mer, mais c'est May qui est de loin la plus malade.

Le deuxième jour de la traversée, nous entendons soudain des cris retentir à l'extérieur. La femme assise à côté de nous se met à pleurer.

— Ce sont les Japonais, se lamente-t-elle. Nous allons tous mourir.

Si elle dit vrai, je ne leur laisserai pas le loisir de me violer une seconde fois et me jetterai dans la mer avant qu'ils aient pu s'emparer de moi. Le bruit de lourdes bottes résonne sur les planches au-dessus de nos têtes. Les mères serrent leurs bébés contre leurs poitrines afin d'étouffer leurs pleurs éventuels. L'un de ces nourrissons agite désespérément un bras sous mon nez, comme s'il peinait à retrouver son souffle.

May brasse dans nos affaires. Elle en extrait les dollars qui nous restent et les divise en trois petits tas. Elle plie le premier et le glisse entre les lattes du plafond. Elle me tend ensuite le deuxième et cache le dernier dans les plis de son foulard. Puis elle se hâte d'ôter de mon poignet le bracelet de maman et ses propres boucles d'oreilles, qu'elle fourre dans la sacoche abritant le reste de la dot maternelle. Elle parvient enfin à dissimuler le tout dans un interstice, entre la coque et la plate-forme sur laquelle nous sommes assises. Ces diverses précautions prises, elle saisit le sac contenant nos affaires de voyage et sort le reste de sa décoction, dont nous étalons une couche supplémentaire sur notre visage et nos mains.

L'écoutille s'ouvre et un flot de lumière pénètre dans la cale.

— Montez ! lance une voix en chinois.

Nous obéissons. L'air froid et salé me frappe au visage et la mer fait tanguer le bateau sous mes pieds, mais j'ai trop peur pour lever les yeux.

— Tout va bien, chuchote May. Ce sont des Chinois.

Nous n'avons pas affaire à des gardes-côtes, à des pêcheurs, ni même à des réfugiés qu'on aurait transférés d'un autre bateau. Ce sont des pirates. Sur le continent, certains de nos compatriotes profitent de la guerre pour piller les zones où se déroulent les combats. Pourquoi en irait-il autrement en mer ? Les passagers sont terrifiés. Ils ne se rendent pas compte qu'il y a pire dans l'existence que de se faire dépouiller de ses biens.

Les pirates fouillent les hommes et s'emparent de l'argent ou des bijoux qu'ils trouvent. Mécontent de leur maigre butin, leur chef ordonne aux hommes de se déshabiller. Ceux-ci commencent par hésiter, mais ne tardent pas à obéir en le voyant brandir son fusil. De nouveaux bijoux et un peu d'argent supplémentaire sont ainsi découverts, cousus dans les doublures de leurs vêtements ou glissés sous les semelles de leurs chaussures, voire dans les replis intimes de leur anatomie.

Il est difficile d'expliquer ce que je ressens en cet instant précis : la dernière fois que j'ai vu des hommes nus… Mais il s'agit à présent de mes compatriotes – terrorisés, frigorifiés et cherchant à dissimuler leur intimité derrière leurs mains croisées. Je n'ai aucune envie de les regarder, je le fais pourtant. Je me sens gênée et en même temps curieusement triomphante – de voir des hommes réduits à un tel état d'impuissance.

Les pirates demandent ensuite aux femmes de leur donner ce qu'elles ont caché de leur côté. Après avoir vu ce qui est arrivé aux hommes, elles s'empressent de leur obéir. Sans regret, je fouille dans les plis de mon foulard et en extirpe mes billets. Tous les objets de valeur sont alors rassemblés, mais les pirates ne sont pas stupides.

— Toi ! lance leur chef.

Je sursaute, mais ce n'est pas à moi qu'il s'adresse.

— Qu'est-ce que tu dissimules encore ?

— Je travaille dans une ferme, répond d'une voix tremblante la fille qui se trouve à ma droite.

— Dans une ferme, hein ? Ça m'étonnerait, avec le visage et les mains que tu as…

Il n'a pas tort. Si la fille est habillée comme une paysanne, la peau de son visage est claire, ses mains sont très fines et elle porte de surcroît des sandales à la mode. Le pirate l'oblige à se défaire de ses vêtements, jusqu'à ce qu'apparaisse un paquet enveloppé dans une nappe occidentale et retenu par une ceinture fixée autour de sa taille. Nous savons tous à ce moment-là que la fille a menti : jamais une paysanne n'aurait pu s'acheter pareille étoffe, elle se serait servie comme tous les pauvres gens d'un vulgaire emballage végétal.

Comment se fait-il que nous ne détournions pas les yeux, attendu les temps que nous traversons ? Je l'ignore, mais cette fois encore je contemple la scène – en partie par crainte de ce qui risque de nous arriver, en partie par curiosité. Le pirate s'empare du paquet et déchire la nappe avec son couteau : elle contient en tout et pour tout quinze dollars de Hong Kong.

Dégoûté par une aussi maigre prise, le pirate jette le morceau de tissu par-dessus bord. Son regard parcourt ensuite le groupe des femmes, mais il se dit que nous n'en valons pas la peine et envoie deux de ses hommes fouiller la cale. Ils reviennent quelques minutes plus tard, lancent à la cantonade quelques interjections menaçantes et regagnent leur propre bateau, avant de prendre le large. Les passagers se précipitent alors dans la cale : chacun veut être le premier à voir ce qu'ils ont emporté. Je reste quant à moi sur le pont et ne tarde pas à entendre des cris désespérés.

Après avoir grimpé les quelques marches, l'un des hommes émerge de l'écoutille, traverse le pont à grandes enjambées et se jette par-dessus bord. Ni le propriétaire du bateau ni moi n'avons le temps d'intervenir. L'homme surnage quelques minutes au milieu des vagues, avant de disparaître.

Chaque jour depuis que j'ai repris connaissance à l'hôpital, j'ai souhaité mourir. Mais en voyant cet homme englouti par les flots, je sens quelque chose se réveiller en moi. Un Dragon n'abandonne pas la partie et affronte au contraire le destin. Il ne s'agit pas d'un élan triomphant – plutôt d'un souffle infime, semblable à celui de quelqu'un qui chercherait à ranimer une braise et verrait apparaître une lueur rougeoyante. Il faut que je me raccroche à ma vie – aussi anéantie et inutile soit-elle. La voix de maman vient flotter jusqu'à moi, récitant l'un de ses proverbes favoris : « Il n'y a pas de catastrophe en dehors de la mort, on ne peut pas être plus pauvre qu'un mendiant. » Je veux, *j'ai besoin* de faire quelque chose de plus courageux et de plus satisfaisant que la simple acceptation de la mort.

Je me dirige vers la cale et descends l'échelle à mon tour. Le pêcheur referme l'écoutille derrière moi. Dans la lueur sépulcrale, je finis par distinguer May et vais m'asseoir à côté d'elle.

Sans un mot, elle me montre la sacoche de maman, avant de lever les yeux vers le plafond. Je suis son regard : une partie de notre argent est toujours en sécurité, coincée entre deux planches.

Quelques jours après notre arrivée à Hong Kong, nous apprenons par les journaux que les environs de Shanghai ont été victimes d'attaques incessantes. La lecture de ces reportages est presque insoutenable. Chapei a été bombardé et réduit en cendres. Hongkew, où nous habitions, a connu un sort identique. De par leur statut de territoires étrangers, les Concessions française et internationale ont pour l'instant été épargnées. Dans une ville déjà surpeuplée, des flots de réfugiés continuent d'arriver. Selon les journaux, les deux cent cinquante mille habitants qu'abritaient jusqu'alors les deux Concessions sont totalement submergés par cette marée humaine : plus de trois millions et demi de personnes vivent maintenant dans les rues. Les cinémas, les dancings et les champs de courses ont été réquisitionnés. Cernées comme elles le sont désormais par l'armée des nabots, l'étendue des deux Concessions a été surnommée « l'île solitaire ». Mais la terreur n'est pas l'apanage de Shanghai. Chaque jour, les nouvelles rapportent de nouveaux cas de femmes ayant été enlevées, violées ou massacrées aux quatre coins de la Chine. Canton, dont nous ne sommes pas très loin à Hong Kong, subit de violents bombardements aériens. Maman voulait que nous nous rendions dans la région natale de papa, mais qu'allons-nous trouver une fois arrivées là-bas ? Le village de Yin Bo sera-t-il toujours debout ? Y aura-t-il des survivants ? Quelqu'un se souviendra-t-il encore du nom de notre père ?

Nous logeons à Hong Kong dans un hôtel qui donne sur le front de mer. Il est sale, décrépit et infesté de punaises. Les moustiquaires sont crasseuses et déchirées. La réalité que nous pouvions ignorer à Shanghai n'est que trop évidente ici : des familles s'installent au coin des rues et déplient des couvertures devant elles, exposant leurs maigres possessions dans l'espoir que quelqu'un s'arrêtera pour les acheter. Les Anglais se comportent néanmoins comme s'il était exclu que les macaques mettent un jour les pieds dans la colonie. « Cette guerre ne nous concerne pas, disent-ils avec leur accent guindé, jamais les Japs n'attaqueront la ville. » Avec le peu d'argent qu'il nous reste, nous en sommes réduites à manger de la bouillie de son, nourriture d'ordinaire réservée aux cochons ; elle a autant de mal à passer, quand on l'avale, que de facilité à sortir, côté évacuation... Nous ne savons rien faire et personne n'a de travail à proposer ici à des « jeunes beautés », alors que les choses se sont mises à tourner aussi mal dans le monde.

Et puis, un beau jour, quelle n'est pas notre surprise de voir Huang le Grêlé sortir d'une limousine et escalader les marches de l'hôtel Peninsula ! Il s'agit bien de lui, impossible de se tromper. Nous regagnons notre hôtel à la hâte et nous enfermons à double tour dans notre chambre, en essayant de nous représenter ce que signifie sa présence ici. Cherche-t-il à échapper à la guerre ? A-t-il transféré à Hong Kong le quartier général de la Triade Verte ? Nous l'ignorons. Mais quelle que soit la raison, son influence est grande : s'il s'est installé dans le Sud, il finira forcément par nous retrouver.

N'ayant pas d'autre solution, nous nous rendons au siège de la Dollar Steamship Line, échangeons nos anciens billets et réussissons à obtenir deux places en seconde classe à bord du *President Coolidge*, qui rejoint San Francisco après vingt jours de traversée. Nous n'essayons même pas d'imaginer ce qui nous attend une fois arrivées là-bas, ni comment nous allons bien pouvoir retrouver nos maris. Tout ce que nous voulons, c'est échapper aux griffes de la Triade Verte et fuir l'occupation japonaise.


À bord du navire, ma fièvre reprend. Je reste enfermée dans notre cabine et passe une bonne partie du voyage à dormir. May a le mal de mer et reste de son côté le plus longtemps possible à l'air libre, sur le pont des secondes classes. Elle a lié connaissance avec un jeune homme qui part faire ses études à Princeton.

— Il est en première, mais descend sur le pont des secondes pour me retrouver. Nous déambulons et parlons sans arrêt, me rapporte-t-elle. J'ai eu un vrai coup de foudre, je suis totalement dingue de lui.

C'est la première fois que j'entends cette expression, qui me paraît un peu étrange, et je me dis que ce jeune homme doit être très occidentalisé. Pas étonnant qu'il plaise à May...

Certains soirs, ma sœur ne regagne notre cabine qu'à une heure avancée de la nuit. Il lui arrive de grimper sur-le-champ dans sa couchette, au-dessus de la mienne, et de s'endormir aussitôt. Mais d'autres fois, elle se glisse auprès de moi et me prend dans ses bras. Sa respiration se règle peu à peu sur la mienne et elle finit par s'endormir ainsi, serrée contre moi. Je reste éveillée, n'osant pas bouger par crainte de la réveiller, pourtant je me fais un sang d'encre. May a l'air vraiment entichée de ce garçon et je me demande si elle s'est livrée au commerce charnel avec lui. Comment cela serait-il possible, alors qu'elle souffre à ce point du mal de mer ? Et comment cela serait-il possible *tout court* ? Mes pensées plongent alors dans des régions plus obscures.

Beaucoup de gens veulent connaître l'Amérique. Certains feraient même n'importe quoi pour y aller, mais cela n'a jamais été mon rêve. Pour moi, l'Amérique représente une simple nécessité, une nouvelle étape après toutes les erreurs, les tragédies, les morts et les décisions insensées qui se sont succédé ces derniers temps. Nous avons tout perdu, May et moi, à l'exception du lien qui nous unit. Après ce que nous venons de traverser, il est devenu si fort que même le plus affûté des couteaux ne parviendrait pas à le trancher. Tout ce que nous pouvons faire à présent, c'est de suivre la voie sur laquelle nous sommes engagées – où qu'elle doive nous mener...

## DES OMBRES SUR LES MURS

La veille de notre arrivée, je ressors la liasse contenant les instructions que Sam m'avait confiées, afin de la consulter. J'y apprends que le Vieux Louie est né en Amérique, mais que Sam (qui a quatre autres frères) est né en Chine en 1913, pendant l'année du Bœuf, lors d'un séjour de ses parents dans le village de Wah Hong dont la famille est originaire. Cela ne l'empêche pas d'être citoyen américain, étant donné que son père l'est. (Je ne suis pas étonnée que ce soit un Bœuf et cela m'inspire même un certain mépris : maman prétendait que les natifs de ce signe manquent d'imagination et portent en permanence tous les fardeaux de la terre.) Peu après sa naissance, Sam a regagné Los Angeles avec ses parents. En 1920, cependant, le vieil homme et sa femme sont retournés à Wah Hong et y ont laissé leur fils, alors âgé de sept ans, à la garde de ses grands-parents paternels. (Cette version ne correspond pas avec celle que je connaissais : je croyais que Sam avait accompagné son père en Chine pour se marier, mais apparemment il vivait déjà ici. Cela explique qu'il se soit adressé à moi dans le dialecte de Sze Yup plutôt qu'en anglais, les rares fois où nous nous sommes rencontrés – mais pourquoi la famille Louie ne nous en avait-elle rien dit ?) Sam s'apprêtait donc à rentrer aux États-Unis, après dix-sept ans d'absence… Quant à Vern, il est né à Los Angeles en 1923, l'année du Cochon, et n'en a jamais bougé. Leurs autres frères sont tous nés à Wah Hong – en 1907, 1908 et 1911 – et vivent désormais à Los Angeles. Je fais de mon mieux pour mémoriser ces données dans leurs moindres détails – les différentes dates de naissance, l'adresse de la famille à Wah Hong et à Los Angeles, etc. – puis je communique à May les éléments qui me paraissent importants, avant de chasser cela de mes pensées.

Le lendemain matin, 15 novembre, nous nous levons de bonne heure et enfilons nos plus belles tenues occidentales. « Nous sommes des étrangères, dis-je à May, mais nous devons avoir la même allure que les autochtones. » May acquiesce et passe une robe que Mme Garnet avait taillée pour elle l'an dernier. Comment se fait-il que la soie et la nacre des boutons aient résisté à toutes ces épreuves, tandis que moi… Non, je ne dois pas me laisser aller à ce genre de pensées.

Nous rassemblons nos affaires et confions nos deux sacs au porteur. Puis nous sortons et nous accoudons au bastingage : mais nous n'apercevons pas grand-chose, car il pleut. Au-dessus de nos têtes, le pont du Golden Gate disparaît dans les nuages. À notre droite, la ville est nichée sur un rivage qui paraît bien morne et insignifiant, comparé au Bund de Shanghai. Plus bas, sur l'entrepont des troisièmes classes, s'agglutine une foule qu'on dirait composée de centaines de coolies, de paysans et de conducteurs de pousse-pousse. L'odeur de leurs vêtements crasseux et trempés de sueur s'élève jusqu'à nous.

Le navire s'immobilise le long d'un quai. Par petits groupes, les passagers des première et deuxième classes, heureux d'être arrivés et plaisantant entre eux, montrent leurs papiers aux officiers puis s'engagent sur une passerelle métallique surmontée d'un auvent qui les protège de la pluie. Lorsque notre tour arrive, nous présentons nos documents. L'inspecteur les regarde, fronce les sourcils et fait signe à un membre de l'équipage.

— Ces deux jeunes femmes doivent passer par le centre d'immigration d'Angel Island, lui dit-il.

Nous suivons l'homme d'équipage à travers les coursives, puis descendons avec lui des escaliers où règne une puanteur épouvantable. Je suis soulagée lorsque nous émergeons enfin à l'air libre, mais je ne tarde pas à m'apercevoir que nous avons rejoint les passagers de troisième classe. Évidemment, aucun auvent ne protège ce pont : un vent froid balaie la pluie, qui nous frappe au visage et a vite fait d'imbiber nos vêtements.

Autour de nous, les gens compulsent fébrilement leurs liasses d'instructions explicatives. L'homme qui est à côté de moi arrache brusquement une page de la sienne, la fourre dans sa bouche et la mâche pendant quelques instants, avant de l'avaler. J'entends quelqu'un dire qu'il a jeté la sienne dans l'océan la veille – et un autre se vanter de s'en être débarrassé dans les toilettes du navire. « Bonne chance à celui qui voudra la récupérer ! » L'angoisse m'étreint tout à coup. Étais-je censée me débarrasser de cette liasse, moi aussi ? Sam ne m'avait rien dit de tel. J'en serais bien incapable à présent, car je l'ai glissée sous mon chapeau, qui se trouve à l'intérieur de nos bagages. Je prends une profonde inspiration et tente de me rassurer. Nous n'avons rien à craindre. Nous avons quitté la Chine, la guerre est loin et nous sommes maintenant au pays de la liberté…

May et moi nous frayons un passage jusqu'au bastingage, parmi la foule des passagers en sueur et malodorants. N'auraient-ils pas pu se laver avant de débarquer ? Quelle impression vont-ils donner au pays qui nous accueille ? May, quant à elle, a une autre idée en tête. Elle surveille les passagers des première et deuxième classes qui continuent de sortir, à la recherche du jeune homme auprès duquel elle a passé une bonne partie de la traversée. Elle l'aperçoit soudain et me serre le bras d'un air excité.

— Le voilà ! C'est lui ! (Elle hausse le ton pour l'appeler.) Spencer ! Spencer ! Nous sommes là ! Pouvez-vous nous aider ?

Elle lui fait de grands signes et l'appelle encore à plusieurs reprises, mais l'homme ne se retourne pas et ne jette même pas un regard vers les passagers de la troisième classe. Les traits de ma sœur se décomposent lorsqu'elle le voit donner un pourboire aux porteurs et se diriger avec un groupe de passagers de type européen vers un bâtiment situé sur la droite.

La cargaison est hissée hors des soutes, des profondeurs du navire, puis déposée sur le quai afin d'être acheminée vers le bâtiment des douanes. Peu après, nous voyons les mêmes caisses ressortir pour être chargées dans des camions. Les taxes ont été payées et les marchandises poursuivent leur route vers d'autres destinations, tandis que nous attendons toujours sous la pluie.

Quelques membres d'équipage installent enfin une nouvelle passerelle – dénuée de toute protection, cette fois-ci – à l'extrémité du pont inférieur sur lequel nous nous trouvons. Un *lo fan* en imperméable achève de la fixer et monte à bord.

— Emportez bien toutes vos affaires ! lance-t-il en anglais. Tout ce que vous laisserez derrière vous sera détruit !

Autour de nous, les gens murmurent d'un air perplexe.

— Qu'est-ce qu'il a dit ?

— Tais-toi, je n'entends rien.

— Dépêchez-vous ! lance le type à l'imperméable.

— Vous avez compris ? me demande un Chinois trempé et grelottant juste à côté de moi. Qu'est-ce qu'on nous demande de faire ?

— De prendre nos affaires et de descendre à terre.

Tandis que nous entreprenons de lui obéir, l'homme à l'imperméable met les poings sur les hanches et ajoute en hurlant :

— Et surtout, restez groupés !

Nous débarquons. Tout le monde se pousse et joue des coudes comme s'il n'y avait rien de plus important au monde que d'être le premier à quitter le navire... Lorsque nous posons pied à terre, on ne nous dirige pas vers la droite, en direction du bâtiment où se sont rendus les autres voyageurs, mais vers la gauche, le long du quai. On nous fait ensuite franchir une autre passerelle métallique et monter à bord d'un plus petit navire – tout cela sans un mot d'explication. Une fois à bord, je remarque qu'en dehors de quelques Européens et même d'un ou deux Japonais, notre groupe est presque entièrement composé de Chinois.

Les amarres sont larguées et nous repartons dans la baie.

— Où allons-nous maintenant ? demande May.

Comment peut-elle être à ce point déconnectée de ce qui se passe autour d'elle ? Ne pourrait-elle pas faire un peu attention ? Pourquoi n'a-t-elle pas lu les instructions ? Et pourquoi refuse-t-elle de voir ce que nous sommes devenues ? Cet étudiant de Princeton, quel que soit son nom, a quant à lui fort bien compris la situation. Mais elle refuse de voir la vérité.

— Nous allons au centre d'immigration d'Angel Island, lui expliqué-je.

— Ah, dit-elle avec insouciance. Très bien.

La pluie est de plus en plus intense et le vent de plus en plus froid. Le petit bateau tangue sur les vagues. Des gens vomissent. May se penche par-dessus le bastingage et avale de grandes bouffées d'air frais. Nous dépassons une île au milieu de la baie et, pendant quelques minutes, tout se passe comme si nous allions laisser derrière nous le pont du Golden Gate, nous diriger vers l'océan et repartir en Chine. May gémit et ne quitte pas l'horizon des yeux. Puis le bateau bifurque sur la droite, contourne une nouvelle île et s'engage dans une anse étroite avant de s'immobiliser au pied d'un débarcadère, à l'extrémité d'un nouveau quai. Des bâtiments bas en bois aux façades peintes en blanc s'étagent à flanc de colline. Devant nous, quatre palmiers courtauds se balancent, agités par le vent, et le drapeau trempé des États-Unis claque bruyamment contre son mât. Une énorme pancarte annonce : DÉFENSE DE FUMER. Cette fois encore, les gens se battent pour descendre les premiers.

Le même individu en imperméable lance d'une voix de stentor : « Les Blancs qui n'ont pas de papiers descendent les premiers ! » – comme si le fait de hurler allait brusquement rendre l'anglais intelligible à ceux qui ne le parlent pas. La plupart des Chinois ne comprennent évidemment rien à ce qu'il raconte. Sortis du rang, les passagers de race blanche sont placés en file indienne. Deux gardes trapus repoussent brutalement un Chinois qui avait commis l'erreur de se glisser en tête de la file. Mais visiblement, les *lo fan* ne comprennent pas davantage ce que leur dit l'homme à l'imperméable. Je me rends alors compte qu'il s'agit de Russes blancs. À Shanghai, on les estimait inférieurs aux habitants les plus miséreux – et ici ils ont droit à un traitement de faveur ! Ils quittent le bateau avant d'être escortés à l'intérieur du bâtiment. Ce qui se passe ensuite est encore plus choquant : après avoir été regroupés, les Japonais et les Coréens sont poliment invités à se diriger vers une autre partie du même édifice.

— Maintenant, nous allons nous occuper de vous, lance l'homme à l'imperméable. Lorsque vous descendrez du bateau, placez-vous sur deux files : les hommes d'un côté, les femmes et les enfants de moins de douze ans de l'autre.

Il s'ensuit une mêlée confuse et les gardes doivent intervenir à plusieurs reprises. Une fois les deux groupes constitués, on nous emmène sous la pluie le long du quai jusqu'au bâtiment de l'Administration. En voyant que les hommes sont dirigés vers une porte et les femmes et les enfants vers une autre – ce qui sépare les maris de leurs femmes et les pères de leurs enfants – des cris d'effroi et de consternation s'élèvent. Aucun des gardes ne manifeste la moindre compassion. Nous sommes traités avec encore moins d'égards que la cargaison qui a voyagé en même temps que nous à bord du paquebot.

La séparation des Européens (entendez : des Blancs), des Chinois et des autres Asiatiques se poursuit, tandis qu'on nous fait escalader une colline jusqu'à l'un des bâtiments en bois, qui abrite les installations médicales. Une femme blanche vêtue d'un uniforme blanc et portant une coiffe empesée s'adresse à nous en anglais, en haussant elle aussi le ton – toujours comme si cela compensait le fait que personne dans l'assemblée ne comprend un traître mot de ce qu'elle nous raconte, May et moi exceptées.

— Beaucoup parmi vous essaient de pénétrer dans notre pays en étant porteurs de maladies graves, parasitaires ou autres, commence-t-elle. C'est inacceptable. Nous allons vérifier avec les médecins ici présents que vous ne souffrez pas de trachome, d'ankylostome, de filariose ou de douve du foie.

Les femmes autour de nous se mettent à pleurer. Elles ne savent pas ce que leur veut cette femme, mais elle est habillée en blanc – la couleur de la mort. Une Chinoise vêtue d'une longue *cheongsam* blanche (décidément !) surgit alors et traduit ce qui vient d'être dit. Je suis restée relativement calme jusqu'ici, mais en entendant ce qu'on s'apprête à nous faire, je me mets à trembler. On nous trimballe vraiment comme des sacs de riz… Lorsqu'on nous demande de nous déshabiller, des murmures de détresse s'élèvent dans la salle. Il y a encore peu de temps, je me serais moquée avec May de la pruderie des autres femmes. Nous ne nous comportions pas comme la plupart des Chinoises. Nous étions des « jeunes beautés ». Que cela soit bien ou mal, nous n'hésitions pas à dévoiler notre corps. Pourtant, les Chinoises sont généralement très pudiques, y compris devant leur mari ou leurs propres filles.

Mais l'immoralité qui a pu caractériser ma vie passée n'a plus cours aujourd'hui. Je ne supporterai pas qu'on me déshabille – et moins encore qu'on me touche. Je m'agrippe à May, qui tente de me calmer. Lorsque l'infirmière essaie de nous séparer, elle réussit à rester près de moi. Quand le médecin s'approche, je dois me mordre les lèvres pour ne pas me mettre à hurler. Je regarde par-dessus son épaule, à travers la fenêtre. J'ai peur si je fermais les yeux de me revoir dans la cabane, au milieu de ces hommes, d'entendre les cris de maman et de sentir... Je garde les yeux grands ouverts. Ici tout est blanc et immaculé – plus propre en tout cas que dans la scène qui me hante. Je fais mine de ne pas sentir la froideur des instruments ou la douceur des mains du médecin sur ma peau. Je contemple la baie : nous sommes en face de San Francisco mais je n'aperçois qu'une étendue d'eau grise qui disparaît sous la grisaille de la pluie. La côte doit bien se trouver quelque part, même si je n'ai aucune idée de la distance qui nous en sépare. Lorsque le médecin en a fini avec moi, je me détends un peu.

Le médecin examine les femmes les unes après les autres tandis que nous attendons, grelottantes de peur et de froid. Chacune doit fournir un échantillon d'urine. Nous avons d'abord été regroupés selon notre race, puis les hommes ont été séparés des femmes – et voici maintenant qu'on nous divise encore en deux groupes : celles qui vont rejoindre le dortoir et celles qui vont rester à l'hôpital, où elles seront soignées pour leur ankylostome, maladie qui peut être guérie. Quant à celles qui sont atteintes de la douve du foie, elles vont être immédiatement refoulées – la décision est sans appel – et renvoyées en Chine. Ce coup-ci, elles peuvent pleurer pour de bon.

Nous faisons partie May et moi du groupe qu'on emmène au dortoir des femmes, au deuxième étage du bâtiment de l'Administration. À peine sommes-nous entrées que la porte est verrouillée derrière nous. Des rangées de couchettes – deux en longueur, trois en hauteur – occupent entièrement la salle, reliées entre elles par des poteaux métalliques fixés au sol et au plafond. Ce ne sont pas des « lits » à proprement parler, mais de simples grillages encastrés dans des montants qu'on peut relever pour dégager un peu d'espace. Quarante centimètres à peine séparent les couchettes. Il n'y a guère plus de place en hauteur et je ne pense pas que je pourrais tendre le bras, une fois allongée, sans toucher la couchette supérieure. Seule celle du haut permettrait de s'asseoir, mais cet espace est occupé par le linge que les femmes déjà installées ici font sécher sur des fils tendus entre les poteaux. Sur le sol, entre chaque rangée de couchettes, traînent des tasses et des bols en aluminium.

May lâche mon bras et se précipite dans l'allée centrale, ayant porté son dévolu sur deux couchettes mitoyennes de la rangée supérieure, non loin du radiateur. Elle y grimpe, s'allonge sur la première d'entre elles et s'endort instantanément. Personne ne nous amène nos bagages. Nos possessions se résument aux vêtements que nous avons sur le dos et à nos sacs à main.

Le lendemain matin, nous nous préparons du mieux possible, May et moi. Les gardes nous disent que nous allons passer une audition devant le Bureau des enquêtes, toutefois les femmes du dortoir affirment qu'il s'agit en fait d'un interrogatoire. Le terme en lui-même a déjà quelque chose de sinistre. L'une d'elles nous suggère de boire de l'eau froide pour calmer notre angoisse, mais je n'ai pas peur. Nous n'avons rien à cacher et il s'agit d'une simple formalité.

On nous conduit en compagnie de quelques autres femmes dans une pièce qui ressemble à une cage. Nous nous asseyons sur des bancs en nous dévisageant d'un air pensif. (Il existe pour cela une expression en chinois qui pourrait se traduire par « manger l'amertume ».) Je me dis que quoi qu'il advienne au cours de cette audition, cela ne sera jamais pire que l'examen médical de la veille – ni plus terrible que tout ce que nous avons subi depuis le jour où papa nous a annoncé qu'il avait arrangé nos mariages.

— Réponds-leur comme je te l'ai dit et tout se passera bien, murmuré-je à May tandis que nous attendons dans la cage. Nous ne tarderons pas à partir d'ici.

Elle acquiesce d'un air songeur. Quand le garde l'appelle, je la regarde entrer dans une pièce dont la porte se referme aussitôt derrière elle. Quelques instants plus tard, le même garde me conduit dans une autre pièce. J'affiche un sourire de façade, redresse mes habits et m'avance avec une expression que j'espère confiante. Deux Blancs sont assis derrière une table, dans une pièce sans fenêtre. L'un est chauve, l'autre a une moustache, tous les deux portent des lunettes. Ils ne me retournent pas mon sourire. Assis devant une autre table, sur le côté, un troisième Blanc nettoie le clavier de sa machine à écrire. Un Chinois vêtu d'un costume occidental qui n'est pas vraiment à sa taille compulse un dossier, me dévisage, regarde à nouveau le dossier.

— Je vois que vous êtes née dans le village de Yin Bo, me dit-il en se servant du dialecte de Sze Yup et en tendant le dossier au chauve. Je suis heureux de pouvoir m'adresser à vous dans la langue des Quatre Districts.

Le chauve intervient avant que j'aie pu lui dire que je parle anglais :

— Dites-lui de s'asseoir.

L'interprète me désigne une chaise.

— Je m'appelle Louie Fou, poursuit-il dans le dialecte de Sze Yup. J'ai le même nom de clan que votre mari et je suis originaire du même district. (Il s'assoit à ma gauche.) Le chauve qui se trouve devant vous est le président Plumb. L'autre s'appelle Mr White. Le greffier est Mr Hemstreet, mais vous n'avez pas à vous soucier de lui.

— Venons-en au fait, l'interrompt le président Plumb. Demandez-lui…

Au début, les choses se passent plutôt bien. Je connais évidemment ma date de naissance, dans le calendrier occidental comme dans le calendrier lunaire. On me demande le nom de mon village natal, puis celui du village natal de Sam, ainsi que la date de notre mariage. Je donne ensuite l'adresse de Sam et de sa famille, à Los Angeles. Et soudain…

— Combien d'arbres y a-t-il devant la maison de votre présumé mari, dans son village natal ?

Comme je ne réponds pas sur-le-champ, quatre paires d'yeux me dévisagent – dont l'expression s'échelonne de la curiosité à l'ennui, du regard triomphant à la goguenardise.

— Il y a cinq arbres devant la maison, dis-je enfin, me souvenant de ce que j'avais lu dans la liasse. Il n'y a pas d'arbre sur la droite. Un ginkgo pousse sur la gauche.

— Et combien de pièces y a-t-il dans la maison de votre propre famille ?

Je suis tellement focalisée sur les réponses figurant dans la liasse de Sam que je ne m'attendais pas à ce qu'ils me posent des questions aussi précises à mon sujet. J'essaie de réfléchir avant de leur répondre de manière appropriée. Faut-il tenir compte des salles de bains ? Des cloisons installées à l'arrivée des locataires ?

— Il y a six pièces principales…

Avant que j'aie pu m'expliquer, on me demande combien de personnes étaient invitées à mon « présumé » mariage.

— Sept.

— Qu'aviez-vous à manger, vous et vos invités ?

— Huit plats, servis avec du riz. C'était un simple dîner dans un hôtel, il ne s'agissait pas d'un banquet.

— Comment était dressée la table ?

— À l'occidentale, mais il y avait des baguettes.

— Avez-vous offert des noix de bétel ou servi du thé à vos invités ?

Je voudrais leur répondre que je ne suis pas une péquenaude et que je n'aurais donc jamais eu l'idée d'offrir des noix de bétel à mes invités. Je leur aurais servi du thé, en revanche, s'il s'était agi du mariage dont j'avais rêvé – mais la soirée n'avait rien de festif. Je revois encore le geste du Vieux Louie, balayant la remarque de mon père lorsque celui-ci avait suggéré ce rituel.

— C'était un mariage civilisé, dis-je. À l'occidentale...

— Avez-vous fait des offrandes à vos ancêtres durant la cérémonie ?

— Bien sûr que non ! Je suis chrétienne.

— Avez-vous des documents officiels, attestant la réalité de votre prétendu mariage ?

— Ils sont dans mes bagages.

— Votre mari vous attend-il ?

Cette question me prend de court. Le Vieux Louie s'est bien aperçu que nous ne les avons pas rejoints à Hong Kong pour nous embarquer avec eux. C'est certainement lui qui a signalé à la Triade Verte que nous n'avions pas honoré notre part du contrat. Mais a-t-il informé les inspecteurs d'Angel Island de cette affaire ? Et s'attend-il encore à nous voir arriver ?

— Ma sœur et moi avons été retardées à cause des macaques, dis-je. Nos maris attendent impatiemment que nous les rejoignions.

Après que l'interprète leur a traduit ma réponse, les deux inspecteurs discutent entre eux, ignorant que je comprends les propos qu'ils échangent.

— Elle a l'air à peu près honnête, dit Mr White. Mais ses papiers prétendent qu'elle est l'épouse d'un marchand légalement domicilié ici *et* d'un citoyen américain. C'est incompatible.

134

— Peut-être est-ce dû à un cafouillage administratif antérieur. Dans l'un ou l'autre cas, nous devrons d'ailleurs la laisser entrer, répond le président Plumb avec un sourire contraint. Mais elle ne peut pas nous fournir la moindre preuve à ce sujet. Et voyez son visage : vous paraît-elle digne d'avoir épousé un commerçant ? Sa peau est trop foncée, je parie qu'elle a travaillé dans les rizières toute sa vie.

Nous y voilà… C'est toujours la même affaire. Je baisse les yeux, craignant qu'ils ne voient le rouge me monter au visage. Je pense à cette fille, sur le bateau qui nous emmenait à Hong Kong, et à la façon dont le pirate l'avait jugée. Ces hommes procèdent maintenant de la même manière avec moi. Ai-je donc à ce point l'air d'une paysanne ?

— Mais regardez ses vêtements, objecte Mr White. L'épouse d'un ouvrier ne s'habillerait pas de cette façon.

Le président Plumb pianote sur la table.

— Je veux bien l'autoriser à entrer, mais il faut qu'elle nous montre son certificat de mariage, attestant qu'elle est bien l'épouse d'un commerçant légalement établi ici. Ou un document prouvant que son mari a la nationalité américaine. (Il se tourne vers l'interprète.) Quel jour les femmes sont-elles autorisées à aller chercher des affaires dans leurs bagages ?

— Tous les mardis, monsieur.

— Très bien. Nous la reverrons donc la semaine prochaine. Dites-lui d'amener son certificat de mariage la prochaine fois.

Il fait un signe de tête à l'intention du greffier et commence à lui dicter son rapport, qui s'achève en ces termes : « Nous suspendons notre décision, dans l'attente de plus amples renseignements. »


Nous portons les mêmes vêtements cinq jours durant, May et moi. Nous lavons nos sous-vêtements le soir et les mettons à sécher avec le linge que les autres femmes étendent sur les fils, au-dessus de nos têtes. Il nous reste un peu d'argent et nous l'utilisons pour acheter du dentifrice et d'autres articles de toilette dans une échoppe située à l'intérieur du bâtiment, ouverte aux heures des repas. Lorsque le mardi arrive, nous nous mettons en file indienne avec les femmes qui vont récupérer une partie de leurs affaires ; escortées par deux religieuses, nous rejoignons un entrepôt situé à l'extrémité du quai. Nous retirons de nos bagages nos certificats de mariage et je m'assure que la liasse d'instructions de Sam est toujours à sa place, sous mon chapeau à plumes. C'est bien le cas. Personne ne s'est apparemment donné la peine de fouiller nos affaires. Je la dissimule un peu mieux, puis je prends des sous-vêtements et un ensemble propres, de manière à pouvoir me changer.

Chaque matin, gênée d'exposer ma nudité sous le regard des autres femmes, j'enfile mes vêtements sous ma couverture, avant de me lever. J'attends ensuite qu'on m'appelle pour l'audition suivante, mais personne ne vient nous chercher. Si le garde ne s'est pas montré à neuf heures, nous savons qu'il ne se passera rien ce jour-là. Lorsque l'après-midi arrive, un nouveau suspense commence et l'excitation gagne notre groupe. À quatre heures précises, le garde pénètre dans la salle et s'exclame : « *Sai gaai !* » – ce qui est une abréviation du cantonais *hou sai gaai*, qui signifie « bonne fortune ». Il donne ensuite la liste de celles qui sont autorisées à rejoindre le bateau qui viendra mettre un terme à leur long voyage vers l'Amérique. Un jour, le garde s'approche d'une femme et se frotte les yeux, en faisant mine de pleurer. Puis il se met à rire et lui annonce qu'elle va être renvoyée en Chine. Nous n'avons jamais connu la raison de ce refoulement.

Au cours des jours suivants, nous observons les va-et-vient de nos compagnes d'infortune. La plupart de celles qui sont arrivées le même jour que nous finissent par être autorisées à se rendre à San Francisco. D'autres débarquent, passent leur audition et s'en vont à leur tour. Mais on ne vient toujours pas nous chercher. Chaque soir, après un repas infect à base de jarret de porc ou de poisson salé cuit à la vapeur avec de la pâte de haricots fermentés, j'ôte ma robe sous la couverture, la suspends sur le fil au-dessus de ma tête et essaie de m'endormir, en sachant que je serai cloîtrée dans cette salle jusqu'au matin.

Le sentiment d'être enfermée – on peut même dire emprisonnée – ne se limite pas à ce dortoir. À une autre époque, dans un contexte différent et en disposant d'un peu plus d'argent, peut-être aurions-nous pu échapper, May et moi, à l'avenir qui nous attend. Mais ici nous n'en avons pas les moyens. Nous avons perdu la maîtrise de notre vie. Nous ne connaissons personne aux États-Unis, en dehors de nos maris et de notre beau-père. Papa disait que si nous allions à Los Angeles nous habiterions dans une belle maison, que nous aurions des domestiques et croiserions des vedettes de cinéma : peut-être étions-nous destinées après tout à en passer par là. Nous avons de la chance, finalement, d'avoir fait un si bon mariage. Que leur mariage ait été arrangé ou non, dans le passé comme aujourd'hui, en 1937, les femmes sont sensibles à l'argent et à la vie qu'il permet de mener. Pourtant, secrètement, j'élabore déjà un plan. Lorsque nous aurons rejoint Los Angeles, May et moi, nous détournerons une partie de l'argent que nos maris nous donneront – pour acheter des vêtements, prendre soin de notre beauté ou entretenir notre maison – et nous nous en servirons pour leur fausser compagnie. Étendue sur le grillage qui me tient lieu de lit, j'écoute l'appel lancinant de la corne de brume et les bruits que font les femmes dans la salle, pleurant, se mouchant ou chuchotant entre elles. Et je nous imagine, May et moi, fuyant un beau jour Los Angeles pour disparaître à New York ou Paris – l'une de ces villes dont on nous a dit qu'elles égalaient Shanghai en termes de grandeur, de culture et de prospérité.

Deux semaines plus tard, lorsqu'on nous autorise de nouveau comme tous les mardis à aller chercher des affaires dans nos bagages, May récupère les tenues de paysanne qu'elle avait achetées à Hangchow. Nous les portons l'après-midi et le soir, parce qu'il fait trop froid dans ce dortoir insalubre pour user nos belles robes, que nous mettons seulement le matin, au cas où l'on vienne nous chercher pour notre ultime audition. Au cours de la semaine suivante, May décide de porter en permanence cette tenue de voyage.

— Que se passera-t-il si l'on nous appelle ? lui demandé-je. (Nous sommes assises sur nos couchettes, au milieu des vêtements qui sèchent et pendent comme des bannières autour de nous.) Crois-tu qu'il n'en aille pas ici comme à Shanghai ? Les vêtements ont leur importance. Celles qui s'habillent correctement sortent plus vite d'ici que celles qui ressemblent à des...

Je laisse ma phrase en suspens.

— À des paysannes ? termine May.

Elle croise les bras et ses épaules s'affaissent. Je ne la reconnais plus. Cela fait un mois que nous sommes ici et on dirait que le courage dont elle avait fait preuve pour me sauver la vie l'a totalement abandonnée. Elle a le teint terreux et ne se donne même plus la peine de se laver les cheveux. Ceux-ci ont poussé, comme les miens, et ne forment plus qu'un écheveau hirsute.

— Allons, May, rétorqué-je, il faut faire un effort. Nous ne resterons plus ici très longtemps. Va prendre une douche et enfile une robe, tu te sentiras mieux.

— À quoi bon ? Peux-tu me le dire ? Je n'arrive pas à avaler leur nourriture infecte et me rends rarement aux toilettes. Je ne fais rien et ne transpire donc pas. Et même si c'était le cas, crois-tu que j'irais prendre une douche alors que n'importe qui peut me voir ? Je ne tiens pas à subir une telle humiliation. D'ailleurs, ajoute-t-elle avec un regard lourd de sous-entendus, je ne te vois pas souvent aller prendre une douche, toi non plus.

C'est la vérité. La tristesse et le désespoir finissent par envahir celles qui restent trop longtemps ici. Le vent froid, le brouillard fréquent, les ombres sur les murs nous dépriment et nous affectent toutes. Rien qu'au cours de ce mois, j'ai vu de nombreuses femmes refuser de prendre ne serait-ce qu'une douche pendant toute la durée de leur séjour – et pas uniquement sous le prétexte qu'elles ne transpiraient pas. La vérité, c'est que trop de femmes se sont suicidées dans ces douches, que ce soit en se pendant ou en s'enfonçant une baguette pointue dans l'oreille, jusqu'au cerveau. Si nous n'avons guère envie d'aller nous doucher, ce n'est pas seulement pour éviter de faire notre toilette intime devant les autres, mais parce que nous redoutons les fantômes des défuntes qui, n'ayant pas eu droit aux rites funéraires appropriés, refusent d'abandonner les lieux où elles ont trouvé la mort.

Nous décidons qu'à partir de maintenant May m'accompagnera aux toilettes et aux douches communes, s'assurera qu'elles sont inoccupées et se plantera devant l'entrée pour empêcher quiconque d'y pénétrer. J'agirai de même à son égard, bien que j'aie de la peine à comprendre pourquoi elle fait preuve d'une telle timidité depuis que nous sommes arrivées ici.

Le garde finit tout de même par venir nous chercher pour nos interrogatoires. Je me brosse vaguement les cheveux, avale quelques gorgées d'eau fraîche pour me calmer et me mets en route. Jetant un regard par-dessus mon épaule, j'aperçois May qui traîne des pieds derrière moi : on dirait une mendiante surgie comme par miracle d'une rue de Shanghai... Nous attendons dans la cage jusqu'à ce que notre tour arrive. Il s'agit de la toute dernière étape, avant qu'on nous laisse partir à San Francisco. J'adresse à May un sourire d'encouragement qu'elle ne me retourne pas, puis je suis le garde dans la pièce où a lieu l'audition. Le président Plumb, Mr White et le greffier sont là, mais j'ai droit cette fois-ci à un nouvel interprète.

— Mon nom est Lan Ou Tai, me dit-il. À partir de maintenant, votre interprète changera à chaque nouvelle séance. Ils veulent éviter que des liens amicaux ne se tissent entre nous. Je vous parlerai dans le dialecte de Sze Yup. Vous me comprenez, Louie Chin-shee ?

Selon l'ancienne tradition chinoise, une femme mariée est désignée par son nom de clan, auquel on ajoute le suffixe *shee*. Cette pratique a plus de trois mille ans d'existence – elle remonte à la dynastie des Chou – et elle est toujours en usage parmi les paysans. Mais je viens de Shanghai !

— C'est bien votre nom, n'est-ce pas ? s'enquiert l'interprète. (Voyant que je ne réagis pas, il se tourne vers les trois Blancs, avant de revenir à moi.) Je ne devrais pas vous le dire, mais votre cas pose quelques problèmes. Vous feriez mieux de vous en tenir à la version qui figure dans votre dossier. Ne modifiez rien à votre histoire maintenant.

— Mais je n'ai jamais dit que je m'appelais...

— Asseyez-vous !

C'est le président Plumb qui a lancé cet ordre. Même si j'ai fait mine de ne pas comprendre l'anglais lors de notre première rencontre et si je suis désormais certaine, après ce que vient de me dire l'interprète, qu'il vaut mieux m'en tenir à cette feinte ignorance, je lui obéis instinctivement, en espérant que le président pensera que j'ai été effrayée par son intonation.

— Dans votre dernier entretien, reprend-il, vous avez qualifié votre mariage de « civilisé » et déclaré que vous n'aviez pas pratiqué le culte des ancêtres durant la cérémonie. Nous avons ici le dossier de votre mari, qui affirme pourtant que vous pratiquez ce culte.

J'attends que l'interprète ait traduit sa déclaration, puis je lui réponds :

— Comme je vous l'ai déjà dit, je suis chrétienne. Je ne pratique pas le culte des ancêtres. Peut-être mon mari l'a-t-il fait après notre séparation.

— Combien de temps avez-vous passé en sa compagnie ?

— Une nuit.

Même moi, je me rends compte que cela fait mauvais effet.

— Vous voulez nous faire croire que vous avez été mariés pendant une seule journée et que votre époux vous a ensuite demandé de venir le rejoindre ?

— Notre mariage a été arrangé.

— Par une entremetteuse ?

J'essaie de deviner ce que Sam a pu répondre à une telle question.

— Oui, dis-je enfin, par une entremetteuse.

L'interprète acquiesce imperceptiblement, pour m'indiquer que j'ai répondu correctement.

— Vous avez dit que vous n'aviez pas offert de noix de bétel ni servi de thé à vos invités, mais votre sœur prétend le contraire, dit le président Plumb en montrant un autre dossier, qui doit être celui de May.

Tout en dévisageant l'homme chauve qui se trouve en face de moi – et en attendant que l'interprète ait fini de traduire ses propos – je me demande s'il s'agit d'un piège. Pourquoi May aurait-elle affirmé une chose pareille ? C'est absurde.

— Ni ma sœur ni moi n'avons offert de noix de bétel à nos invités, dis-je. Pas plus que nous ne leur avons servi du thé.

Ce n'est visiblement pas la réponse attendue. Lan Ou Tai m'adresse un regard où la pitié se mêle à la réprobation.

Le président Plumb poursuit :

— Vous avez déclaré vous être mariée à l'occidentale. Mais votre sœur prétend qu'aucune de vous deux ne portait de voile.

Je suis partagée entre deux sentiments. D'une part, je regrette que nous ne nous soyons pas mises d'accord, May et moi, pour raconter la même histoire. De l'autre, je me demande à quoi riment toutes ces questions : quelle importance de tels détails peuvent-ils bien avoir ?

— Nous nous sommes mariées à l'occidentale, mais nous ne portions pas de voile.

— Avez-vous soulevé votre voile pendant le banquet de mariage ?

— Je viens de vous dire que je ne portais pas de voile.

— Pourquoi avez-vous prétendu que sept personnes seulement assistaient à ce banquet, alors que votre mari, votre beau-père et votre sœur affirment qu'il y avait de nombreuses tables occupées dans la salle ?

Je sens mon estomac se nouer. Qu'est-il en train de se passer ?

— Nous ne formions qu'un petit groupe dans le restaurant de l'hôtel, où d'autres clients dînaient.

— Vous avez dit que votre maison familiale comportait six pièces, mais votre sœur prétend qu'il y en avait bien davantage. Et votre mari a déclaré qu'il s'agissait d'une demeure imposante. (Le visage du président Plumb vire à l'écarlate, tandis qu'il s'exclame :) Pourquoi mentez-vous ?

— Il y a plusieurs façons de compter les pièces d'une maison et mon mari...

— Revenons à votre mariage. Le banquet a-t-il eu lieu au rez-de-chaussée ou au premier étage ?

Et les questions se succèdent. Ai-je pris le train ou le bateau après mon mariage ? Dans la rue où j'habitais avec mes parents, les maisons se touchaient-elles ? Combien de maisons y avait-il entre celle de mes parents et la rue principale ? Comment puis-je affirmer que je n'ai pas été mariée selon la tradition chinoise alors qu'on avait fait appel à une entremetteuse et que je ne portais pas de voile ? Pourquoi ma prétendue sœur et moi ne parlons-nous pas le même dialecte ?

L'interrogatoire se poursuit de la sorte huit heures d'affilée sans marquer la moindre pause, que ce soit à l'heure du déjeuner ou pour me permettre d'aller aux toilettes. À la fin, le visage du président Plumb est congestionné et il a l'air fatigué. En l'entendant dicter son rapport au greffier, je bous intérieurement de colère et de frustration. Une bonne partie de ses phrases commence par « La prétendue sœur de la postulante déclare... » Je conçois aisément que mes réponses puissent parfois se trouver en contradiction avec celles de Sam ou du Vieux Louie, mais comment May a-t-elle pu faire des déclarations qui diffèrent à ce point des miennes ?

L'interprète ne manifeste aucune émotion en me traduisant la conclusion du président Plumb :

— Il apparaît ainsi qu'il existe de nombreuses contradictions, notamment en ce qui concerne la maison que la postulante partageait avec sa prétendue sœur. Alors que la postulante répond correctement aux questions relatives au village natal de son mari, sa prétendue sœur ne semble pas avoir la moindre notion concernant la famille de son mari ou ses lieux de résidence, que ce soit à Los Angeles ou en Chine. Le conseil estime donc nécessaire, à l'unanimité, que la postulante et sa prétendue sœur soient à nouveau interrogées, jusqu'à ce que ces contradictions soient dissipées.

L'interprète me dévisage et ajoute :

— Avez-vous bien compris les questions qu'on vous posait ?

— Oui.

Mais je suis absolument furieuse – contre ces affreux bonshommes et leurs questions incessantes, contre moi-même, pour ne pas m'être montrée plus maligne, mais d'abord et surtout contre May. À cause de sa paresse et de sa nonchalance, notre détention dans cette île odieuse va se trouver prolongée – pour encore combien de temps ?

Elle n'est plus dans la cage tenant lieu de salle d'attente quand je quitte la pièce où a lieu l'audition et je dois attendre une autre femme dont l'interrogatoire s'est mal déroulé. Au bout d'une heure, je vois cette dernière apparaître : un garde la tire par le bras pour l'obliger à sortir. La cage n'est pas fermée à clef et le garde vient me chercher, mais nous ne prenons pas la direction du dortoir, au deuxième étage du bâtiment. Au lieu de ça nous sortons, traversons le domaine et rejoignons un autre édifice en bois. À l'intérieur, au fond de l'entrée, se découpe une porte munie d'un petit guichet grillagé et de l'inscription imprimée : CHAMBRE N° 1. Nous nous sentons toutes en prison sur cette île et dans notre dortoir, mais la véritable entrée de la prison, la voici. La femme s'agite et essaie de repousser le garde – qui est beaucoup plus fort qu'elle : il ouvre la porte, pousse la femme à l'intérieur et l'enferme à double tour.

Je me retrouve seule en compagnie de ce grand gaillard blanc. Je ne peux pas m'enfuir ni me réfugier nulle part et je me mets à trembler, sans parvenir à me contrôler. Il se passe alors une chose inattendue : l'expression méprisante du garde se change peu à peu en quelque chose qui ressemble à de la compassion.

— Je suis désolé de vous avoir infligé un pareil spectacle, me dit-il. Nous sommes à court de personnel ce soir, précise-t-il avant de hocher la tête. Mais vous ne comprenez sans doute pas un mot de ce que je dis… (Il désigne la porte par laquelle nous sommes entrés.) Nous allons repasser par là, je vais vous ramener au dortoir.

Il parle lentement, en détachant bien les syllabes, et ses lèvres m'évoquent la statue d'un démon célèbre, à l'entrée d'un temple.

Un peu plus tard, je traverse l'étendue du dortoir jusqu'aux couchettes que nous occupons, May et moi, en proie à une rage folle. Les autres femmes me suivent des yeux tandis que mes talons résonnent sur le sol en linoléum. Nous partageons toutes une intimité complète, depuis plus d'un mois pour certaines d'entre nous. Nous connaissons nos sautes d'humeur et savons à quel moment nous devons nous tenir à l'écart d'une autre détenue ou lui proposer au contraire un peu de réconfort. J'ai l'impression que toutes se reculent à présent pour m'éviter, comme un caillou qu'on aurait lancé dans l'eau paisible d'un bassin.

May est juchée au bord de la couchette, les jambes pendues dans le vide et la tête penchée sur le côté, comme elle le fait depuis toute petite quand elle sait qu'elle va avoir des ennuis.

— Pourquoi as-tu été si longue ? me demande-t-elle. Cela fait des heures que je t'attends.

— Qu'as-tu donc fabriqué, May ? Bon sang, qu'as-tu donc fabriqué ?

— Tu as manqué le déjeuner, dit-elle en ignorant ma question. Mais je t'ai mis un peu de riz de côté.

Elle ouvre la main et me montre une boulette de riz que j'envoie valser d'un geste rageur. Autour de nous, les autres femmes détournent aussitôt les yeux.

— Pourquoi leur as-tu menti ? lancé-je. Pourquoi as-tu fait une chose pareille ?

Ses jambes se balancent dans le vide, comme celles d'une enfant sur sa chaise, dont les pieds ne touchent pas encore le sol. Je lève les yeux vers elle. Jamais je n'ai été à ce point en colère contre elle. Il ne s'agit plus d'une paire de chaussures esquintée ou d'un chemisier taché.

— Je ne comprenais rien à leurs questions, dit-elle. Je ne connais pas le dialecte de Sze Yup, je ne parle que la langue de Shanghai.

— Est-ce ma faute ?

Mais en prononçant ces mots, je comprends que j'ai une part de responsabilité dans cette affaire. Je sais que ma sœur ne parle pas le dialecte de notre province natale. Pourquoi n'y ai-je pas pensé plus tôt ? Mais le Dragon qui rugit en moi n'est pas apaisé pour autant.

— Nous avons traversé toutes ces épreuves et tu n'as pas trouvé cinq minutes quand nous étions sur le bateau pour lire les instructions de cette liasse...

La voyant hausser les épaules, une vague de fureur se déchaîne à l'intérieur de moi.

— Tu veux qu'ils nous renvoient là-bas ?

Elle ne répond pas, et comme on pouvait s'y attendre des larmes apparaissent au bord de ses paupières.

— C'est cela que tu veux ? insisté-je.

Les larmes viennent consteller le tissu de sa veste trop large. Je lui secoue les jambes. Je peux me montrer prévisible, moi aussi. Et c'est sa sœur aînée, celle qui a toujours raison, qui lui lance :

— Qu'est-ce qui t'arrive ? Peux-tu me le dire ?

Elle marmonne quelques mots indistincts.

— Quoi ?

Elle cesse d'agiter ses jambes. Elle a baissé la tête mais ne peut éviter mon regard car j'ai les yeux levés vers elle. Elle marmonne à nouveau.

— Parle clairement, si tu veux que je comprenne, lui dis-je avec impatience.

Elle incline la tête. Ses yeux croisent les miens et elle murmure, pour que je sois la seule à l'entendre :

— Je suis enceinte.

# L'ÎLE DES IMMORTELS

May s'effondre sur sa couchette et enfouit son visage dans son oreiller pour étouffer ses sanglots. Je jette un coup d'œil autour de nous, mais les autres femmes font mine de nous ignorer, à la manière chinoise.

J'ôte mes chaussures et escalade la rangée de couchettes pour rejoindre celle de May.

— Je croyais que tu n'avais pas accompli ton devoir conjugal avec Vern, murmuré-je.

— C'est la vérité, parvient-elle à me dire. J'en étais incapable.

Un garde arrive à cet instant, nous annonçant qu'il est l'heure de dîner. Les femmes se précipitent, c'est à celle qui franchira la porte en premier... Aussi exécrable que soit la nourriture, le repas du soir est plus important qu'une dispute entre sœurs : s'il y a quelques bons morceaux au menu, elles veulent être sûres d'en profiter. Au bout de quelques instants, nous nous retrouvons seules dans le dortoir et pouvons parler normalement.

— Était-ce avec ce garçon que tu as rencontré sur le bateau ? demandé-je, sans parvenir à me souvenir de son nom.

— Non, c'était avant ça.

Avant ça ? Nous étions à l'hôpital de Hangchow, puis à l'hôtel de Hong Kong. Je ne vois pas comment ni avec qui une chose pareille aurait pu se produire à ce moment-là, à moins que cela n'ait eu lieu quand j'étais malade, si ce n'est totalement inconsciente. S'agit-il de l'un des médecins qui me soignaient ? A-t-elle été violée quand nous tentions de rejoindre le Grand Canal ? J'avais trop honte de ce qui m'était arrivé pour lui en parler ; avait-elle gardé de son côté un secret du même ordre, pendant tout ce temps ? Je tourne autour du pot en lui posant une question apparemment plus triviale :

— À quand cela remonte-t-il ?

May se rassoit et se frotte les yeux, avant de m'adresser un regard implorant, chargé de tristesse et de honte. Elle ramène ses jambes sous elle et entreprend de défaire lentement les attaches de sa veste de paysanne. Puis elle tire sur sa chemise et plaque les mains sur son ventre : sa grossesse est déjà bien avancée, ce qui explique qu'elle l'ait dissimulée pratiquement depuis notre arrivée à Angel Island sous des vêtements trop larges.

— Était-ce avec Tommy ?

J'espère secrètement que c'est le cas. Maman avait toujours voulu que May et Tommy se marient. Après la mort de notre mère et de notre ami, cela ne serait-il pas une sorte d'accomplissement posthume ? Mais lorsque May me répond : « Non, c'était une simple connaissance », je ne sais plus quoi penser. Ma sœur sortait avec une quantité de jeunes gens à Shanghai, surtout les derniers temps, quand nous étions tellement désespérées que nous cherchions à nous étourdir. J'ignore toutefois leurs noms et je ne vais tout de même pas lui demander si c'est ce jeune homme qu'elle a rencontré au Venus Club ? ou bien cet Américain en compagnie duquel Betsy débarquait parfois, ou encore… Une telle méthode ne serait-elle pas aussi ridicule que l'interrogatoire qu'on m'a fait subir aujourd'hui même ? Néanmoins, je ne parviens pas à retenir ma langue :

— S'agit-il de cet étudiant venu occuper le deuxième étage du pavillon ?

À vrai dire, je me souviens à peine de lui – en dehors du fait qu'il était maigre, qu'il s'habillait toujours en gris et qu'il se montrait la plupart du temps réservé. Je ne sais même plus quelles études il poursuivait… Mais je le revois penché au-dessus du fauteuil de maman, le jour du bombardement. Était-il amoureux de May, comme tant de jeunes gens avant lui ?

— J'étais déjà enceinte à cette époque, avoue May.

Un horrible soupçon me traverse l'esprit :

— Ne me dis pas qu'il s'agit du capitaine Yamasaki…

Si le bébé de May doit être à moitié japonais, je ne réponds pas de ma réaction. Mais elle hoche négativement la tête, à mon grand soulagement.

— Tu ne l'as jamais rencontré, me dit-elle d'une voix hésitante. Même moi, je l'ai à peine connu. J'ai agi sans réfléchir, sur un coup de tête, sans imaginer un seul instant qu'il pouvait m'arriver une chose pareille. Si nous avions disposé d'un peu plus de temps, je serais allée voir un herboriste pour me débarrasser du bébé. Mais je ne l'ai pas fait. Oh, Perle, tout cela est de ma faute...

Elle saisit mes mains et se remet à pleurer.

— Ne t'inquiète pas, lui dis-je, nous allons nous en sortir.

J'essaie de me montrer rassurante, mais je sens bien que mes mots sonnent creux.

— Comment pourrions-nous nous en sortir ? me dit-elle. N'as-tu pas réfléchi aux conséquences que cela ne va pas manquer d'avoir ?

Honnêtement, non... Il faut dire que je n'ai guère eu le temps de songer au problème...

— Nous ne pouvons plus aller à Los Angeles, maintenant, poursuit May. (Elle marque une courte pause et me dévisage d'un air dubitatif.) Mais peut-être ne sommes-nous pas obligées d'aller là-bas ?

— Je ne vois pas d'autre solution. Et pourtant, même sans tenir compte de ça, dis-je en désignant son ventre, il n'est pas certain qu'ils aient toujours envie de nous accueillir...

— Évidemment, qu'ils nous accueilleront ! s'exclame May. Ils nous ont achetées. Mais il y a le problème du bébé. Au début, je pensais pouvoir m'en sortir. Je n'avais pas consommé le mariage, mais Vernon garderait sans doute le secret. Et puis le Vieux Louie s'est mis en tête d'examiner nos draps...

— Tu savais déjà que tu étais enceinte, à ce moment-là ?

— Tu ne m'as pas vue vomir au beau milieu du restaurant ? J'avais tellement peur que quelqu'un ne soupçonne la vérité. Je pensais que tu allais t'en douter.

En y réfléchissant maintenant, je me rends compte que beaucoup de gens avaient dû remarquer une réalité que j'étais trop ignorante ou trop aveugle pour discerner. Dans la ferme où nous avions fait halte le premier soir, après avoir quitté Shanghai, la vieille femme avait particulièrement pris soin de May. À Hangchow, le médecin avait insisté pour qu'elle dorme suffisamment. Je suis la *jie jie* de May et j'ai toujours pensé que nous étions aussi étroitement unies qu'il était possible, mais j'ai été tellement obnubilée par mes propres soucis – la perte de Z. G., la fuite hors de chez nous, ce viol, le fait d'avoir frôlé la mort, puis notre arrivée ici – que je n'ai pas prêté une attention suffisante aux vomissements répétés de ma sœur, au cours de ces derniers mois. Je ne me suis même pas souciée de savoir si la petite visiteuse en rouge était bien passée la voir. Et je ne me souviens même pas du jour où je l'ai vue totalement nue pour la dernière fois. J'ai abandonné ma sœur au moment où elle avait le plus besoin de moi.

— Je suis désolée…

— Perle ! m'interrompt-elle. Tu n'écoutes pas ce que je te dis ! Comment pouvons-nous débarquer à Los Angeles dans ces conditions ? Vern n'est pas le père de cet enfant et le Vieux Louie le sait parfaitement.

Tout ceci survient trop vite – et la journée a été longue… Je n'ai rien avalé depuis notre bol de *jook* ce matin et je vais devoir me passer du dîner. Mais je ne suis pas épuisée au point de ne pas remarquer que May a une idée derrière la tête. Après tout, elle m'a annoncé qu'elle était enceinte uniquement parce que j'étais en colère contre elle à cause de son…

— Tu leur as menti délibérément ! m'exclamé-je. Et cela, dès ton premier entretien…

— Il faut que le bébé naisse ici, à Angel Island, me dit-elle.

Je suis censée être la plus maligne des deux, mais j'avoue que j'ai du mal à la suivre.

— Tu te préparais déjà à mentir quand nous sommes montées à bord du bateau… C'est pour cela que tu n'as même pas ouvert cette liasse : tu n'avais pas l'intention de leur donner les bonnes réponses. Tu voulais qu'ils nous gardent ici.

— Ce n'est pas tout à fait exact, répond May. J'espérais que Spencer allait m'aider… nous aider. Il me l'avait promis pendant la traversée, en me disant qu'il s'arrangerait pour que nous ne soyons pas obligées d'aller à Los Angeles. Mais il m'a menti. (Elle hausse les épaules.) Est-ce tellement surprenant, après le coup que papa nous a fait ? Ma solution de rechange consistait à rester ici. Tu ne comprends donc pas ? Si le bébé naît sur cette île, ils ne sauront jamais qu'il est de moi.

— Qui ça, « ils » ?

— Les Louie, répond-elle avec impatience. C'est toi qui t'en occuperas. Je te le confierai. Tu as consommé ton mariage avec Sam. Les dates correspondent à peu près.

Je retire mes mains des siennes et m'écarte d'elle.

— Qu'est-ce que tu racontes ?

— Les médecins ont dit que tu ne pourrais sans doute plus avoir d'enfant. Cette solution *me* sauvera la mise et résoudra du même coup *ton* problème.

Mais je ne veux pas d'enfant… ni maintenant, ni par la suite. Je ne veux pas me retrouver mariée non plus – pas de cette façon en tout cas, ni pour payer les dettes de mon père. Il doit y avoir une autre solution.

— Si tu ne veux pas de cet enfant, dis-je, tu n'as qu'à le confier aux religieuses. Elles en prendront soin. Elles nous parlent sans arrêt de leur association pour l'Aide aux enfants de Chine…

— Perle ! Il s'agit de mon enfant ! Quel autre lien nous reste-t-il avec papa et maman ? Nous sommes des filles, notre lignée prendra fin avec nous. Mon fils ne pourra-t-il pas inaugurer une nouvelle branche de la famille, ici en Amérique ?

Nous supposons évidemment que l'enfant sera un garçon. Comme tous les Chinois à travers le monde, nous ne pouvons pas envisager autre chose : un fils fait le bonheur de ses parents et garantit que le culte des ancêtres sera bien assuré, afin que ceux-ci ne meurent pas de faim dans l'au-delà. Mais cela ne change rien au fait que le plan de May ne marchera pas.

— Je ne suis pas enceinte et je ne peux pas porter le bébé à ta place, lui dis-je en soulignant l'évidence.

Cette fois encore, May fait la preuve qu'elle a longuement réfléchi à tout ça.

— Tu porteras les tenues de paysanne que j'avais achetées pour toi. Elles sont tellement amples qu'elles dissimulent toutes les formes. Les paysannes ne veulent surtout pas qu'on devine les courbes de leur corps – pour éviter d'éveiller le désir des hommes ou de montrer qu'elles sont enceintes. Tu n'as même pas remarqué que mon ventre avait grossi, n'est-ce pas ? Un peu plus tard, si besoin est, tu glisseras un oreiller dans ton pantalon.

Qui ira vérifier une chose pareille ? Et qui s'en souciera ? Il faut absolument que nous prolongions notre séjour ici.

— De combien de temps ?

— Environ quatre mois.

Je ne sais pas quoi lui répondre, ni quelle autre solution envisager. May est ma sœur, la seule survivante de ma famille pour autant que je sache, et j'ai promis à maman de veiller sur elle. Et c'est ainsi que je prends une décision qui va influer sur tout le reste de ma vie… et sur celle de May.

— D'accord, lui dis-je. On va faire comme ça.

Je suis tellement abasourdie par tout ce qui s'est passé aujourd'hui que je ne pense même pas à lui demander comment elle compte mettre ce bébé au monde sans que les autorités s'en aperçoivent.


La dure réalité, issue de notre décision de quitter la Chine pour venir en Amérique, nous heurte de plein fouet au cours des semaines qui suivent. Certains individus particulièrement optimistes – ou franchement bornés – ont surnommé Angel Island l'Ellis Island de la côte Ouest. Pour ceux qui voient d'un mauvais œil l'entrée des Chinois en Amérique, elle constitue le « bastion de la porte occidentale ». Quant à nous, les Chinois, nous l'appelons entre nous l'Île des Immortels. Le temps s'y déroule si lentement qu'on a parfois l'impression d'être déjà dans l'au-delà. Les journées sont interminables et empreintes d'une routine aussi prévisible et peu exaltante que celle qui consiste à soulager quotidiennement ses intestins. Tout y est réglé comme du papier à musique. On ne nous demande évidemment pas notre avis concernant l'heure ou la teneur de nos repas, le moment où il convient d'éteindre les lumières, d'aller se coucher ou de se lever le matin. Quand on est en prison, on perd ce genre de privilège.

Lorsque le ventre de May commence à devenir un peu trop proéminent, nous changeons de couchettes et optons pour celles du bas, afin qu'elle n'ait pas à grimper jusqu'en haut. Chaque matin nous nous levons et nous habillons. Les gardes nous escortent au réfectoire – une pièce étonnamment petite, attendu notre nombre : il arrive certains jours que nous soyons plus de trois cents à table. Comme chaque chose à Angel Island, tout y est strictement compartimenté. Les Européens, les Chinois et les autres Asiatiques ont des menus différents et ne mangent pas en même temps. Nous avons une demi-heure pour prendre notre petit déjeuner, avant de libérer la salle pour un autre groupe de détenus. Assises devant d'immenses tables, nous avalons nos bols de *jook*, puis les gardes nous ramènent au dortoir et referment à double tour les portes derrière nous. Certaines femmes préparent du thé à l'aide d'une bouilloire qu'elles laissent sur le radiateur. D'autres bénéficient de la nourriture – nouilles, légumes salés ou plats à la vapeur – que leur font parvenir leurs familles depuis San Francisco. La plupart retournent se coucher jusqu'à ce que les religieuses viennent nous parler de leur Dieu unique, tout en nous apprenant à coudre et à broder. L'une des surveillantes éprouve de la pitié à mon égard, me sachant enceinte et confinée à Angel Island.

— Laissez-moi envoyer un télégramme à votre mari, me propose-t-elle. Lorsqu'il saura que vous êtes ici, surtout dans votre état, il viendra en personne et réussira sûrement à vous faire sortir d'ici. Vous n'allez pas mettre votre bébé au monde dans un endroit pareil... Il faut que vous accouchiez à l'hôpital.

Mais je ne souhaite pas une aide de ce genre, du moins pour le moment.

Nous retournons au réfectoire pour le déjeuner, où nous avons droit à du riz froid agrémenté de haricots tellement cuits qu'ils ne forment plus qu'une bouillie infâme, du *jook* aux lamelles de porc ou une soupe de tapioca accompagnée de crackers. Au dîner on nous sert un plat unique – soit du tofu séché au porc, du bœuf aux pommes de terre ou du jarret de porc aux haricots. Le riz est parfois à peine mangeable. Tous les plats ont l'air d'avoir été déjà mâchés et digérés. Quelques femmes me donnent un peu de leur viande : « pour votre fils », précisent-elles. Je dois ensuite trouver le moyen de faire passer à May ces suppléments fastueux.

— Pourquoi vos maris ne viennent-ils pas vous voir ? nous demande un soir une femme pendant le dîner. (On la surnomme la Pelle, mais son nom de femme mariée est Lee-shee. Elle est détenue ici depuis encore plus longtemps que nous.) Ils pourraient engager un avocat et expliquer la situation aux inspecteurs. On vous laisserait immédiatement sortir.

Nous ne lui répondons pas que nos maris ignorent que nous sommes arrivées et qu'ils ne doivent pas l'apprendre avant la naissance du bébé. Mais je dois reconnaître que ce serait parfois un soulagement de les voir – même si, pour nous, ce sont pour l'essentiel de parfaits inconnus.

— Nos maris sont loin, explique May à Lee-shee et aux autres femmes qui nous prennent en pitié. La situation est très dure pour ma sœur, surtout en ce moment.

Les après-midi passent lentement. Tandis que les autres femmes écrivent à leurs familles – nous avons le droit d'envoyer et de recevoir autant de lettres que nous le souhaitons, bien qu'elles passent obligatoirement par la censure – nous discutons toutes les deux, May et moi. Ou nous regardons par la fenêtre – protégée par un épais grillage afin que nous ne puissions pas nous échapper – et nous rêvons de notre foyer perdu. Ou encore, nous nous entraînons à coudre et à broder, maîtrisant peu à peu des techniques que notre mère ne nous avait jamais apprises. Nous fabriquons des langes et des brassières. Et nous essayons de tricoter des gilets, des bonnets et des petits chaussons pour le bébé.

— Votre fils va naître sous le signe du Tigre et sous l'influence de l'élément Terre, qui est très puissant cette année, me dit un jour une femme qui rentre d'un séjour dans son village natal (elle ne passera que trois jours à Angel Island). Votre petit Tigre sera pour vous une source de bonheur, mais aussi d'inquiétude. Il sera charmeur et rayonnant, curieux et inquisiteur, athlétique et affectueux. Vous ne manquerez pas d'activités, rien qu'à devoir vous occuper de lui !

May reste généralement silencieuse lorsque les autres femmes nous donnent ainsi leur avis. Mais cette fois-ci, elle ne peut se retenir :

— Sera-t-il vraiment joyeux ? Aura-t-il une vie heureuse ?

— Heureuse ? Dans un pays pareil ? J'ignore si cela est possible. Toutefois le Tigre possède certaines qualités qui pourront être utiles au fils de votre sœur. Si l'on arrive à le discipliner – tout en l'aimant tendrement – il sait faire preuve de chaleur et de compréhension. Mais il ne faut jamais mentir à un Tigre, sinon il est capable de se déchaîner et de se livrer à des actes violents, en faisant preuve d'une rare audace.

— Cela n'est-il pas plutôt positif ? demande May.

— Votre sœur est de l'année du Dragon. Le Dragon et le Tigre sont constamment en conflit, chacun voulant occuper la première place. Il faut espérer qu'elle ait un fils – et quelle mère ne le souhaiterait pas ? – car dans ce cas les rôles seront bien répartis. Une mère doit toujours obéir à son fils, même si elle est Dragon. Si votre sœur était de l'année de la Chèvre, je serais plus inquiète. Le Tigre protège généralement sa mère, lorsque c'est une Chèvre, mais ils ne s'accordent que si le contexte général leur est favorable. Sinon, le Tigre s'éloigne de la Chèvre – ou pire encore, la met en pièces.

Nous nous dévisageons, May et moi. Nous ne croyions pas à ces balivernes lorsque maman était en vie. Pourquoi en irait-il autrement à présent ?

J'essaie de me montrer sociable avec les détenues qui parlent le dialecte de Sze Yup. Ma maîtrise de la langue et du vocabulaire s'améliore à mesure que les mots me reviennent, du fond de mon enfance – mais sincèrement, à quoi bon discuter avec ces inconnues ? Elles ne restent jamais assez longtemps ici pour que des liens se créent, May ne les comprend pas et nous estimons l'une et l'autre qu'il est préférable de rester entre nous. Nous continuons d'aller aux toilettes et aux douches ensemble. J'explique aux autres que je ne veux pas exposer mon bébé aux esprits des morts qui rôdent dans les parages. Cette explication ne tient évidemment pas debout. Je ne suis pas plus en sécurité ou prémunie contre les fantômes en compagnie de ma sœur. Mais les autres femmes n'insistent pas, mettant cela sur le compte des caprices et des angoisses propres aux femmes enceintes.

Le seul événement qui vienne rompre la monotonie de cette existence, c'est l'escapade que nous faisons un mardi sur deux à l'extérieur du bâtiment, pour aller récupérer certaines affaires dans nos bagages. Et même si cela n'entraîne jamais rien de bien nouveau, c'est un vrai soulagement de se retrouver à l'air libre. Le vendredi, les religieuses nous emmènent faire une promenade dans la campagne environnante. Angel Island est à bien des égards un site naturel de toute beauté. Nous apercevons des daims et des ratons-laveurs. Nous apprenons le nom des arbres de la région : l'eucalyptus, le chêne et le pin de Californie. Nous longeons l'édifice où sont enfermés les hommes, regroupés en fonction de leur race, et cela non seulement dans les différentes ailes du bâtiment, mais aussi lorsqu'ils sortent faire un peu d'exercice. Des clôtures surmontées de fil barbelé entourent l'ensemble du centre d'immigration, l'isolant ainsi des habitations qui occupent peut-être le reste de l'île. Le terrain d'entraînement des hommes a droit quant à lui à une double clôture, pour empêcher toute évasion. Mais où pourraient-ils bien aller ? Angel Island a été conçu sur le modèle d'Alcatraz, une autre île que nous avons aperçue en arrivant et qui abrite une prison dont nul n'est censé s'évader. Ceux qui sont assez fous pour tenter de s'enfuir à la nage sont généralement retrouvés trois jours plus tard, dans un état d'épuisement total, sur une plage située non loin d'ici. La seule différence entre les occupants de cette île voisine et nous, c'est que nous n'avons rien à nous reprocher. Notre seul tort, c'est d'être mal vus par les *lo fan*.

Dans l'école de la mission méthodiste que je fréquentais à Shanghai, nos professeurs nous parlaient du Dieu unique et du péché, des vertus du Paradis et des horreurs de l'Enfer, mais ils n'étaient pas tout à fait honnêtes concernant la manière dont leurs compatriotes nous considéraient. Entre ce que nous apprennent les autres détenues et l'attitude des gens qui nous interrogent, nous ne tardons pas à comprendre que l'Amérique n'a aucune envie de nous voir débarquer sur son sol. Non seulement nous ne pourrons pas obtenir la nationalité américaine, mais en 1882 le gouvernement a voté une loi qui interdit l'immigration de nos compatriotes, à l'exception de quatre catégories de Chinois : les ministres, les diplomates, les étudiants et les commerçants. Ceux qui se trouvent dans ce cas – qu'il s'agisse de Chinois de l'étranger ou de citoyens américains – doivent posséder un certificat d'identité pour pénétrer dans le pays. Et les détenteurs de ce précieux document doivent l'avoir sur eux en permanence. Les Chinois sont-ils les seuls à bénéficier de ce traitement de faveur ? Cela ne m'étonnerait pas.

— Il est difficile de se faire passer pour un diplomate ou un étudiant, nous explique Lee-shee tandis que nous partageons notre premier repas de Noël sur ce nouveau continent. Mais il n'est pas très compliqué de se faire passer pour un commerçant.

— C'est exact, acquiesce Dong-shee.

Il s'agit d'une autre femme mariée, arrivée ici une semaine après nous. C'est elle qui nous a expliqué pourquoi nous avons droit à du grillage sur nos couchettes, au lieu d'un matelas : les *lo fan* n'ont pas envie que nous trouvions leurs lits confortables. « Ils ne veulent pas accueillir chez eux des paysannes comme nous. Pas plus d'ailleurs que des coolies, des tireurs de pousse-pousse ou des collecteurs d'excréments. » Je ne peux m'empêcher de penser : *Quel pays en voudrait ?* Ces gens accomplissent un travail nécessaire, mais même à Shanghai ils étaient mal considérés. (Force est de constater que j'ai parfois de la peine à me couler dans mon nouveau statut social.)

— Mon mari a acheté une part dans un commerce, se vante Lee-shee. Il en est devenu l'associé pour cinq cents dollars. Bien sûr, ce n'est pas tout à fait exact, d'ailleurs il n'a pas vraiment versé cet argent. Qui pourrait fournir une somme pareille ? Mais il a promis au patron de travailler pour lui, jusqu'à ce qu'il ait honoré sa dette. Et de la sorte, mon mari peut se targuer aujourd'hui d'être commerçant.

— Et c'est pour cela qu'ils nous interrogent ? demandé-je. Ils cherchent à repérer les faux commerçants ? Il me semble que c'est se donner beaucoup de mal pour...

— Ceux qu'ils essaient vraiment de repérer, ce sont les « fils sur le papier ».

En voyant mon expression ahurie, les deux femmes se mettent à rire. May relève le nez de son bol.

— Explique-moi ça, dit-elle. Qu'est-ce que ça veut dire ?

Je secoue la tête. May pousse un soupir et recommence à se débattre avec son pied de cochon trop cuit. De l'autre côté de la table, les deux femmes échangent un regard entendu.

— Vous ignorez décidément beaucoup de choses, toutes les deux, remarque Lee-shee. Est-ce pour cela qu'ils vous retiennent si longtemps ? Vos maris ne vous ont donc pas expliqué ce que vous deviez faire ?

— Nous devions faire le voyage avec eux, ainsi qu'avec notre beau-père, dis-je. Mais nous avons été séparés à cause des macaques...

Les deux femmes opinent d'un air compréhensif.

— On peut également pénétrer dans ce pays quand on est le fils ou la fille d'un citoyen américain, poursuit Dong-shee. (Elle a à peine touché à la nourriture, dont la sauce épaisse et gluante s'est figée dans son bol.) Mon mari est un « fils sur le papier ». Est-ce le cas du vôtre ?

— Excusez-moi, mais j'ignore vraiment ce que cela signifie.

— Mon mari a acheté un papier qui lui a permis de devenir le fils d'un Américain. Il peut maintenant me faire venir, en tant qu'épouse « sur le papier ».

— Qu'entendez-vous par : « il a acheté un papier » ?

— Vous n'avez donc jamais entendu parler de ces combines ?

Me voyant hocher négativement la tête, Dong-shee pose les coudes sur la table et se penche vers moi.

— Supposons qu'un Chinois né en Amérique se rende en Chine afin de se marier. Lorsqu'il revient en Amérique, il déclare aux autorités que sa femme, restée au pays, attend un enfant.

J'écoute attentivement, en cherchant la faille. Et je crois l'avoir trouvée.

— Sa femme est-elle vraiment enceinte ?

— Non, mais l'homme prétend que si. Et les autorités officielles, que ce soit à l'ambassade américaine en Chine ou ici, à Angel Island, ne vont pas se rendre dans un village reculé pour vérifier qu'il leur dit la vérité. On donne donc à cet homme, qui est citoyen américain, un papier attestant qu'il est le père d'un nouveau fils – lequel a automatiquement droit à la nationalité américaine. Or ce fils n'a jamais vu le jour, il n'existe que sur le papier. Mais l'homme possède désormais un document officiel, qu'il va pouvoir monnayer. Il attend une quinzaine ou une vingtaine d'années, puis il vend ce papier à un jeune homme en Chine, qui adopte son nom de famille et peut ainsi venir en Amérique. Il n'est pas réellement son fils – seulement « sur le papier ». Les officiers du Centre de l'immigration, ici à Angel Island, vont essayer de le coincer pour lui faire avouer la vérité. S'il est pris, il sera aussitôt refoulé en Chine.

— Et s'il passe au travers ?

— Dans ce cas, il rejoindra sa nouvelle famille et assumera son destin de « fils sur le papier » sous une fausse identité, avec une fausse nationalité et une fausse histoire familiale. Et ce mensonge durera tant qu'il restera en Amérique.

— Qui voudrait d'un destin pareil ?

Je suis d'autant plus sceptique que nous venons d'un pays où les noms de famille tiennent une place capitale et remontent parfois à plus de douze générations. L'idée qu'un homme accepte d'en changer de son plein gré ne me paraît guère plausible.

— Des quantités de jeunes gens en Chine ne demandent que ça, répond Dong-shee. Ils rêvent d'acheter un tel papier et d'adopter une nouvelle identité, qui leur permettra de venir en Amérique – la Montagne d'Or, le pays du Drapeau fleuri... Croyez-moi, il faut travailler dur et supporter beaucoup de rebuffades pour vivre ici, mais on peut mettre de l'argent de côté et rentrer ensuite au pays plein aux as.

— La combine paraît facile...

— Regardez autour de vous ! m'interrompt Lee-shee. Ce n'est pas si facile que ça ! Les interrogatoires sont durs et les *lo fan* changent sans cesse les règles du jeu.

— Et les « filles sur le papier » ? demandé-je. Cela existe-t-il ?

— Quelle famille gaspillerait une opportunité pareille au profit d'une fille ? Nous avons déjà la chance de pouvoir suivre nos maris ici, en tant qu'épouses « sur le papier ».

Les deux femmes éclatent de rire, au point que des larmes apparaissent au coin de leurs yeux. Comment se fait-il que ces paysannes illettrées soient plus au courant que nous de ces choses et sachent parfaitement ce qu'il convient de faire pour pénétrer dans ce pays ? La réponse est simple : elles appartiennent à la catégorie sociale concernée, tandis que nous n'aurions jamais dû, May et moi, nous retrouver dans une telle position. Je pousse un soupir. Il m'arrive d'espérer qu'on nous renvoie chez nous... Mais comment pourrions-nous retourner là-bas ? La Chine est aux mains des Japonais, May est enceinte, nous n'avons plus la moindre famille et plus un centime en poche...

Puis, comme à l'ordinaire, la conversation retombe sur la nourriture dont nous nous languissons : le canard laqué, les fruits frais, la sauce de haricots noirs... tout ce qui pourrait avantageusement remplacer l'infâme bouillie qu'on nous sert ici.

Suivant le plan de May, je porte les vêtements trop larges que j'avais déjà sur le dos lorsque nous avons fui la Chine. La plupart des femmes ne restent pas ici assez longtemps pour remarquer que nous prenons simultanément du volume, May et moi. Ou peut-être le remarquent-elles, tout en ayant la même réticence que notre mère à aborder des sujets qui relèvent d'une telle intimité.

Nous avons grandi ma sœur et moi dans une ville cosmopolite. Nous nous comportions alors comme si nous étions affranchies, mais nous ignorions en fait bien des choses. Représentative de son époque, notre mère s'était bien gardée de nous parler de tout ce qui touchait à notre corps. Elle n'avait jamais mentionné, par exemple, le passage mensuel de la petite visiteuse en rouge – ce qui fait que j'avais été terrifiée la première fois qu'elle s'était manifestée, croyant que je saignais à mort. Et même à ce moment-là, ma mère ne m'avait pas expliqué en quoi cela consistait : elle m'avait renvoyée à Pansy et aux autres domestiques, qui m'avaient appris ce qu'il convenait de faire, tout en m'expliquant comment les femmes tombaient enceintes. Plus tard, quand May avait eu affaire à son tour à la petite visiteuse, je lui avais expliqué le peu que j'avais appris. Mais pour ce qui concernait la grossesse ou les techniques d'accouchement, nous étions tout de même assez ignorantes. Heureusement, nous étions à présent entourées de femmes pour lesquelles ces questions n'avaient plus de secret et qui avaient mille conseils à nous donner. Cela dit, j'avais tendance à m'en remettre davantage à l'opinion de Lee-shee.

— Si tes tétons sont de la taille d'une graine de lotus, me dit-elle, ton fils s'élèvera dans la société. S'ils sont de la taille d'une datte, il sombrera dans la pauvreté.

Elle me conseille de renforcer mon *yin* en mangeant des poires cuites dans du sirop, mais nous n'avons rien de tel au réfectoire. Lorsque May commence à ressentir des douleurs dans le ventre, je le dis à Lee-shee – en prétendant bien entendu que c'est moi qui en souffre – et elle m'explique qu'il s'agit là d'une douleur commune à toutes les femmes dont le *chi* se concentre autour du bas-ventre.

— Le meilleur remède consiste à manger trois fois par jour cinq tranches de radis mélangées à un peu de sucre, me dit-elle.

Mais je n'ai aucun moyen de me procurer ces fameux radis et May continue de souffrir. Cela me pousse à vendre à une femme originaire de la banlieue de Canton le dernier bijou qui nous reste de la dot de maman. Comme cela, lorsque May aura besoin de telle ou telle chose, je pourrai me le procurer à l'échoppe qui se trouve dans le bâtiment ou payer l'un des gardes ou des cuisiniers pour qu'ils m'en rapportent. Ainsi, un beau jour, May souffre d'une indigestion et je feins aussitôt d'en être également victime. Les femmes du dortoir débattent entre elles pour savoir quel serait le meilleur remède et me suggèrent finalement de sucer des clous de girofle. Je n'ai pas de mal à en obtenir, mais Lee-shee n'est pas convaincue.

— Perle souffre soit de l'estomac, soit de la rate – et dans les deux cas cela dénote une faiblesse des fonctions liées à l'élément Terre, dit-elle aux autres femmes. L'une d'entre vous possède-t-elle des mandarines ou du gingembre frais, avec lesquels nous pourrions lui préparer du thé ?

Acheter ces articles ne pose aucun problème et May s'en trouve soulagée, ce qui me comble de bonheur – et réjouit du même coup les autres détenues, fières de pouvoir ainsi venir en aide à une femme enceinte.

Le temps qui s'écoule entre chacun de nos interrogatoires est de plus en plus long. Il s'agit apparemment d'une pratique courante, appliquée à toutes celles dont les auditions ont posé problème. Les longues heures d'attente passées dans le dortoir ont pour but de nous affaiblir, d'embrouiller les histoires que nous avons apprises par cœur, et les inspecteurs pensent ainsi nous amener du même coup à commettre des erreurs. Après tout, si l'on vous interroge une seule fois par mois pendant huit heures d'affilée, comment vous rappelleriez-vous précisément ce que vous avez déclaré deux ou trois mois plus tôt – voire davantage – et si cela s'avère conforme à la liasse d'instruction que vous avez détruite ou aux déclarations qu'ont pu faire de leur côté vos parents et vos proches, qui ne se trouvent pas sur l'île ?

Maris et femmes restent séparés pendant toute la durée de leur séjour. De cette façon, ils ne peuvent pas se soutenir mutuellement – et surtout, ils ne sont pas en mesure d'échanger des informations concernant leurs interrogatoires respectifs. Le jour de leur mariage, le palanquin s'est-il arrêté devant le portail ou s'est-il avancé jusqu'au seuil de la maison ? Le temps était-il pluvieux ou dégagé le jour où ils enterré leur troisième fille ? Qui pourrait se souvenir de ce genre de détails, alors que les questions et les réponses peuvent être interprétées de diverses manières ? Après tout, dans un village de deux cents habitants, le portail et le seuil d'une maison ne sont-ils pas une seule et même chose ? Et cela a-t-il de l'importance, qu'il ait plu ou non le jour où l'on a mis en terre cette pauvre enfant ? Apparemment, cela en a aux yeux des interrogateurs, et les couples qui ne s'accordent pas sur ce genre de détails peuvent être retenus pendant des jours, des semaines et parfois même des mois supplémentaires.

Mais nous sommes deux sœurs, May et moi, et nous pouvons donc accorder nos violons avant les auditions. Les questions dont on nous harcèle s'avèrent de plus en plus épineuses à mesure qu'on aborde les dossiers relatifs à Sam, à Vernon, à leurs frères, au Vieux Louie et à sa femme, à ses associés commerciaux et à l'ensemble de son voisinage – qu'il s'agisse d'autres commerçants, du policier du quartier ou du coursier de notre beau-père... Combien de poules et de canards la famille de mon mari possédait-elle dans son village natal ? Dans quel endroit conserve-t-on le riz dans la maison de la famille Louie, à Los Angeles ou dans le village de Wah Hong ?

Lorsque nous tardons à répondre, les inspecteurs s'impatientent et nous crient : « Dépêchez-vous ! » Cette tactique s'avère payante envers d'autres détenues : elle les effraie et les amène à commettre une erreur fatale. Mais nous nous en servons quant à nous pour donner l'impression que nous sommes totalement obtuses. Le président Plumb est de plus en plus irrité par mon attitude. Il me fixe parfois en silence pendant près d'une heure, dans l'espoir de m'intimider et de m'amener à lui fournir une autre réponse. Mais ses efforts pour me déstabiliser ne font que renforcer mon calme et ma détermination.

En fait, nous utilisons May et moi la complexité ou le caractère saugrenu de ces questions pour prolonger notre séjour. Quand on nous demande : « Aviez-vous un chien en Chine ? », May répond oui, et moi non. À l'audition suivante, deux semaines plus tard, les inspecteurs nous confrontent à tour de rôle à cette contradiction. May s'en tient à sa version et j'explique de mon côté que nous avions bien un chien autrefois mais que mon père l'a fait abattre pour que nous le mangions, avant de quitter la Chine. La fois suivante, les inspecteurs nous annoncent que nous avions toutes les deux raison : la famille Chin possédait bien un chien mais l'a mangé avant de quitter la Chine. La vérité est que nous n'en avons jamais eu et que le cuisinier se serait bien gardé de nous servir du chien, pendant toutes les années qu'il a passées à notre service. Nous rions pendant des heures, May et moi, de cette victoire minuscule.

— Où se trouvait la lampe à pétrole dans votre maison ? nous demande un jour le président Plumb.

Le fait est que nous avions l'électricité à Shanghai. Mais je lui réponds que la lampe était à gauche de la table, et May qu'elle était à droite.

Il faut toutefois reconnaître que nous n'avons pas affaire à des individus particulièrement futés. Sous nos vestes de paysannes, ils ne remarquent ni le ventre de plus en plus rebondi de May, ni l'oreiller et les vêtements que j'ai fourrés dans mon pantalon. Après le Nouvel An chinois, je fais mine d'avoir de la peine à marcher en me rendant aux interrogatoires et j'exagère les efforts que je dois faire pour me lever ou me rasseoir. Cela déclenche bien sûr une nouvelle batterie de questions. Suis-je bien sûr d'être tombée enceinte lors de la seule nuit que j'ai passée avec mon mari ? La date correspond-elle ? N'y a-t-il pas eu quelqu'un d'autre ? Ne me livrais-je pas à la prostitution dans mon pays natal ? Le père de mon enfant est-il bien celui que je prétends ?

Le président Plumb ouvre le dossier de Sam et me montre une photographie représentant un enfant de sept ou huit ans.

— S'agit-il de votre mari ? me demande-t-il.

J'examine la photographie. Il pourrait s'agir de Sam, lorsqu'il était revenu en Chine avec ses parents en 1920. Ou de n'importe quel enfant...

— Oui, dis-je, c'est bien mon mari.

Le greffier continue de taper à la machine, nos dossiers ne cessent de grossir et au fil des séances je finis par apprendre beaucoup de choses au sujet de mon beau-père, de Sam, de Vernon et des affaires de la famille Louie.

— Il est indiqué ici que votre beau-père est né à San Francisco en 1871, dit le président Plumb en feuilletant le dossier du Vieux Louie. Il serait donc aujourd'hui âgé de soixante-sept ans. Son père était un marchand. Ces faits sont-ils exacts ?

J'ai à peu près mémorisé tout ce que contenait la liasse de Sam, à l'exception de la date de naissance du Vieux Louie. Je prends le risque et réponds :

— Oui.

— Il est également dit qu'il s'est marié à San Francisco en 1904 et que sa femme n'avait pas les pieds bandés.

— Je ne l'ai jamais rencontrée, mais j'ai entendu dire que c'était en effet le cas.

— En 1907, ils se sont rendus en Chine, où est né leur fils aîné. Ils l'ont laissé dans le village d'où la famille est originaire et l'enfant y est resté pendant onze ans avant de les rejoindre ici.

À cet énoncé, Mr White se penche vers son supérieur et lui chuchote quelques mots à l'oreille. Ils feuillètent ensuite les dossiers ensemble et Mr White montre soudain quelque chose, au détour d'une page. Le président Plumb acquiesce et reprend :

— Votre prétendue belle-mère a eu cinq fils. Ne trouvez-vous pas étrange qu'elle n'ait eu que des fils ? Et qu'ils soient tous nés en Chine ?

— Pour être tout à fait exact, le dernier est né à Los Angeles, dis-je pour manifester ma bonne volonté.

Le président Plumb m'adresse un regard intrigué.

— Pourquoi vos beaux-parents ont-ils laissé leurs quatre premiers fils en Chine avant de les faire venir ici ?

Je me suis posé la même question, mais je lui donne la réponse qui figurait dans la liasse :

— Les frères de mon mari ont grandi dans le village de Wah Hong parce que cela revenait moins cher qu'à Los Angeles. Mon mari a été renvoyé en Chine pour connaître ses grands-parents, apprendre la langue et les traditions locales et pour faire des offrandes aux ancêtres de la famille Louie au nom de son père.

— Avez-vous rencontré ses frères ?

— Seulement celui qui se prénomme Vernon. Je n'ai jamais vu les autres.

Le président Plumb me demande ensuite :

162

— Si vos beaux-parents vivaient ensemble à Los Angeles, pourquoi ont-ils attendu onze ans pour avoir un dernier enfant ?

J'ignore la réponse à cette question, mais je me tapote le ventre et lui dis :

— Il y a des femmes qui ne prennent pas les herbes appropriées, ne mangent pas la nourriture appropriée et ne respectent pas les règles appropriées pour que leur *chi* s'accorde avec la descendance de leur mari.

Ma réponse de paysanne arriérée semble ce jour-là satisfaire mes interrogateurs. Mais la fois suivante, ils s'intéressent brusquement aux occupations de mon beau-père et veulent s'assurer qu'il ne se livre pas à des activités prohibées. Au cours des vingt dernières années, le Vieux Louie a monté plusieurs affaires à Los Angeles. À l'heure actuelle, il possède un seul magasin.

— Quel est le nom de ce magasin et qu'y vend-on ? me demande le président Plumb.

Je récite sagement ma leçon :

— Son magasin s'appelle La Lanterne d'or. On y vend des articles en provenance de Chine et du Japon – des meubles, des tapis, des chaussons, des objets en soie et en porcelaine. La valeur du stock est de cinquante mille dollars.

Le seul fait de prononcer ce chiffre me fait monter l'eau à la bouche, comme si je mâchais de la canne à sucre.

— Cinquante mille dollars ? s'étonne le président Plumb, visiblement impressionné lui aussi. C'est une coquette somme.

Une fois de plus, il se penche vers son acolyte et échange avec lui quelques propos à voix basse, concernant la rigueur de la Dépression qui affecte leur pays. Je fais mine de ne pas les écouter. Ils consultent ensuite le dossier du Vieux Louie et je les entends dire qu'il a l'intention de transférer d'ici la fin de cette année son magasin principal et d'ouvrir deux autres boutiques, un restaurant et un circuit destiné aux touristes. Je caresse mon prétendu ventre de femme enceinte et feins le plus total désintérêt, tandis que Mr White expose la situation de la famille Louie.

— Nos collègues à Los Angeles rendent visite aux Louie tous les six mois, m'explique-t-il. Ils n'ont jamais pu établir de lien entre les affaires de votre beau-père et la moindre entreprise répréhensible – qu'il s'agisse d'une blanchisserie, d'une loterie, d'une pension, d'un salon de coiffure, d'une piscine ou d'une maison de jeu. Personne ne l'a jamais vu non plus se livrer à une activité manuelle. En d'autres termes, il a toutes les apparences d'un commerçant honnête, occupant une position aisée au sein de la communauté chinoise.

Mais au cours de l'interrogatoire suivant, tandis que Mr White lit à voix haute des extraits des rapports concernant Sam et son père – qui me sont traduits dans le dialecte de Sze Yup par un nouvel interprète – j'apprends quelque chose qui me stupéfie. Le Vieux Louie a déclaré aux inspecteurs que ses affaires avaient subi une perte annuelle de deux mille dollars, de 1930 à 1933. Cela correspond à une somme d'argent colossale, selon les critères de Shanghai. L'argent perdu de la sorte au cours d'une seule de ces années aurait suffi à sauver ma famille – c'est-à-dire à couvrir les dettes de mon père, son entreprise et notre maison, sans parler de nos économies à May et moi. Pourtant, le Vieux Louie n'en est pas moins venu négocier le mariage de ses deux fils en Chine.

— La famille doit posséder une fortune cachée, commente May lorsque je lui rapporte cette information dans la soirée.

Néanmoins, cette situation me paraît confuse et embrouillée à dessein. Le Vieux Louie – dont le dossier est à peu près aussi gros que le mien, étant donné qu'il est passé à de nombreuses reprises par Angel Island – aurait-il débité autant de mensonges aux inspecteurs que nous sommes en train de le faire, May et moi ?

Un beau jour, le président Plumb perd finalement patience, tape du poing sur la table et s'exclame :

— Comment se fait-il que vous prétendiez être à la fois l'épouse d'un commerçant légalement établi chez nous *et* celle d'un citoyen américain ? Ce sont deux statuts différents et un seul aurait largement suffi.

Je me suis posé la même question au cours des derniers mois et je n'ai toujours pas trouvé la réponse.

## Sœurs de sang

Deux semaines plus tard, je me réveille au milieu de la nuit, tirée du sommeil par un cauchemar. Généralement, May est auprès de moi pour me rassurer, mais je ne sens pas sa présence à mes côtés. Je me retourne, pensant l'apercevoir sur sa propre couchette : elle n'y est pas non plus. Je tends l'oreille, allongée sur le dos, mais je n'entends personne sangloter, chuchoter des incantations propitiatoires ou traverser le dortoir à pas de loup – ce qui signifie qu'il doit être très tard. Où May est-elle passée ?

Elle a autant de mal à dormir que moi, ces derniers temps. « Ton fils adore me donner des coups de pied dès que je m'allonge, m'a-t-elle dit la semaine dernière, et il occupe décidément beaucoup de place à l'intérieur de mon ventre, je dois me lever toutes les cinq minutes pour aller faire pipi. » Elle m'a dit ça avec une telle tendresse – comme si le fait de faire pipi était un vrai don du ciel – que j'ai ressenti une soudaine bouffée d'amour pour elle et pour l'enfant qu'elle porte à mon intention. Toutefois, nous nous étions juré de ne jamais aller l'une sans l'autre aux toilettes. J'attrape un vêtement, ainsi que mon oreiller. Même en pleine nuit, je ne peux pas prendre le risque qu'on découvre que je ne suis pas enceinte. Je boutonne ma veste sur mon ventre postiche et me lève.

May n'étant pas aux toilettes, je me dirige vers les douches. Je me fige à peine entrée, l'estomac noué, et je sens un frisson me parcourir le dos. Le décor ne pourrait pas différer davantage de celui que je vois en rêve mais ma sœur est bien là, allongée sur le sol, le visage livide et tordu de douleur. Elle a ôté son

165

pantalon et gît les jambes écartées, exposant ses parties intimes – horriblement enflées et d'une protubérance effrayante.

Elle tend les bras vers moi.

— Perle…

Je me précipite vers elle, glissant sur le carrelage mouillé.

— Ton fils arrive, me dit-elle.

— Tu devais me réveiller…

— Je ne me suis pas rendu compte que les choses allaient se précipiter.

À de nombreuses reprises, tard le soir ou lorsque nous parvenions à nous isoler durant la promenade hebdomadaire que nous font faire les religieuses, nous avions évoqué ensemble la stratégie à suivre lorsqu'arriverait le moment fatal. Nous avions tout mis au point, jusqu'au moindre détail. Je repense à ce que nous ont dit les femmes du dortoir : on commence par ressentir des douleurs qui vont très vite en augmentant, au point qu'on a l'impression de devoir lâcher un gigantesque pet ; on se retire alors dans un coin, on s'accroupit, le bébé sort, on le nettoie, on l'enveloppe dans une grande étoffe et on va retrouver son mari dans la rizière, en portant son bébé dans le dos. Évidemment, les choses se passaient bien différemment à Shanghai : des mois avant l'accouchement, la future mère cessait de sortir, d'aller danser ou de faire du shopping, puis se rendait dans un hôpital occidental où on l'endormait ; et lorsqu'elle se réveillait, on lui tendait son bébé… Pendant les deux ou trois semaines suivantes, elle se reposait à l'hôpital, recevait les visites et les félicitations de ses proches pour avoir mis au monde un fils et regagnait finalement sa demeure pour la cérémonie du premier mois, au cours de laquelle l'enfant était introduit dans le monde et présenté à l'ensemble de la famille, des amis et des voisins. Il est bien sûr impossible de suivre ici la méthode shanghaienne, mais comme May l'a souvent dit au cours des dernières semaines : « Les paysannes mettent leurs enfants au monde toutes seules depuis des millénaires. Si elles en sont capables, je ne vois pas pourquoi je n'y arriverais pas. Après tout, ce n'est pas la première épreuve que nous affrontons. De surcroît, je n'ai pas beaucoup mangé ces derniers temps, j'ai vomi une bonne partie de ce que j'avalais et le bébé ne sera sûrement pas bien gros. Il sortira d'autant plus facilement. »

Nous nous étions demandé où l'accouchement devait avoir lieu et nous avions finalement porté notre choix sur les douches, étant donné que c'était le seul endroit où les autres femmes craignaient de s'aventurer. Certaines s'y rendaient malgré tout dans la journée. « Il faudra donc que j'attende le soir », avait conclu May.

En y songeant à présent, je me dis que le travail de May a dû commencer plus tôt : elle a passé la journée sur sa couchette, les jambes repliées pour empêcher le bébé d'arriver trop vite.

— Quand les douleurs ont-elles débuté ? Les contractions sont-elles rapprochées ?

Je lui pose ces questions parce que je me souviens que ce sont là des signes permettant de savoir si le bébé est sur le point de naître.

— Les contractions ont commencé ce matin, répond May. La douleur n'était pas trop forte au début et je savais qu'il fallait encore attendre. Mais tout à l'heure, il m'a semblé que j'avais besoin de faire pipi. Et les eaux sont sorties d'un coup, à peine étais-je arrivée ici.

C'est sans doute pour cela que le sol est inondé.

May me saisit la main, prise d'une brusque contraction. Elle ferme les yeux et son visage s'empourpre sous l'effet de la douleur. Ses ongles se plantent si profondément dans ma paume que c'est moi, pour le coup, qui ai envie de crier. Quand la contraction s'interrompt, May reprend son souffle et sa main se détend dans la mienne. Une heure plus tard, je vois apparaître la tête du bébé.

— Tu penses pouvoir t'accroupir ? lui demandé-je.

May marmonne un vague acquiescement. Je passe derrière elle, la saisis par les aisselles et la traîne jusqu'à la paroi, à laquelle elle peut s'adosser. Puis je vais me placer entre ses jambes et je ferme les yeux, en prenant mon courage à deux mains. Lorsque je les rouvre, je vois le visage de ma sœur tordu par la douleur. J'essaie de mettre dans mon intonation toute la conviction dont je suis capable, en lui répétant ce qu'elle m'a affirmé à de nombreuses reprises ces jours derniers :

— Nous pouvons le faire, May. Je le sais, nous allons y arriver.

Lorsque le bébé sort, ce n'est pas le fils que nous attendions. C'est une fille – ma fille – toute gluante et couverte de mucus...

Elle est minuscule, plus petite encore que je ne l'avais imaginé. Elle ne pleure pas et émet au contraire des sons infimes, semblables aux appels plaintifs d'un oisillon.

— Laisse-moi la voir...

Je cligne des yeux et regarde ma sœur. Ses cheveux sont trempés et pendent de part et d'autre, collés à son visage, mais ses traits ne sont plus déformés par la douleur. Je lui tends le bébé et me relève.

— Je reviens, dis-je.

May ne m'écoute pas. Elle a pris le bébé entre ses bras pour le protéger du choc que doit représenter le contact de l'air froid et ôte du revers de sa manche la matière visqueuse qui lui couvre le visage. Je les contemple un instant : c'est le seul véritable échange qu'ils vont avoir, avant que je n'accapare l'enfant.

Je me hâte de regagner le dortoir, aussi discrètement que possible, et de récupérer le matériel rudimentaire que nous avons mis de côté en prévision de cet instant : une bobine de fil, une petite paire de ciseaux que l'une des religieuses nous a confiée pour nos travaux de couture, quelques objets sanitaires et deux serviettes achetées à l'échoppe du centre. J'empoigne ensuite la théière qui trône sur le radiateur et m'empresse de regagner les douches. Pendant ma brève absence, May a évacué le reste du placenta. Je fais un nœud avec le fil autour du cordon ombilical, avant de le couper. Puis je trempe l'une des serviettes dans l'eau bouillie et la tends à May afin qu'elle nettoie l'enfant. Je me sers du reste de l'eau et de l'autre serviette pour débarbouiller l'entrejambe de ma sœur. Le bébé étant de petite taille, elle n'a pas trop souffert, comparé à ce qui m'était arrivé avec les soldats dans cet horrible endroit. J'espère qu'elle s'en sortira sans points de suture. Mais pour être honnête, que puis-je faire d'autre ? Je sais à peine coudre un bouton, comment pourrais-je raccommoder ses parties intimes ?

Tandis que May habille le bébé, je nettoie le carrelage et enveloppe le placenta dans les serviettes. Une fois le sol à peu près propre, je jette tous ces déchets à la poubelle.

Dehors une lueur rose a envahi le ciel. Nous n'avons plus beaucoup de temps.

— Je ne crois pas que j'arriverai à me relever seule, me dit May, toujours assise par terre.

Ses jambes livides tremblent à cause du froid et des efforts qu'elle a dû faire. Elle s'écarte de la paroi et je l'aide à se remettre sur ses pieds. Du sang se met à couler entre ses jambes et s'égoutte sur le carrelage.

— Ne t'inquiète pas, dit-elle. Tiens, prends-la.

Elle me tend le bébé. J'ai oublié d'apporter la couverture que May a tricotée et les bras de l'enfant, brusquement libérés, s'agitent dans tous les sens. Je ne l'ai pas portée à l'intérieur de mon ventre, tous ces derniers mois, mais je l'aime déjà comme si tel avait été le cas. Je fais à peine attention à May, qui remet sa ceinture en place avant d'enfiler ses sous-vêtements et son pantalon.

— Je suis prête, dit-elle.

Nous jetons un dernier regard dans la salle des douches. Ce ne sera bientôt plus un secret pour personne qu'une femme a accouché dans cette pièce, mais il faut éviter à tout prix que le moindre détail puisse paraître suspect, car je ne compte évidemment pas me faire examiner par les médecins du centre.


Je suis allongée sur ma couchette, ma fille dans les bras et May blottie contre moi, lorsque les autres femmes se réveillent. Quelques instants s'écoulent avant qu'elles fassent attention à nous.

— Eh ! Regardez qui est arrivé pendant la nuit ! s'exclame Lee-shee tout excitée.

Les autres femmes font cercle autour de nous en compagnie de leurs enfants, se poussant gentiment les unes les autres pour profiter du spectacle.

— Votre fils est donc né !

— Ce n'est pas un fils, corrige May, c'est une fille.

Sa voix dénote un tel épuisement que je redoute un instant qu'elle ne nous trahisse.

— C'est tout de même un petit bonheur, commente Lee-shee. (Elle s'est servie de l'expression traditionnelle exprimant la déception que constitue toujours la naissance d'une fille.) Mais regardez autour de vous, ajoute-t-elle aussitôt. Il n'y a que des femmes ici, si l'on excepte les petits garçons en bas âge qui ont encore besoin de leur mère. C'est un bon présage.

— Cela ne le restera pas longtemps si le bébé reste attifé de la sorte, lance l'une des femmes avec un regard désapprobateur.

Je regarde l'enfant. Ses vêtements sont les premiers que nous ayons jamais fabriqués, May et moi. Les boutons sont placés de travers et le petit bonnet glisse sur le côté, mais là n'est apparemment pas le problème. Il convient en effet de prémunir le bébé contre les dangers qui le guettent. Les femmes s'éloignent et reviennent bientôt en nous offrant des piécettes qui représentent les « cent amis de la famille » qui vont prendre soin de l'enfant. L'une d'elles lui attache un petit fil rouge dans les cheveux pour lui porter bonheur. Puis, à tour de rôle, les femmes cousent sur son bonnet et ses autres vêtements de minuscules motifs représentant les animaux du zodiaque, destinés à le protéger contre les mauvais esprits, le mauvais sort et les maladies.

Une collecte est organisée, puis l'une des femmes va trouver un cuisinier chinois avec l'argent recueilli pour lui demander de préparer à mon intention la « soupe de la jeune accouchée », composée de pieds de cochon, de gingembre, de cacahuètes et de n'importe quel alcool fort. (L'idéal serait la liqueur de Shao-hsing, mais du whisky fera l'affaire s'il n'a rien d'autre sous la main.) Une femme qui vient d'accoucher est diminuée physiquement et souffre d'un excédent de *yin*, c'est-à-dire d'élément froid. La plupart des ingrédients de cette soupe sont du côté du « chaud » et viendront donc renforcer mon *yang*. On m'assure que cela facilitera la cicatrisation, éliminera le sang qui stagne encore dans mon corps et aidera ma montée de lait.

L'une des femmes se penche brusquement vers moi et entreprend de déboutonner ma veste.

— Il faut que vous allaitiez le bébé ! Nous allons vous montrer comment faire.

Je repousse doucement sa main.

— Nous sommes en Amérique, dis-je, et ma fille est une citoyenne de ce pays. J'adopterai donc la méthode des femmes américaines. (*Et des Shanghaiennes modernes,* ajouté-je in petto, en me souvenant du lait en poudre pour bébés dont nous faisions la publicité du temps où nous étions modèles, May et moi.) J'ai ici du lait à l'usage des nourrissons.

Comme d'habitude, je traduis nos échanges dans le dialecte de Wu, pour que May comprenne ce que je leur dis.

— Explique-leur que les biberons et la poudre se trouvent sous le lit, se hâte-t-elle de me dire. Et que je ne veux pas te quitter, mais que si l'une d'elles pouvait nous aider, je lui en serais très reconnaissante.

L'une des femmes prend un biberon, le remplit d'eau bouillie et y mélange un peu de la poudre que nous avons achetée à l'échoppe du centre. Lee-shee et les autres débattent entre-temps d'un délicat problème : quel nom donner au bébé ?

— Confucius a dit que lorsque les noms ne sont pas appropriés, le langage et la société ne sont plus en harmonie avec la vérité des choses, explique-t-elle. C'est le grand-père de l'enfant ou une personne d'une grande distinction qui devrait normalement donner un nom à votre bébé. (Elle fait la moue, regarde autour d'elle et observe avec une certaine emphase.) Mais je ne vois personne alentour qui corresponde à cette définition. Peut-être n'est-ce pas plus mal. Vous avez une fille – quelle cruelle déception ! Mais vous ne voudriez pas qu'on l'appelle La Puce, Le Chien ou encore La Pelle, comme mon père l'avait décidé pour moi…

Donner un nom est un acte important, mais ce n'est pas l'affaire des femmes. Maintenant que nous avons l'opportunité de le faire – et pour une fille, en plus – nous nous apercevons que la chose est plus difficile qu'elle n'en a l'air. Nous ne pouvons pas lui donner le nom de ma mère, ni même nous servir de notre nom de famille en l'honneur de mon père – car cela est considéré comme tabou. Nous ne pouvons pas davantage lui donner le nom d'une héroïne ou d'une déesse, car cela serait jugé présomptueux, voire irrespectueux.

— J'aime bien Jade, propose une jeune détenue, parce que cela suggère à la fois la force et la beauté.

— Les noms de fleur sont jolis eux aussi : Lis, Iris, Orchidée…

— Mais ils sont tellement communs ! objecte Lee-shee. Et ils donnent une impression de fragilité. Si l'on songe que cette enfant est née sur ce continent, ne devrait-on pas lui donner un nom comme Mei Gwok ?

*Mei Gwok* signifie « Beau pays » et c'est l'appellation officielle des États-Unis en cantonais. Mais ce n'est ni mélodieux, ni très joli.

— On ne risque pas de se tromper en utilisant les deux caractères du nom générationnel, avance une autre femme. (Cela me plaît, parce que nous partageons May et moi le nom générationnel de *Long*, qui signifie Dragon.) Vous pouvez par exemple utiliser *De* – Vertu – comme caractère de base et le décliner ensuite pour chacune de vos filles : Grande Vertu, Vertu Mesurée, Vertu de la Lune...

— C'est trop compliqué ! s'exclame Lee-shee. Je me suis contentée d'appeler mes filles Fille Un, Fille Deux, Fille Trois. Même chose pour mes fils : Fils Un, Fils Deux, Fils Trois. Quand on donne ainsi des numéros aux enfants, on est sûr au moins de ne pas se tromper et de se souvenir du rang qu'occupe chacun dans la famille.

Ce qu'elle ne dit pas, c'est que beaucoup de parents évitent de se casser la tête pour donner des noms à leurs enfants, car il y en a beaucoup qui meurent en bas âge... J'ignore ce que May a compris de tout ce qui vient d'être dit, mais lorsqu'elle prend la parole, les autres se taisent autour d'elle.

— Il n'y a qu'un nom qui puisse convenir à cette enfant, dit-elle en anglais. Il faut l'appeler Joy. Nous sommes en Amérique à présent. À quoi bon s'encombrer du passé ?

May tourne la tête pour me regarder et je réalise à cet instant qu'elle n'avait pas quitté le bébé des yeux, pendant toute cette conversation. Même si c'est moi qui berce Joy, elle s'est arrangée pour être le plus près possible d'elle. Elle se redresse, porte les mains à son cou et ôte la petite bourse contenant les trois piécettes en cuivre, les trois grains de sésame et les trois graines de haricot que maman lui avait donnée pour lui porter bonheur. Je porte moi aussi toujours la mienne – même si je ne puis pas dire qu'elle m'ait vraiment protégée – ainsi que son bracelet de jade, en souvenir d'elle. May passe la cordelette en cuir autour de la tête de Joy, avant de glisser la bourse à l'intérieur de ses vêtements.

— Que cela te protège, où que tu ailles, murmure-t-elle.

Les femmes autour de nous se mettent à pleurer, à cause de la beauté de son geste et de ses paroles. Ce sera une bonne tante, disent-elles, même si tout le monde sait qu'il va falloir retirer ce collier pour éviter que le bébé ne s'étrangle avec.

Lorsque les religieuses arrivent, je refuse de les accompagner à l'hôpital du centre d'immigration, comme elles me le proposent.

— Ce n'est pas l'usage en Chine, leur dis-je. Mais si vous pouviez envoyer un télégramme à mon mari, je vous en serais très reconnaissante.

Le message est bref et s'en tient à l'essentiel : MAY ET PERLE ARRIVÉES ANGEL ISLAND – ENVOYEZ ARGENT VOYAGE – BÉBÉ NÉ – PRÉPAREZ CÉRÉMONIE PREMIER MOIS.

Ce soir-là, les femmes reviennent du dîner avec la soupe spéciale « de la jeune accouchée ». Malgré leurs protestations, je la partage avec ma sœur, en prétendant qu'elle s'est autant fatiguée que moi. Je les vois maugréer et hocher la tête d'un air désapprobateur, mais May a bien plus besoin que moi de cette soupe.


Le président Plumb reste pantois en me voyant pénétrer dans la salle d'audition, la fois suivante, vêtue de l'une de mes plus belles robes en soie et coiffée de mon chapeau à plumes (dans la doublure duquel se trouve toujours la liasse d'instructions que Sam m'avait confiée). Je m'exprime dans un anglais parfait et je tiens dans mes bras un bébé dont les vêtements sont couverts de broderies propitiatoires. Je réponds correctement et sans l'ombre d'une hésitation à chacune de ses questions, sachant que dans une pièce voisine May tient un discours identique. Mais mes déclarations et celles de May, ainsi que la question de savoir si je suis l'épouse d'un commerçant légalement établi ici *ou* d'un citoyen américain, ne constituent plus le problème majeur. L'arrivée de ce bébé pose bien d'autres soucis aux autorités. Angel Island a beau faire partie du territoire américain, le statut ou la citoyenneté des gens qui y transitent ne sont pas reconnus jusqu'à ce qu'ils aient *quitté* l'île. Il est donc plus commode pour eux de nous relâcher plutôt que d'avoir à régler l'épineux problème que leur pose la présence de Joy.

Le président Plumb fait son habituel compte-rendu à la fin de l'interrogatoire, mais il n'a visiblement pas l'air enchanté lorsqu'il en arrive à sa conclusion :

— La décision concernant ce cas a été différée depuis plus de quatre mois. Même s'il est clair que cette femme a passé fort peu de temps en compagnie de son mari, qui se prétend citoyen américain, elle vient de mettre un enfant au monde dans notre centre. Après une longue délibération, nous sommes tombés d'accord sur les points essentiels. Je propose donc que Louie Chin-shee soit autorisée à pénétrer sur le territoire des États-Unis, en tant qu'épouse d'un citoyen américain.

— J'approuve cette proposition, dit Mr White.

— Je l'approuve également, dit le greffier.

C'est la première et unique fois que je l'entends ouvrir la bouche.

L'après-midi même, à quatre heures, le garde pénètre dans le dortoir et appelle les deux Louie Chin-shee – nos noms d'épouses traditionnels, à May et moi. « *Sai-gaai* », lance-t-il ensuite selon son habitude, utilisant l'expression qui signifie « Bonne fortune ». On nous tend ensuite nos certificats d'identité. J'ai également droit à un certificat de naissance pour Joy, attestant qu'elle est « trop petite pour être mesurée », ce qui signifie simplement qu'ils ne se sont pas donné la peine de l'examiner. J'espère que ces déclarations suffiront à lever les soupçons que pourraient nourrir Sam et le Vieux Louie, concernant la date de naissance et la taille de Joy.

Les autres femmes nous aident à emballer nos affaires. Lee-shee se met à pleurer en nous disant au revoir. May et moi regardons le garde verrouiller derrière nous la porte du dortoir. Nous le suivons ensuite à l'extérieur du bâtiment et le long du sentier qui mène jusqu'au quai. Nous allons récupérer le reste de nos bagages et prenons place à bord du ferry qui va nous conduire à San Francisco.

# Deuxième partie

## LA FORTUNE

## Un grain de riz unique

Nous payons quatorze dollars pour prendre place à bord du *Harvard*, un bateau à vapeur qui nous emmène à San Pedro. Pendant le voyage, tirant la leçon de ce qui s'est passé à Angel Island, nous répétons l'histoire que nous avons mise au point afin d'expliquer pourquoi nous n'avons pas pu nous rendre à Hong Kong quelques mois plus tôt, les difficultés que nous avons eues à quitter la Chine pour venir rejoindre nos maris et l'épreuve qu'ont constituée pour nous ces interrogatoires. Mais il était bien inutile de nous donner tout ce mal. Lorsque Sam nous accueille sur le quai, il nous déclare laconiquement : « Nous pensions que vous étiez mortes. »

Nous ne nous sommes vus qu'à trois reprises : lors de notre première rencontre dans la vieille ville chinoise, le jour de notre mariage et le lendemain après-midi, lorsqu'il était venu m'apporter nos billets et les documents relatifs à notre voyage. Après avoir prononcé ces quelques mots, il m'observe en silence. Je le dévisage à mon tour, tout aussi silencieuse. May se tient en retrait derrière moi, portant nos deux bagages. Le bébé dort dans mes bras. Je ne m'attendais pas à ce qu'il m'embrasse ou me prenne dans ses bras, pas plus que je ne l'imaginais manifester le moindre enthousiasme à la vue de Joy : la situation ne s'y prête guère. Néanmoins, nos retrouvailles au bout de tout ce temps sont franchement glaciales.

Dans le tramway, May et moi nous asseyons derrière Sam. La ville n'est pas hérissée de bâtiments imposants comme on en voit à Shanghai. Je finis tout de même par apercevoir sur ma gauche une grande tour blanche. Quelques pâtés de maisons plus loin, Sam se lève et nous rejoint. Par la fenêtre, sur la droite, nous distinguons une immense zone en construction ; à gauche s'étend une enfilade d'immeubles en brique à deux étages, dont certains affichent des enseignes en chinois. Le tramway s'arrête et nous descendons. Nous remontons la rue et contournons le bâtiment. Une pancarte annonce : LOS ANGELES STREET. Nous traversons, longeons une place au centre de laquelle se dresse un kiosque à journaux, puis une caserne de pompiers, et bifurquons enfin sur la gauche dans Sanchez Alley, bordée par une nouvelle rangée d'immeubles en brique. Nous franchissons une porte surmontée de l'inscription GARNIER BLOCK, traversons un vestibule obscur, grimpons les marches d'un vieil escalier en bois et débouchons sur un couloir décrépit, imprégné d'une odeur de cuisine et de linge sale. Sam hésite un instant devant la porte de l'appartement qu'il partage avec Vern et ses parents. Il se tourne vers nous et nous adresse un regard dans lequel je distingue une lueur de sympathie. Puis il ouvre la porte et nous entrons.

La première chose qui me frappe, c'est l'extrême pauvreté, la laideur et la saleté des lieux. Un canapé recouvert d'un tissu mauve et constellé de taches est adossé au mur. Une table et six chaises en bois parfaitement ordinaires occupent le centre de la pièce. Près de la table trône un crachoir qu'on ne s'est même pas donné la peine de dissimuler : un bref coup d'œil m'apprend qu'il n'a pas été vidé depuis un bon moment. Les murs sont nus : aucun tableau, aucune photo, aucun calendrier n'y est suspendu. Les fenêtres sont sales et dépourvues de rideaux. De là où je me trouve, sur le seuil de la pièce, j'aperçois la cuisine : un simple comptoir muni d'un équipement rudimentaire et où figure l'autel destiné au culte des ancêtres de la famille Louie.

Une femme de petite taille et plutôt rondelette, les cheveux ramenés en chignon au-dessus de la nuque, se précipite vers nous en s'exclamant dans le dialecte de Sze Yup : « Bienvenue ! Bienvenue ! Vous voici donc enfin ! » Puis elle lance par-dessus son épaule : « Elles sont là ! Elles sont là ! » Elle fait ensuite un signe à Sam : « Va donc chercher le Vieux et mon grand garçon. » Tandis que Sam traverse la pièce principale et s'engage dans le couloir, la femme reporte son attention sur nous.

— Laissez-moi voir ce bébé ! lance-t-elle. Oh, laissez-moi le voir ! Je suis ta *yen-yen*, roucoule-t-elle à l'intention de Joy, utilisant le diminutif désignant les grand-mères dans le dialecte de Sze Yup. (Elle ajoute en se tournant vers May et moi :) Vous pouvez m'appeler *yen-yen*, vous aussi.

Notre belle-mère est plus vieille que je ne m'y attendais, si l'on tient compte du fait que Vern n'a que quatorze ans. À la voir, on dirait qu'elle approche de la soixantaine – ce qui est plutôt âgé, comparé à maman qui n'avait que trente-huit ans quand elle est morte.

— C'est à moi de voir cet enfant, lance une voix autoritaire. Montrez-le-moi.

Le Vieux Louie pénètre dans la pièce, vêtu d'une longue tunique de mandarin. Il est accompagné de Vern, qui n'a pas l'air d'avoir beaucoup grandi depuis notre dernière rencontre. Nous nous attendons May et moi à ce que le vieil homme nous interroge sur notre voyage et les raisons de notre long retard, mais nous ne l'intéressons visiblement pas. Je lui tends Joy. Il la pose sur la table et la déshabille aussitôt, sans la moindre douceur. Joy se met à pleurer, perturbée par la rudesse de ce contact, les exclamations de sa grand-mère et le fait de se retrouver brusquement dénudée.

Lorsque le Vieux Louie découvre qu'il s'agit d'une fille, il a un mouvement de recul et une expression de dégoût se peint sur son visage.

— Vous n'aviez pas précisé qu'il s'agissait d'une fille ! lance-t-il. Vous auriez dû le faire. Nous n'aurions pas organisé ce banquet si nous l'avions su.

— Garçon ou fille, rétorque ma belle-mère, il faut bien célébrer la fête du premier mois. Tous les bébés y ont droit. En tout cas, plus question de faire machine arrière à présent. En route !

— Vous avez prévu quelque chose ? demande timidement May.

— Dépêchons-nous ! lance notre *yen-yen*. Vous avez mis plus de temps que prévu pour venir du port. Tout le monde nous attend au restaurant.

— Maintenant ? insiste May.

— Oui, maintenant.

— Ne devrions-nous pas nous changer ?

— Nous n'avons pas le temps, répond le Vieux Louie d'un air renfrogné. Vous n'avez d'ailleurs besoin de rien. Nous ne sommes pas à Shanghai : inutile de chercher à vendre vos charmes par ici.

Si j'avais un peu plus de courage, je lui demanderais pourquoi il se montre aussi désagréable. Mais cela fait à peine dix minutes que nous sommes chez lui.

— Il va falloir lui donner un nom, ajoute-t-il en désignant Joy du menton.

— Elle s'appelle Joy, dis-je.

— Ça ne va pas, rétorque-t-il avec un reniflement de mépris. *Chao-di* sera plus approprié. Ou *Pan-di*.

La moutarde commence à me monter au nez. Les autres détenues, à Angel Island, nous avaient justement mises en garde contre ce genre d'attitude. Je sens la main de Sam se poser sur mon dos, mais son geste d'apaisement ne fait qu'accroître ma mauvaise humeur : un frisson me parcourt l'échine et je m'écarte aussitôt.

Se rendant compte que quelque chose va de travers, May me demande dans le dialecte de Wu :

— Qu'est-ce qu'il a dit ?

— Il veut appeler Joy « Attente-d'un-Frère », ou « Espoir-d'un-Frère ».

Les yeux de May s'étrécissent.

— N'utilisez pas un langage secret sous mon toit ! lance le Vieux Louie. Je dois comprendre tout ce que vous dites.

— May ne parle pas le dialecte de Sze Yup, expliqué-je.

Mais mon cœur se serre en songeant au nom qu'il veut donner à Joy – dont les pleurs vont en augmentant, au milieu d'un silence désapprobateur.

— Je vous interdis de parler autre chose que le dialecte de Sze Yup, dit le Vieux Louie en martelant chacun de ses mots d'un coup de poing sur la table. Chaque fois que je vous surprendrai à parler une autre langue – y compris l'anglais – vous serez mises à l'amende. Est-ce bien clair ?

Il n'est pas très grand, ni particulièrement costaud, mais nous dévisage d'un air menaçant, planté sur ses pieds, comme s'il nous défiait de lui répondre. Yen-yen essaie visiblement de se rendre invisible, Sam a à peine prononcé un mot depuis que nous sommes descendues du bateau et Vernon se tient à l'écart, en se balançant nerveusement d'un pied sur l'autre.

— Habillez Pan-di, ordonne le Vieux Louie. Vous deux, allez vous brosser les cheveux. Et je veux que vous portiez ça.

Il fouille dans l'une de ses vastes poches et en extrait quatre gros bracelets de mariage en or, de trois pouces de diamètre.

Il saisit mes deux mains et en fixe un à chacun de mes poignets, repoussant brutalement le bracelet en jade de ma mère pour faire de la place. Il se tourne ensuite vers May et procède de même avec elle. Je regarde les bracelets de mariage traditionnels dont j'ai hérité : ils sont splendides et ont visiblement coûté très cher. Voilà enfin une preuve tangible de la richesse à laquelle je m'attendais. Dès que nous aurons repéré un prêteur sur gages, May et moi, nous pourrons utiliser cet argent pour…

— Ne reste donc pas plantée là ! me lance sèchement le Vieux Louie. Fais quelque chose pour empêcher cette gamine de pleurer. Il est temps d'y aller.

Il nous considère d'un air dégoûté, avant d'ajouter :

— Finissons-en.


Un quart d'heure plus tard, nous tournons au coin de la rue, traversons Los Angeles Street, grimpons une volée de marches et pénétrons dans le restaurant Soochow, pour une réunion qui tient à la fois du banquet de mariage et de la cérémonie du premier mois. Des coupes remplies d'œufs peints en rouge, symboles du bonheur et de la fertilité, sont disposées sur une table, à côté de l'entrée, et des distiques à la gloire du mariage sont accrochés aux murs. De fines lamelles de gingembre confit, censées incarner le réchauffement de mon *yin* après la fatigue de l'accouchement, ornent toutes les tables. Même s'il n'est pas aussi fastueux que celui dont je rêvais jadis, dans l'atelier de Z. G., le banquet n'en est pas moins le meilleur repas que nous ayons fait depuis des mois. Il y a là un plateau de méduses, du poulet à la sauce de soja, des tranches de rognons sautées, de la soupe de nids d'hirondelle, un poisson entier cuit à la vapeur, du canard à la pékinoise, des nouilles, des crevettes et des châtaignes. Mais ni May ni moi n'avons le cœur à manger.

Sa nouvelle petite-fille dans les bras, Yen-yen nous emmène de table en table pour faire les présentations. Pratiquement tous les invités sont des membres de la famille Louie et ils parlent tous le dialecte de Sze Yup.

— Voici l'oncle Wilburt... l'oncle Charley... et l'oncle Edfred, dit-elle à Joy.

Ces hommes, qui portent tous le même costume bon marché, sont les frères de Sam et de Vern. Ont-ils reçu de tels prénoms à la naissance ? C'est peu probable. Ils ont dû les adopter par la suite, pour faire plus américain – tout comme May, Tommy, Z. G. et moi avions choisi des prénoms occidentaux à Shanghai, pour avoir l'air dans le coup.

Étant donné que nous sommes déjà mariées depuis un certain temps, May et moi, on nous épargne les traditionnels sous-entendus grivois concernant les exploits de nos maris pendant la nuit de noces et les plaisanteries se concentrent sur Joy.

— Vous pondez bébé vite ! me lance l'oncle Wilburt dans un mauvais anglais. (D'après la liasse de Sam, il est censé avoir trente et un ans, mais paraît beaucoup plus vieux.)

— Joy grosse pour son âge, commente Edfred, enhardi par le *mao tai* qu'il vient de boire. (Il doit avoir vingt-sept ans mais semble beaucoup plus jeune.)

— Sam fera fils la prochaine fois, ajoute Charley. (Il est supposé avoir trente ans, mais ses yeux sont tellement gonflés par les allergies qu'il est difficile de lui donner un âge.) Vous pondrez prochain bébé plus vite encore !

— Ah, ces Louie... Tous les mêmes ! les tance Yen-yen. Vous vous croyez forts en calcul mais savez-vous depuis combien de jours au juste mes belles-filles ont dû fuir les macaques ? Bah... Ma petite-fille peut s'estimer heureuse d'avoir tout bonnement survécu. Elle a de la chance d'être en vie !

May et moi servons le thé à chacun des invités et recevons des *lai see* – des petites enveloppes rouges ornées de caractères dorés et contenant de l'argent qui nous revient en propre. Nous recevons aussi d'autres bijoux en or : boucles d'oreilles, épingles, bagues – et suffisamment de bracelets pour nous couvrir entièrement les bras. J'ai hâte de me retrouver seule avec May pour compter cet argent, qui va nous servir à prendre la fuite, et évaluer la somme que nous pourrons tirer de ces bijoux.

Les plaisanteries tournent bien sûr autour du fait que Joy est une fille. Les invités sont pourtant ravis de voir un bébé, indépendamment de son sexe. Et c'est alors que je me rends compte que la plupart des membres de cette assemblée sont des hommes : il y a très peu d'épouses et pratiquement aucun enfant dans la salle. L'expérience que nous avons pu vivre à Angel Island s'éclaire à présent : le gouvernement américain fait tout ce qui est en son pouvoir pour empêcher les Chinois d'entrer sur son territoire – et la chose s'avère encore plus difficile pour leurs femmes. Dans de nombreux États, la loi interdit aux Chinois d'épouser une femme de race blanche. Tout cela aboutit au résultat escompté : les Chinoises, étant si peu nombreuses, mettent peu d'enfants au monde sur le sol américain, ce qui évite au pays de se retrouver avec un nombre élevé de citoyens indésirables d'ascendance asiatique.

Nous allons de table en table et tous les hommes veulent s'emparer de Joy. Certains se mettent même à pleurer lorsqu'ils l'ont dans les bras. Ils examinent d'un air ému ses doigts minuscules et je me sens auréolée malgré moi par ce nouveau statut de mère. Non que je sois aux anges – mais j'éprouve tout de même un certain soulagement. Nous sommes finalement arrivées à Los Angeles. Même si le Vieux Louie est déçu de ne pas avoir de petit-fils (il est hors de question que j'appelle jamais ma fille Pan-di) il a organisé ce banquet en notre honneur. Je regarde May, en espérant qu'elle partage mes sentiments. Tout en accomplissant ses devoirs de jeune mariée, ma sœur semble pensive, à l'écart de ce qui l'entoure. Mon cœur se serre. Comme tout ceci doit lui paraître cruel… Elle qui a trouvé la force de me pousser dans une charrette pendant des kilomètres pour me sauver la vie et qui a réussi à s'en sortir elle aussi.

Je me souviens qu'avant la naissance du bébé, à Angel Island, nous avions évoqué la question de la soupe spéciale qu'on prépare traditionnellement pour les mères après l'accouchement, en nous demandant si nous allions charger l'un des cuisiniers de nous en apporter une. « J'en aurais sûrement besoin, pour arrêter les saignements », avait tranché May, tout en sachant que cela accroîtrait aussi sa montée de lait. Nous avions donc partagé cette soupe. Trois jours après la naissance de Joy, May s'était rendue dans les douches et je ne la voyais pas revenir. J'avais confié le bébé à Lee-shee pour aller voir ce qui se passait. J'étais très inquiète pour ma sœur et je redoutais qu'elle ne commette un geste fatal en se retrouvant seule. Je l'avais trouvée dans les douches : elle pleurait à chaudes larmes, non pas de tristesse, mais parce que ses seins la faisaient atrocement souffrir. « C'est encore plus douloureux que l'accouchement », gémissait-elle entre deux sanglots. Son ventre avait repris ses proportions normales et, de ce côté-là, rien n'aurait permis de dire qu'elle venait d'avoir un enfant. Mais ses seins étaient gonflés et durs comme de la pierre, à cause de tout ce lait qu'elle ne pouvait pas donner à Joy. L'eau chaude l'avait soulagée et le lait avait enfin pu sortir, s'écoulant de ses tétons avant de disparaître, emporté dans le siphon.

Quelle idée aussi, me dira-t-on, de la laisser manger une soupe qui facilite la montée de lait… Mais nous étions totalement ignorantes, concernant la naissance des enfants. Quant à la montée de lait, nous n'imaginions pas qu'elle serait aussi douloureuse. Quelques jours plus tard, May s'aperçut que chaque fois que le bébé se mettait à pleurer, le lait commençait à s'écouler de ses seins. Elle se retirait alors dans un coin, à l'autre bout du dortoir. « Ce bébé pleure trop, disait-elle aux autres. Comment pourrais-je aider ma sœur pendant la nuit si je ne me repose pas un peu durant la journée ? »

Je regarde May qui est en train de servir le thé à une table de célibataires, ramassant les enveloppes qu'on lui donne et les glissant dans sa poche. Les hommes jouent leur rôle, lui lançant des plaisanteries et se moquant gentiment d'elle, et elle joue le sien en affichant un sourire impassible.

— À ton tour maintenant, May, lance Wilburt tandis que nous rejoignons la table des oncles.

— Tu es petite, ajoute Charley, mais tu as de bonnes hanches.

— Tu donneras au Vieux le petit-fils qu'il attend, assure Edfred. Et tu deviendras du même coup sa favorite.

Yen-yen se joint à l'éclat de rire général. Mais avant que nous passions à la table suivante, elle me tend Joy et prend May par le bras. Puis elle nous entraîne à l'écart et s'adresse à ma sœur dans le dialecte de Sze Yup :

— Ne laisse pas ces hommes t'embêter de la sorte. Ils se languissent de leurs femmes, qui sont restées au pays, ou des épouses qu'ils n'ont même pas ! Tu as suivi ta sœur, tu l'as aidée à amener ce bébé jusqu'ici. Tu es une fille courageuse. (Yen-yen attend que j'aie fini de traduire ses paroles, puis prend les mains de May dans les siennes.) Il arrive qu'on puisse se libérer de ses carcans, mais c'est pour se retrouver prisonnière ailleurs. Tu comprends ?

Il est déjà tard quand nous regagnons l'appartement. Nous sommes tous fatigués, toutefois le Vieux Louie n'en a pas terminé avec nous.

— Donnez-moi vos bijoux, dit-il.

Sa requête me choque. Les bijoux qu'on offre à la mariée lui appartiennent en propre. C'est son trésor secret, dont elle pourra se servir à sa guise sans encourir les reproches de son mari – ou encore en cas d'urgence, comme l'avait fait notre mère quand papa avait tout perdu. Avant que j'aie pu intervenir, May proteste :

— Ces objets nous appartiennent ! Tout le monde sait cela !

— Je crois que vous n'avez pas bien saisi la situation, toutes les deux. Je suis votre beau-père et c'est moi qui commande ici.

Il pourrait ajouter qu'il ne nous fait pas confiance. Ou nous accuser de vouloir nous servir de cet or pour nous enfuir d'ici – et il n'aurait pas tort... Au lieu de ça, il ajoute à l'intention de May :

— Crois-tu que vous pourriez vous en sortir toutes seules, ta sœur, le bébé et toi, malgré vos airs de citadines et les manières que vous croyez avoir apprises à Shanghai ? Où dormiriez-vous ce soir ? Où iriez-vous demain matin ? Le sang de votre père vous a gâtées, c'est pour cela que j'ai pu vous acheter à si bas prix. Mais cela ne signifie pas que je doive renoncer pour autant à ce qui m'appartient.

May me regarde. C'est moi l'aînée, je suis censée savoir ce qu'il convient de faire. Mais je suis déroutée par la manière dont se déroulent tous ces événements. Personne ne nous a demandé pourquoi nous ne sommes pas allées rejoindre les Louie à Hong Kong à la date prévue, comment nous avons survécu entretemps et réussi à venir en Amérique. Tout ce qui intéresse le Vieux Louie et Yen-yen, ce sont les bracelets et le bébé. Vernon vit dans un monde à part et Sam semble curieusement insensible à l'attitude de sa famille. Tous paraissent n'éprouver qu'indifférence à notre égard et j'ai pourtant l'impression que nous avons été prises au piège, comme le poisson dans la nasse du pêcheur :

nous pouvons gigoter autant qu'il nous plaira, il n'y a pas la moindre possibilité d'y échapper. Du moins pour l'instant.

Nous laissons le vieil homme s'emparer de nos bijoux, mais il ne va pas jusqu'à nous demander l'argent de nos *lai see* : peut-être a-t-il senti que ce serait pousser le bouchon un peu loin. Cela ne me procure pourtant aucun sentiment de triomphe – pas plus qu'à May, apparemment. Elle se tient au milieu de la pièce, avec un regard de chien battu : il émane d'elle une terrible impression de solitude et de tristesse.

Tout le monde fait la queue dans le couloir pour se rendre aux toilettes. Le Vieux Louie et Yen-yen vont se coucher les premiers. May regarde Vern, qui tortille ses mèches de cheveux. Lorsqu'il quitte la pièce, elle le suit.

— Y a-t-il un endroit prévu pour le bébé ? demandé-je à Sam.

— Yen-yen a préparé quelque chose. Du moins je l'espère…

Je le suis dans le couloir obscur. La chambre de Sam n'a pas de fenêtre et la pièce est éclairée par une simple ampoule qui pend du plafond. Un lit et une commode occupent l'essentiel de l'espace. Le tiroir du bas a été ouvert et garni d'une couverture moelleuse, afin que Joy puisse y dormir. Je l'y installe du mieux possible et regarde autour de moi : il n'y a pas de placard, mais un tissu a été tendu dans un coin de la pièce, pour permettre un minimum d'intimité.

— Où sont mes vêtements ? demandé-je. Ceux que ton père avait emportés après notre mariage ?

Sam baisse les yeux.

— Ils sont à China City, dit-il. Je t'y emmènerai demain, peut-être te laissera-t-il en emporter quelques-uns.

J'ignore ce qu'est China City. Et je ne comprends pas davantage ce qu'il insinue, en disant que je pourrai peut-être emporter des vêtements qui m'appartiennent – parce que mon esprit s'est brusquement focalisé sur un problème plus immédiat. Je vais devoir partager le lit de l'homme qui est mon mari. Parmi tous les plans que nous avions élaborés, May et moi, c'est un détail auquel nous n'avions curieusement pas songé. Et je me trouve aussi paralysée au milieu de cette chambre que May l'était tout à l'heure au salon.

Même dans cet espace exigu, Sam paraît à son aise. Il ouvre un flacon contenant un liquide à l'odeur âcre, se met à quatre pattes et en verse quelques gouttes autour de chaque pied du lit.

Sa tâche accomplie, il s'accroupit sur ses talons, revisse le bouchon du flacon et me dit :

— Je me sers du pétrole pour éloigner les punaises.

Les punaises !

Il ôte sa chemise, puis sa ceinture, et les suspend à un crochet, derrière le rideau. Puis il s'assoit au bord du lit et regarde ses pieds. Au bout d'un long moment, il me dit :

— Je suis désolé pour aujourd'hui.

D'autres longues minutes s'écoulent, puis il ajoute :

— Je suis désolé pour tout.

Je me souviens de la vaillance dont j'avais fait preuve pendant notre nuit de noces. La jeune fille que j'étais alors était aussi courageuse et intrépide qu'une guerrière des anciens temps, mais elle a été vaincue depuis lors dans une cabane sordide, quelque part entre Shanghai et le Grand Canal.

— C'est encore trop tôt après la naissance du bébé, parviens-je à lui dire.

Sam me dévisage de ses yeux tristes et noirs. Il finit par répondre :

— Je te laisse ce côté du lit. Tu préfères sans doute dormir le plus près possible de notre petite Joy.

Une fois qu'il s'est glissé sous les draps, je tire le cordon pour éteindre la lumière, ôte mes chaussures et m'allonge toute habillée sur la couverture. Je suis soulagée que Sam n'essaie pas de me toucher. Tandis qu'il s'endort, je fourre les mains dans mes poches, un peu rassérénée par le contact de mes *lai see*.


Quelle impression déterminante conserve-t-on d'un lieu où l'on arrive pour la première fois ? Est-ce le premier repas qu'on y prend ? Le premier cône glacé qu'on y découvre ? La première nuit passée dans un nouveau lit ? La première promesse trahie ? Le moment où l'on s'aperçoit qu'on ne compte pour rien dans la maison et que chacun vous considère uniquement comme la porteuse potentielle d'un nouvel héritier ? Celui où l'on découvre que vos voisins sont pauvres au point de n'avoir glissé qu'un billet d'un dollar dans leurs *lai see* ? Ou que votre beau-père, pourtant né dans ce pays, a vécu confiné dans Chinatown et n'est même pas capable de faire une phrase correcte en anglais ? Et que les histoires auxquelles vous aviez fini par croire concernant l'aisance, le statut social et la prospérité de votre belle-famille ne sont que de la poudre aux yeux – aussi illusoires que la prétendue richesse de votre propre famille ?

Ce qui s'installe en moi est un sentiment de perte, de malaise, de déracinement... Et le regret du passé, que rien ne peut atténuer. Ce n'est pas seulement dû au fait que nous venons à peine d'arriver dans ce contexte étranger, ma sœur et moi. La vérité, c'est que tous les habitants de Chinatown ont l'air d'être des réfugiés. Personne ici ne correspond à l'image que nous avions des hommes de la Montagne d'Or, riches au-delà de toute imagination – pas même le Vieux Louie. J'ai appris à Angel Island à combien se montaient ses biens, mais cela ne signifie pas grand-chose ici, où tout le monde vit dans la pauvreté. Beaucoup de gens ont perdu leur emploi pendant la Dépression. Ceux qui avaient la chance d'avoir une famille l'ont renvoyée en Chine parce que cela coûtait moins cher d'élever les enfants là-bas que de les nourrir et les loger ici. Lorsque les Japonais ont attaqué la Chine, ces familles sont revenues en Amérique. Mais il n'y a pas plus d'argent qu'avant et les conditions de vie sont encore plus précaires, d'après ce qu'on m'a dit.

Il y a cinq ans, en 1933, la plus grande partie de Chinatown a été rasé, une nouvelle gare ferroviaire devant être construite à cet endroit : il s'agit du vaste chantier que nous avons aperçu en arrivant, depuis le tramway. On a donné vingt-quatre heures aux gens pour évacuer les lieux – soit un délai bien moindre que celui dont nous avions bénéficié, May et moi, avant de quitter Shanghai – mais où pouvaient-ils bien aller ? La loi interdit aux Chinois d'acheter des appartements et la plupart des propriétaires refusent de leur en louer. Du coup, les gens se sont entassés dans les rares immeubles de l'ancien Chinatown qui ont échappé à la destruction, comme dans la rue où nous habitons ou les parages du Marché chinois. Chacun – moi la première – pense aux membres de sa famille restés en Chine. Mais lorsque j'accroche au mur de ma chambre les photos que nous avions emportées, Yen-yen me tance sans aucun ménagement.

— Petite écervelée ! Tu veux nous attirer des ennuis ? Qu'arrivera-t-il si les inspecteurs des services d'immigration débarquent un jour ici ? Et s'ils te demandent qui sont ces gens ?

— Ce sont mes parents, dis-je. Et là, c'est May et moi quand nous étions enfants. Ce n'est tout de même pas un secret.

— Le passé doit rester enfoui. As-tu vu la moindre image de ce genre ici ? Enlève-moi vite ces photos, avant que je ne les jette à la poubelle !

Voilà comment se déroule ma première matinée. Et je ne tarde pas à découvrir qu'en dépit de mon arrivée dans ce nouveau pays, j'ai fait à bien des égards un gigantesque pas en arrière dans le temps.

Le terme cantonais désignant l'*épouse* – *fu yen* – se compose de deux éléments : le premier signifie *femme* et le second *balai*. À Shanghai, nous avions des domestiques. Mais à présent, la boniche c'est moi. Pourquoi moi, plus précisément ? Je l'ignore. Peut-être parce que j'ai un bébé, ou parce que May ne comprend pas les ordres que lui donne Yen-yen dans le dialecte de Sze Yup – ou peut-être tout simplement parce que ma sœur ne vit pas dans la terreur constante que notre supercherie soit découverte et qu'on nous jette à la rue : elle pour avoir porté un enfant qui n'était pas celui de son mari, moi pour ne plus être en mesure de mettre au monde de nouveaux enfants. Et donc, chaque matin, après le départ de Vern (qui va toujours au lycée), puis celui de Sam, de May et du Vieux Louie (qui se rendent à China City), je reste dans l'appartement à nettoyer les draps, les langes de Joy, les sous-vêtements sales des oncles et leurs vêtements imprégnés de sueur – ainsi que ceux des célibataires qui viennent parfois dormir à la maison. Je vide le crachoir et les coupelles remplies de graines de pastèque que les membres de ma belle-famille adorent grignoter. J'astique les fenêtres et je passe la serpillière.

Tandis que Yen-yen m'apprend à préparer de la soupe en faisant bouillir une laitue et en versant de la sauce de soja par-dessus, ma sœur explore les environs. Pendant que je décortique des châtaignes qui seront ensuite vendues à divers restaurants et que je décrasse la baignoire après le bain quotidien du chef de famille, ma sœur rencontre des gens. Pendant que ma belle-mère m'enseigne les devoirs d'une épouse et d'une mère – rôle qu'elle assume avec un curieux mélange d'incompétence, de bonne humeur et de fourberie protectrice – ma sœur accumule les informations.

Bien que Sam m'ait dit qu'il m'emmènerait à China City – un centre commercial destiné aux touristes qu'on est en train d'édifier non loin d'ici – je n'y ai pas encore mis les pieds. May s'y rend tous les jours, quant à elle, pour participer aux derniers préparatifs. L'inauguration est en effet pour bientôt. Elle me dit que je travaillerai sous peu dans l'un des magasins d'antiquités ou d'articles exotiques dont lui a parlé le Vieux Louie. Je l'écoute avec un mélange de lassitude et d'ennui, sachant que je n'aurai de toute façon pas le choix : j'irai là où il me dira d'aller. Mais je serai soulagée de ne plus avoir à exécuter toutes ces corvées en compagnie de Yen-yen : nouer des bottes d'oignons, trier les fraises selon leur taille et leur qualité, décortiquer ces satanées châtaignes jusqu'à ce que mes doigts en soient imprégnés ; ou – c'est encore le plus dégoûtant – faire pousser des germes de soja dans la baignoire entre les bains de mon beau-père. Je reste pour l'instant à la maison avec ma belle-mère et Joy. Ma sœur revient en fin de journée et me raconte des tas d'histoires sur des gens qui portent des noms aussi bizarres que Peanut ou Dolly. À China City, elle a pu jeter un coup d'œil sur les caisses qui contiennent nos vêtements. Au départ, nous avions décidé qu'une fois en Amérique nous ne porterions plus que des tenues occidentales. Mais bizarrement, elle ne ramène que des *cheongsam*, en se réservant d'ailleurs les plus jolies. Peut-être est-ce dans l'ordre des choses. Comme dit Yen-yen : « Tu es une mère à présent. Ta sœur doit faire en sorte que mon garçon lui donne un fils. »

Chaque jour, May me raconte ses aventures, le visage rayonnant de bonheur et les joues empourprées par la fraîcheur du soir. C'est moi l'aînée et c'est pourtant à moi de supporter les affres de ce terrible mal : l'envie. J'ai toujours été la première à faire des découvertes, et voilà que c'est May qui me parle des boutiques et des attractions qui ouvriront bientôt à China City. Elle m'apprend qu'une partie du centre commercial a été construite avec d'anciens décors de cinéma : elle me les décrit avec une telle précision que je suis sûre de les reconnaître en les voyant. Mais je dois avouer la vérité : cela m'ennuie qu'elle participe ainsi à l'excitation ambiante alors que je suis confinée avec ma belle-mère et Joy dans ce sinistre appartement, si insalubre que j'en suffoque parfois au point que cela m'en donne le tournis. J'essaie de me raisonner en me disant que la situation est temporaire, comme lorsque nous étions à Angel Island, et que nous ne tarderons pas à trouver le moyen de nous échapper, d'une manière ou d'une autre.

En attendant, le Vieux Louie continue de m'ignorei pour me punir d'avoir mis au monde une fille. Sam se morfond, parce que je refuse de pratiquer avec lui le devoir conjugal. Chaque fois qu'il s'approche de moi, je croise les bras sur ma poitrine en plaquant les mains sur mes épaules. Il s'écarte alors, comme si je l'avais blessé. Il m'adresse rarement la parole ; et lorsqu'il le fait, c'est dans le dialecte de Wu, le parler populaire de Shanghai, comme si je lui étais inférieure. Yen-yen réagit à ma visible tristesse en m'assurant qu'il en va toujours ainsi dans le mariage et « qu'il faut s'y habituer ».

Au début du mois de mai – cela fait deux semaines que nous sommes arrivées – ma sœur demande à Yen-yen et obtient la permission de nous emmener faire un tour, Joy et moi.

— De l'autre côté de la Plaza, m'explique-t-elle en me montrant la direction, se trouve Olvera Street, où les Mexicains ont ouvert toute une série de boutiques destinées aux touristes. China City se trouve juste derrière. Si tu remontes Broadway vers le nord, tu te retrouveras bientôt dans la Petite Italie – un vrai décor de carte postale, avec des salamis qui pendent aux fenêtres et… Oh, Perle, c'est aussi exotique que le quartier des Russes blancs à Shanghai, dans la Concession française. (Elle s'interrompt et émet un petit rire.) J'ai presque oublié tout ça… Mais il y a une Concession française à Los Angeles aussi : on l'appelle French Town, la ville française, et elle est située sur Hill Street, un peu au-delà de Broadway. On y trouve un hôpital français, des cafés et… Mais peu importe, revenons à Broadway. En allant vers le sud, tu tomberas sur les cinémas et les grands magasins américains. Vers le nord en revanche, une fois traversé la Petite Italie, tu déboucheras sur un autre quartier chinois, qu'on appelle le Nouveau Chinatown. Je t'y emmènerai, si tu veux.

Mais je n'ai pas très envie d'y aller pour l'instant.

— Les choses ne se passent pas comme à Shanghai, où nous étions répartis en fonction de notre race, de nos revenus et de notre statut social, mais où tout le monde se croisait plus ou

moins, me précise May la semaine suivante. Les gens emprun-
taient les mêmes rues, même s'ils ne fréquentaient pas les mêmes
night-clubs. Ici, chaque communauté est isolée : les Japonais, les
Mexicains, les Italiens, les Noirs, les Chinois – chacun vit dans
son coin. Il y a des Blancs de partout, mais tous les autres sont
au bas de l'échelle. Chacun voudrait être un grain de riz unique,
mieux loti que son voisin. Tu te souviens combien il était important à Shanghai de savoir parler anglais – et comment les gens se
vantaient de leur accent ? Ici, ce qui distingue nos compatriotes,
c'est leur maîtrise du chinois – la région d'où ils viennent et
l'endroit où ils l'ont appris. Est-ce dans l'une des missions de
Chinatown ? Ou en Chine même ? Sais-tu que les gens qui parlent
le dialecte de Sze Yup et ceux qui parlent le dialecte de Sam
Yup ne s'adressent jamais la parole ? Et qu'ils ne feront jamais
d'affaires ensemble ? Comme si cela ne suffisait pas, les Chinois
nés en Amérique regardent de haut les gens comme nous, ils
nous traitent de nouveaux-venus et d'arriérés ! Et nous les mépri-
sons tout autant, parce que nous savons que la culture américaine est de peu de poids, comparée à la tradition chinoise. Les
gens se regroupent aussi par familles. Si on appartient au clan
des Louie, on fera toujours ses affaires avec un Louie, même si
cela revient plus cher. Tout le monde sait qu'il ne faut rien
attendre des *lo fan* et pourtant jamais un Mock, un Wong ou un
SooHoo ne viendra en aide à un Louie.

May me montre une station-service, bien que nous n'ayons
pas encore rencontré une seule personne qui possède une
voiture. Nous passons devant Jerry's Joint, un établissement où
l'on sert de la cuisine asiatique mais dont le propriétaire n'est
pas Chinois. Le long de la rue, les immeubles qui ne sont pas
occupés par des commerces abritent généralement des pensions
plus ou moins miteuses : des appartements comme celui que nous
occupons, où s'entassent des familles entières, des chambres
louées au mois à des célibataires et des asiles de nuit gérés par
diverses missions où des individus vraiment démunis peuvent
bénéficier d'un toit pour la nuit et gagner quelques dollars en
entretenant les lieux.

Un mois plus tard, May pousse notre excursion un peu plus
loin et m'emmène jusqu'à la Plaza.

— C'est à cet endroit précis que les Espagnols se sont établis à leur arrivée. (May s'interrompt et me demande d'une voix presque enjouée :) Y avait-il des Espagnols à Shanghai ? Je n'ai pas le souvenir d'en avoir vu.

Elle ne me laisse pas le temps de répondre tant elle a hâte de me montrer Olvera Street, qui se trouve juste en face de Sanchez Alley, de l'autre côté de la Plaza. Je n'ai pas spécialement envie d'y mettre les pieds, mais cela fait des jours qu'elle insiste pour me faire visiter l'endroit. Je traverse donc la place à ses côtés et nous nous engageons dans une rue piétonne, remplie d'échoppes aux façades en bois de toutes les couleurs et exposant des chemises en coton, de gros cendriers en argile, des bougies, des objets en verre soufflé et des sandales en cuir, tandis que des groupes de musiciens chantent et jouent de la guitare.

— Est-ce vraiment ainsi que les gens vivent au Mexique ? demande May.

Je l'ignore, mais il règne ici une atmosphère de fête qui contraste singulièrement avec la morosité de notre appartement.

— Je n'en sais rien, lui dis-je. Peut-être.

— Si l'ambiance te plaît, qu'est-ce que tu diras en voyant China City !

May s'arrête brusquement, au beau milieu de la rue.

— Regarde, me dit-elle. C'est Christine Sterling.

D'un mouvement de tête, elle me désigne une Blanche d'un certain âge, mais élégamment vêtue, assise sur le porche d'une maison qui donne l'impression d'avoir été construite en boue.

— C'est elle qui a développé Olvera Street, m'explique May. Et elle est également à l'origine du projet de China City. Tout le monde dit qu'elle a un cœur d'or et qu'elle veut aider les Mexicains et les Chinois à s'en sortir dans ces temps difficiles en montant leurs propres commerces. Elle n'avait pas un sou en poche lorsqu'elle est arrivée à Los Angeles. Et elle sera bientôt à la tête de deux centres d'attractions destinés aux touristes.

Nous atteignons l'extrémité de la voie piétonne et débouchons sur une grande artère, où un flot de voitures américaines défilent en klaxonnant. De l'autre côté de Macy Street, j'aperçois le mur d'enceinte de China City.

— Nous pouvons y aller, si tu veux, propose May. Il suffit de traverser la rue.

— Une autre fois, peut-être, lui dis-je en hochant la tête.

Nous rebroussons chemin et traversons Olvera Street en sens inverse. May adresse d'un air enjoué de petits signes de la main aux propriétaires des échoppes, mais ceux-ci ne lui retournent pas son sourire.

Tandis que May travaille avec le Vieux Louie et que Sam s'occupe des derniers préparatifs avant l'ouverture de China City, Yen-yen et moi poursuivons nos activités routinières dans l'appartement. Nous nous occupons de Vernon quand il rentre du lycée et allons promener Joy à tour de rôle pendant les longues après-midi où elle pleure sans arrêt, pour Dieu sait quelle raison. Du reste, même si cela m'était possible, qui pourrais-je aller voir ? Il y a en moyenne une femme ou une jeune fille pour dix hommes, ici… Celles qui sont nées à Los Angeles et qui sont du même âge que moi n'ont généralement pas le droit de sortir avec des garçons. De toute façon, les Chinois établis ici ne veulent pas les épouser.

— Les filles nées ici sont trop américanisées, dit l'oncle Edfred, un dimanche où il est venu dîner à la maison. Quand je serai riche, je rentrerai dans mon village natal et je me marierai là-bas, selon les règles traditionnelles.

Certains hommes – comme l'oncle Wilburt – ont une épouse en Chine, qu'ils n'ont pas revue depuis des années.

— Cela fait des années que je n'ai pas accompli mon devoir conjugal, dit-il. Cela coûte trop cher d'aller en Chine rien que pour ça. Je mets de l'argent de côté et quand je retournerai au pays, ce sera de manière définitive.

Avec de tels raisonnements, la plupart des jeunes filles ne trouvent pas à se marier. Pendant la semaine, elles vont au lycée américain, puis dans l'une des écoles chinoises montées par les missions. Le week-end, elles travaillent dans l'entreprise familiale et suivent des cours de culture chinoise. Nous ne nous entendons pas vraiment avec ces filles, May et moi, et nous sommes trop jeunes pour nous lier avec les femmes plus âgées, épouses et mères, que nous jugeons arriérées. Même si elles sont nées ici, la plupart – comme Yen-yen – ont à peine mis les pieds à l'école primaire, tant elles sont surveillées et tenues à l'écart.

Un soir à la fin du mois de mai, trente-neuf jours après notre arrivée à Los Angeles et quelques jours avant l'ouverture de China City, Sam rentre à la maison et me dit :

— Tu peux sortir avec ta sœur, si tu veux. Je m'occuperai de Joy et lui donnerai son biberon.

Je rechigne un peu à la laisser seule avec lui, mais j'ai pu me rendre compte au cours des dernières semaines qu'elle réagit bien au contact de Sam, malgré la curieuse façon qu'il a de la porter et de lui chuchoter des mots à l'oreille en lui gratouillant le ventre. Sachant par ailleurs que Sam préfère me voir sortir, ce qui lui évite d'avoir à me faire la conversation, je m'éclipse donc en compagnie de May dans la nuit printanière. Nous marchons jusqu'à la Plaza et nous asseyons sur un banc, en écoutant la musique mexicaine qui parvient jusqu'à nous, depuis Olvera Street, et en regardant les enfants jouer dans Sanchez Alley : un simple sac en papier bourré de vieux journaux et noué par une ficelle leur tient lieu de ballon.

Pour une fois, May renonce à me faire visiter les environs et à m'entraîner dans telle ou telle rue. Nous nous contentons de rester assises ensemble, pendant quelques instants. Nous n'avons aucune intimité dans l'appartement, où chacun peut entendre ce que disent et font les autres. Loin de ces oreilles indiscrètes, nous pouvons parler librement et échanger nos confidences. Nous évoquons le souvenir de maman, de papa, de Tommy, de Betsy, de Z. G. – et même de nos anciens domestiques. Nous parlons de la nourriture qui nous manque, des bruits et des odeurs de Shanghai qui nous semblent si loin à présent. Mais nous renonçons peu à peu à cette évocation des êtres et des lieux que nous avons perdus pour nous concentrer sur l'environnement qui est désormais le nôtre. Chaque fois que Yen-yen et le Vieux Louie se livrent au devoir conjugal, j'en suis aussitôt informée par les grincements du sommier. De la même manière, je sais pertinemment que May et Vern n'ont toujours pas consommé leur union.

— Tu peux parler, dit May. Tu te gardes bien de laisser Sam mettre la main sur toi... Il le faudrait, pourtant : vous êtes mariés, vous avez fait un enfant ensemble.

195

— Et toi, alors ? Tu es mariée avec Vern, après tout.

Le visage de May s'allonge.

— Comment le pourrais-je ? dit-elle. Il y a quelque chose qui ne tourne pas rond chez lui.

Le jour du mariage, à Shanghai, j'avais cru qu'elle l'avait délibérément repoussé. Mais maintenant que je vis aux côtés de Vern – je passe d'ailleurs beaucoup plus de temps que May avec lui – je sais qu'elle a raison. Et cela ne tient pas seulement au fait que sa croissance n'est pas terminée.

— Je ne pense pas qu'il soit mentalement attardé, dis-je, en essayant de compatir à ses problèmes.

May chasse cette idée d'un geste impatient.

— Ce n'est pas ça, dit-elle. Il est… handicapé. (Elle lève les yeux vers les arbres qui étendent leurs branches au-dessus de nos têtes, comme si elle espérait y trouver une réponse.) Il parle, mais très peu. On dirait parfois qu'il ne comprend pas ce qui se passe autour de lui. À d'autres moments, il a un comportement totalement obsessionnel, comme lorsqu'il construit ces modèles réduits d'avions ou de bateaux que le Vieux n'arrête pas de lui acheter.

— Au moins, ils s'occupent de lui, rétorqué-je. Rappelle-toi le garçon sur le Grand Canal, que ses parents enfermaient dans une cage…

May ne se souvient apparemment pas de cet épisode et poursuit, comme si de rien n'était :

— Ils traitent Vern comme s'il n'avait pas le même statut que les autres membres de la famille. Yen-yen repasse ses vêtements tous les matins. Elle l'appelle le Petit Mari…

— Elle ressemble à maman sur ce plan : elle désigne toujours les gens par le rang qu'ils occupent. Elle appelle même son mari le Vieux Louie !

Nous rions toutes les deux, ce qui nous fait du bien. Papa et maman le désignaient de la sorte en signe de respect ; et nous, parce que nous ne l'aimions pas. Mais sans doute Yen-yen le voit-elle tout simplement ainsi.

— Elle n'a pas eu les pieds bandés, mais elle est beaucoup plus rétrograde que maman, poursuis-je. Elle croit aux fantômes, aux esprits, aux potions magiques, à l'influence des signes du zodiaque, à ce qu'il convient de manger et de ne pas manger – bref, à toutes ces fariboles...

May renifle d'un air dégoûté.

— Rappelle-toi le jour où j'ai commis l'erreur de lui dire que j'avais pris froid : elle m'a préparé du thé au gingembre et aux échalotes, avant de m'infliger une fumigation au vinaigre. C'était tout bonnement infâme !

— Mais cela s'est avéré efficace.

— Oui, reconnaît May. Mais elle veut à présent que j'aille consulter un herboriste pour activer ma fertilité et me rendre plus séduisante aux yeux du Petit Mari... Elle prétend que la Chèvre et le Cochon sont parmi les signes les plus compatibles.

— Maman disait toujours que le Cochon a le cœur pur, qu'il est honnête et empreint d'une grande simplicité.

— Vern est très simple, c'est incontestable, dit May en haussant les épaules. J'ai essayé, tu sais... Je veux dire... (Elle a un instant d'hésitation.) Nous dormons dans le même lit et il y a sans doute des gens qui aimeraient bien être à sa place. Mais il ne fait strictement rien – même s'il a tout ce qu'il faut...

Elle laisse sa phrase en suspens, en me laissant méditer ses paroles. Nous perdons toutes les deux notre temps dans ce taudis, mais chaque fois que je trouve mon sort insupportable, il suffit que je pense à celui de ma sœur, dans la pièce à côté.

— Et quand j'arrive à la cuisine le matin, reprend May, Yen-yen est aussitôt sur mon dos : « Où est ton fils ? Quand aurai-je un petit-fils ? » L'autre soir, je revenais de China City, elle m'a prise à l'écart et m'a dit : « J'ai vu que la petite visiteuse en rouge était repassée ce mois-ci. Demain, tu prendras des rognons en poudre et des écorces de mandarine séchées pour renforcer ton *chi*. L'herboriste m'a dit que cela aidera ton ventre à accueillir l'essence vitale de mon fils. »

La manière dont elle imite la voix pointue et haut-perchée de Yen-yen me fait sourire. Mais May n'est pas d'humeur à plaisanter.

— Pourquoi ne te demandent-ils pas *à toi* de prendre de la poudre de rognons et des écorces de mandarine ? Pourquoi n'est-ce pas *toi* qu'ils envoient chez l'herboriste ?

J'ignore pourquoi le Vieux et sa femme nous traitent différemment, Sam et moi. Yen-yen a beau avoir donné un surnom à tout le monde, je ne l'entends jamais apostropher Sam. Et à part les propos qu'il nous a tenus le premier soir, mon beau-père nous adresse très rarement la parole.

— Sam et son père ne s'entendent pas, dis-je. Tu l'avais remarqué ?

— Ils se disputent souvent, le Vieux qualifie Sam de *toh gee* et de *chok gin*. J'ignore ce que ces mots signifient, mais ce ne sont visiblement pas des compliments.

— Il traite Sam de paresseux à la tête vide... (Étant donné que je passe très peu de temps avec mon mari, je lui demande :) Est-ce la vérité ?

— Pas d'après ce que j'ai pu voir. Le Vieux veut absolument que Sam s'occupe des promenades en pousse-pousse, lorsque China City aura ouvert ses portes. Il veut que Sam en conduise un lui-même. Sam ne veut pas en entendre parler.

— Qui le voudrait ? dis-je.

— Ici pas plus qu'ailleurs, acquiesce May. Et même s'il s'agit d'une simple attraction pour les touristes.

Cela ne me dérangerait pas de parler encore un peu de Sam, mais May revient sur le problème que lui pose son mari :

— Ils devraient le traiter comme les autres garçons du quartier et le laisser travailler avec son père après le lycée. Il pourrait nous aider Sam et moi à déballer les cartons et à installer les marchandises sur les étagères, pour l'ouverture de China City. Mais le Vieux insiste pour que Vern rentre directement à l'appartement en sortant du lycée. À mon avis, il se contente d'aller s'enfermer dans sa chambre et de construire ses modèles réduits. Avec un succès mitigé, d'après ce que j'ai pu voir.

— Je sais, dis-je. Je passe plus de temps en sa compagnie que toi. (J'ignore si May a perçu l'aigreur qui transparaît dans ma voix et que je me hâte de dissimuler avant de poursuivre :)

— Tout le monde sait qu'un fils est un bien précieux. Peut-être le destinent-ils à reprendre un jour les affaires de la famille.

— Mais c'est le fils cadet ! Jamais ils ne feront une chose pareille, ce ne serait pas juste. Il n'empêche que Vern devrait apprendre à faire quelque chose. S'ils voulaient qu'il reste toute sa vie un petit garçon, ils ne s'y prendraient pas autrement.

— Peut-être qu'ils ne veulent pas que Vern les quitte. Ils sont tellement arriérés... Cette façon de vivre tous ensemble, de traiter les affaires à l'intérieur de la famille, de cacher son argent, de ne jamais nous donner un centime...

C'est la vérité. Nous ne recevons aucun argent, May et moi, pour l'entretien de notre foyer. Il est vrai que nous l'utiliserions pour nous enfuir de cet endroit et refaire notre vie ailleurs.

— Ce sont vraiment des péquenots, ajoute May avec amertume. On dirait qu'ils viennent de débarquer de leur cambrousse. Sans parler de la cuisine de Yen-Yen... ajoute-t-elle après une courte réflexion. Pour une Chinoise, vraiment...

— Nous ne savons pas faire la cuisine, nous non plus.

— Mais nous n'étions pas censées l'apprendre ! Nous avions des domestiques pour le faire à notre place.

Nous restons encore silencieuses un moment, en songeant à tout cela : mais à quoi bon rêver d'un passé disparu ? May relève la tête et regarde Sanchez Alley. La plupart des enfants sont rentrés chez eux à présent.

— Nous ferions mieux d'y aller, dit-elle. Le Vieux Louie est capable de nous fermer la porte au nez.

Nous rejoignons l'appartement, bras dessus bras dessous. J'ai le cœur un peu plus léger. May et moi ne sommes pas seulement des sœurs, nous sommes aussi des belles-sœurs à présent. Pendant des millénaires, les épouses chinoises se sont plaintes de la vie difficile qu'elles devaient mener auprès de leurs maris, entre la poigne de fer de leurs beaux-pères et les mains calleuses de leurs belles-mères. Nous avons au moins la chance d'être ensemble et de pouvoir nous soutenir mutuellement.

# Des rêves d'amour orientaux

Le 8 juin, deux mois pratiquement après notre arrivée à Los Angeles, je traverse enfin Macy Street et pénètre dans China City, dont c'est aujourd'hui l'inauguration officielle. Les lieux sont entourés d'une reproduction approximative de la Grande Muraille – même si le terme de « grande » ne s'avère guère approprié : il s'agit de simples panneaux en carton-pâte fixés au sommet d'un mur étroit. Je franchis l'entrée principale et tombe sur un rassemblement d'un millier de personnes, sur une esplanade qui porte le nom de cour des Quatre-Saisons. Des dignitaires locaux et des vedettes de cinéma se succèdent au micro. Il y a des cracheurs de feu et des pétards qui crépitent de tous les côtés tandis qu'on promène un Dragon et que des figurants entament une danse du Lion. Les *lo fan* sont sur leur trente et un : les femmes ont des robes en soie, de longs gants, des étoles en fourrure et des rouges à lèvres étincelants ; les hommes portent des costumes sombres, des guêtres, et sont coiffés de feutres mous. Nous sommes en *cheongsam*, May et moi, et ces tenues ont beau nous mettre en valeur, j'ai l'impression que nous venons d'une autre époque, à côté des Américaines.

— Des rêves d'amour orientaux ont été tissés comme des fils de soie à travers China City, est en train de proclamer Christine Sterling. Puissent nos honorables invités retenir l'éclat flamboyant des espoirs et des idéaux qu'incarne ce lieu, en négligeant les imperfections qui entachent encore sa création et qui s'effaceront au fil des ans. Puissent les descendants des générations qui ont peuplé la Chine depuis des millénaires, après avoir survécu aux innombrables catastrophes qui ont ravagé leur mère-patrie, trouver ici un nouveau havre où ils pourront satisfaire leur soif d'identité collective, suivre les traces de leurs ancêtres et pratiquer leurs coutumes et leurs arts immémoriaux en toute sérénité.

*Mon Dieu...*

— Laissez derrière vous le monde moderne, chaotique et confus, poursuit Christine Sterling, et pénétrez dans la langueur enchantée de l'Ancien Monde !

*Vraiment ?*

Les boutiques et les restaurants ouvriront leurs portes dès que les discours auront pris fin et tous ceux qui travaillent ici – y compris Yen-yen et moi – devront alors se dépêcher d'aller occuper leur poste. Tout en les écoutant, je porte Joy dans mes bras, afin qu'elle profite elle aussi du spectacle. Mais au milieu de cette cohue, et avec tous ces mouvements de foule, je me retrouve bientôt séparée de ma belle-mère. Je suis censée me rendre au café du Dragon Doré, mais j'ignore où il se trouve. Comment ai-je réussi à me perdre dans un espace aussi restreint ? Il faut dire qu'il y a tellement d'impasses et d'allées étroites qui bifurquent dans tous les sens que je n'y comprends plus rien. Je franchis un nouveau porche et me retrouve dans une cour intérieure où trône un bassin rempli de poissons rouges – ou dans une boutique qui vend de l'encens. Je serre Joy contre ma poitrine et me plaque contre la paroi tandis que les pousse-pousse passent à toute allure, transportant des *lo fan* hilares à travers les allées. « Attention ! Attention ! », lancent les conducteurs, qui ne ressemblent en rien à ceux que je voyais en Chine. Ils sont vêtus de pyjamas en soie, de chaussons brodés et de chapeaux de paille flambant neufs. De surcroît, ils ne sont pas chinois : ce sont des Mexicains.

Une fillette déguisée en mendiante – mais d'une propreté parfaite – se faufile à travers la foule en distribuant des plans aux passants. J'en prends un et le déplie afin de me repérer. La carte représente les principaux sites de China City : les Marches du Ciel, le port de Whangpoo, le bassin des Lotus et la cour des Quatre-Saisons. En dessous, un dessin à l'encre noire montre deux mandarins chinois qui se saluent d'un air cérémonieux. La légende dit : « Si votre auguste seigneurie veut bien condescendre à éclairer de sa présence notre humble cité, nous lui proposons un vaste choix de nourriture, de boissons et de musiques rares, ainsi que des objets d'art qui combleront son noble regard. » Aucune des boutiques du Vieux Louie (qui comportent toutes l'adjectif « Doré ») ne figure sur ce plan.

China City ne ressemble pas plus à la vieille ville de Shanghai qu'à un village de la campagne chinoise. En revanche, l'endroit n'est pas sans évoquer la Chine que nous découvrions avec un certain amusement, May et moi, dans les films hollywoodiens qui passaient à Shanghai. Les studios de la Paramount ont donné l'un des décors de *La Huitième Femme de Barbe Bleue*, qui a été transformé pour devenir aujourd'hui le Chinese Junk Café. Les techniciens de la MGM ont méticuleusement reconstitué la ferme des Wang, telle qu'elle apparaissait dans *The Good Earth* – jusqu'aux poulets et aux canards qui se dandinent dans la cour. Derrière la ferme s'ouvre le passage des Cent Surprises, où les mêmes techniciens ont converti un vieux décor (représentant à l'origine l'atelier d'un forgeron) en un petit ensemble d'échoppes qui vendent des bijoux, du thé parfumé et des châles « espagnols » fabriqués en Chine. Les tapisseries du temple de Kwan Yin sont censées dater de plusieurs milliers d'années et la statue de la déesse aurait été sauvée lors des récents bombardements de Shanghai. En vérité, comme tant de choses à China City, le temple a été construit à partir d'anciens décors de la MGM. C'est également le cas de la « Grande Muraille », même s'il devait s'agir au départ d'un fort attaqué par les Indiens, construit pour les besoins d'un western. La détermination dont a fait preuve Christine Sterling pour transposer le concept d'Olvera Street dans un cadre chinois n'a d'égale que sa totale ignorance de notre histoire et de notre culture.

Ma raison me dit que je ne crains rien. Il y a trop de gens autour de moi pour qu'on essaie de m'attirer à l'écart ou de me frapper. Je n'en suis pas moins nerveuse et inquiète. Je me précipite dans une nouvelle allée, qui débouche bientôt sur une autre impasse. Je serre Joy contre moi, si fort qu'elle se met à pleurer. Les gens me dévisagent comme si j'étais une mère indigne. La panique me gagne et je me dis qu'il vaudrait mieux que je regagne l'appartement, à condition bien sûr de retrouver l'entrée principale. Mais le Vieux Louie a fermé la porte à double tour, quand nous sommes partis, et je n'ai pas la clef. Agitée, pleine d'appréhension, je baisse la tête et me fraie un chemin à travers la foule.

— Vous vous êtes égarée ? lance une voix dans le dialecte de Wu. Avez-vous besoin d'aide ?

Je relève les yeux et aperçois un *lo fan* aux cheveux blancs, arborant des lunettes et une épaisse barbe blanche.

— Vous devez être Perle, la sœur de May, ajoute-t-il. C'est bien ça ?

J'opine du menton.

— Je suis Tom Gubbins, poursuit-il, mais la plupart des gens m'appellent Bak Wah Tom, « Tom-du-Cinéma ». Je possède une boutique ici et je connais votre sœur. Dites-moi où vous devez vous rendre.

— On m'attend au café du Dragon Doré.

— Ah, oui. L'une des nombreuses entreprises « Dorées »… Tout ce qui est susceptible ici de rapporter un peu d'argent appartient à votre beau-père. Suivez-moi, ajoute-t-il, je vais vous y conduire.

Je ne connais pas cet homme et May ne m'a jamais parlé de lui, mais sans doute y a-t-il beaucoup d'autres choses qu'elle ne me dit pas. Néanmoins, le fait qu'il parle le dialecte de Shanghai a quelque chose de rassurant. Tandis que nous nous dirigeons vers le café, il me montre les différentes boutiques que possède mon beau-père. La Lanterne Dorée – du nom du magasin qu'il avait ouvert jadis dans l'ancien Chinatown – vend des bibelots à bas prix : cendriers, porte-cure-dents, brosses munies d'un manche et servant à se frotter le dos… À travers la vitrine, j'aperçois Yen-yen qui discute avec des clients. Un peu plus loin, Vern en personne est assis dans une minuscule échoppe : le Lotus Doré, qui vend des fleurs en soie. J'ai entendu le Vieux Louie se vanter auprès de nos voisins, sous prétexte que ce commerce ne lui coûtait quasiment rien : « On achète ces fleurs en soie pour une bouchée de pain en Chine, mais je peux les revendre ici cinq ou six fois plus cher ». Il en avait profité pour se moquer d'une autre famille qui ouvrait une vraie boutique de fleuriste. « Leur glacière d'occasion leur a coûté 18 dollars. Et ils vont devoir débourser chaque jour 50 cents pour se faire livrer cinquante kilos de glace. Sans parler de tous les vases qu'ils ont dû acheter :

il y en avait pour plus de 50 dollars... Quel gâchis ! C'est beaucoup trop cher ! Sans compter que ce n'est pas difficile de vendre des fleurs en soie : même mon fils y arrive. »

J'aperçois le sommet de la Pagode Dorée avant que nous ne l'ayons atteinte, en me disant que j'y repasserai un jour prochain pour récupérer mes affaires. Le magasin est construit sur le modèle d'une véritable pagode, en plus petit. C'est ici que le Vieux Louie, vêtu d'une tunique de mandarin bleu nuit, compte vendre ses marchandises les plus onéreuses : paravents, porcelaine de luxe, meubles sculptés en bois de teck, pipes à opium, jeux de mah-jong en ivoire – sans parler des antiquités. À travers la vitrine, j'aperçois May qui se tient à sa gauche et discute avec une famille : elle gesticule d'un air animé et se fend d'un large sourire. Comme elle paraît différente de la sœur que j'ai connue jusqu'alors... C'est bien elle, pourtant. Sa *cheongsam* la moule étroitement, comme une seconde peau. Je réalise brusquement qu'elle est passée chez le coiffeur et qu'elle a changé de coupe. Comment ne l'ai-je pas remarqué plus tôt ? Toutefois, c'est l'aura qu'elle irradie qui me surprend le plus : cela faisait longtemps que je ne l'avais pas vue rayonner de la sorte.

— Elle est très belle, commente Tom à mes côtés, comme s'il lisait dans mes pensées. Je lui ai dit que je l'embaucherais volontiers, mais elle a peur que vous ne soyez pas d'accord. Qu'en pensez-vous, Perle ? Vous voyez bien que je ne suis pas un mauvais bougre. Accepteriez-vous d'y réfléchir et d'en discuter avec May ?

J'entends bien ce qu'il me dit, mais le message ne parvient pas jusqu'à mon cerveau. S'apercevant de mon trouble, Tom hausse les épaules et reprend :

— D'accord, allons au Dragon Doré.

Une fois arrivé là-bas, il jette un coup d'œil à travers la vitrine et me dit :

— On a visiblement besoin de vous à l'intérieur, je ne vais pas vous retenir plus longtemps. Mais en cas de besoin, n'hésitez pas à venir me trouver à la Compagnie du costume asiatique. May vous dira où est la boutique. Elle passe me voir tous les jours.

Sur ces mots, il tourne les talons et se fond dans la foule. Je pousse la porte du Dragon Doré et pénètre dans le café. Il y a huit tables et un bar muni de dix tabourets. Derrière le comptoir, l'oncle Wilburt, en maillot de corps et coiffé d'une toque en carton, s'agite devant un énorme wok. À côté de lui, l'oncle Charley débite divers ingrédients avec un hachoir. L'oncle Edfred transporte une pile d'assiettes sales dans l'évier, où Sam est en train de laver des verres sous un jet de vapeur.

— Eh ! lance un homme depuis l'une des tables. Vous ne nous oubliez pas ?

Sam s'essuie les mains, se précipite, me tend un carnet et m'arrache Joy des bras avant de l'installer dans une caisse en bois, derrière le comptoir. Nous travaillons sans une seconde de répit au cours des six heures qui suivent. Lorsque la soirée d'inauguration prend officiellement fin, les vêtements de Sam sont constellés de graisse et de taches diverses. Mes pieds, mes épaules, mes bras – tout mon corps me fait mal, mais Joy s'est sagement endormie dans sa caisse. Le Vieux Louie et le reste de la famille passent nous prendre. Les oncles s'éloignent de leur côté, pour finir la soirée à Chinatown entre célibataires. Une fois que mon beau-père a fermé la boutique, nous reprenons tous ensemble le chemin de l'appartement. Sam, Vern et leur père marchent en tête tandis que nous fermons le ban, Yen-Yen, May et moi, ainsi qu'il est d'usage. Je suis épuisée et Joy est aussi lourde qu'un sac de riz dans mes bras, mais personne ne se propose pour me relayer.

Le Vieux Louie nous a interdit d'utiliser une langue qu'il ne comprend pas, mais je m'adresse tout de même à May dans le dialecte de Wu, en espérant que Yen-yen ne nous dénoncera pas et que les hommes sont trop loin pour nous entendre :

— Tu m'as caché certaines choses, May…

Je ne suis pas en colère, je suis tout simplement blessée. May a entamé une nouvelle vie à China City, tandis que je restais enfermée dans l'appartement. Elle est même allée se faire coiffer ! La chose me fait de la peine, maintenant que je l'ai remarquée.

— Quelles choses ? demande-t-elle à voix basse (pour qu'on ne nous entende pas ? ou pour m'empêcher de hausser le ton ?).

— Nous avions décidé de nous habiller à l'occidentale une fois arrivées ici. Mais tu ne m'as ramené que ces tenues chinoises…

— C'est l'une de tes *cheongsam* préférées, rétorque May.

— Je ne veux plus en porter. Nous étions d'accord pour…

206

May ralentit l'allure et saisit mon épaule pour me retenir, tandis que Yen-yen poursuit son chemin devant nous.

— Je ne voulais pas t'en parler parce que je savais que cela te contrarierait, murmure-t-elle.

— De quoi s'agit-il ? dis-je en poussant un soupir. Dis-le-moi à présent.

— Nos vêtements occidentaux ont disparu. (Elle désigne le groupe des hommes devant nous, mais je sais qu'elle fait allusion à notre beau-père.) Il exige que nous portions uniquement des tenues chinoises.

— Mais pourquoi…

— Écoute, Perle, j'ai essayé de te faire comprendre certaines choses, mais tu es parfois aussi pénible que maman. Tu ne veux rien savoir, tu n'écoutes même pas.

Ses mots me frappent comme autant de coups de poignard, mais elle n'en a pas terminé.

— Sais-tu pourquoi les gens qui travaillent dans Olvera Street doivent porter des costumes mexicains ? Parce que ce sont les consignes de Mrs Sterling. Cela fait partie de leur contrat – et il en va de même pour nous à China City. Nous sommes *obligées* d'être en *cheongsam* quand nous travaillons là-bas. Mrs Sterling et ses associés *lo fan* veulent que nous nous habillions comme si nous étions toujours en Chine. Le Vieux Louie devait le savoir quand il a fait sa razzia dans notre garde-robe à Shanghai. Nous avions cru sur le moment qu'il n'avait aucun goût, mais il savait fort bien ce qu'il cherchait et n'a emporté que les vêtements susceptibles de lui être utiles ici. Le reste, il ne s'en est pas soucié.

— Pourquoi ne m'as-tu pas raconté cela plus tôt ?

— Comment l'aurais-je pu ? Tu étais à peine présente. J'ai voulu te faire visiter le quartier, mais tu refusais la plupart du temps de quitter l'appartement. C'était déjà toute une affaire de te traîner jusqu'à la Plaza. Tu ne me l'as pas dit, mais je sais que tu me reprochais de t'abandonner à la maison. Et pourtant, personne ne te retenait. C'était toi qui refusais de sortir. Je n'ai même pas réussi à te faire traverser Macy Street et à te montrer China City jusqu'à aujourd'hui.

— Pourquoi cela m'intéresserait-il ? dis-je. Nous n'allons pas passer notre vie ici.

— Comment veux-tu que nous réussissions à nous évader si nous ne savons pas ce qui se passe à l'extérieur ?

*Il est plus facile de ne rien faire et j'ai tellement peur*, me dis-je intérieurement ; mais je garde mes pensées pour moi.

— Tu es comme un oiseau qui serait sorti de sa cage sans savoir voler, poursuit May. Tu es ma sœur, mais tu restes cloîtrée à l'intérieur de toi. Tu es si loin de moi à présent...

Nous montons l'escalier jusqu'à l'appartement. Arrivées devant la porte, elle me retient à nouveau par le bras.

— Pourquoi n'es-tu plus la sœur que je connaissais à Shanghai ? me lance-t-elle. Tu étais drôle, tu n'avais peur de rien... À présent, tu te comportes comme une *fu yen*. (Elle marque une pause.) Excuse-moi, je ne voulais pas te blesser. Je sais que tu as dû affronter beaucoup de choses et que tu dois t'occuper du bébé. Mais tu me manques, Perle – tu me manques terriblement.

À l'intérieur, nous entendons Yen-yen qui s'adresse d'une voix mielleuse à son fils :

— Il est l'heure d'aller se coucher et de retrouver sa femme, Petit Mari.

— Papa et maman me manquent, poursuit May. Et tout est si difficile ici. (Elle montre le couloir obscur.) Je ne peux pas m'en sortir sans toi.

Des larmes se mettent à couler le long de ses joues. Elle les essuie d'un geste vague, prend une profonde inspiration et pénètre dans l'appartement pour rejoindre son Petit Mari.

Quelques minutes plus tard, je dépose Joy dans son tiroir et je vais me coucher. Sam se tourne de son côté, comme à son habitude, et je m'étends au bord du lit, le plus loin possible de lui et le plus près possible de ma fille. Mes pensées sont confuses. L'affaire des vêtements est un nouveau coup de poignard, mais je songe surtout à ce que May vient de me dire. Je n'avais pas réalisé qu'elle souffrait, elle aussi. Et elle n'avait pas tort, à mon sujet : j'ai bel et bien eu peur – de quitter l'appartement et Sanchez Alley, de traverser la Plaza, puis Olvera Street, et de découvrir China City. May m'a proposé à de nombreuses reprises ces dernières semaines de m'emmener là-bas, mais je n'ai jamais voulu.

Je saisis à travers mes vêtements la petite bourse que maman m'avait donnée. Que m'est-il arrivé ? Pourquoi suis-je devenue une *fu yen* anxieuse et apeurée ?

Le 25 juin, à peine trois semaines plus tard et quelques centaines de mètres plus loin, a lieu l'inauguration officielle du Nouveau Chinatown. Un immense portail traditionnel chinois, sculpté et peint de couleurs vives, a été érigé à chaque extrémité du pâté de maisons. C'est Anna May Wong, la star de cinéma, qui conduit la parade. Un orchestre de cymbales entièrement féminin donne une représentation éblouissante. Des néons éclairent les bâtiments multicolores et ornés de guirlandes chinoises, disposées le long des toits et des balcons. Tout a l'air plus grandiose et plus beau ici. Il y a plus de pétards, plus de politiciens connus qui coupent des rubans et prononcent des discours, plus d'acrobates d'une incroyable souplesse pour faire la danse du Lion. Même les propriétaires des boutiques et des restaurants jouissent d'une meilleure considération : ils sont plus riches et mieux intégrés que nous ne le sommes à China City.

Les gens prétendent que l'ouverture quasi simultanée de ces deux Chinatown marque le début d'une période faste pour les Chinois de Los Angeles. Je dirais quant à moi qu'elle marque le début d'une époque difficile. Nous devons travailler dur à China City et mon beau-père nous tient d'une poigne de fer. Il se montre impitoyable et souvent cruel. Aucun d'entre nous n'ose lui désobéir, mais je ne vois pas comment nous pourrions rivaliser avec cette nouvelle concurrence. Et vu la manière dont les choses se passent, comment serons-nous jamais en mesure ma sœur et moi de gagner l'argent qui nous permettra de fuir cet endroit ?

## Les senteurs du pays natal

Je devrais élaborer des plans d'évasion, mais c'est finalement la faim qui me pousse à sortir et à explorer les environs. Tant de spécialités me manquent : les beignets enrobés de miel, les gâteaux sucrés à la rose, les œufs épicés bouillis dans du thé... J'ai perdu plus de poids depuis que je mange la cuisine de Yen-yen que pendant notre séjour à Angel Island. J'observe donc l'oncle Wilburt et l'oncle Charley, cuisiniers en chef du Dragon Doré, pour voir comment ils s'y prennent. Ils m'autorisent à les accompagner à la boucherie de Sam Sing, où ils vont acheter leurs canards et leurs cochons, ainsi qu'à la poissonnerie de George Wong qui se trouve dans Spring Street, juste derrière China City. Il suffit ensuite de traverser la rue pour atteindre l'épicerie internationale, où je retrouve pour la première fois depuis mon arrivée ici les senteurs du pays natal. L'oncle Wilburt m'a offert un jour de sa poche un sachet de haricots noirs. Cela m'a fait tellement plaisir que les oncles m'achètent à tour de rôle une petite bricole, à chacune de nos visites : des jujubes, des dattes au miel, des pousses de bambou, des graines de lotus ou des champignons. De temps en temps, quand il n'y a pas trop de monde au café, ils me font passer derrière le comptoir et m'apprennent à cuisiner tel ou tel plat, à partir de ces ingrédients.

Tous les dimanches soir, les oncles viennent manger à l'appartement. Je demande un jour à Yen-yen si elle pourrait me laisser préparer le repas. Toute la famille se régale et c'est désormais moi qui suis chargée du dîner dominical. Cela ne me prend qu'une demi-heure, à condition que Vern se charge du riz et que Sam débite les légumes pour moi. Au début, le Vieux Louie n'est guère enchanté par cette initiative.

— Pourquoi te laisserais-je dilapider mon argent de la sorte ? me lance-t-il. Et pourquoi t'autoriserais-je à sortir pour aller faire des courses ?

Cela ne le dérange pas que je sorte pour aller travailler dans son restaurant, où je dois pourtant côtoyer de parfaits étrangers – des *lo fan*, de surcroît…

— Je ne dilapide pas votre argent, rétorqué-je, ce sont l'oncle Wilburt et l'oncle Charley qui achètent ces produits. Et je ne sors pas toute seule, puisque je suis avec eux.

— C'est encore pire ! s'insurge-t-il. Tes oncles mettent de l'argent de côté pour pouvoir rentrer au pays. Tout le monde ici – moi y compris – souhaite retourner un jour en Chine. Pour y mourir, à défaut d'y vivre – ou pour y être enterré, à défaut d'y mourir.

Comme tant de ses semblables, le Vieux Louie rêve de mettre dix mille dollars de côté et de rentrer comme un nabab dans son village ancestral, où il pourra s'offrir quelques concubines, avoir d'autres enfants et terminer ses jours en sirotant du thé. Il rêve aussi d'être considéré comme « quelqu'un d'important », ce qui est typiquement américain.

— Chaque fois que je retourne là-bas, j'achète de nouvelles terres. Je n'ai pas le droit d'en posséder ici, c'est donc en Chine que j'en aurai. Oh, je sais ce que tu penses, Perle… Tu te dis : « Mais il est né dans ce pays, il est américain ». Eh bien, je suis peut-être né ici, je n'en suis pas moins chinois dans mon cœur. Et je retournerai un jour là-bas.

Ses critiques sont tellement prévisibles… Pourtant je les accepte, parce qu'il aime ma cuisine. Jamais il ne l'avoue, évidemment, mais il fait presque mieux : au bout d'un certain temps, il m'annonce qu'il me donnera de l'argent tous les lundis afin que je fasse les courses pour toute la famille et pour l'ensemble de la semaine. Je suis parfois tentée d'en détourner une partie, je sais cependant qu'il surveille mes dépenses au centime près et qu'il passe parfois à la boucherie, à la poissonnerie et à l'épicerie pour s'assurer que je ne lui raconte pas des histoires. Il fait tellement attention à son argent qu'il refuse de le mettre à la banque. Tout est dissimulé dans diverses cachettes, au fin fond de ses magasins, afin de préserver sa fortune du désastre et des risques que présentent les banques des *lo fan*.

Maintenant que je fais les courses de mon côté, les marchands commencent à me connaître. Ils apprécient ma clientèle – aussi modeste soit-elle – et me récompensent de ma fidélité en m'offrant des calendriers. Au lieu de peindre des « jeunes beautés » langoureuses et sensuelles, nonchalamment allongées dans leurs boudoirs, les artistes d'ici préfèrent reproduire des images convenues de la Grande Muraille, de la montagne sacrée d'Emei, des grottes mystiques de Kweilin – ou des femmes au visage insipide, vêtues de *cheongsam* aux motifs géométriques, assises dans une attitude censée représenter les vertus de la rigueur morale. Les artistes visent à une efficacité purement commerciale, leur technique est dénuée de délicatesse et d'émotion, mais j'accroche tout de même ces calendriers aux murs de l'appartement, comme le faisaient les plus pauvres habitants de Shanghai : pour mettre un peu de lumière, de couleurs et d'espoir dans la grisaille de leurs demeures – et de leurs existences. Ces objets égaient notre décor et comme ils ne lui coûtent pas un centime, mon beau-père n'y trouve rien à redire.

La veille de Noël, je me lève à cinq heures du matin. Je m'habille, confie Joy à ma belle-mère puis me rends à China City en compagnie de Sam. Il est encore tôt, mais il fait étrangement doux. Un vent chaud a soufflé toute la nuit, dispersant à travers la Plaza des branches brisées, des feuilles mortes et des confettis abandonnés par les touristes venus faire la fête à Olvera Street. Nous traversons Macy Street et pénétrons dans China City en suivant notre itinéraire habituel, c'est-à-dire en commençant par le stand des Pousse-pousse Dorés, dans la cour des Quatre-Saisons, puis en longeant la basse-cour de la ferme de Wang, où picorent des poules et des canards. Je n'ai toujours pas vu *The Good Earth*, bien que l'oncle Charley m'ait encouragée à y aller en me disant : « On se croirait en Chine. » L'oncle Wilburt me pousse à voir ce film, lui aussi. « Si tu y vas, observe bien les scènes de foule : tu me verras parmi les figurants ! Une bonne partie de nos oncles et tantes de Chinatown ont été engagés pour ce film. »

Mais je n'y vais pas, pas plus que je ne mets les pieds dans la ferme : chaque fois que je passe devant, cela me fait penser à cette cabane de sinistre mémoire, dans les environs de Shanghai.

Passé la ferme de Wang, je m'engage dans Dragon Road, quelques pas derrière Sam. « Marche donc à côté de moi », m'encourage-t-il dans le dialecte de Sze Yup. Mais je m'en garde bien, car je ne veux pas qu'il se fasse des idées. Si je me montre aimable et commence à parler avec lui, il voudra ensuite se livrer au devoir conjugal.

En dehors des promenades en pousse-pousse, toutes les entreprises de mon beau-père sont situées à l'intérieur de l'ovale que forment Dragon Road et Kwan Yin Road. Cela fait six mois que je travaille ici, mais je ne me suis que très rarement aventurée jusqu'au bassin des Lotus ou dans l'allée couverte qui abrite un théâtre (où l'on donne des opéras chinois), une salle de jeux et la Compagnie du costume asiatique de Tom Gubbins. China City a beau abriter une quarantaine de boutiques – sans compter les cafés, les restaurants et les « attractions » comme la ferme de Wang – chacune n'en constitue pas moins une enclave distincte à l'intérieur du mur d'enceinte, et ses employés ne se mélangent pas avec ceux du voisin.

Sam ouvre la porte, allume les lumières et se met aussitôt à moudre du café. Tandis que je remplis les salières et les poivrières, les oncles et les autres employés arrivent à leur tour et se mettent au travail. À peine les tartes ont-elles été découpées et exposées dans les vitrines que les premiers clients arrivent. J'échange quelques mots avec ceux que je vois régulièrement – des routiers et des facteurs, pour l'essentiel – puis je prends leur commande et la transmets aux cuisines.

À neuf heures, deux policiers débarquent et s'installent au comptoir. Je lisse mon tablier et me fends d'un sourire. Si nous ne les nourrissons pas à l'œil, ils suivront nos clients jusqu'à leur voiture et leur colleront une amende. Les deux dernières semaines ont été particulièrement éprouvantes : les policiers du quartier allaient de boutique en boutique pour collecter leurs « cadeaux » de Noël et ne s'arrêtaient pas avant d'en avoir plein les bras. Il y a quelques jours, estimant sans doute que cela ne suffisait pas, ils ont bloqué l'entrée du parking, empêchant carrément les clients d'entrer. Tout le monde file doux devant eux à présent et leur donne ce qu'ils demandent – du moment qu'ils ne nous obligent pas à fermer boutique.

À peine les policiers sont-ils sortis qu'un routier lance à Sam :

— Donnez-moi donc une part de cette tarte aux myrtilles.

Peut-être Sam est-il encore tendu à cause du passage des policiers, car il ignore sa requête et continue de laver ses verres. Jadis – cela me paraît remonter à une éternité... – j'avais lu dans sa fameuse liasse que Sam serait le responsable de ce café, mais il est plutôt employé à titre de plongeur... Je l'observe du coin de l'œil, tout en servant de mon côté des petits déjeuners complets : œufs, pommes de terre, toasts et café, le tout pour trente-cinq cents. Quelqu'un demande à Sam de lui resservir du café, mais il doit tambouriner sur le comptoir d'un air impatient pour obtenir enfin satisfaction. Une demi-heure plus tard, le même individu lui demande l'addition et Sam lui fait signe de s'adresser à moi. Il n'a pas dit un mot à un seul de nos clients.

Le premier coup de feu de la journée est passé. Sam ramasse les assiettes sales et les couverts et je passe derrière lui avec un chiffon humide pour nettoyer les tables.

— Pourquoi ne parles-tu jamais aux clients ? lui demandé-je en anglais. (Il ne me répond pas, mais je poursuis.) À Shanghai, les *lo fan* se plaignaient toujours que les serveurs chinois étaient revêches et mal élevés. Tu ne voudrais tout de même pas que nos clients aient la même opinion ?

Le voyant se mordiller nerveusement la lèvre inférieure, je passe au dialecte de Sze Yup :

— Tu ne parles pas anglais, c'est ça ?

— Je me débrouille. (Il se reprend et ajoute aussitôt avec un sourire penaud :) Un petit peu.

— Comment cela se fait-il ?

— Je suis né en Chine. Pourquoi parlerais-je anglais ?

— Mais tu as vécu ici jusqu'à l'âge de sept ans.

— C'était il y a longtemps. J'ai fini par oublier ce que j'avais appris.

— Mais tu n'as pas suivi des cours en Chine ?

Tous les gens que je connaissais à Shanghai avaient appris l'anglais – y compris May, qui n'a jamais été une élève particulièrement brillante.

Sam ne me répond pas directement.

— Quand je me risque à parler anglais, les clients ne me comprennent pas. Et quand ce sont eux qui me parlent, je ne les comprends pas davantage. Tu ferais bien d'y aller, ajoute-t-il après avoir jeté un coup d'œil à l'horloge murale.

Il me met toujours à la porte à cette heure-ci. J'ignore s'il se rend quelque part en mon absence, que ce soit le matin ou en fin d'après-midi. En tant que *fu yen*, je n'ai pas à lui demander des comptes. Si Sam s'est mis à jouer comme mon père jadis ou s'il paie une femme pour accomplir avec lui le devoir conjugal, qu'y puis-je ? J'ai appris à être une épouse obéissante en observant ma mère autrefois – et Yen-yen aujourd'hui – et je sais qu'il n'y a rien à faire quand votre mari décide quelque chose dans son coin. Vous ne savez pas où il va, il revient quand bon lui semble, un point c'est tout.

Je me lave les mains et ôte mon tablier. En me rendant à la Lanterne Dorée, je réfléchis à ce que Sam vient de me dire. Comment peut-il *ne pas* savoir l'anglais ? Je parle quant à moi un anglais parfait et je sais qu'il est plus poli de dire *Occidental* que *lo fan*, *Oriental* plutôt que *Chinois* ou *chinetoque*. Mais j'ai également compris que ce n'est pas le meilleur moyen d'obtenir un pourboire. Les gens viennent à China City pour se distraire. Les clients ont envie de m'entendre baragouiner leur langue, de parler un anglais « chop suey » comme on dit ici. Et ce n'est pas très difficile : il suffit d'imiter Vern, le Vieux Louie et tant d'autres Chinois qui parlent affreusement mal l'anglais, bien qu'étant nés dans ce pays. En ce qui me concerne, je me contente de jouer un rôle ; mais s'agissant de Sam, c'est de l'ignorance pure et simple et je trouve cela aussi peu glorieux que ses mystérieux rendez-vous.

J'arrive à la Lanterne Dorée, où Yen-yen vend des babioles tout en gardant Joy. Nous faisons le ménage du magasin ensemble, balayant le sol et briquant les meubles. Une fois cette corvée achevée, je joue un moment avec Joy mais à 11 h 30 je dois à nouveau la laisser pour retourner au café et servir la foule des clients. Nos hamburgers à 15 cents n'ont pas autant de succès que ceux du Fook Gay's Café (garnis de haricots sautés à la sauce de soja et de champignons noirs) mais ils marchent tout de même assez bien. Nous proposons aussi du porc ou du poisson salé (pour 10 cents) et des grands bols de riz nature (pour 5 cents).

Après le déjeuner, je vais travailler au Lotus Doré où je vends des fleurs en soie jusqu'à l'arrivée de Vern, à sa sortie du lycée. Je me rends ensuite à la Pagode Dorée : je voudrais parler de nos projets pour Noël avec ma sœur, mais elle est occupée avec un client à qui elle essaie de vendre un coffret en laque. Je me contente donc de faire le ménage, de balayer et de tout briquer en silence dans mon coin.

Avant de retourner au café, je repasse à la Lanterne Dorée pour récupérer Joy et je fais avec elle une courte promenade dans les allées de China City. Comme la plupart des touristes, elle adore regarder les pousse-pousse. Leur circuit remporte un franc succès et constitue sans doute l'entreprise la plus rentable du Vieux Louie. C'est Johnny Yee qui les conduit quand il s'agit de clients célèbres ou pour les photos publicitaires, mais la plupart du temps le travail est confié à Miguel, José et Ramon. Ils sont payés au pourboire et touchent un petit pourcentage sur chaque course. Leur commission est un peu plus élevée s'ils réussissent à convaincre leur client de se faire prendre en photo avec eux, pour 25 cents supplémentaires.

Aujourd'hui, une passagère frappe Miguel avec son sac à main. Pourquoi donc ? Parce qu'elle en a le droit. La manière dont on traitait les conducteurs de pousse-pousse à Shanghai ne me choquait pas. Était-ce parce que la compagnie appartenait à mon père ? Parce que je me sentais comme cette femme blanche – *au-dessus* des conducteurs ? Et qu'à Shanghai nous les considérions à peine mieux que des chiens ? Pourtant, aujourd'hui, nous nous retrouvons dans la même catégorie qu'eux, May et moi. Je dois me contenter d'acquiescer, quoi qu'il advienne.

Je ramène Joy à sa grand-mère et souhaite bonne nuit à mon bébé, que je ne reverrai pas avant d'être rentrée à la maison. Puis je passe la soirée à servir du porc à l'aigre-doux, du poulet aux amandes et du chop suey – des plats que je n'ai jamais vus à Shanghai et dont je n'avais même pas entendu parler. Le service s'arrête à 22 heures. Sam reste pour faire la fermeture et je regagne l'appartement seule, préférant affronter la foule d'Olvera Street en cette veille de Noël plutôt que Main Street, déserte à cette heure-ci.

J'ai honte que nous soyons tombées si bas, May et moi. Je me reproche de travailler si durement sans jamais recevoir un centime, ni même voir la couleur des pourboires que me laissent les *lo fan*. Un jour, j'ai demandé au Vieux Louie de me payer et il a craché dans la main que je lui tendais. « Tu es logée et nourrie, m'a-t-il dit. Vous n'avez pas besoin d'argent, ta sœur et toi. » Et les choses en sont restées là – sauf que je commence à me faire une idée des sommes que nous pourrions gagner. La plupart des gens à China City sont payés entre trente et cinquante dollars par mois. Les plongeurs sont à vingt dollars, les serveurs autour de quarante. L'oncle Wilburt touche soixante-dix dollars, ce qui est considéré comme un très bon salaire.

« Combien as-tu gagné cette semaine ? demandé-je à Sam tous les samedis soir. As-tu mis de l'argent de côté ? » J'espère qu'un jour, d'une manière ou d'une autre, il me donnera une partie de cet argent pour me permettre de fuir cet endroit. Mais il ne me dit jamais combien il gagne. Il se contente de baisser la tête, de desservir la table, de prendre Joy dans ses bras ou d'aller s'enfermer dans la salle de bains, au fond du couloir.

En y repensant, je comprends pourquoi toute ma famille avait cru que le Vieux Louie était riche. À Shanghai, nous faisions partie des privilégiés, papa possédait sa propre entreprise, nous avions une grande maison et des domestiques. Et nous pensions que le Vieux Louie possédait une fortune colossale. Un dollar américain représentait beaucoup d'argent à Shanghai, où la vie était relativement bon marché : à nos yeux, le Vieux Louie devait brasser des sommes considérables. Il nous donnait l'impression d'être des moins que rien et traitait papa avec un souverain mépris à chacune de ses visites, mais ce n'était que de la poudre aux yeux. Car ici, au pays du Drapeau Fleuri, si le Vieux Louie s'en sort certes mieux que la plupart des commerçants de China City, il n'en est pas moins d'une relative pauvreté. Il possède bien cinq magasins, mais ils sont d'une taille très modeste – minuscule même, pour certains d'entre eux – et ne représentent pas grand-chose au total. Quant à ces cinquante mille dollars de marchandises, ils n'ont aucune valeur tant que personne ne les achète.

Tout en brassant ces pensées un peu désespérantes, je grimpe l'escalier jusqu'à l'appartement et me défais de mes vêtements imprégnés des odeurs de la journée, que je laisse en tas dans un coin de la chambre. Puis je m'étends sur le lit et j'essaie de rester quelques minutes éveillée pour profiter du calme et du silence ambiants, tandis que mon bébé dort déjà dans son tiroir.

Le matin de Noël, nous nous habillons et rejoignons les autres dans la pièce principale. Yen-yen et le Vieux Louie sont en train de rafistoler des vases en provenance d'une boutique qui a fait faillite à San Francisco et qui se sont abîmés en cours de transport. May touille une casserole de *jook* sur la cuisinière. Vern est assis à côté de ses parents et regarde autour de lui, une lueur d'espoir dans les yeux. Il a grandi ici et fréquenté les écoles américaines, il sait donc parfaitement ce que Noël représente. Ces deux dernières semaines, il a ramené à la maison quelques décorations qu'il a fabriquées lui-même dans sa classe de dessin ; mais en dehors de ces menus objets, rien n'indique ici qu'il s'agit d'une journée particulière : pas de sapin, pas de souliers, pas de cadeaux devant la cheminée… Vern a visiblement envie de célébrer cette fête, mais que peut-il bien faire ? Il vit chez ses parents et doit en tant que fils se plier à leurs règles. Nous nous dévisageons, May et moi. Nous comprenons ce qu'il peut ressentir. À Shanghai, nous fêtions la naissance de l'enfant Jésus à la mission, mais papa et maman n'étaient nullement concernés par cette affaire. Maintenant que nous sommes ici, nous aimerions faire comme les *lo fan*.

— Qu'allons-nous faire aujourd'hui ? demande May d'un air enjoué. Nous pourrions aller du côté d'Olvera Street, où des festivités sont organisées.

— Nous ne fricotons pas avec ces gens, rétorque le Vieux Louie.

— Je n'ai pas dit que nous allions fricoter avec eux, dit May. Mais il serait sans doute intéressant de voir comment ils célèbrent cette fête.

Nous avons compris depuis longtemps, ma sœur et moi, qu'il est inutile de discuter avec nos beaux-parents. Nous devrions déjà nous estimer heureuses d'avoir un jour de congé.

— J'ai envie d'aller à la plage, dit Vern.

Il s'exprime si rarement qu'on peut être sûr qu'il désire vraiment quelque chose, quand cela arrive.

— En tramway, ajoute-t-il.

— C'est trop loin, dit son père.

— Ça ne me dit rien de voir l'océan, dit Yen-yen. Je préfère rester à la maison.

— Vous n'avez qu'à rester ici tous les deux, rétorque Vern à la surprise générale.

May hausse les sourcils. Je vois bien qu'elle a envie d'y aller elle aussi, mais je n'ai pas l'intention de dépenser l'argent que nous avons reçu en cadeau de mariage pour un projet aussi futile. Quant à Sam, je n'ai jamais vu la couleur de son argent, en dehors de celui qu'il manipule au restaurant.

— Nous pouvons rester dans le quartier, dis-je, et aller regarder les vitrines des grands magasins des *lo fan* dans Broadway. Ils ont installé des décorations de Noël : cela te plaira, Vern.

— Je veux aller à la plage, insiste-t-il. Je veux voir l'océan.

Voyant que personne ne réagit, il se lève brusquement et se précipite dans sa chambre en claquant la porte. Il revient quelques minutes plus tard, une poignée de dollars à la main.

— C'est moi qui vous invite, dit-il d'un air timide.

Yen-yen essaie de lui reprendre cet argent, en nous lançant :

— Un Cochon dilapide facilement son argent, mais vous seriez mal inspirés d'en profiter.

Vern l'écarte d'un geste agacé et lève le bras au-dessus de sa tête, afin qu'elle ne puisse pas s'emparer des billets.

— C'est le cadeau de Noël que je fais à mon frère, à May, à Perle et au bébé. Et vous, papa et maman, vous n'avez qu'à rester à la maison.

Jamais je ne l'ai entendu parler aussi longtemps. Et je ne suis probablement pas la seule dans ce cas. Nous faisons donc comme il l'entend. Nous nous rendons tous les cinq à la plage, déambulons sur la jetée et allons plonger nos doigts de pied dans l'eau glacée du Pacifique. Nous faisons attention à ce que Joy soit bien protégée du soleil éblouissant qui darde ses rayons dans le ciel et fait scintiller l'immense étendue de l'eau. Au loin, la côte est bordée par des collines vertes. Nous marchons un moment seules toutes les deux, May et moi, en laissant le vent et le roulement des vagues dissiper provisoirement nos soucis. Tandis que nous rejoignons l'endroit où Vern et Sam sont assis, surveillant le bébé qui dort sous son ombrelle, May dit brusquement :

— C'est gentil de la part de Vern de nous avoir proposé ça.

C'est la première fois que je l'entends faire un commentaire aimable à son sujet.

Deux semaines plus tard, un groupe de femmes membres du Comité de soutien à la Chine unie propose à Yen-yen de les accompagner à Wilmington : une manifestation est organisée devant les chantiers navals, pour que ceux-ci cessent d'envoyer du matériel au Japon. Je suis convaincue que le Vieux Louie s'y opposera, lorsque Yen-yen lui demandera la permission, mais il nous surprend tous en déclarant :

— Tu peux y aller, à condition d'emmener Perle et May avec toi.

— Mais tu vas manquer de personnel..., rétorque Yen-yen, dont l'intonation enjouée contredit la prudente réserve.

— Ce n'est pas grave, répond le Vieux Louie, je demanderai aux oncles de faire des heures supplémentaires.

Jamais Yen-yen ne laisserait transparaître sa joie en souriant ouvertement, mais nous percevons tous l'excitation qui l'a gagnée lorsqu'elle se tourne vers May et moi et nous demande :

— Voulez-vous m'accompagner ?

— Bien sûr, dis-je.

Je ferais tout ce qui est en mon pouvoir pour combattre les Japonais, dont la politique brutale et planifiée à l'égard de la Chine pourrait se ramener à un seul mot d'ordre : « Brûlez tout, détruisez tout, tuez-les tous ! » C'est mon devoir d'être aux côtés des femmes qui ont été violées et assassinées. Je me tourne vers May en pensant qu'elle voudra se joindre à nous, ne serait-ce que pour échapper pendant vingt-quatre heures à China City. Mais elle décline l'invitation en haussant les épaules.

— Que pouvons-nous faire ? dit-elle. Nous ne sommes que des femmes.

C'est justement parce que je suis une femme que je veux y aller. Nous nous rendons Yen-yen et moi au lieu de rassemblement et montons dans un autocar qui nous conduit jusqu'aux chantiers navals. Les organisateurs nous confient des bannières déjà imprimées et nous défilons, en criant nos slogans avec les

221

autres manifestants. Cela me donne un sentiment de grande liberté – et je le dois entièrement à ma belle-mère.

— La Chine est mon pays, me dit-elle dans le bus qui nous ramène à Chinatown. Et elle le sera toujours.

À compter de ce jour, je place une coupelle sur le comptoir du café, où les gens peuvent laisser leur menue monnaie. Je porte un badge du Comité de soutien à la Chine unie au revers de ma robe. Je manifeste à chaque occasion contre l'envoi d'essence et de matériel destiné aux macaques. Si je le fais, c'est parce que Shanghai et la Chine ne sont jamais loin de mon cœur.

## La coupe de l'amertume

Le Nouvel An chinois arrive. Nous respectons scrupuleusement les traditions. Le Vieux Louie nous donne de l'argent pour que nous achetions des vêtements neufs. En l'honneur de son signe, je fabrique pour Joy une paire de chaussons en forme de bébés tigres et un petit bonnet aux rayures orange et noires. May et moi choisissons des robes américaines en coton, imprimées de motifs floraux. Puis nous allons nous faire coiffer. À la maison, nous descendons le portrait du dieu du foyer et le brûlons dans la rue, afin qu'il s'envole dans l'au-delà et rende compte de ce que nous avons fait au cours de l'année écoulée. Nous rangeons avec soin les couteaux et les ciseaux, afin de ne pas risquer de trancher le fil du destin en notre défaveur. Yen-yen fait des offrandes aux ancêtres des Louie. Ses vœux et ses prières sont simples : « Faites que le Petit Mari ait un fils. Faites que sa femme tombe enceinte. Donnez-moi un petit-fils. »

À China City, nous suspendons des lanternes et des guirlandes en papier rouge et or. Des danseurs, des chanteurs, des acrobates distraient les enfants et leurs parents. Au Dragon Doré, nous avons préparé des spécialités de circonstance, en nous débrouillant pour qu'elles paraissent suffisamment chinoises, sans heurter pour autant les palais occidentaux. Nous nous attendons à une affluence particulière, aussi le Vieux Louie a-t-il engagé des extras dans ses diverses boutiques. Mais il a surtout besoin de bras supplémentaires pour ce qu'il espère être sa meilleure source de revenus le jour du Nouvel An : les balades en pousse-pousse.

— Il faut que nous fassions encore mieux que les commerçants du Nouveau Chinatown, dit-il à Sam la veille du grand jour. Comment y parviendrai-je si ce sont des Mexicains qui conduisent mes pousse-pousse ce jour-là ? Vern n'est pas assez costaud. Mais toi, tu peux le faire.

— Je serai trop occupé au restaurant, répond Sam.

Ce n'est pas la première fois que mon beau-père demande à Sam de conduire ses pousse-pousse, mais mon mari a toujours une bonne excuse pour ne pas le faire. J'ignore comment les choses se passeront demain, mais nous n'avons jamais été débordés au point qu'il me faille renoncer à mon emploi du temps habituel. Je sais donc que Sam est en train de mentir à son père. Et le Vieux Louie s'en rend bien compte, lui aussi. En temps ordinaire, cela le plongerait dans une colère folle : mais c'est la veille du Nouvel An et il faut éviter les disputes.

Le lendemain matin, nous mettons nos vêtements neufs, plus soucieux de respecter les règles de la tradition chinoise que les consignes de Mrs Sterling. Ces vêtements sont fabriqués en série mais c'est un vrai bonheur que de sentir à nouveau sur sa peau le tissu flambant neuf d'une robe occidentale. Joy, qui vient d'avoir onze mois, est adorable avec ses chaussons et son bonnet de Tigre. Je suis sa mère, il est donc naturel que je la trouve belle. Elle a le visage rond comme la lune et sa blancheur de neige fait ressortir l'ébène de ses yeux. Ses cheveux sont doux, sa peau pâle et translucide comme du lait de riz.

Je ne croyais pas à l'astrologie chinoise quand maman nous en parlait jadis, mais plus le temps passe et plus je me dis que ce qu'elle nous racontait pourrait bien se révéler exact. Quand j'entends aujourd'hui Yen-yen parler des traits de caractère du Tigre, je reconnais en effet ceux de ma fille. Joy se montre souvent imprévisible et versatile : elle peut fort bien rire aux éclats puis fondre brusquement en larmes. Quelques instants plus tard, elle sera en train d'essayer de grimper sur les genoux de son grand-père pour attirer son attention. Elle a beau n'être à ses yeux qu'une fille inutile, le Tigre qui est en elle a su bondir pour s'emparer du cœur de mon beau-père. Elle a plus de caractère que lui et je crois qu'il la respecte pour cela.

Je sais à quel moment précis ce Nouvel An commence à mal tourner. Tandis que May et moi mettons la dernière main à notre coiffure dans la pièce principale, Yen-yen joue avec Joy qui est allongée par terre : elle lui chatouille le ventre en lui parlant, haussant et baissant la voix tour à tour. Mais la teneur de ses paroles ne reflète guère l'affection de ses gestes :

— *Fu yen* ou *yen fu* ? demande-t-elle à ma fille, qui pousse des petits cris aigus. Que préfères-tu être plus tard : une épouse ou une servante ? De partout à travers le monde, si elles avaient le choix, toutes les femmes ou presque préféreraient être des servantes.

Les gazouillis de Joy n'ont pas leur effet lénifiant habituel sur son grand-père, qui contemple la scène d'un air renfrogné.

— Une épouse doit supporter sa belle-mère, poursuit Yen-yen. Elle doit affronter les soucis que lui causent ses enfants, obéir à son mari même lorsque celui-ci a tort, travailler à longueur de journée sans jamais recevoir un mot de remerciement. Mieux vaut être une servante et conserver son autonomie. Bien sûr, on peut toujours aller se jeter au fond d'un puits. Mais il n'y a pas de puits par ici…

Le Vieux Louie se lève de table. Il se dirige sans un mot vers la porte et nous quittons ensemble l'appartement. Il est encore très tôt ce matin-là et des paroles de mauvais augure ont déjà été prononcées.

Des milliers de personnes affluent ce jour-là à China City, où les festivités prennent un tour grandiose. Les pétards explosent à grand bruit de tous les côtés. La troupe qui exécute la danse du Lion et du Dragon va faire son numéro de boutique en boutique. Tout le monde a revêtu des tenues chatoyantes, si colorées qu'on dirait qu'un immense arc-en-ciel illumine la Terre. La foule grossit encore dans l'après-midi. Chaque fois que je regarde à travers la vitre, je vois passer une horde de pousse-pousse. Lorsque le soir arrive, les conducteurs mexicains ont l'air complètement épuisés.

À l'heure du dîner, le Dragon Doré est plein à craquer et une vingtaine de personnes au moins font la queue à l'extérieur en attendant qu'une table se libère. Vers 19 h 30, mon beau-père débarque soudain et se fraie un chemin à travers la foule des clients.

— J'ai besoin de Sam, lance-t-il.

Je regarde autour de moi et aperçois mon mari, qui est en train d'installer une tablée de huit personnes. Le Vieux Louie a suivi mon regard : il traverse la salle et s'adresse à son fils. Je n'entends pas les propos qu'ils échangent, mais je vois Sam hocher négativement la tête. Le Vieux Louie insiste et Sam répète son geste. Au bout du troisième refus, mon beau-père l'agrippe par la chemise. Sam l'écarte d'un geste. Les clients contemplent la scène.

Le vieil homme élève la voix et lance d'un ton cinglant, dans le dialecte de Sze Yup :

— Ne t'avise pas de me désobéir !

— Je t'ai dit que je n'irai pas.

— *Toh gee ! Chok gin !*

Je travaille aux côtés de Sam depuis plusieurs mois maintenant et je sais qu'il n'est pas plus paresseux qu'écervelé. Le Vieux Louie traîne son fils à travers la salle, heurtant plusieurs tables au passage et écartant la foule regroupée à l'entrée. Je les suis à l'extérieur : mon beau-père a poussé Sam, qui se retrouve au sol.

— Quand je te dis de faire quelque chose, tu le fais, un point c'est tout ! Les autres conducteurs n'en peuvent plus et tu connais le métier.

— Non !

— Tu es mon fils et tu vas m'obéir, menace mon beau-père, les traits déformés par la colère. Tu oublies donc les promesses que je t'avais faites ?

La scène n'a rien à voir avec les chants, les danses et les représentations organisés un peu partout à travers China City à l'occasion de ces festivités. Les touristes ne comprennent pas les propos qu'échangent les deux hommes. Et pourtant, le spectacle est captivant… Avec d'autres clients, je suis mon beau-père qui s'est mis à traîner Sam dans l'allée. Celui-ci est toujours au sol et ne fait pas un geste pour se défendre : il se contente de subir tout cela en silence. Quel genre d'homme est-ce donc ?

Lorsque nous atteignons le stand des Pousse-pousse Dorés, dans la cour des Quatre-Saisons, le Vieux Louie jette un regard méprisant à Sam et lui lance :

— Tu es un Bœuf, c'est pour cela que je t'ai fait venir ici. Et maintenant, fais ton métier !

La peur et la honte ont gagné Sam. Lorsqu'il se remet lentement sur pied, son visage est livide. Il est plus grand que son père et je comprends pour la première fois que cette supériorité physique doit être aussi pénible pour le vieil homme que l'était ma taille élevée pour papa. Sam s'avance vers son père, le toise de toute sa hauteur et lui dit d'une voix tremblante :

— Je ne conduirai pas tes pousse-pousse. Ni aujourd'hui, ni plus tard.

Les deux hommes semblent soudain prendre conscience des spectateurs qui font cercle autour d'eux et les contemplent en silence. Mon beau-père défroisse sa tunique de mandarin et Sam parcourt l'assistance du regard, d'un air embarrassé. Il se raidit en m'apercevant et s'éloigne alors à grands pas, fendant la foule des touristes et des commerçants voisins, attirés jusqu'ici par la curiosité. Je me précipite derrière lui.

Je le retrouve à l'appartement, dans notre chambre sans fenêtre. Il a les poings serrés et le visage empourpré de colère. Il se tient droit mais s'adresse à moi d'une voix défiante :

— Il y a longtemps que j'ai honte à ton égard, me dit-il, mais à présent tu sais à quoi t'en tenir : tu as épousé un conducteur de pousse-pousse.

Je suis convaincue qu'il me dit la vérité, sans pouvoir m'empêcher de rétorquer :

— Mais tu es le quatrième fils de…

— Je ne suis qu'un fils « sur le papier ». En Chine, les gens vous demandent toujours : *Kuei hsing* ? (Quel est votre nom ?) – mais ce qu'ils sous-entendent, c'est : « Quel est votre vrai nom de famille ? » Louie n'est qu'un *chi ming* – un nom « sur le papier ». En fait, je m'appelle Wong. Je suis né dans le village de Low Tin, pas très loin de ton propre village natal, dans la région des Quatre Districts. Mon père était un paysan.

Je m'assois sur le bord du lit. Tout cela me donne le tournis : un conducteur de pousse-pousse, un fils « sur le papier »… Cela fait donc également de moi une épouse « sur le papier ». Ce qui signifie que nous sommes tous les deux en situation irrégulière dans ce pays. Je lui ressors pourtant ce que la liasse d'instructions qu'il m'avait donnée disait de lui :

— Mais le Vieux Louie est ton père. Tu es né à Wah Hong et tu es venu ici quand tu étais bébé…

Sam secoue la tête.

— Cet enfant-là est mort en Chine, il y a des années. Je suis venu ici avec ses papiers, en me faisant passer pour lui.

Je me souviens que le président Plumb m'avait montré la photo d'un petit garçon : je m'étais dit sur le moment qu'il ne ressemblait guère à Sam. Pourquoi n'ai-je pas cherché à en savoir davantage ? Il faut maintenant que je sache la vérité – j'en ai besoin pour moi, pour ma sœur et pour Joy. Et il faut que Sam me raconte *tout*, sans se défiler comme il le fait trop souvent. J'utilise à cet effet une tactique que m'ont apprise mes semaines d'interrogatoires à Angel Island.

— Parle-moi de ta vraie famille et de ton village natal, lui dis-je.

J'espère que ma voix ne tremble pas trop et ne trahit pas les émotions qui m'agitent. En l'interrogeant de la sorte, je voudrais l'amener à me dire la vérité sur la manière dont il est devenu un fils « sur le papier » pour les Louie. Sam ne me répond pas immédiatement et me regarde au contraire comme il le fait souvent, depuis que nous nous connaissons. Peut-être cherche-t-il à me manifester une certaine compassion, à cause des secrets et des soucis que nous partageons ? Le plus drôle, c'est que j'éprouve le même sentiment, en cet instant précis.

— Il y avait un étang devant notre maison, murmure-t-il enfin. On y élevait des poissons, n'importe qui pouvait venir en pêcher de temps en temps : il suffisait de lancer sa ligne et d'en attraper un, cela ne coûtait rien. Et quand l'étang était à sec, on s'asseyait dans la boue et on ramassait les poissons à la main. Sur le terrain qui s'étendait derrière la maison, on faisait pousser des légumes et des melons. Nous élevions deux cochons chaque année. Nous n'étions pas riches, sans être pauvres pour autant.

Pour moi, cela évoque pourtant la pauvreté. Sa famille vivait dans la misère. Sam perçoit sans doute ma réaction car il poursuit d'une voix hésitante :

— En temps de sécheresse, nous travaillions dur, mon père, mon grand-père et moi, mais nous arrivions à peine à récolter de quoi survivre. Maman se rendait dans les villages voisins pour gagner un peu d'argent en aidant d'autres paysans à planter ou à récolter du riz, mais ils souffraient de la sécheresse eux aussi. Elle tissait des vêtements qu'elle allait vendre au marché, mais cela ne suffisait pas. On ne peut pas vivre de l'air du temps. Après la mort de deux de mes sœurs, nous sommes allés à Shanghai, mon père, mon frère cadet et moi. Nous espérions gagner de l'argent et retourner ensuite dans notre village pour reprendre notre vie de paysans. Maman était restée à la maison avec ma dernière sœur et mon plus jeune frère.

À Shanghai, il leur fallut affronter la dure réalité. Ils n'avaient pas les relations nécessaires pour se faire embaucher dans une usine. Son père se fit conducteur de pousse-pousse tandis que Sam, qui venait d'avoir douze ans, et son frère (qui en avait dix) traînaient dans les rues en fouillant les poubelles et en faisant des petits métiers. Sam vendait des allumettes à la sauvette et son frère courait derrière les camions qui transportaient du charbon pour ramasser les boulets qui s'en échappaient et les revendre à bas prix. L'été, ils mangeaient des écorces de melon qu'ils récupéraient au milieu des ordures – et l'hiver, de la bouillie de *jook* diluée dans de l'eau.

— Mon père travaillait sans arrêt, poursuit Sam. Au début, il buvait du thé additionné de sucre pour se donner des forces. Mais quand il était à court d'argent, il fallait se priver de sucre : il ne pouvait s'offrir que des infusions à base d'écorces et de bouts de bois. Et puis, comme tant de conducteurs de pousse-pousse, il s'est mis à fumer de l'opium. Pas du véritable opium, bien sûr, il n'en avait pas les moyens ! Il fumait les résidus des riches, revendus par leurs domestiques. Et il ne le faisait pas pour le plaisir – mais pour résister et tenir bon, notamment en pleine canicule ou en période de mousson. L'opium donnait à mon père une illusion de force. Mais en vérité, il était épuisé et s'est bientôt mis à cracher du sang. On prétend qu'on n'a jamais vu un conducteur de pousse-pousse atteindre la cinquantaine… Mon père avait trente-cinq ans quand il est mort. Je l'ai enveloppé dans un matelas de paille et abandonné dans la rue. Et j'ai pris sa place, vendant à mon tour ma sueur en conduisant un pousse-pousse. J'avais alors dix-sept ans.

Pendant qu'il me raconte tout ça, je songe aux innombrables pousse-pousse dans lesquels je suis montée jadis, sans jamais me soucier de ceux qui les conduisaient. À vrai dire, je les considérais à peine comme des êtres humains. La plupart n'avaient ni chemise ni chaussures. Je revois encore leurs vertèbres et leurs omoplates saillir sur leurs dos décharnés et la sueur ruisseler le long de leur corps, même en plein hiver.

— J'ai appris toutes les ficelles du métier. Comment obtenir un pourboire plus élevé en déposant mes passagers juste devant leur porte pendant la saison des pluies, afin qu'ils n'abîment pas leurs chaussures. Comment faire la courbette devant les éventuels clients pour les inciter à monter à bord de mon *li-ke-xi* en les appelant *Mai-da-mu* (pour Madame) ou *Mai-se-dau* (pour Mister) – et ravaler ma fierté quand ils se moquaient de mon mauvais anglais. Je gagnais neuf dollars par mois, ce qui ne me permettait pas d'envoyer de l'argent à ma famille, à Low Tin. J'ignore ce qu'ils sont devenus. Ils sont probablement morts à l'heure qu'il est. Je ne pouvais même pas m'occuper de mon frère qui traînait avec les autres enfants du quartier, aidant parfois les pousse-pousse à franchir les ponts de la baie de Soochow pour quelques piécettes. Il est mort d'une maladie du sang au cours de l'hiver suivant.

Sam s'interrompt, songeant sans doute à ces années passées à Shanghai. Puis il me demande :

— As-tu jamais entendu la chanson des conducteurs de pousse-pousse ?

Sans attendre ma réponse, il se met à fredonner :

Pour acheter du riz, sa casquette lui suffit
Pour acheter du bois, ses deux bras lui suffisent.
Il vit dans une cabane en paille.
La lune est son seul réverbère.

La mélodie me revient et me transporte subitement dans les rues et la rumeur de Shanghai. Sam évoque des temps difficiles, mais moi j'ai la nostalgie de mes parents et de la demeure familiale.

— Il y avait des communistes parmi les conducteurs, reprend-il, et je les écoutais se plaindre : depuis les temps les plus reculés (disaient-ils) les pauvres avaient toujours dû se satisfaire de leur misère. Mais leur discours ne correspondait pas à ce que j'avais vécu. Mon père et mon frère étaient morts, j'aurais voulu pouvoir changer le cours de leur destin, mais maintenant qu'ils n'étaient plus là il fallait que je pense à moi. Puisque les chefs de la Triade Verte ont commencé leur carrière en conduisant des pousse-pousse, me disais-je, pourquoi n'en irait-il pas de même pour moi ? Je n'avais pas été à l'école, à Low Tin, j'étais un fils de paysan. Mais même les conducteurs de pousse-pousse comprennent l'importance de l'éducation et leur corporation finançait des écoles à Shanghai. C'est là que j'ai appris le dialecte de Wu, ainsi que des rudiments d'anglais.

Plus Sam me parle, plus mon cœur s'ouvre à lui. Lorsque nous nous sommes rencontrés la première fois, au jardin de Yu Yuan, jamais je n'aurais pensé qu'il avait vécu une pareille histoire. J'entrevois à présent l'effort qu'il a dû faire pour changer de vie – et à quel point je l'ai mal jugé. Il parle couramment le dialecte de Sze Yup et le dialecte de Wu (qui est la langue populaire de Shanghai), mais quasiment pas l'anglais. Il a toujours l'air mal à l'aise dans ses vêtements. Le jour de notre rencontre, je me souviens avoir remarqué qu'il avait des chaussures et un complet neufs : ce devait être la première fois qu'il portait ce genre de tenue. J'avais également remarqué que ses cheveux avaient des reflets roux et cru que cela tenait au fait qu'il vivait en Amérique – alors que c'était un signe évident de malnutrition. Sans parler de son attitude. Il s'est toujours montré déférent envers moi, en me traitant non pas comme une *fu yen*, mais plutôt comme une cliente qu'il convient de satisfaire. Et il s'incline toujours devant le Vieux Louie et Yen-yen – non pas parce que ce sont ses parents, mais parce qu'il est plus ou moins dans la position d'un domestique à leur égard.

— Ne sois pas triste pour moi, me dit mon mari. Mon père serait mort, de toute façon. La vie d'un paysan n'a rien d'une partie de plaisir, qu'il s'agisse de porter des charges de deux cent cinquante *jin* en équilibre sur ses épaules ou de patauger dans les rizières à longueur de journée. Le seul argent que j'ai jamais possédé, je l'ai gagné à la force de mes bras. Au début, comme tous les autres conducteurs, je ne savais pas comment m'y prendre. Mais j'ai appris peu à peu à rentrer le ventre, à bomber le torse, à bien lever les jambes et à tendre la tête en avant : comme tous ceux qui conduisent des pousse-pousse, je suis devenu un « éventail de fer ».

J'avais entendu mon père utiliser cette expression pour qualifier ses meilleurs employés. Je me souviens également de ce que disait maman, concernant ceux qui sont nés pendant l'année du Bœuf : qu'ils sont capables de grands sacrifices dans l'intérêt de leur famille, qu'ils peuvent supporter des charges colossales et que leur valeur est au moins égale à leur poids en or.

— Quand je récupérais quarante-cinq piécettes en cuivre pour une course, j'étais heureux, poursuit Sam. Je les troquais contre des cents – et ceux-ci contre des dollars, au bout d'un certain temps. Quand j'empochais un pourboire supplémentaire, j'étais encore plus content. Je me disais qu'en économisant dix cents par jour, j'allais me retrouver au bout de mille jours à la tête d'une centaine de dollars. J'étais prêt à boire la coupe de l'amertume pour m'enrichir de la sorte.

— As-tu travaillé pour mon père ?

— Non, cette humiliation m'a été épargnée.

Il tend la main et touche mon bracelet de jade. Voyant que je ne me rétracte pas, il effleure mon poignet du bout des doigts.

— Comment as-tu rencontré le Vieux Louie, dans ce cas ? Et pourquoi t'a-t-il obligé à m'épouser ?

— La Triade Verte possédait la plus grande partie des pousse-pousse de la ville. Je travaillais pour eux. La Triade faisait également office d'entremetteur entre ceux qui voulaient devenir des fils « sur le papier » et ceux qui cherchaient à vendre des certificats de naissance officiels. C'est ce qui s'est passé dans mon cas. Je voulais changer de vie, le Vieux Louie avait un certificat à vendre...

— Et il avait besoin de pousse-pousse, ainsi que de deux belles-filles, terminé-je à sa place. (Je secoue la tête, brassée par les souvenirs que cela ravive en moi.) Mon père devait de l'argent à la Triade Verte. Tout ce qu'il lui restait à vendre, c'étaient ses pousse-pousse et ses filles. May et moi sommes ici. Les pousse-pousse de mon père aussi. Mais cela ne m'explique toujours pas pourquoi tu t'es retrouvé impliqué dans cette affaire.

— Le prix des certificats s'élevait à cent dollars par an, selon l'âge de l'acheteur. J'avais vingt-quatre ans, le montant était donc pour moi de deux mille quatre cents dollars, ce qui comprenait le prix de la traversée en bateau et l'assurance d'être nourri et logé une fois à Los Angeles. Jamais je n'aurais pu réunir une pareille somme avec un salaire de neuf dollars par mois. Aujourd'hui, je travaille pour rembourser le Vieux – mais aussi pour Joy et pour toi.

— Est-ce pour cela qu'il ne nous paie pas ?

Sam opine du menton.

— Il déduit cet argent de ma dette, jusqu'à ce que je l'aie entièrement remboursé. Les oncles sont dans le même cas : ce sont des fils « sur le papier » eux aussi. Seul Vern est son véritable fils.

— Mais tu n'as pas le même statut que les autres oncles…

— C'est vrai, reconnaît Sam. Les Louie veulent que je prenne la place du fils qu'ils ont perdu. C'est pour cette raison que je vis ici avec eux et que je suis censé être le responsable du Dragon Doré, alors que je ne m'y connais pas plus en cuisine qu'en affaires. Si les services de l'Immigration découvrent que je leur ai menti concernant mon identité, il est probable qu'ils me mettront en prison avant de m'extrader. Mais j'aurai peut-être la possibilité de rester, parce que le Vieux m'a également associé « sur le papier » à ses affaires.

— Je ne comprends toujours pas pourquoi il voulait que je t'épouse, dis-je. Qu'attend-il de nous ?

— C'est très simple, dit Sam : un petit-fils. C'est pour cela qu'il vous a fait venir, ta sœur et toi. Il veut assurer sa descendance, d'une manière ou d'une autre.

Mon cœur se serre dans ma poitrine. À Hangchow, les médecins m'avaient dit que je ne serais sans doute plus en mesure d'avoir des enfants. Mais si je le dis à Sam, il va falloir que je lui explique pourquoi. Je lui demande à la place :

— S'il te considère comme son véritable fils, pourquoi dois-tu le rembourser ?

Sam prend mes mains dans les siennes et je ne les retire pas.

— Zhen Long…, me dit-il avec une soudaine émotion. (Mes parents eux-mêmes utilisaient rarement mon nom chinois : Dragon de Perle.) Un fils doit honorer ses dettes, pour lui-même aussi bien que pour sa femme et ses enfants. Lorsque j'étais encore à Shanghai, en songeant à notre arrangement, je me disais : une fois que le Vieux sera mort, je deviendrai un homme de la Montagne d'Or et je serai à la tête de nombreuses entreprises. Puis je suis arrivé ici. Et il y avait des jours, au début, où je ne songeais qu'à retourner en Chine. La traversée ne coûte que cent trente dollars, en troisième classe. Je devais pouvoir réunir cette somme, en dissimulant les pourboires que je recevais. Sur ce, vous êtes arrivées, Joy et toi : quel mari et quel père aurais-je été si je vous avais abandonnées ici ?

Depuis que nous sommes arrivées à Los Angeles, May et moi, nous ne songeons qu'à nous enfuir. Si seulement j'avais su que Sam nourrissait le même rêve…

— Au début, reprend-il, je m'étais dit que nous n'avions qu'à repartir ensemble, Joy, toi et moi. Mais comment un bébé supporterait-il de voyager en troisième classe ? Notre fille risquait de mourir pendant la traversée. (Sam serre mes mains dans les siennes et me regarde droit dans les yeux.) Je ne suis pas comme les autres, poursuit-il, je ne veux plus retourner en Chine. Je souffre tous les jours, dans ce pays, mais il vaut mieux que Joy grandisse ici.

— Mais la Chine est notre patrie. Les Japonais finiront bien par s'en aller…

— Quel avenir aurait-elle là-bas ? Sans parler de nous deux… À Shanghai, je conduisais des pousse-pousse. Et toi, tu étais une « jeune beauté ».

Je ne pensais pas qu'il était au courant de ça. La manière dont il a prononcé l'expression me donne honte pour la première fois de l'activité à laquelle nous nous adonnions jadis, May et moi.

— Je n'éprouve de haine envers personne, poursuit-il, mais je hais mon destin… et celui qu'on t'a imposé. Nous ne pouvons changer ni notre nature, ni les événements que nous avons vécus, mais n'est-il pas possible d'influer sur le destin de notre fille ? Quel sort l'attendrait en Chine ? Ici, je peux arriver à rembourser le Vieux et gagner notre liberté. Joy mènera une existence digne de ce nom et bénéficiera de possibilités que nous n'avons pas eues. Qui sait… Peut-être ira-t-elle même un jour à l'université ?

Ses mots vont droit à mon cœur de mère, mais je ne vois pas comment ses rêves pourraient devenir réalité.

— Jamais nous n'échapperons aux griffes de ces gens, lui dis-je. Regarde l'oncle Wilburt : cela fait vingt ans qu'il travaille pour le Vieux et il n'a toujours pas remboursé sa dette.

— Peut-être l'a-t-il déjà payée et continue-t-il de travailler pour mettre de l'argent de côté et retourner en Chine une fois fortune faite… Ou peut-être la situation lui convient-elle : il a un travail, un logement, une famille chez qui venir dîner le dimanche… Tu ne sais pas ce que c'est, de vivre dans un village où il n'y a ni l'électricité ni l'eau courante, où les familles ne disposent que d'une seule pièce pour se loger et ne mangent que du riz et des légumes, excepté les jours de fête.

— Ce que je veux dire, c'est qu'il est déjà difficile pour un homme seul d'échapper à une telle situation. Comment comptes-tu y parvenir, alors que nous sommes quatre ?

— Quatre ? Ah, tu veux parler de May…

— C'est ma sœur, et j'ai promis à ma mère de m'occuper d'elle.

Sam réfléchit quelques instants, avant de répondre :

— Je suis patient. Je suis capable d'attendre et je travaillerai dur. (Il sourit d'un air timide et ajoute :) Le matin, quand tu vas aider Yen-yen et retrouver Joy à la Lanterne Dorée, je travaille au temple de Kwan Yin, où je vends des baguettes d'encens aux *lo fan* pour qu'ils les fassent brûler en offrande dans les cassolettes en bronze. Je suis censé leur dire que leurs rêves se réaliseront, étant donné que les mérites de cette déesse sont infinis, mais je n'arrive pas à débiter tout ce discours en anglais. Néanmoins, les gens semblent avoir pitié de moi et m'achètent de l'encens.

Il se lève et se dirige vers la commode. Il n'a guère que la peau sur les os et il a toujours l'air triste, mais jamais je n'avais remarqué jusqu'à aujourd'hui qu'il avait un caractère de fer. Il fouille dans le tiroir du haut et en sort une chaussette dont il déverse ensuite le contenu sur le lit : des pièces de 5, de 10 et de 25 cents, accompagnées de quelques billets de un dollar.

— J'ai déjà mis tout cela de côté pour Joy, dit-il.

Je plonge la main dans le tas de piécettes.

— Tu es un homme bon.

Intérieurement, cependant, je ne vois pas comment une si piètre somme serait en mesure de changer la vie de notre fille.

— Je sais que cela ne représente pas grand-chose, explique-t-il, mais c'est plus que je ne gagnais jadis en conduisant des pousse-pousse. Et cette somme va s'accroître. Peut-être que d'ici un an ou deux je pourrai passer aux cuisines. Si je deviens cuisinier en chef, je gagnerai vingt dollars par semaine. Une fois que nous pourrons nous installer chez nous, je vendrai du poisson ou je serai jardinier. Dans l'un ou l'autre cas, nous aurons toujours de quoi manger.

— Je parle très bien anglais, avancé-je. Peut-être pourrais-je essayer de trouver du travail en dehors de Chinatown.

Mais honnêtement, qu'est-ce qui nous permet de croire que le Vieux Louie nous laissera partir un jour ? Et même si tel était le cas, ne faut-il pas que je dise la vérité à Sam ? Pas en ce qui concerne Joy, bien sûr ! Comment pourrais-je lui avouer qu'elle n'est pas sa fille... Cela restera un secret entre May et moi. Mais je dois lui raconter le traitement que les macaques m'ont fait subir et la manière dont maman est morte.

— Jamais je ne parviendrai à effacer la boue dont j'ai été couverte, commencé-je.

J'espère que maman ne se trompait pas, concernant le caractère du Bœuf... Ne suis-je pas obligée de lui faire confiance à présent ? Pourtant, les émotions qui se succèdent sur le visage de Sam – la colère, le dégoût, la pitié – ne m'aident guère à lui exposer mon histoire. Une fois que j'ai terminé, il me dit :

— Malgré tout ce que tu as subi, Joy est née sans encombre. Sans doute a-t-elle un destin prédestiné. (Il pose un doigt sur mes lèvres, pour m'empêcher d'ajouter quoi que ce soit.) Je préfère être marié à un jade brisé qu'à une argile sans défaut. Comme disait mon père : n'importe qui peut ajouter une fleur à un bouquet, mais combien de femmes sont-elles capables d'entretenir le feu en plein hiver ? Il faisait allusion à ma mère, qui était une créature aussi bonne et loyale que toi.

Nous entendons les autres qui reviennent et pénètrent dans l'appartement, mais nous ne bougeons ni l'un ni l'autre. Sam se penche et me murmure à l'oreille :

— Le jour de notre rencontre, dans le jardin de Yu Yuan, je t'avais dit que tu me plaisais, avant de te demander si je te plaisais aussi. Tu t'étais contentée d'acquiescer. S'agissant d'un mariage arrangé, il est difficile d'exiger beaucoup plus. Je n'ai jamais pensé connaître le bonheur, mais ne pouvons-nous pas essayer de le chercher ensemble ?

Je me tourne vers lui. Nos lèvres se frôlent presque lorsque je lui murmure :

— Et notre descendance ? (J'ai beau me sentir proche de lui en cet instant, je répugne à lui avouer toute la vérité.) Après la naissance de Joy, les médecins d'Angel Island m'ont dit que je ne pourrais plus avoir d'enfant.

— Nous les garçons, on nous dit dans notre enfance que si nous n'avons pas engendré un fils avant l'âge de trente ans, c'est que nous n'avons vraiment pas de chance. La pire insulte qu'on puisse adresser à un homme dans la rue, c'est : « Puisses-tu mourir sans fils ! » On nous raconte qu'à défaut de pouvoir engendrer un fils, il faut en adopter un afin qu'il perpétue le nom de la famille et prenne soin de nous, quand nous serons dans l'au-delà. Mais quand on a un fils qui est... qui a... qui ne peut pas...

Il hésite, incapable comme nous l'avons été, May et moi, de mettre un nom sur la maladie de Vern.

— On en achète un, terminé-je à sa place. Comme l'a fait le Vieux Louie avec toi. Tu pourras ainsi t'occuper de lui et de Yen-yen quand ils ne seront plus parmi nous.

— Moi ou le petit-fils que nous serons peut-être en mesure de leur donner un jour. Et qui leur assurerait une existence heureuse, ici comme dans l'au-delà.

— Mais j'en suis incapable.

— Ils ne sont pas obligés de le savoir. Quant à moi, cela m'est égal. Et qui sait... Peut-être Vern finira-t-il par donner un fils à ta sœur. De la sorte, toutes les dettes auront été honorées.

— Mais, Sam, je ne peux pas te donner de fils *à toi*.

— Les gens prétendent qu'une famille sans fils est incomplète, mais Joy suffit à mon bonheur. Chaque fois qu'elle sourit, qu'elle saisit mon doigt ou qu'elle me regarde avec ses grands yeux noirs, je sais que j'ai beaucoup de chance. (Tandis qu'il parle, je prends sa main et la pose sur ma joue, avant d'embrasser ses doigts.) Nous avons peut-être hérité toi et moi d'un destin exécrable, mais elle est notre avenir. Étant notre fille unique, nous pourrons lui donner tout ce que nous possédons. Elle recevra l'éducation que je n'ai pas eue. Peut-être sera-t-elle médecin, ou... Peu importe, d'ailleurs. Mais elle sera la consolation et la joie de nos deux vies.

Lorsqu'il m'embrasse, je lui rends son baiser. Nous sommes assis au bord du lit, il suffit donc que je l'enlace et que je l'attire à moi en m'étendant. Bien qu'il y ait des gens dans l'appartement susceptibles d'entendre les grincements du sommier et nos gémissements étouffés, nous accomplissons notre devoir conjugal, Sam et moi, pour la première fois depuis mon arrivée ici. Cela ne m'est pas très facile, au début. Je garde les yeux obstinément fermés et la terreur s'insinue dans mon cœur. J'essaie de me concentrer sur ces bras qui ont labouré les champs et tiré les pousse-pousse dans mon pays natal – avant de bercer plus récemment notre petite Joy. Le devoir conjugal ne sera jamais pour moi une vraie source de plaisir, cette libération des nuages et de la pluie chantée par les poètes. Pour moi, il s'agit surtout d'être près de Sam, de partager avec lui la nostalgie d'un monde disparu, le souvenir de nos parents et la dureté de notre vie quotidienne, ici en Amérique, où nous sommes deux *wang k'uo mi* – des esclaves du pays perdu, condamnés à vivre sous une loi étrangère.

Lorsqu'il a terminé, et après avoir laissé s'écouler un certain temps, je me lève et me rends dans la pièce principale pour récupérer Joy. Vern et May se sont déjà retirés dans leur chambre, mais le Vieux Louie et Yen-yen échangent des regards entendus.

— Ce sera un petit-fils, cette fois-ci ? lance Yen-yen en me tendant Joy. Tu es une bonne belle-fille.

— Tu le serais encore plus si tu convainquais ta sœur de s'y mettre elle aussi et de faire son travail, ajoute le Vieux.

Je ne leur réponds pas. Je me contente d'emmener Joy dans notre chambre et de la déposer dans son tiroir, au bas de la commode. Après quoi, je porte la main à mon cou et ôte la petite bourse que maman m'avait confiée. J'ouvre le tiroir du haut et la range à côté de celle que May avait donnée à Joy. Je n'en ai plus besoin. Je referme le tiroir et me tourne vers Sam. Puis je me déshabille et me glisse toute nue dans le lit. Tandis que sa main se pose sur ma hanche, je trouve le courage de lui poser une dernière question :

— Il t'arrive parfois de disparaître l'après-midi… Où vas-tu, dans ces moments-là ?

Sa main s'immobilise.

— Perle… Je ne fréquentais déjà pas ce genre d'endroits à Shanghai.

— Dans ce cas, où…

— Je retourne au temple, m'interrompt-il, pour faire des offrandes à ma famille, à la tienne et même aux ancêtres des Louie.

— À *ma* famille ? Mais pourquoi ?

— Tu viens seulement de m'apprendre comment ta mère était morte, mais je me doutais bien que ton père et elle n'étaient plus de ce monde. Jamais vous ne seriez venues ici s'ils avaient été en vie.

Il n'est pas bête. Et il me connaît bien.

— J'avais également fait des offrandes à nos ancêtres après notre mariage, ajoute-t-il.

J'acquiesce intérieurement. Cela correspond aux déclarations qu'il avait faites aux inspecteurs d'Angel Island.

— Je ne crois pas à ces histoires d'offrandes, lui avoué-je.

— Peut-être le devrais-tu. Cela fait cinq mille ans que nous les pratiquons.

Tandis que nous accomplissons à nouveau le devoir conjugal, des sirènes se mettent à résonner au loin. Nous apprenons le lendemain matin qu'un incendie a ravagé China City. Certains prétendent qu'il s'est déclaré accidentellement, à la suite d'une explosion de pétards derrière la poissonnerie de George Wong ; d'autres soutiennent qu'il a été délibérément allumé, soit par des habitants du Nouveau Chinatown, hostiles à l'idée de Christine Sterling et à cette reconstitution d'un « authentique village chinois », soit par des commerçants d'Olvera Street, jaloux de la concurrence. Les spéculations vont bon train à ce sujet, mais si l'on ne sait pas avec certitude comment le feu a pris, une chose est sûre : une bonne partie de China City a été détruite ou gravement endommagée.

## La plus belle des lunes...

Le dieu du feu est sans discernement. Il éclaire les lampes, fait briller les lucioles dans la nuit, réduit les livres en cendres, anéantit des villages entiers, assure la cuisson des repas et permet aux familles de se chauffer. Tout ce que les gens peuvent espérer, c'est qu'un dragon vienne éteindre les incendies indésirables quand ils se déclenchent. Que l'on croie ou non à ces légendes, il est sans doute plus sage de procéder aux offrandes appropriées. Ça ne mange pas de pain, comme on dit... À China City, où personne n'est assuré, aucune offrande n'a été faite pour apaiser le dieu du feu ni pour implorer l'aide d'un dragon bienveillant. Ce n'est pas de bon augure, mais je me dis qu'un proverbe américain prétend que la foudre ne tombe jamais deux fois au même endroit.

Six mois vont s'avérer nécessaires pour réparer les secteurs endommagés de China City et reconstruire les bâtiments que le feu a détruits. Le Vieux Louie se retrouve dans une position pire que la plupart de ses confrères : il a perdu non seulement l'argent qu'il avait caché dans ses magasins ravagés par l'incendie, mais aussi une bonne partie de ses véritables biens – c'est-à-dire de ses marchandises, qui sont parties en fumée. L'argent ne rentre plus dans les caisses de la famille, il faut au contraire en dépenser beaucoup pour financer la reconstruction et commander de nouvelles denrées, que ce soit dans ses usines à Shanghai ou chez les grossistes de Canton. En espérant que ces marchandises pourront quitter la Chine sur des navires étrangers et franchir sans encombre les mers sillonnées par les navires de guerre japonais... Et pendant ce temps, il faut nourrir, loger et habiller une maisonnée de sept personnes, sans parler de ses associés et de ses fils « sur le papier » qui vivent dans leur foyer pour célibataires à deux pas d'ici. Tout cela, on s'en doute, est loin d'enchanter mon beau-père.

Il insiste pourtant pour que nous allions seconder nos maris, May et moi, mais nous en sommes bien incapables. Nous ne savons pas nous servir d'une scie ou d'un marteau. Il n'y a plus de marchandises à déballer, plus de sols à balayer, de fenêtres à nettoyer ni de clients à servir. Je me rends pourtant tous les matins à China City avec ma sœur et ma fille pour observer la progression des travaux. May approuve le projet de Sam : il faut que nous restions unis et mettions de l'argent de côté. « Nous sommes nourris ici, m'a-t-elle dit en faisant enfin preuve d'une certaine maturité. Mieux vaut attendre de pouvoir partir un jour tous ensemble. »

L'après-midi, nous allons souvent rendre visite à Tom Gubbins, au siège de la Compagnie du costume asiatique qui a été épargné par l'incendie. Il loue des accessoires et des costumes tout en tenant lieu d'agent : c'est lui en effet qui fournit les studios hollywoodiens en figurants chinois. Mais en dehors de ça, sa personnalité reste entourée d'un halo de mystère. Certains prétendent qu'il est né à Shanghai, d'autres qu'il est carrément métis, d'autres encore qu'il n'a pas une goutte de sang chinois dans les veines... Certains l'appellent oncle Tom, d'autres Lo Fan Tom. Nous l'appelons quant à nous Bak Wah Tom (Tom-du-Cinéma), c'est d'ailleurs ainsi qu'il s'était présenté à moi le jour de l'inauguration de China City. À travers lui, nous apprenons qu'une réputation se bâtit souvent sur le mystère, l'incertitude et l'exagération.

Il aide de nombreux Chinois en leur offrant des vêtements (ou en achetant les leurs), en leur trouvant du travail ou de quoi se loger, en leur servant d'intermédiaire auprès des hôpitaux hostiles aux Asiatiques ou en assistant aux entretiens que poursuivent les services de l'Immigration, toujours à la recherche d'associés fictifs et de fils « sur le papier ». Il est pourtant fort peu aimé au sein de la communauté. Peut-être est-ce dû au fait qu'il a travaillé jadis comme interprète à Angel Island, où il aurait été accusé d'avoir mis une femme enceinte, ou parce qu'il aurait un penchant pour les très jeunes filles (d'autres disent : pour les jeunes garçons)... Tout ce que je sais, c'est qu'il parle parfaitement le cantonais et qu'il se débrouille bien dans le dialecte de Wu. Nous adorons May et moi l'entendre s'exprimer dans la langue de notre contrée d'origine.

Il voudrait convaincre ma sœur de travailler comme figurante dans les studios de cinéma. Le Vieux Louie s'y oppose, naturellement, en prétendant qu'il s'agit là d'une activité réservée aux femmes de mauvaise vie. Son opinion n'a rien de bien surprenant, elle rejoint d'ailleurs celle de la plupart des anciens, qui estiment que les actrices (tant au cinéma qu'au théâtre et à l'opéra) ne valent guère mieux que des prostituées.

— Continue d'en parler à ton beau-père, lui conseille Tom. Dis-lui que parmi ses voisins, une personne sur quinze travaille dans le cinéma. Ce serait un bon moyen d'augmenter ses revenus. Je pourrais même lui trouver du boulot : je suis sûr qu'il gagnerait plus d'argent en une semaine qu'en trois mois dans son magasin d'antiquités.

L'idée nous amuse tous. Lorsque les studios ont compris qu'ils pouvaient engager des Chinois pour une somme dérisoire (« cinq dollars par chinetoque... »), une bonne partie de nos voisins ont été enrôlés comme figurants ou pour tenir de petits rôles muets dans de nombreux films comme *Stoweway, Lost Horizon, The General Died at Dawn, Les Aventures de Marco Polo*, la série des Charlie Chan – sans parler bien sûr de *The Good Earth*. La Dépression est peut-être en train de refluer, mais les gens sont toujours à court d'argent et prêts à faire n'importe quoi pour en gagner. Les habitants du Nouveau Chinatown eux-mêmes, qui sont pourtant plus aisés que nous, ne rechignent pas à faire de la figuration. Cela les amuse, aussi bien pendant le tournage que lorsqu'ils se reconnaissent ensuite à l'écran.

Je refuse quant à moi de travailler à *Haolaiwu*. Non pas pour des raisons rétrogrades, mais parce que je me rends compte que je ne suis pas assez jolie – contrairement à ma sœur, qui en a pour sa part terriblement envie. Elle voue une sorte de culte à Anna May Wong, alors que tout le monde ici parle d'elle comme si elle faisait honte à la communauté en n'interprétant que des rôles de chanteuse, de domestique ou de meurtrière. Chaque fois que je la vois à l'écran, cela me rappelle le tableau que Z. G. avait fait de ma sœur autrefois : elle a la beauté fascinante et spectrale d'une déesse.

Depuis des semaines, Tom cherche à nous convaincre de lui vendre nos *cheongsam*.

— J'achète généralement les vêtements des gens qui reviennent d'un séjour en Chine et qui ne rentrent plus dedans parce qu'ils ont grossi là-bas. Ou de ceux qui débarquent ici pour la première fois et qui ont maigri pendant la traversée, puis pendant leur séjour à Angel Island. Mais en ce moment, plus personne ne retourne en Chine à cause de la guerre et ceux qui ont la chance de s'enfuir ont généralement tout abandonné derrière eux. Vous n'êtes toutefois pas dans ce cas. Votre beau-père avait pris la précaution de faire venir votre garde-robe.

Cela ne me dérange pas de vendre nos vêtements – à vrai dire, je suis agacée de devoir les porter pour les touristes de China City – mais May refuse de s'en séparer.

— Nos robes sont splendides ! dit-elle avec indignation. Elles font partie de notre identité. Nos *cheongsam* ont été fabriquées à Shanghai. Le tissu avait été importé de Paris. Je n'en ai jamais vu d'aussi élégantes ici.

— Mais si nous en vendons une partie, lui dis-je, nous pourrons nous acheter de nouvelles robes, des tenues américaines. J'en ai assez d'être habillée à l'ancienne mode, comme si je venais de débarquer.

— Si nous les vendons, rétorque May, que se passera-t-il quand China City rouvrira ses portes ? Le Vieux Louie ne va-t-il pas s'en apercevoir ?

Tom écarte cette hypothèse d'un geste insouciant.

— C'est un homme, dit-il. Il ne remarquera rien.

Il se trompe, évidemment. Le Vieux Louie remarque tout.

— Il n'y verra pas d'inconvénient, si nous lui reversons une partie de l'argent que nous donnera Tom, dis-je en espérant ne pas me tromper.

— Ne soyez tout de même pas trop généreuses avec lui, dit Tom en se caressant la barbe.

Finalement, nous lui vendons chacune une *cheongsam*. Ce sont les plus anciennes et les moins belles que nous possédions mais elles n'en sont pas moins superbes, comparées à celles de sa collection. Après avoir empoché son argent, nous rejoignons le quartier des grands magasins, au sud de Broadway. Nous achetons des robes en rayonne, des escarpins à talons hauts, des gants, de la lingerie et deux chapeaux – tout cela avec l'argent que nous a rapporté la vente de ces deux robes traditionnelles. Et il nous en reste suffisamment pour le donner au Vieux afin qu'il ne se mette pas en colère. À cette occasion, May adopte avec lui une nouvelle tactique : elle lui parle d'une voix charmeuse tout en lui faisant les yeux doux, comme elle le faisait jadis avec notre père lorsqu'elle voulait obtenir quelque chose.

— Tu veux que nous travaillions, lui dit-elle, mais nous n'avons rien à faire pour l'instant. Bak Wah Tom prétend que je pourrais gagner cinq dollars par jour en travaillant à *Haolaiwu*. Imagine ce que cela représenterait au bout de deux semaines.

— Non, dit le Vieux Louie.

— Avec mes beaux vêtements, j'aurai peut-être droit à un gros plan : dans ce cas, le tarif serait de dix dollars. Et si jamais je devais prononcer une réplique – ne serait-ce qu'une simple phrase – cela irait jusqu'à vingt dollars.

— Non, répète le Vieux Louie.

Mais je vois bien qu'il est déjà en train de faire mentalement l'addition. May croise les bras. Sa lèvre inférieure se met à trembler et toute son attitude est faite pour inspirer la pitié.

— J'étais une « jeune beauté » à Shanghai, dit-elle. Pourquoi ne le serais-je pas ici ?

Les montagnes ne s'écroulent pas en un jour. Au bout de plusieurs semaines, le Vieux Louie finit par céder.

— D'accord, lui dit-il. Mais rien qu'une fois.

À cet énoncé, Yen-yen émet un reniflement méprisant et quitte la pièce. Sam hoche la tête d'un air incrédule et le sang me monte au visage, tant je suis heureuse que May ait réussi à vaincre les résistances du Vieux.

Je n'ai pas saisi le titre du film dans lequel May fait sa première apparition, mais comme elle a amené son propre costume, on lui donne un rôle de chanteuse plutôt que d'en faire une paysanne. Elle y retourne trois soirs de suite et comme elle dort pendant la journée, je dois attendre la fin du tournage pour qu'elle me raconte son expérience.

— J'étais assise toute la nuit dans une maison de thé en carton-pâte, à grignoter des biscuits aux amandes, me dit-elle d'un air rêveur. Tu sais comment m'a appelée l'assistant du metteur en scène ? Son petit chou... Tu te rends compte ?

À la suite de ça, elle n'arrête pas d'appeler Joy « mon petit chou », ce qui n'a guère de sens à mes yeux.

Elle fait régulièrement l'éloge de la nourriture qu'on leur donne.

— Nous avons droit à deux repas par jour et la cuisine est excellente. De la cuisine américaine, évidemment ! Il va falloir que je fasse attention, Perle, sinon je vais finir par grossir et je ne rentrerai plus dans mes *cheongsam*... Si je n'ai pas une silhouette parfaite, jamais ils ne me donneront un vrai rôle.

Elle décide donc de se mettre au régime, ce qui est ridicule pour une fille aussi menue qu'elle – d'autant qu'elle a connu les privations jadis, en raison de la guerre et de la pauvreté... Tout cela pour perdre le poids qu'elle a soi-disant pris pendant les tournages et dans l'espoir qu'un metteur en scène se décide enfin à lui donner une réplique. Même moi, je sais qu'en dehors d'Anna May Wong et de Keye Luke (qui joue le rôle du fils aîné de Charlie Chan), tous les rôles parlants de Chinois sont confiés à des *lo fan* maquillés pour la circonstance, les yeux artificiellement bridés et affectant de parler un anglais « chop suey ».

En juin, Tom lui fait une nouvelle suggestion, que May reprend à son compte et présente à notre beau-père – qui ne tarde pas à la faire sienne.

— Joy est un très beau bébé, insinue Tom. Elle ferait une excellente figurante.

— Elle te rapportera encore plus que moi, précise May au Vieux Louie.

— Elle a de la chance, me confie ensuite le Vieux, ce n'est qu'une enfant et elle est déjà en mesure de gagner sa vie.

Je ne suis pas sûre d'avoir envie que Joy passe autant de temps avec sa tante, mais maintenant que le Vieux Louie s'est dit qu'il pouvait gagner de l'argent avec cette enfant...

— J'accepte, dis-je, mais à une condition. (Je puis me permettre d'agir ainsi car il n'y a que moi, en tant que mère, qui puisse signer le papier autorisant Joy à travailler – y compris la nuit – sous la supervision de sa tante.) C'est que tout l'argent qu'elle gagnera soit mis de côté pour elle.

Cela ne plaît guère au Vieux Louie, ce qui n'a rien d'étonnant.

— Tu n'auras plus à lui acheter de vêtements, insisté-je, ni à débourser un centime pour l'entretien de cette petite.

Le Vieux retrouve son sourire en entendant ça.

Lorsque May et Joy ne travaillent pas, elles restent à l'appartement avec Yen-yen et moi. Souvent, au cours de ces longues après-midi pendant lesquelles nous attendons la réouverture de China City, je songe aux histoires que me racontait maman à propos de son enfance, du temps où elle était confinée dans l'appartement des femmes avec sa grand-mère, sa mère, ses tantes, ses cousines et ses sœurs, qui avaient toutes les pieds bandés. Comme elles vivaient en vase clos, elles avaient largement le loisir de se crêper le chignon. Aujourd'hui, en Amérique, May et Yen-yen se chamaillent à propos de tout et de rien, comme deux tortues enfermées dans le même bassin.

Si May déclare que le *jook* est trop salé, ma belle-mère rétorque immanquablement qu'il ne l'est pas assez. Lorsque May débarque dans la pièce principale vêtue d'une robe sans manches, les jambes nues et une paire de sandales aux pieds, Yen-yen lui lance :

— Tu ne devrais pas te montrer en public dans une tenue pareille.

— Toutes les femmes de Los Angeles ont les jambes et les bras nus, rétorque May.

— Mais tu n'es pas une *lo fan*, souligne ma belle-mère.

Joy reste toutefois leur sujet de dispute préféré. Si Yen-yen déclare : « Il faudrait lui mettre un pull », May lui répond qu'il fait une chaleur infernale. Si Yen-yen fait remarquer que sa petite-fille devra plus tard apprendre à broder, May lui rétorque qu'elle serait mieux inspirée d'apprendre le patin à roulettes.

Ma belle-mère déteste par-dessus tout que May travaille pour le cinéma et qu'elle ait entraîné Joy dans une activité réservée selon elle à la lie de la population. Elle me reproche aussi de l'avoir laissée faire une chose pareille.

— Pourquoi l'autorises-tu à emmener Joy dans de pareils endroits ? Comment veux-tu que ta fille puisse se marier un jour ?

Qui voudra l'épouser en sachant qu'elle a prêté son ombre à ces histoires sordides ?

Avant que j'aie pu répondre, ma sœur réplique déjà :

— Ce ne sont pas des histoires sordides. Elles ne sont tout simplement pas destinées à des personnes comme toi.

— Les seules histoires qui méritent d'être racontées sont celles qui nous viennent du passé et qui nous apprennent à vivre.

— Les films aussi nous apprennent à vivre, rétorque May. Nous tournons dans des comédies ou des drames romantiques, Joy et moi. Cela nous change un peu des histoires de renardes et de goules assoiffées d'amour...

— Tu n'as vraiment pas grand-chose dans la cervelle, grommelle Yen-yen. Heureusement que ta sœur est là pour s'occuper de toi. Tu as encore beaucoup à apprendre de ta *jie jie*. Elle au moins, elle sait que ces histoires du passé sont riches d'enseignements.

— Qu'est-ce que Perle comprend à ces choses ? lance May comme si je n'étais pas dans la pièce. Elle est aussi arriérée que notre mère.

Comment peut-elle dire une chose pareille ? Ou me comparer à notre mère ? Je reconnais qu'en raison de la nostalgie que je ressens pour notre pays, nos parents et notre passé, je me suis mise à ressembler à maman par certains côtés. Toutes ces vieilles théories concernant l'influence des étoiles, de l'alimentation et de diverses traditions ont aujourd'hui tendance à me réconforter. Mais je ne suis pas la seule à regarder en arrière : malgré son indéniable charme, son effervescence et le fait qu'elle fréquente les plateaux de tournage, May ne mène pas aujourd'hui, à vingt ans, la vie qu'elle imaginait du temps où nous étions de « jeunes beautés » à Shanghai. Nous avons toutes les deux connu des déceptions, j'aimerais cependant qu'elle me témoigne parfois un peu plus d'affection.

— Si les films que tu aimes tant sont si romantiques, lui lance Yen-yen, comment se fait-il que ta sœur, qui passe toutes ses journées en ma compagnie, se débrouille mieux que toi dans ce domaine ?

— Je suis romantique ! rétorque May en tombant dans le piège que Yen-yen vient de lui tendre.

— Pas au point de me donner un petit-fils ! lance-t-elle. Tu devrais avoir un bébé depuis longtemps...

Je pousse un soupir. Ces algarades entre belle-mère et belle-fille sont aussi vieilles que le monde. En entendant ce genre de conversation, je me félicite au fond que May et Joy soient la plupart du temps sur un plateau de tournage et me laissent seule ici avec Yen-yen.

Le mardi, après avoir apporté leur déjeuner à nos maris à China City, nous faisons du porte-à-porte, Yen-yen et moi : nous visitons chaque foyer, chaque appartement, chaque commerce de Spring Street, poussant même parfois qu'au Nouveau Chinatown afin de récolter des fonds pour le Comité de soutien à la Chine Unie. Nous nous servons de vieilles boîtes de conserve pour faire la quête et ne rentrons à la maison que lorsqu'elles sont à moitié pleines de pièces de 10 ou 25 cents. La famine fait des ravages en Chine et nous allons également trouver les propriétaires des épiceries pour qu'ils nous donnent de la nourriture (importée de Chine !) que nous emballons et réexpédions au pays afin qu'elle profite aux plus démunis.

En faisant ces démarches, je rencontre des gens. Tout le monde veut savoir d'où je viens et quel est mon nom de famille ancestral. Je rencontre plus de Wong que je ne pourrai jamais en compter, sans parler des Lee, des Fong, des Leong et des Moy. Pourtant, pas une seule fois le Vieux Louie ne me reproche de traîner ainsi dans Chinatown ni de croiser autant d'étrangers : c'est que je suis toujours en compagnie de ma belle-mère, qui commence même à se confier à moi – comme si j'étais une amie plutôt que sa belle-fille.

— J'ai été enlevée dans mon village natal quand j'étais encore toute petite, me raconte-t-elle un jour où nous revenons du Nouveau Chinatown. Tu le savais ?

— Non, dis-je, je l'ignorais. Et je suis désolée de l'apprendre. (J'ai été chassée pour ma part de ma propre maison, mais j'imagine que cela doit être bien pire d'en être arrachée par la force.) Quel âge avais-tu ?

— Comment le saurai-je ? Personne autour de moi n'a jamais pu me le dire. Environ cinq ans, j'imagine – mais peut-être étais-je encore plus jeune. Je me souviens que j'avais un frère et une sœur et qu'il y avait des châtaigniers le long de la route qui menait à mon village. Il y avait aussi un étang, mais tous les villages ont le leur. (Elle marque une pause avant d'ajouter :) Il y a longtemps maintenant que j'ai quitté la Chine, mais je pense à mon pays tous les jours – et je souffre quand il souffre. C'est pour cela que je collecte de l'argent pour le comité.

Pas étonnant qu'elle ne sache pas faire la cuisine : sa mère n'a pas eu le temps de le lui apprendre – pas plus que la mienne ne l'a fait pour moi, pour des raisons différentes. Yen-yen ne rêve jamais d'une meilleure nourriture parce qu'elle n'a pas connu la saveur d'un potage aux ailerons de requin, d'une anguille croustillante du Yangzi ou d'un pigeon braisé dans des feuilles de laitue. Elle s'est raccrochée à la tradition – et à des coutumes désormais dépassées – pour la même raison que moi aujourd'hui : comme un moyen de survie intérieure, une manière d'entretenir des souvenirs de plus en plus ténus. Peut-être vaut-il mieux traiter un mauvais rhume en buvant du thé aux écorces de melon qu'en étalant un cataplasme à la moutarde sur sa poitrine... Oui, les histoires du passé qu'elle me raconte et ses méthodes ancestrales ont un certain effet sur moi et me transforment imperceptiblement, accentuant mon côté « chinois » aussi sûrement que la saveur du gingembre imprègne le goût d'une soupe.

— Que s'est-il passé après ton enlèvement ? lui demandé-je, désireuse de mieux connaître son histoire.

Yen-yen s'arrête au beau milieu du trottoir, ses paquets à la main.

— Que pouvait-il se passer, à ton avis ? Tu as déjà vu des orphelines, tu sais ce qu'il leur arrive avant qu'elles se marient. J'ai été vendue comme domestique à Canton. Dès que j'en ai eu l'âge, il m'a fallu faire commerce de mes charmes. Et puis un beau jour, je devais avoir treize ans, on m'a fourrée dans un sac et jetée dans la cale d'un navire. Quand j'ai revu la lumière du jour, j'étais en Amérique.

— Mais on ne t'a pas posé de questions, à Angel Island ? Pourquoi n'as-tu pas été renvoyée en Chine ?

— Angel Island n'existait pas encore quand je suis arrivée. Parfois, je me dévisage dans la glace et je suis surprise par ce que j'y découvre. Je m'attends toujours à revoir la jeune fille que j'étais – et pourtant, je n'aime guère évoquer cette époque.

Tu crois que cela m'amuse de me souvenir de tous ces hommes qu'il m'a fallu connaître ? (Elle accélère l'allure et j'allonge à mon tour le pas pour la suivre.) J'ai dû pratiquer le devoir conjugal à de trop nombreuses reprises. Les gens en font toute une affaire, mais à quoi cela se ramène-t-il, au bout du compte ? L'homme entre en nous, il ressort – et nous les femmes, nous demeurons les mêmes. Tu comprends ce que je veux dire, Perle ?

Puis-je vraiment la comprendre ? Sam diffère profondément des hommes auxquels j'ai eu affaire dans la cabane, je le sais. Mais suis-je restée la même ? J'ai souvent vu Yen-yen dormir sur le canapé. Généralement c'est un célibataire qui couche là, récemment débarqué de Chine et que le Vieux Louie accueille, le temps qu'il ait payé sa dette en se faisant engager pour un salaire de misère dans un commerce quelconque. Mais quand la place est libre, on découvre souvent Yen-yen le matin dans la pièce principale, pliant les couvertures et prétextant d'un motif ou d'un autre : « Le Vieux ronfle comme un buffle ». Ou : « J'ai mal au dos, le canapé est plus confortable. » Ou encore : « Le Vieux m'a dit que je gigotais trop, il n'arrive pas à dormir – et s'il ne dort pas comme il faut, nous n'avons pas fini de l'entendre. » Je comprends aujourd'hui qu'elle vient se réfugier sur le canapé pour les mêmes raisons que moi auparavant, quand j'aurais voulu fuir le lit de Sam. Elle a subi trop de choses de la part d'un trop grand nombre d'hommes et préfère les oublier.

Je pose la main sur son bras. Nos regards se croisent et quelque chose passe entre nous. Je ne lui avoue pas ce qui m'est arrivé – comment le pourrais-je ? – mais je crois qu'elle en a perçu… une part, car elle me dit :

— Tu as de la chance d'avoir Joy, et qu'elle soit en bonne santé. Mon fils… (Elle prend une profonde inspiration.) Peut-être ai-je trop longtemps vendu mes charmes : cela faisait presque dix ans lorsque le Vieux m'a achetée. Il y avait tellement peu de Chinoises ici, à l'époque – une femme pour vingt hommes, et encore – mais je ne lui ai pas coûté très cher, en raison du métier que j'exerçais. J'étais heureuse de quitter enfin San Francisco et de venir à Los Angeles. Mais il était déjà tel qu'il est aujourd'hui : un vieil homme au cœur dur comme de la pierre. Tout ce qu'il voulait, c'était un fils – et il s'est employé à m'en faire un.

251

Elle salue de la tête un commerçant qui balaie le trottoir devant sa boutique. L'homme détourne aussitôt les yeux, redoutant que nous ne le mettions à contribution.

— J'accompagnais le Vieux chaque fois qu'il retournait dans son village ancestral pour voir ses parents, poursuit Yen-yen. (Je l'ai déjà entendue raconter cette histoire, mais je lui prête une oreille différente aujourd'hui.) Toutefois, je ne le suivais pas dans ses virées à travers la Chine, lorsqu'il allait acheter ses marchandises. Je ne sais pas s'il s'imaginait que j'allais rester cloîtrée pendant des semaines en attendant que sa précieuse essence produise son effet en moi et lui procure un fils… Aussi, dès qu'il était parti, je déambulais de mon côté de village en village. Je parle le dialecte de Sze Yup, mon propre village natal devait donc se trouver dans la région des Quatre Districts. J'en cherchais un qui possède un étang et une allée de châtaigniers, mais je ne l'ai jamais trouvé. Et je n'avais toujours pas de fils. Il m'arrivait d'être enceinte, seulement les bébés refusaient de voir la lumière du jour. Chaque fois que nous revenions à Los Angeles, nous prétendions que j'avais eu un fils en Chine et que nous l'avions laissé là-bas, à la garde de ses grands-parents. C'est comme cela que nous avons pu faire venir les oncles. Wilburt a été mon premier fils « sur le papier ». Il avait dix-huit ans mais nous avons prétendu qu'il en avait onze, pour que cela corresponde à la déclaration que nous avions faite : il était censé être né un an après le tremblement de terre qui a ravagé San Francisco. Charley a été le suivant, pour lui les choses étaient plus faciles : nous étions retournés en Chine l'année suivante, le certificat officiel attestait que mon fils était né en 1908 et Charley est effectivement né cette année-là.

Mon beau-père avait dû attendre un sacré bout de temps avant que son investissement ne lui rapporte, mais cela lui avait finalement réussi, lui fournissant une main d'œuvre à bas prix pour ses diverses entreprises.

— Quant à Edfred, ajoute Yen-yen avec un sourire amusé, c'est le fils de Wilburt. Tu le savais ?

Non, je l'ignorais. Jusqu'à tout récemment, j'étais convaincue que ces trois individus étaient les frères de Sam.

— Nous avions un certificat stipulant que ce fils était né en 1911, poursuit Yen-yen. Mais Edfred est né en 1918… Il n'avait donc que six ans quand nous l'avons fait venir ici, alors qu'il était supposé en avoir quinze.

— Et personne ne n'en est aperçu ?

— Ils n'avaient pas sourcillé davantage pour Wilburt. (Yen-yen hausse les épaules, devant la stupidité des inspecteurs du service de l'Immigration.) Pour Edfred, nous leur avons dit qu'il n'avait pas eu une croissance normale, parce qu'il avait été sous-alimenté dans son village natal. Les inspecteurs n'ont pas tiqué, acceptant aussitôt l'idée qu'il n'avait pas bénéficié d'une « alimentation appropriée ». Ils m'ont dit que mon fils allait se rattraper et « profiter », maintenant qu'il avait retrouvé son pays.

— Ces histoires sont d'un compliqué…

— On les complique à dessein. Les *lo fan* essaient de nous tenir à l'écart en changeant sans cesse leur législation, mais plus celle-ci est complexe, plus il s'avère facile de les berner. (Elle s'interrompt un instant pour me laisser méditer sa déclaration.) Je n'ai eu que deux véritables fils. Le premier était né en Chine, nous sommes rentrés ici avec lui et avons mené ensemble une vie paisible jusqu'à ce qu'il ait sept ans. Nous l'avons alors ramené dans son village natal, mais il avait acquis entre-temps un estomac américain et n'a pas résisté à la transplantation.

— Je suis désolée…

— C'est de l'histoire ancienne à présent, répond Yen-yen, presque avec détachement. Mais j'ai essayé pendant des années d'avoir un autre fils après ça. Et enfin, *enfin*, je suis à nouveau tombée enceinte. Le Vieux était heureux, j'étais heureuse, mais le bonheur ne change pas le cours du destin. Le jour de l'accouchement, la sage-femme a tout de suite compris que quelque chose allait de travers. Elle m'a dit que cela arrivait parfois, quand la mère est un peu âgée. J'avais assurément plus de quarante ans quand Vern est né. Elle a dû se servir d'un…

Elle s'arrête devant une boutique qui vend des billets de loterie et pose ses paquets pour joindre le geste à la parole, donnant à ses mains la forme d'une paire de griffes.

— Elle l'a extirpé avec un engin de ce genre. Il avait le crâne de travers quand il est sorti, elle l'a pressé des deux côtés pour le redresser, mais…

Elle ramasse ses paquets.

— Quand Vern était encore un bébé, reprend-elle, le Vieux voulait retourner en Chine afin de ramener un nouveau fils « sur le papier ». Nous possédions encore un certificat, tu comprends, le tout dernier… Mais je ne voulais pas y aller. Mon Sam était mort là-bas, je n'avais aucune envie que mon nouveau-né y passe lui aussi. Le Vieux m'a dit : « N'aie pas peur, tu resteras tout le temps avec lui. » Nous y sommes donc allés et nous avons récupéré Edfred.

— Et Vern ?

— Tu sais ce qu'on dit : même un aveugle finit par se marier. Même un demeuré, même un paralytique finissent par trouver une épouse. Tous n'ont qu'un seul et même devoir à accomplir : engendrer un fils. (Elle me lance un regard inquiet.) Qui s'occupera de nous lorsque nous serons dans l'au-delà, le Vieux et moi, si nous n'avons pas un petit-fils pour nous faire des offrandes ? Qui s'occupera de mon fils quand il sera dans l'au-delà si ta sœur ne lui donne pas un fils ? Si elle n'y parvient pas, ce sera à toi de t'en charger, même s'il ne s'agit que d'un petit-fils « sur le papier ». C'est pour cela que nous vous gardons auprès de nous et que nous vous nourrissons.

Ma belle-mère pénètre dans la boutique pour acheter son billet de loterie hebdomadaire – l'espoir éternel du Chinois – en me laissant méditer ses déclarations.


J'attends impatiemment que May soit rentrée à la maison. Dès qu'elle franchit le seuil, j'insiste pour qu'elle m'accompagne à China City, où Sam participe aux travaux de reconstruction. Nous nous asseyons tous les trois sur des cartons et je leur rapporte l'histoire que Yen-yen vient de me raconter, mais cela n'a pas l'air de les surprendre.

— Soit vous ne m'écoutez pas, dis-je, soit je me suis mal exprimée. Yen-yen m'a dit que c'était pour revoir ses parents que le Vieux retournait dans son village ancestral. Il prétend être né ici, mais comment cela serait-il possible si ses parents vivent en Chine ?

Sam et May se dévisagent, avant de se tourner vers moi.

— Peut-être que ses parents vivaient ici quand il est né, suggère May, et qu'ils sont retournés en Chine par la suite.

— C'est possible, dis-je. Mais s'il est né en Amérique et qu'il y a vécu pendant près de soixante-dix ans, pourquoi ne parle-t-il pas mieux l'anglais ?

— Parce qu'il n'a jamais mis les pieds hors de Chinatown, avance Sam.

Je hoche dubitativement la tête.

— Réfléchis un instant, lui dis-je. S'il est né ici, pourquoi fait-il preuve d'un tel attachement à la Chine ? Pourquoi nous laisse-t-il collecter de l'argent, Yen-yen et moi, au profit de ce comité ? Pourquoi répète-t-il sans arrêt qu'il veut se retirer et finir ses jours « au pays » ? Et pourquoi ne nous lâche-t-il jamais d'une semelle ? C'est parce qu'il n'est pas réellement un citoyen de ce pays. Et s'il n'a pas la nationalité américaine, imagine les conséquences que cela peut avoir sur nous...

Sam se lève aussitôt.

— Je veux en avoir le cœur net, dit-il.

Nous dénichons le Vieux Louie dans une gargote de Spring Street, en train de manger des gâteaux et de boire du thé avec ses amis. En nous apercevant, il se lève et nous rejoint sur le seuil de l'établissement.

— Que se passe-t-il ? Pourquoi n'êtes-vous pas en train de travailler ?

— Il faut que nous te parlions.

— Pas ici. Pas maintenant.

Il est hors de question que nous repartions sans avoir obtenu les réponses que nous sommes venus chercher. Le Vieux Louie nous entraîne dans un box, suffisamment loin de ses amis pour qu'ils n'entendent pas notre conversation. Plusieurs mois se sont écoulés depuis l'affrontement du Nouvel An, mais les cancans à ce sujet vont toujours bon train à Chinatown. Le Vieux a essayé d'assouplir un peu son attitude. Néanmoins, la tension est toujours perceptible entre Sam et lui. Mon mari n'y va pas par quatre chemins :

— Tu es né dans le village de Wah Wong, n'est-ce pas ?

Les yeux de lézard du Vieux s'étrécissent.

— Qui t'a raconté ça ? demande-t-il.

— Peu importe, rétorque Sam. Est-ce la vérité ?

Le Vieux ne répond pas. Nous attendons. Des rires fusent alentour, nous percevons le brouhaha des conversations et le cliquetis des baguettes contre les bols. Finalement, le Vieux grommelle :

— Vous n'êtes pas les seuls à avoir menti pour venir vous établir ici, dit-il dans le dialecte de Sze Yup. Songez aux clients de ce restaurant, aux gens qui travaillent à China City, aux habitants de notre quartier… Tout le monde ici a dû tricher, d'une manière ou d'une autre. Mon mensonge à moi, c'est que je ne suis pas né dans ce pays. Lorsque le tremblement de terre et le grand incendie ont ravagé San Francisco, tous les registres de l'état civil ont été détruits. Je me trouvais déjà là et j'avais environ trente-cinq ans. Comme beaucoup d'autres, je suis allé voir les autorités en leur disant que j'étais né à San Francisco. Je ne pouvais pas le prouver – mais ils ne pouvaient pas prouver le contraire non plus. C'est ainsi que je suis devenu du jour au lendemain un citoyen américain… « sur le papier ».

— Et Yen-yen ? demande Sam. Est-elle venue elle aussi avant le tremblement de terre ? A-t-elle réclamé comme toi la citoyenneté américaine ?

Le Vieux fronce les sourcils d'un air dégoûté.

— C'est une *fu yen*, lâche-t-il. Elle ne sait pas plus mentir que garder un secret. Sinon, d'ailleurs, vous ne seriez pas ici.

Sam se gratte le crâne en réfléchissant aux implications d'une telle révélation.

— Si quelqu'un découvrait que tu n'es pas un véritable citoyen américain, dit-il, Wilburt, Edfred…

— … et tous les autres, Perle y compris, auraient de graves ennuis, complète le Vieux. C'est pour cela que je vous tiens d'une main ferme, ajoute-t-il en serrant le poing. Nous ne pouvons pas nous permettre de commettre la moindre erreur.

— Et moi ? demande May d'une voix hésitante.

— Vern est bien né ici et tu es donc l'épouse d'un authentique citoyen américain, ma chère May. Tu es entrée légalement dans ce pays et tu ne crains strictement rien. Mais tu dois veiller au sort de ta sœur et de son mari. Il suffit d'une fuite et ils seront aussitôt extradés. Ce sort nous menace tous à l'exception de Vern, de toi et de la petite – mais je suis sûr qu'on la renverrait en Chine avec ses parents si le cas se présentait. Je compte sur toi, May, pour faire en sorte que cela n'arrive pas.

May blêmit en entendant ces mots.

— Que puis-je donc faire ? demande-t-elle.

Le Vieux esquisse un petit sourire. C'est la première fois qu'il ne me paraît pas totalement dénué d'humanité.

— Ne t'inquiète pas trop, lui dit-il avant de se tourner vers Sam. Tu connais maintenant mon secret, et je connais le tien. Nous voici donc liés à jamais, comme le sont un père et un fils véritables. Et nous devons non seulement songer à nous protéger l'un l'autre, mais aussi à protéger les oncles.

— Pourquoi m'as-tu choisi, moi ? demande Sam.

— Tu le sais très bien. J'avais besoin de quelqu'un pour s'occuper de mes affaires et prendre soin après ma mort de mon séjour dans l'au-delà, parce que Vern ne sera pas en mesure de le faire. Je sais que tu me considères comme quelqu'un de cruel et tu ne me croiras probablement pas, mais je t'ai vraiment choisi pour tenir ce rôle et je te considérerai toujours comme mon fils aîné. C'est pour cela que je suis aussi dur envers toi, comme un père doit l'être. Tu hériteras de tout, mais tu dois pour cela respecter trois engagements. Premièrement, il faut que tu renonces à tes projets d'évasion. (Le Vieux lève la main pour prévenir nos protestations.) Je ne suis pas stupide, dit-il, je sais fort bien ce qui se trame sous mon toit et je suis fatigué d'avoir sans cesse ce souci en tête. (Il marque une pause et poursuit :) Il faut ensuite que tu cesses d'aller travailler au temple de Kwan Yin, c'est pour moi une source de gêne : mon fils ne devrait pas avoir besoin de se livrer à une activité pareille. Et enfin, tu dois me promettre de prendre soin de mon fils lorsque le moment viendra.

Nous nous dévisageons à tour de rôle, Sam, May et moi. Ma sœur m'adresse des signaux muets, en m'implorant du regard : *Je ne veux pas partir d'ici, je veux rester à Haolaiwu…* Sam, que je connais toujours assez mal, me prend la main, l'air de dire : *Peut-être y a-t-il une opportunité, après tout, puisqu'il vient de me dire qu'il me traiterait comme son fils aîné.* Quant à moi… Je suis lasse de fuir. Cela ne convient guère à ma nature et j'ai un bébé à élever. Mais n'allons-nous pas nous vendre pour moins cher encore que le Vieux ne nous a achetés ?

— Si nous restons, dit Sam, il faudra que tu nous laisses davantage de liberté.

— Ceci n'est pas une négociation, rétorque le Vieux. Tu n'as rien à m'offrir en échange.

Mais Sam ne désarme pas.

— May travaille déjà comme figurante et elle en est très heureuse. Tu dois accorder la même faveur à sa sœur et lui permettre de découvrir ce qui se passe en dehors de China City. Et puisque tu ne veux pas que je travaille au temple, il faut que tu me paies. Si je dois être ton fils aîné, tu dois me traiter de la même façon que mon frère.

— Vous n'êtes pas dans la même situation...

— C'est vrai, reconnaît Sam. Je travaille beaucoup plus que lui. Et pourtant, c'est lui que tu paies. Il est normal que j'ai un salaire moi aussi. Père, ajoute Sam sur un ton respectueux, tu sais que ma demande est juste.

Le Vieux pianote un moment sur la table, en soupesant le pour et le contre. Puis il se lève, pose la main sur l'épaule de Sam et la serre brièvement, pour sceller leur accord, avant de rejoindre ses amis qui l'attendent à leur table.

Le lendemain, j'achète un journal, repère une petite annonce et me rends dans une cabine téléphonique d'où j'appelle pour postuler à un emploi de réceptionniste chez un réparateur de frigos.

— Vous semblez pouvoir faire l'affaire, Mrs Louie, me répond une voix aimable au bout du fil. Passez donc pour un entretien.

Mais lorsque j'arrive là-bas, l'homme déclare en m'apercevant :

— Je n'avais pas compris que vous étiez chinoise... Je vous croyais italienne, à cause de votre nom.

Je n'obtiens pas le poste et l'anecdote se répète à plusieurs reprises. Finalement, je dépose ma candidature chez Bullock's, un grand magasin de Wilshire, et suis embauchée pour travailler dans la réserve, où les clients ne risquent pas de me voir. Je gagne dix-huit dollars par semaine. Après mon expérience à China City, où je changeais d'établissement plusieurs fois par jour, je trouve plutôt agréable de pouvoir rester au même endroit. Je suis mieux habillée que les autres employés et je travaille davantage. Un jour, l'assistant du directeur me fait passer dans le magasin lui-même et me charge de ranger les rayons. Au bout de deux ou trois mois, intrigué par mon accent britannique

(que j'affecte parce qu'il semble lui plaire), il me confie un poste de liftier. Je pourrais difficilement rêver d'un travail plus reposant – il suffit d'appuyer sur les boutons pour faire monter et descendre l'ascenseur de 10 h à 18 h – et je gagne quelques dollars supplémentaires par mois.

Un beau jour, l'assistant du directeur a une nouvelle idée :

— Nous venons de recevoir tout un lot de boîtes de mah-jong, me dit-il, vous allez m'aider à les écouler.

Il me fait enfiler une *cheongsam* de médiocre qualité, envoyée par le fabriquant du jeu, et m'installe au rez-de-chaussée, près de l'entrée principale, où il a disposé une table de présentation. À la fin de l'après-midi, j'ai vendu huit boîtes de mah-jong. Le lendemain, j'arrive en portant l'une de mes plus belles *cheongsam*, d'un rouge flamboyant et brodée de pivoines. Je vends ce jour-là deux douzaines de boîtes. Certains clients ayant demandé à apprendre les règles du jeu, l'assistant me demande de donner un cours de mah-jong une fois par semaine. La séance est payante et je reçois un petit pourcentage. Je me débrouille si bien que je finis par demander à l'assistant de me laisser passer le concours interne, pour bénéficier d'une promotion. Mais son supérieur ne veut pas en entendre parler – à cause de ma peau jaune, de mes cheveux noirs et de mes yeux bridés – et je comprends que j'ai atteint la limite de ma carrière envisageable chez Bullock's, même si j'ai écoulé plus de boîtes de mah-jong que les autres employées n'ont vendu de gants ou de chapeaux.

Mais qu'y puis-je ? Pour l'instant, je suis heureuse de toucher mon salaire. J'en donne un tiers au Vieux Louie – que nous appelons désormais le Père Louie, depuis que Sam et lui ont scellé leur accord – afin de participer aux dépenses familiales. J'en mets un tiers de côté pour Joy. Et le reste, je le dépense à ma guise.

Six mois après l'incendie, le 2 août 1939, China City a droit à sa seconde inauguration officielle, durant laquelle le public peut assister à une représentation d'opéra, une danse du Lion et du Dragon, des numéros de magiciens et d'acrobates – tout cela salué par des salves de pétards (manipulés avec le plus grand soin). Au cours des mois qui suivent, les effluves d'encens et de gardénias embaument les lieux. Les doux accords de la musique chinoise se diffusent dans les allées. Les enfants courent au milieu des touristes. Mae West, Gene Tierney, Eleanor Roosevelt nous font l'honneur d'une visite. Les allées sont remplies de badauds et de clients occidentaux ; de nombreuses réunions, des réceptions et divers événements s'y déroulent – mais China City ne sera plus jamais ce qu'elle avait été.

Peut-être les gens sont-ils rebutés par le fait que les anciens décors de cinéma, qui étaient l'une des principales attractions du lieu, sont maintenant remplacés par des reproductions. À moins qu'ils ne préfèrent aller au Nouveau Chinatown, perçu comme un lieu plus moderne et plus séduisant. Pendant la fermeture de China City, le quartier a su attirer les visiteurs avec ses néons éblouissants, sa vie nocturne et ses dancings – tandis que China City a un aspect plus pittoresque et plus paisible, avec ses modestes ruelles et ses commerçants déguisés en villageois.

Je démissionne de chez Bullock's et reprends mes activités à China City, nettoyant les tables et servant les clients. Mais cette fois, mon travail est rémunéré. May, quant à elle, refuse de retourner à la Pagode Dorée.

— Bak Wah Tom m'a proposé de travailler pour lui à plein temps, dit-elle au Père Louie. Je l'aiderai à trouver des figurants, m'assurerai que tout le monde arrive à l'heure aux studios et servirai d'interprète sur les plateaux.

Je l'écoute avec une certaine surprise. Je serais beaucoup plus qualifiée qu'elle pour ce genre de travail. Je parle couramment le dialecte de Sze Yup, pour commencer. Mon beau-père a la même réaction :

— Ta sœur ne manque pas de jugeote, dit-il. C'est elle qui devrait avoir cet emploi.

— Oui, dit May, ma *jie jie* est intelligente, mais...

Avant qu'elle ait terminé sa phrase, mon beau-père choisit un autre angle d'attaque.

— Pourquoi veux-tu aller travailler de ton côté, en dehors de la famille ? Tu ne veux pas rester avec ta sœur ?

— Perle n'y voit aucun inconvénient, répond May. Et elle dispose déjà de nombreux avantages qu'elle n'aurait jamais eus sans moi...

Ces derniers temps, chaque fois que May veut quelque chose, elle s'arrange pour me rappeler qu'elle m'a donné son enfant et que nous sommes liées par ce secret. S'agit-il pour autant d'une sorte de chantage – comme si elle me menaçait d'aller raconter la vérité au Vieux si je ne la laissais pas faire à sa guise ? Pas le moins du monde. C'est tout simplement sa façon de me dire que j'ai une fille splendide, un mari qui m'aime et une pièce qui nous permet une forme d'intimité – tandis qu'elle-même ne possède rien de tout ça. Ne pourrais-je donc pas l'aider à faire en sorte que sa vie s'avère un peu plus supportable ?

— May a déjà l'expérience des gens de *Haolaiwu*, dis-je à mon beau-père. Ce travail lui conviendra.

Ma sœur va donc travailler pour Tom Gubbins et je vais prendre sa place à la Pagode Dorée. J'astique la boutique du sol au plafond, je nettoie les vitres, je prépare le déjeuner du Père Louie et lave ensuite sa vaisselle dans une cuvette dont je jette l'eau sale devant la porte, comme une paysanne. Et bien sûr, je m'occupe de Joy.

Comme toutes les femmes à travers le monde, je voudrais être une meilleure mère. Joy a maintenant dix-sept mois et porte encore des langes que je dois laver à la main. Elle pleure souvent l'après-midi et il m'arrive de la bercer pendant des heures pour la calmer. Ce n'est pas de sa faute. À cause des horaires de tournage, elle dort souvent mal la nuit et fait rarement la sieste pendant la journée. Elle mange de la nourriture américaine sur les plateaux et recrache la nourriture chinoise que je lui prépare. J'essaie de la porter et de la câliner de mon mieux, comme une mère est censée le faire, mais il y a toujours une partie de moi-même qui répugne aux contacts physiques. J'aime ma fille, toutefois c'est un bébé Tigre et elle n'est pas toujours facile. Sans compter qu'à présent May passe beaucoup de temps avec elle – ce qui commence à susciter en moi une amertume que Yen-yen ne manque pas d'alimenter. Je ne devrais pas l'écouter, ni me soucier de ses insinuations, mais comment l'éviter ?

— Cette May ne pense décidément qu'à elle… Son joli visage dissimule un cœur sournois. Elle a une seule chose à accomplir et elle ne s'y résout pas. Toi, Perle, tu passes tes journées à t'occuper de ta fille – mais où est l'enfant de ta sœur ? Pourquoi ne nous donne-t-elle pas un fils ? Peux-tu me le dire ? Parce qu'elle est égoïste, voilà tout ! Et qu'elle ne se soucie nullement de t'aider, toi ou d'autres membres de la famille.

Je ne peux pas croire que ces paroles correspondent à la vérité, néanmoins je dois reconnaître que May a changé. Étant sa *jie jie*, je devrais intervenir. Mais mes parents ne savaient déjà pas comment s'y prendre avec elle quand elle était petite et je ne suis pas plus avancée qu'eux aujourd'hui.

Pour rendre la situation encore plus difficile, May me téléphone fréquemment depuis les plateaux de tournage, en me demandant à voix basse comment on dit aux gens de lever les bras en l'air ou de se serrer les uns contre les autres dans le dialecte de Sze Yup. Je lui viens en aide, évidemment, parce que je ne vois pas comment agir autrement.

Lorsque Noël arrive, nos vies sont désormais bien réglées. Cela fait vingt mois que nous sommes arrivées ici, May et moi. Le fait de gagner de l'argent nous permet de nous évader de temps en temps. Le Père Louie nous traite de dépensières, mais nous réfléchissons toujours avant de dépenser notre argent. J'aimerais me faire coiffer de manière plus élégante que cela n'est possible à Chinatown, seulement chaque fois que je vais dans les quartiers occidentaux et que je pénètre dans un salon de coiffure, les employés me disent qu'ils ne savent pas coiffer les Chinoises. Je finis par obtenir un rendez-vous après la fermeture, afin de ne pas offusquer par ma présence la clientèle blanche. Nous aimerions bien avoir une voiture, par ailleurs – on peut trouver une grosse Plymouth d'occasion pour cinq cents dollars – mais il nous faudra encore du temps pour économiser une somme pareille.

D'ici là, nous fréquentons les cinémas de Broadway. Nous devons nous contenter des balcons, même en payant le prix fort. Cela nous est égal, car les films nous enchantent. Nous rions en apercevant May qui rampe sur le sol et implore un missionnaire de la pardonner ou en reconnaissant Joy dans le rôle d'une orpheline que Clark Gable brandit à bout de bras, debout sur un sampan. En voyant le beau visage de ma fille sur l'écran, je me sens encore plus gênée par ma peau mate, trop foncée à mon goût. Je me rends parfois chez l'apothicaire pour lui acheter une crème enrichie à la poudre de perle, dans l'espoir que cela m'éclaircira le teint.

Nous avons changé depuis que nous sommes ici, May et moi. Des « jeunes beautés » frappées par le destin et cherchant à s'enfuir, nous sommes devenues des épouses parfois insatisfaites de leur sort – mais quelles épouses ne le sont pas ? Sam et moi ne sommes pas les seuls à pratiquer le devoir conjugal : May et Vern s'y sont mis à leur tour. Je le sais parce que les cloisons ne sont guère épaisses et que je les entends. Nous avons accepté notre sort et choisi la solution la plus sage, en essayant de nous distraire un peu lorsque cela s'avère possible. La veille du Nouvel An, après nous être mis sur notre trente et un, nous nous rendons tous ensemble au grand dancing du Palomar, où l'on refuse de nous laisser entrer parce que nous sommes chinois… Au coin de l'avenue, je lève les yeux et aperçois la pleine lune dont les contours sont brouillés par le halo des lumières environnantes et des gaz d'échappement qui flottent dans l'atmosphère. Comme l'a écrit un poète célèbre : même la plus belle des lunes peut se teinter de tristesse.

Troisième Partie

## LE DESTIN

# HAOLAIWU

On se croirait à Shanghai. Des pousse-pousse circulent dans tous les sens. Des mendiants accroupis au sol implorent les passants, les bras tendus. Des canards laqués pendent aux fenêtres. Des marchands s'affairent devant leurs étals, faisant bouillir des nouilles et mijoter la sauce de haricots noirs. D'autres vendent des *bok choy* et des melons empilés dans de vastes paniers. Des paysans arrivés en ville charrient des cages remplis de poulets et de canards vivants ; d'autres portent en travers de l'épaule des lots de côtelettes et de jarrets de porc. Des femmes passent lentement, vêtues de *cheongsam* qui leur moulent étroitement le corps. Des vieillards assis sur des caisses fument la pipe, les mains dans les poches pour se réchauffer. Une brume épaisse s'enroule autour des chevilles, s'insinuant dans les recoins les plus obscurs des allées. Des lanternes rouges sont suspendues au-dessus de nos têtes, enveloppant la scène d'un halo irréel et lui donnant l'apparence d'un rêve inquiétant.

— Tout le monde en place !

Shanghai s'efface brusquement et je me retrouve sur le plateau de tournage que je suis venue visiter, accompagnant May et Joy. De puissants projecteurs éclairent le décor reconstitué. Une énorme caméra s'avance au milieu de la scène. Un technicien installe une perche pour le son. Nous sommes en septembre 1941.

— Tu peux être fière de Joy, me dit May en écartant une mèche rebelle du front de ma fille. Tout le monde l'adore, quel que soit le studio où nous tournons.

Joy est assise sur les genoux de sa tante, le regard vif et l'air satisfait. Elle a trois ans et demi à présent et elle est très belle – « aussi belle que sa tante », comme manquent rarement de le dire la plupart des gens. Il faut reconnaître que May joue son rôle de tante à la perfection : c'est elle qui décroche les contrats de Joy, l'emmène sur les plateaux, s'assure qu'elle a le costume approprié et se trouve au bon endroit lorsque le metteur en scène cherche à faire un gros plan sur un visage innocent. Pendant l'année qui vient de s'écouler, Joy a passé tellement de temps avec sa tante qu'elle a un peu l'impression d'être en pénitence lorsqu'elle se retrouve avec moi. J'essaie de discipliner ma fille, de lui apprendre à manger proprement, à bien s'habiller et à se montrer respectueuse envers ses grands-parents, ses oncles et de manière générale envers tous ceux qui sont plus âgés qu'elle. May préfère la couvrir de baisers et la faire veiller jusqu'à l'aube sur des tournages comme celui-ci.

Depuis toujours les gens – mon beau-père inclus – disent que je suis la plus maligne des deux ; mais l'idée qui deux ans plus tôt m'avait semblé pertinente s'est avérée une grave erreur. En acceptant que May emmène Joy sur les plateaux de tournage, je ne m'étais pas rendu compte que ma sœur allait entraîner ma fille dans un monde peut-être plus séduisant, mais sans le moindre rapport avec le mien. Lorsque j'ai fini par le dire à May, celle-ci a froncé les sourcils et hoché la tête. « Les choses ne se passent pas ainsi, m'a-t-elle dit. Viens donc un jour avec nous, tu verras ce que nous faisons. Tu constateras de tes propres yeux que Joy est douée et tu changeras d'avis. » Il ne s'agit pas seulement de Joy, en l'occurrence. May veut faire la preuve de sa propre importance et je suis censée lui dire ensuite combien je suis fière d'elle. Les choses se sont toujours passées ainsi entre nous, depuis notre plus tendre enfance.

C'est ainsi qu'aujourd'hui nous sommes montées dans un autocar avec un groupe de voisins que May a également fait embaucher. Lorsque nous arrivons au studio, nous franchissons un portail et passons directement dans le hangar des costumes, où des employées nous distribuent des vêtements sans tenir compte de notre taille. J'hérite pour ma part d'une veste crasseuse et d'un pantalon trop large. Je n'ai pas porté de tels vêtements depuis notre fuite hors de Chine et notre interminable séjour à Angel Island. Quand je tente de les échanger, la costumière me lance : « Vous devez avoir l'air sale, vraiment sale... C'est compris ? » May, qui joue généralement les jeunes aguicheuses, accepte également un costume de paysanne afin que nous restions ensemble pendant le tournage.

Nous nous changeons sous une grande tente dénuée de chauffage et de la moindre intimité. Bien que j'habille ma fille tous les jours, c'est sa tante qui s'occupe d'elle, lui ôtant sa robe et l'aidant à enfiler un pantalon aussi crasseux et aussi large que les nôtres. Nous passons ensuite à l'unité de maquillage, où l'on cache nos cheveux sous des fichus noirs noués derrière la nuque, avant d'étaler sur nos visages un onguent marron qui me rappelle la mixture à base de cacao et de crème de beauté dont May s'était servie jadis. Puis on nous fait sortir et on nous asperge de boue à l'aide d'un tuyau d'arrosage. Après quoi nous attendons dans cette rue reconstituée de Shanghai, nos pantalons agités par la brise comme des esprits malfaisants. Ceux qui sont nés ici ont sans doute l'impression de se retrouver pour la première fois dans le pays de leurs ancêtres. Pour ceux qui comme moi sont nés en Chine, le décor donne un bref instant l'illusion d'avoir remonté la spirale du temps.

Je dois admettre que j'aime voir la façon dont ma sœur est à la fois appréciée par l'équipe et respectée par les autres figurants. May respire le bonheur, elle sourit et salue tout le monde autour d'elle, me rappelant la jeune fille qu'elle était avant que nous quittions Shanghai. Pourtant, à mesure que la nuit s'avance, je suis de plus en plus choquée par certains détails. Un figurant vend bien des poulets vivants, mais derrière lui plusieurs individus font des paris, accroupis sur leurs talons. Dans un autre coin du décor, d'autres font mine de fumer de l'opium – en pleine rue ! Pratiquement tous les hommes portent des nattes, alors que l'histoire est censée se dérouler après l'instauration de la République, au début de l'invasion des nabots japonais. Quant aux femmes, n'en parlons pas...

Je pense à *Shanghai Gesture*, que May, Sam, Vern et moi avons vu au début de l'année. Josef von Sternberg, le metteur en scène, ayant vécu quelque temps à Shanghai, nous pensions reconnaître certains éléments de décor nous rappelant notre ville d'origine – mais c'était encore l'une de ces histoires où une

Blanche se voit entraînée dans l'enfer du jeu, de l'alcool et de Dieu sait quelles tentations. Nous avons ri en voyant les affiches, qui proclamaient : *Bien des gens vont vivre à Shanghai... pour de mauvaises raisons*. Pendant les derniers temps où je vivais là-bas, j'avais tendance à penser la même chose, mais cela me fait toujours de la peine de voir ma ville bien-aimée – le Paris de l'Asie – dépeinte sous des couleurs aussi sombres. Nous avons pu constater le même phénomène dans quantités d'autres films. Et nous sommes maintenant en train d'en tourner un.

— Comment peux-tu faire une chose pareille ? lancé-je à ma sœur. Tu n'as pas honte ?

Elle me regarde, à la fois surprise et sincèrement blessée.

— Honte de quoi ? demande-t-elle.

— Tous les Chinois dans ce film sont présentés comme des arriérés, lui dis-je. On nous oblige à gesticuler et à ricaner comme des idiots. Et quand l'un d'entre nous a droit à une réplique, il s'exprime dans un sabir qui n'a que de lointains rapports avec l'anglais...

— Tu as sans doute raison, mais ne me dis pas que ce décor ne te rappelle pas Shanghai.

— Ce n'est pas la question ! Tu n'as donc pas un minimum de fierté, en tant que Chinoise ?

— Je ne vois pas pourquoi tu éprouves toujours le besoin de te plaindre, répond May dont la déception est palpable. Je t'ai amenée ici afin que tu voies ce que nous faisons, Joy et moi. Tu n'es pas fière de nous ?

— May...

— Pourquoi es-tu incapable de te détendre un instant en nous regardant gagner notre vie ? Je reconnais que nous sommes moins bien payées que ces types, là-bas. (Elle désigne un groupe de conducteurs de pousse-pousse.) Je leur ai obtenu un salaire de 7,50 dollars par jour, pendant une semaine, à condition qu'ils aient toujours le crâne rasé de près. Ce n'est pas mal, tu ne trouves pas ?

— Des pousse-pousse, des fumeurs d'opium et des prostituées... C'est donc ainsi que tu as envie que les gens nous voient ?

— Si tu fais allusion aux *lo fan*, pourquoi me soucierais-je de ce qu'ils pensent ?

— Parce que cette manière de nous présenter est dégradante…

— Dégradante pour qui ? Personne ne nous insulte directement, toi et moi. Bien sûr, ajoute-t-elle en me visant implicitement, certains préfèrent ne pas travailler plutôt que de faire un métier qu'ils estiment inférieur à leur condition. Mais ce travail est une simple étape, c'est à nous de saisir notre chance et de viser plus haut.

— Tu veux dire que ces types qui jouent aujourd'hui les conducteurs de pousse-pousse seront demain les propriétaires du studio ?

— Bien sûr que non, dit-elle d'une voix lasse. Tout ce qu'ils veulent, Perle, c'est un rôle parlant. Cela peut rapporter beaucoup d'argent, tu le sais bien.

Bak Wah Tom encourage le rêve de May depuis maintenant deux ans et elle n'a toujours pas décroché le moindre rôle parlant, bien que Joy ait obtenu quelques répliques dans différents films. La bourse où je conserve l'argent que ma fille a gagné s'est déjà remplie de manière appréciable, malgré son tout jeune âge. Pendant ce temps, sa tante espère toujours qu'on lui confiera un jour sa première réplique à vingt dollars – peu importe laquelle. Elle se contenterait à présent d'un simple « Oui, madame. »

— S'il suffit de passer la nuit ici déguisée en femme de mauvaise vie pour décrocher un tel rôle, lui dis-je avec une certaine perfidie, pourquoi n'en as-tu pas encore obtenu un ?

— Tu sais très bien pourquoi ! lance May. Je te l'ai dit des centaines de fois ! Tom prétend que je suis trop belle. Chaque fois qu'un metteur en scène porte son choix sur moi, l'actrice vedette m'écarte aussitôt, craignant que ma beauté ne supplante la sienne. C'est peut-être immodeste de ma part de le dire aussi crûment, mais c'est la vérité : tout le monde le dit.

Les techniciens achèvent de placer les gens et ajoutent quelques accessoires au décor pour la suite de la scène. Le film dans lequel nous tournons se veut une sorte d'« avertissement » face à la menace japonaise. Jusqu'ici – nous venons de passer deux heures à tourner la même scène de rue – cela n'a pas grand-chose à voir avec la réalité que nous avions dû affronter, May et moi, quand nous cherchions à quitter la Chine. Mais mon estomac se noue quand j'entends le metteur en scène nous décrire la scène suivante :

— Les bombes vont se mettre à tomber, nous explique-t-il par le biais d'un mégaphone. Ce ne sont pas de vraies bombes, mais le bruit aura l'air réel. À ce moment-là, les Japs vont se précipiter dans le marché. Vous allez vous enfuir de ce côté-ci. Ceux qui sont derrière les étals doivent les renverser avant de partir en courant. Et je veux que les femmes se mettent à hurler : n'hésitez pas à crier très fort, comme si vous pensiez votre dernière heure arrivée.

Lorsque la caméra se met à tourner, je tiens Joy dans mes bras, serrée contre ma hanche. Je pousse un cri que je trouve bien imité et me mets à courir. La scène se répète je ne sais combien de fois. Pendant un instant, j'avais craint que cela ne réveille en moi de mauvais souvenirs, mais ce n'est pas le cas. Les fausses bombes ne font pas trembler le sol. Je ne suis pas assourdie par les explosions. Les corps ne volent pas en éclats, le sang ne gicle pas de tous les côtés. Tout cela n'est qu'un jeu, un divertissement, comme du temps où May et moi donnions nos petits spectacles pour nos parents. Et ma sœur avait raison, à propos de Joy : elle suit parfaitement les consignes, attend sagement entre les prises et pleure dès que la caméra se met à tourner, comme on le lui a demandé.

À deux heures du matin, on nous renvoie sous la tente où se trouve l'unité de maquillage, où l'on étale du faux sang sur nos visages et nos vêtements. Une fois de retour sur le plateau, on dispose une partie des figurants sur le sol, les jambes écartées, les vêtements déchirés et couverts de sang. Les morts et les agonisants gisent de tous les côtés. Tandis que les soldats japonais arrivent, nous sommes censés nous enfuir en hurlant. Cela ne devrait pas poser de problème. J'aperçois les uniformes jaunes et j'entends le martèlement des bottes. L'un des figurants, déguisé comme moi en paysan, me bouscule et je pousse un cri. Quand les faux soldats s'avancent, brandissant leurs baïonnettes, j'essaie de m'enfuir mais je glisse et tombe sur le côté. Joy se redresse et se met à courir, trébuchant contre les cadavres, s'éloignant de plus en plus de moi… L'un des soldats me repousse tandis que j'essaie de me relever. Je suis tétanisée par la peur. Bien qu'il n'y ait alentour que des visages chinois, ceux de nos voisins déguisés en soldats ennemis, je pousse alors un long cri, un hurlement terrorisé. Je ne suis plus sur un plateau de cinéma, je suis au fond d'une cabane, dans la banlieue de Shanghai.

— Coupez ! lance le metteur en scène.

May vient aussitôt me trouver, les traits crispés par l'inquiétude.

— Tout va bien ? me lance-t-elle en m'aidant à me relever.

Je suis tellement secouée que je n'arrive pas à lui répondre. J'opine du menton et May m'adresse un regard interrogateur. Mais je ne veux pas lui parler de ce que je ressens. Je ne voulais déjà pas le faire en Chine, quand je m'étais réveillée à l'hôpital, et je n'ai pas changé d'avis. Je prends Joy dans mes bras et la serre très fort contre moi. Je tremble encore lorsque le metteur en scène nous rejoint d'un pas nonchalant.

— C'était extraordinaire, me dit-il. On a dû vous entendre à deux kilomètres à la ronde. Pouvez-vous le refaire ? (Il m'adresse un regard scrutateur.) Pouvez-vous me refaire ce cri plusieurs fois ? (Voyant que je ne réponds pas, il ajoute :) Il y aura de l'argent supplémentaire, pour vous et pour l'enfant. Un cri pareil vaut bien une réplique, de mon point de vue.

Je sens les doigts de May se crisper sur mon bras.

— Vous êtes d'accord ? insiste-t-il.

Je refoule au fond de moi l'image de la cabane et j'essaie de me concentrer sur l'avenir de ma fille. Je vais pouvoir mettre un peu plus d'argent de côté pour elle ce mois-ci…

— Je veux bien essayer, dis-je.

Les ongles de May s'enfoncent dans ma chair. Tandis que le metteur en scène regagne son fauteuil, elle me prend à part.

— Il faut que tu me cèdes ta place, m'implore-t-elle à voix basse. Je t'en supplie, laisse-moi tourner ce plan !

— C'est moi qui ai poussé ce cri, dis-je. Au moins, je ne serai pas venue ici pour rien.

— C'est peut-être la chance de ma vie…

— Tu n'as que vingt-deux ans…

— À Shanghai, j'étais une « jeune beauté ». Mais nous sommes maintenant à Hollywood et je n'ai plus beaucoup de temps devant moi.

— Nous redoutons toutes de vieillir, dis-je. Et j'ai envie de tourner cette scène. Tu l'as peut-être oublié, mais j'étais une

« jeune beauté » moi aussi. (Voyant qu'elle ne réagit pas, j'utilise un argument qui devrait la convaincre.) Si j'ai crié ainsi, c'est parce que je me suis souvenue de ce qui s'était passé dans cette cabane...

— Tu prends toujours prétexte de cette histoire pour arriver à tes fins.

Je recule d'un pas, abasourdie par sa repartie.

— Tes paroles ont dû dépasser ta pensée, dis-je.

— Tu ne me laisses jamais profiter de rien, dit-elle d'une voix triste.

Comment peut-elle dire une chose pareille, alors que j'ai sacrifié tant de choses pour elle ? Mon ressentiment s'est accru au fil des années, mais cela ne m'a jamais empêché de donner à ma sœur tout ce qu'elle me demandait.

— Les portes se sont toujours ouvertes devant toi, poursuit May dont le ton devient plus vindicatif.

Je comprends maintenant ce qui est en train de se passer : elle est prête à se battre si les choses ne se passent pas comme elle l'entend. Mais cette fois-ci, je n'ai pas l'intention de me laisser faire.

— De quoi parles-tu ? demandé-je.

— Papa et maman t'ont inscrite à l'université...

Cela ne date pas d'hier... Je réponds néanmoins :

— Tu ne voulais pas y aller.

— C'est toujours toi que les gens préfèrent.

— C'est ridicule...

— Même mon mari te préfère à moi. Il est toujours gentil à ton égard.

À quoi bon discuter avec May ? Nos querelles ont toujours porté sur les mêmes problèmes : l'une de nous deux était la préférée, possédait quelque chose que l'autre lui enviait – qu'il s'agisse d'une crème glacée plus savoureuse, d'une paire de chaussures plus élégante ou d'un mari plus attentionné – ou voulait faire quelque chose à la place de l'autre.

— Je peux crier aussi bien que toi, insiste May. Je t'en supplie une fois encore : laisse-moi tourner cette scène.

— Tu ne penses donc pas à Joy ? dis-je d'une voix douce, en prenant May par son point faible. Tu sais que nous mettons de l'argent de côté, Sam et moi, pour qu'elle puisse aller un jour à l'université.

— Vous avez encore quinze ans devant vous… Et tu te figures peut-être qu'une université américaine acceptera d'accueillir une Chinoise ?

Ma sœur qui rayonnait tout à l'heure de bonheur et de fierté me lance un regard sombre. Je repense brusquement à cette lointaine journée durant laquelle notre cuisinier, à Shanghai, avait voulu nous apprendre à faire des beignets : cela avait commencé comme un jeu et s'était terminé en bataille rangée. Et aujourd'hui, bien des années plus tard, cette sortie qui était censée être agréable tourne elle aussi à l'affrontement. Dans le regard de May, je distingue non seulement de la jalousie, mais de la haine.

— Laisse-moi tourner ce plan, répète-t-elle. Cela me revient de droit.

Je pense à la manière dont ma sœur s'est débrouillée pour travailler avec Tom Gubbins, en évitant de rester confinée dans l'une des entreprises de notre beau-père – échappant du même coup à Chinatown et à China City pour fréquenter avec ma fille les plateaux de tournage et l'univers du cinéma.

— May… commencé-je.

— Inutile d'énumérer les griefs que tu as contre moi, m'interrompt-elle. Tu refuses de voir la chance que tu as. Tu ne sais donc pas à quel point je suis jalouse ? C'est ma nature, je n'y peux rien. Tu possèdes tout ce dont on peut rêver : un mari qui t'aime et avec qui tu peux parler, une fille qui…

Nous y voilà ! Elle l'a dit ! Ma repartie fuse si vite que je ne prends même pas la peine d'y réfléchir :

— Peux-tu me dire, dans ce cas, pourquoi tu passes plus de temps que moi avec elle ?

En prononçant ces mots, je me souviens du proverbe qui prétend que les catastrophes, comme les maladies, se transmettent oralement – ce qui signifie que certaines paroles peuvent se révéler aussi destructrices que des bombes.

— Joy préfère être avec moi parce que je l'embrasse et la prends dans mes bras, répond May du tac au tac. Je la laisse s'asseoir sur mes genoux, je…

— Ce n'est pas comme cela qu'on élève les enfants chez nous, dis-je. Les Chinois ne passent pas leur temps à se tripoter.

— Tu voyais les choses autrement quand nous vivions avec papa et maman.

— C'est exact, mais je suis une mère à présent et je ne veux pas que Joy finisse comme une porcelaine brisée.

— Ce ne sont pas les caresses de sa mère qui la mèneront sur la voie de la perdition...

— Ne me dis pas comment je dois élever ma fille !

En entendant mon ton vindicatif, certains des figurants se tournent vers nous d'un air intrigué.

— Tu ne veux jamais rien me laisser faire, rétorque May. Papa m'avait pourtant promis que je pourrais travailler à Hollywood si nous acceptions ces mariages.

Ce n'est pas exactement ainsi que les choses se présentent dans mon souvenir. De surcroît, elle change de sujet et ne fait qu'embrouiller la discussion.

— Je te parlais de Joy, dis-je, et non de tes rêves d'adolescence.

— Ah bon ? Tu m'accusais tout à l'heure de déshonorer le peuple chinois. Et tu prétends maintenant que ce qui est honteux pour moi est excellent pour Joy et toi ?

Il est exact que ce dernier point pose problème à mes yeux et que je ne vois pas comment le résoudre. Mais cela ne rend pas le raisonnement de ma sœur plus sensé pour autant.

— Tu as tout ce qu'il te faut, répète May en se mettant à pleurer. Et moi, je n'ai rien. Tu ne peux donc pas me laisser profiter de quelque chose, pour une fois ? *S'il te plaît...*

Je me garde de répondre et laisse la colère refroidir en moi. Je refuse de croire à ses arguments et ne vois pas pourquoi ce devrait être elle – plutôt que moi – qui tienne un petit rôle dans ce film. Mais je finis par faire ce que j'ai toujours fait : je m'efface devant ma *moy moy*. C'est la seule façon de dissiper sa jalousie et de ravaler mon ressentiment, en me laissant le temps de réfléchir à la manière dont je vais pouvoir sortir Joy de ce mauvais pas, sans créer davantage de frictions. Si nos disputes sont inévitables, nous finissons toujours par nous réconcilier. Toutes les sœurs font comme nous : elles discutent, soulignent leurs fragilités et leurs erreurs réciproques, les angoisses qu'elles nourrissent depuis l'enfance – avant de se rabibocher. Jusqu'à la prochaine dispute.

C'est donc May qui prend à la fois ma place et ma fille pour ce fameux plan. Le metteur en scène ne remarque pas la différence. Pour lui, une Chinoise en pantalon noir, maquillée comme si elle était couverte de boue et de sang et portant une fillette dans ses bras, ne diffère sans doute guère de sa voisine. Au cours des heures suivantes, j'entends ma sœur qui s'escrime à imiter mon cri, à d'innombrables reprises. Le metteur en scène n'est apparemment pas satisfait. Mais il ne la remplace pas pour autant.

## QUELQUES PHOTOGRAPHIES

Le 7 décembre 1941, trois mois après cette nuit sur le plateau de tournage, les Japonais bombardent Pearl Harbour et les États-Unis entrent en guerre. Dès le lendemain, les Japonais attaquent Hong Kong : les Anglais se rendront le jour de Noël. Le 8 décembre, à dix heures du matin très précisément, les Japonais s'emparent de la Concession internationale de Shanghai et leur drapeau flotte sur le Bund, au sommet de la Hong Kong and Shanghai Bank. Au cours des quatre années suivantes, les étrangers assez imprudents pour être restés à Shanghai vont vivre dans des camps d'internement. Ici, le centre d'immigration d'Angel Island passe sous le contrôle de l'Armée américaine, qui y regroupe des prisonniers de guerre japonais, italiens et allemands. À Chinatown, sans nous avoir laissé la moindre chance de l'en dissuader, l'oncle Edfred fait partie du premier contingent d'engagés volontaires.

— Pourquoi as-tu fait une chose pareille ? demande l'oncle Wilburt à son fils.

— Par patriotisme ! lui répond joyeusement l'oncle Edfred. J'ai envie de me battre ! Premièrement, je veux participer à la défaite de notre ennemi commun – les Japs. Deuxièmement, en m'engageant je deviendrai un citoyen à part entière. Une fois de retour, bien sûr. (*Si tu en reviens*, pensons-nous tous in petto.) Tous les employés des blanchisseries font de même, ajoute-t-il en voyant notre manque d'enthousiasme.

— Les employés des blanchisseries..., commente l'oncle Wilburt d'un air soucieux. Ils feraient évidemment n'importe quoi pour échapper à un tel boulot.

— Qu'as-tu dit quand ils t'ont interrogé sur ton statut légal ?

C'est Sam qui a posé cette question. Il a toujours peur que l'un d'entre nous se fasse prendre et que nous soyons tous renvoyés en Chine.

— Tu es un fils « sur le papier », ajoute-t-il. Ne risquent-ils pas de venir tous nous embarquer ?

— Je ne leur ai pas caché la vérité, dit Edfred. Je leur ai dit que j'étais arrivé ici avec de faux papiers. Mais cela n'a pas eu l'air de les intéresser. Lorsqu'ils me posaient une question qui risquait de les faire remonter jusqu'à vous, je leur répondais que j'étais orphelin et leur demandais s'ils voulaient que j'aille me battre, oui ou non.

— Mais tu n'es pas trop vieux pour ça ? demande l'oncle Charley.

— Sur le papier, j'ai trente ans, mais en réalité je n'en ai que vingt-trois. Je suis en bonne condition physique et prêt à affronter la mort. Pourquoi ne m'engageraient-ils pas ?

Quelques jours plus tard, Edfred arrive au restaurant et déclare :

— L'Armée m'a dit que c'était à moi de fournir mes chaussettes. Où puis-je en acheter ?

Cela fait dix-sept ans qu'il vit à Los Angeles, mais il ne sait toujours pas se débrouiller pour les questions les plus élémentaires. Je lui propose de l'accompagner dans un grand magasin, mais il me répond :

— Il faut que j'y aille seul. Je dois apprendre à ne compter que sur moi, désormais.

Il revient quelques heures plus tard, le visage balafré et les vêtements déchirés.

— J'ai bien acheté les chaussettes mais quand je suis sorti du magasin des gens s'en sont pris à moi dans la rue. Ils me prenaient pour un Japonais.

Pendant qu'Edfred est au camp d'entraînement, nous vérifions soigneusement tous les articles du magasin, le Père Louie et moi, afin d'enlever toutes les étiquettes MADE IN JAPAN et de les remplacer par des autocollants qui proclament : 100 % MADE IN CHINA. Mon beau-père commence à importer des bibelots mexicains, ce qui nous met en concurrence directe avec les commerçants d'Olvera Street. Curieusement, nos clients ne semblent pas faire de différence entre les produits qui proviennent de

Chine, du Mexique ou du Japon. Du moment que c'est exotique, ils ne vont pas chercher plus loin.

Nous aussi, nous sommes à jamais étrangers – et cela nous rend suspects aux yeux de certains. Les associations de Chinatown font imprimer des bannières qui proclament LA CHINE EST VOTRE ALLIÉE et que nous suspendons dans nos vitrines et sur les façades de nos immeubles pour montrer que nous ne sommes pas japonais. Des brassards et des badges ont également été fabriqués : nous les portons afin d'éviter d'être agressés dans la rue ou arrêtés par la police, jetés dans un train et expédiés dans un camp d'internement. Conscient que la plupart des Occidentaux estiment que tous les Asiatiques se ressemblent, le gouvernement a émis des certificats d'enregistrement spéciaux, attestant que nous appartenons bien « à la race chinoise ». Aucun de nous ne peut se permettre de baisser sa garde.

Mais lorsque Edfred vient nous rendre visite à Los Angeles, après avoir terminé sa période d'entraînement, les gens le saluent dans la rue.

— Quand je suis en uniforme, dit-il, je sais qu'on ne va pas me sauter dessus. Cela montre que j'ai autant le droit d'être ici que n'importe qui. On ne me considère plus comme un Chinois, mais comme un soldat qui se bat pour les États-Unis.

Ce jour-là, j'achète un appareil et je prends ma première photo. Je possède toujours celles de papa et maman, que je dissimule lors des visites régulières des services de l'Immigration. Mais l'oncle Edfred qui part à la guerre, c'est autre chose : il va se battre pour la cause de l'Amérique… et de la Chine. La fois suivante, lorsque les inspecteurs débarquent, je leur montre ma photo de l'oncle Edfred sanglé dans son uniforme, le visage à tout jamais chinois et la casquette crânement rejetée en arrière. Avant que j'appuie sur le déclencheur, il avait lancé :

— À partir de maintenant, appelez-moi Fred. Je ne veux plus entendre parler d'Edfred, c'est compris ?

Ce que la photo ne montre pas, c'est mon beau-père qui se tenait deux ou trois mètres en arrière et observait la scène d'un air terrifié. Mes sentiments à son sujet ont évolué, ces dernières années. Il ne possède pratiquement rien, à Los Angeles : c'est un citoyen de troisième classe, confronté à la même discrimination que nous tous et qui ne sortira jamais de Chinatown. Son pays d'adoption, l'Amérique, est maintenant en guerre contre le Japon. Les échanges commerciaux par voie maritime étant interrompus, il ne reçoit plus aucune marchandise de ses usines de porcelaine et de rotin à Shanghai, mais il continue d'envoyer de l'argent à sa famille, dans le village de Wah Hong, non seulement parce qu'un dollar américain représente toujours beaucoup d'argent en Chine, mais parce que la nostalgie qu'il éprouve pour son pays natal n'a jamais décru. Yen-yen, Vern, Sam, May et moi n'avons plus de famille à qui envoyer de l'argent – aussi les mandats du Père Louie sont-ils également destinés aux villages, aux familles et aux foyers que nous avons perdus.

— Ceux qui ne peuvent pas aller au front doivent se battre autrement, nous dit un jour l'oncle Charley. Vous connaissez les fils Lee ? Ils se sont fait embaucher chez Lockheed pour construire des avions. Ils m'ont dit qu'il y aurait sans doute une place pour moi là-bas et que c'était autre chose que de préparer du chop suey : chaque coup de marteau qu'ils donnent sert à défendre la liberté – aussi bien sur la terre de nos ancêtres que sur le sol qui nous a accueillis.

— Mais tu sais à peine parler anglais...

— Qui s'en soucie, du moment que je ne ménage pas ma peine ? Tu sais, Perle, tu pourrais trouver du travail là-bas toi aussi. Les frères Lee ont déjà entraîné leurs sœurs : Esther et Bernice posent des rivets sur les portes des bombardiers. Et sais-tu combien elles gagnent ? Soixante cents de l'heure pendant la journée et soixante-cinq quand elles sont dans l'équipe de nuit. Tu veux savoir combien on m'a proposé ? (Il se frotte les yeux, constamment gonflés par ses sempiternelles allergies.) 85 cents de l'heure, ce qui fait 34 dollars par semaine. C'est un très bon salaire, Perle, tu peux me croire.

Ma photo montre l'oncle Charley assis au comptoir devant une part de tarte, les manches retroussées. Il a posé son tablier et sa toque en papier à côté de lui, sur un tabouret.

— Comment mon fils pourrait-il participer à la guerre ? s'interroge mon beau-père. (Vern, qui a terminé sans éclat ses études secondaires en juin dernier, vient de recevoir sa convocation au conseil de révision.) Il sera plus utile ici, conclut-il. Accompagne-le, Sam, et assure-toi qu'ils ne commettent pas d'erreur à son sujet.

— Entendu, répond Sam. Mais j'ai l'intention de m'engager, de mon côté : je veux devenir un citoyen à part entière moi aussi.

Le Père Louie n'essaie même pas de le contredire. Cette affaire de nationalité est une chose – et les interrogatoires qui risquent d'en découler peuvent affecter beaucoup de gens – mais nous sommes tous conscients de l'enjeu de cette guerre. Je suis fière de Sam, ce qui ne m'empêche pas de me faire du souci. Lorsqu'ils sont de retour, Vern et lui, je vois immédiatement que les choses se sont mal passées. Vern a été réformé, pour des raisons évidentes, mais Sam l'a également été – ce qui est plus surprenant – sous prétexte qu'il a les pieds plats.

— Et dire que j'ai conduit tous ces pousse-pousse dans les rues de Shanghai…, se plaint-il lorsque nous nous retrouvons seuls dans la chambre.

Il a une fois de plus été rabaissé, rejeté en tant qu'homme. À bien des égards, il continue de boire la coupe de l'amertume.

Peu de temps après, May prend à son tour une photo sur laquelle on peut voir à quel point l'appartement a changé depuis notre arrivée. Des stores en bambou ont été ajoutés aux fenêtres : sur la photo ils sont relevés, mais on peut les descendre pour avoir un peu d'intimité. Sur le mur, au-dessus du canapé, quatre calendriers correspondant aux saisons ont été accrochés. Le Père Louie est assis sur une chaise, l'air solennel et raide comme un piquet. Sam regarde par la fenêtre. Vern est affalé sur le canapé, un modèle réduit d'avion à la main. Je suis assise par terre, en train de peindre une pancarte publicitaire pour la vente de l'emprunt de guerre à Chinatown et China City. Joy est à côté de moi, occupée à façonner une balle avec des élastiques. Yen-yen aplatit quant à elle de vieilles boîtes de conserve : nous comptons les déposer dans la journée au lycée de Belmont, qui en a organisé la collecte.

À mes yeux, cette photo illustre parfaitement les mille et une manières dont nous nous sacrifions pour cet effort de guerre. Nous aurions les moyens désormais de nous acheter une machine à laver, mais nous nous en abstenons parce que le métal est devenu rare. Nous participons au boycott des bas en soie japonais et portons à la place des bas en coton : d'ailleurs, toutes les femmes en ville se sont mises au diapason. Tout le monde est victime de la pénurie de café, de sucre, de viande bovine, de farine et de lait. Mais au Dragon Doré – comme dans les autres restaurants chinois – nous sommes plus sévèrement touchés parce que certains ingrédients de base comme le riz, le gingembre, les champignons noirs et la sauce de soja ne franchissent plus le Pacifique. Nous apprenons à utiliser des produits de substitution, en remplaçant par exemple les châtaignes d'eau par des pommes, le riz parfumé de notre pays par celui du Texas et le beurre par la margarine. Sam achète des œufs au marché noir, à cinq dollars le plateau. Nous récupérons la graisse de porc sous l'évier dans une boîte de conserve, sachant que cela pourra servir aux usines d'armements. Je n'éprouve plus le moindre ressentiment à écosser des petits pois ou à éplucher des oignons, parce que la plupart des jeunes gens qui fréquentent le restaurant sont en uniforme à présent et que nous devons faire tout ce qui est en notre pouvoir pour les soutenir. À la maison, nous nous sommes même mis à la nourriture américaine : il nous arrive de manger du porc aux haricots blancs, des toasts grillés à la mortadelle avec du fromage et des oignons, du thon à la crème et des ragoûts – ce qui élargit encore le registre de nos ingrédients.

*Photo* : la collecte de fonds du Nouvel An chinois. *Photo* : la collecte de fonds de la fête du Double-Six. *Photo* : Nuit de Chine, en compagnie de vos stars préférées. *Photo* : la parade du Bol de riz, où les femmes de Chinatown portent un immense drapeau chinois, tendu à l'horizontale, invitant les spectateurs à y jeter de l'argent. *Photo* : la fête de la Lune, dont Anna May Wong et Keye Luke sont les maîtres de cérémonie. Barbara Stanwyck, Dick Powell, Judy Garland, Kay Kyser, Laurel et Hardy sont présents eux aussi et saluent la foule. William Holden et Raymond Massey contemplent la scène d'un air bon enfant, tandis que les jeunes filles de la fanfare de Mei Wah défilent en formant le V de la Victoire. L'argent récolté à cette occasion a servi à acheter du matériel médical, des moustiquaires, des masques à gaz et des denrées de première nécessité pour les réfugiés ; des ambulances et des avions ont également été envoyés à l'autre bout du Pacifique.

*Photo* : la cantine de Chinatown. May pose en compagnie des fantassins, des marins et des aviateurs qui débarquent à Union Station, traversent Alameda et viennent visiter la cantine. Ces jeunes gens arrivent des quatre coins du pays, la plupart n'ont encore jamais vu de Chinois et utilisent des expressions comme « Vingt dieux ! » ou « Mince alors ! », que nous nous empressons d'adopter. *Photo* : Je suis au milieu d'un groupe d'aviateurs chinois venus s'entraîner à Los Angeles sur ordre de Tchang Kaï-chek. C'est merveilleux de les entendre parler, d'avoir grâce à eux des nouvelles du pays natal et de savoir que la Chine continue de se battre. *Photos, photos, photos…* Bob Hope, Frances Langford, Jerry Colonna viennent monter des spectacles à la cantine. Des jeunes filles de seize à dix-huit ans – portant des tabliers blancs, des chemisiers rouges, des chaussettes rouges et des chaussures à talons plats – se sont portées volontaires et viennent distribuer des sandwichs, danser avec les garçons et leur prêter une oreille attentive.

Ma photo préférée nous montre May et moi à la cantine juste avant la fermeture, un samedi soir. Nous avons des gardénias épinglés dans les cheveux, qui retombent en boucles sur nos épaules. Paradoxalement, notre décolleté généreux nous donne une allure de petites filles chastes. Nos robes sont courtes et nos jambes sont nues. Nous avons beau être mariées, nous n'en sommes pas moins charmantes et enjouées. Nous avons connu la guerre, toutes les deux, et nous savons ce qu'elle signifie. Être à Los Angeles, ce n'est vraiment pas la même chose.


Au cours des quinze mois suivants, beaucoup de gens transitent par ici : des hommes du contingent, revenant du théâtre des opérations ou retournant dans le Pacifique, des épouses accompagnées de leurs enfants, venues à Los Angeles pour rendre visite à leurs maris hospitalisés ici – sans parler des diplomates, comédiens et hommes d'affaires de toutes sortes impliqués dans l'effort de guerre. Jamais je n'ai imaginé que je rencontrerais à cette occasion quelqu'un de ma connaissance ; mais un beau jour, au Dragon Doré, une voix masculine m'interpelle :

— Perle Chin ? C'est bien vous ?

Je regarde l'homme assis au comptoir. Je le connais mais je feins le contraire, car j'éprouve aussitôt un terrible sentiment d'humiliation.

— Vous n'êtes pas Perle Chin ? insiste-t-il. Vous viviez jadis à Shanghai et vous connaissiez ma fille. Betsy…

Je pose l'assiette devant lui, détourne le regard et m'essuie les mains. Si cet homme est bien le père de Betsy – et il l'est, sans l'ombre d'un doute – il est la première personne surgie de mon passé à pouvoir mesurer ma déchéance. À l'époque où il m'a connue, j'étais une « jeune beauté » dont le visage ornait les murs de Shanghai. J'étais vive, séduisante et suffisamment intelligente pour être reçue dans la demeure de cet homme. J'avais aidé sa fille à sortir de son cocon et à s'habiller avec un minimum d'élégance. Aujourd'hui, je suis la mère d'une enfant de cinq ans, mariée à un ancien conducteur de pousse-pousse et serveuse dans un restaurant, au milieu d'un centre commercial destiné aux touristes. Je me force à sourire et me retourne pour le regarder.

— Mr Howell ! Quel plaisir de vous revoir !

Mais lui n'a pas l'air spécialement enchanté. Il a le regard triste, fatigué, et je ne pense pas que cela ait grand-chose à voir avec ma déchéance.

— Nous vous avons cherchée, à l'époque… (Il tend la main en travers du comptoir et me saisit le bras.) Nous pensions que vous aviez été tuée lors d'un bombardement. Et je vous retrouve ici…

— Et Betsy ?

— Elle est prisonnière des Japs, dans l'un de leurs camps d'internement. Près de la pagode de Lunghua.

Le vague souvenir d'un lâcher de cerf-volant en compagnie de Z. G. et de May me traverse un instant l'esprit.

— Mais je croyais que la plupart des Américains avaient quitté Shanghai avant que…

— Elle s'est mariée, me dit Mr Howell d'une voix triste. Vous ne l'avez pas su ? Elle a épousé un jeune homme qui travaille pour la Standard Oil. Ils sont restés à Shanghai après notre départ, ma femme et moi. Quand on est dans le pétrole, vous savez ce que c'est…

Je fais le tour du comptoir et viens m'asseoir à côté de lui, sur le tabouret voisin, consciente des regards intrigués que me lancent Sam, l'oncle Wilburt et les autres employés du restaurant. Je voudrais bien qu'ils cessent de nous fixer ainsi, la bouche ouverte et les yeux écarquillés comme des mendiants des rues – cela dit le père de Betsy n'y prête aucune attention. J'aimerais pouvoir dire que je me suis endurcie, mais je dois reconnaître que le sentiment d'humiliation que m'inspire ma déchéance est toujours aussi vif. Cela fait bientôt cinq ans que je suis dans ce pays et je ne suis pas encore arrivée à accepter ma situation. Et le fait de voir resurgir ainsi un visage du passé suffit à anéantir tout ce qu'il peut y avoir de positif dans mon existence actuelle.

Le père de Betsy travaille sans doute toujours pour le Département d'État, peut-être a-t-il donc conscience de mon malaise. Il finit par rompre le silence qui s'est installé entre nous :

— Betsy nous a donné des nouvelles après l'occupation de Shanghai. Nous pensions qu'elle était en sécurité, étant donné qu'elle se trouvait en territoire britannique. Mais depuis le 8 décembre, nous ne pouvons plus rien faire pour la rapatrier. Les réseaux diplomatiques ne sont plus d'une grande efficacité ces derniers temps.

Il regarde sa tasse de café et sourit d'un air contrit.

— Betsy est forte, dis-je pour lui remonter le moral. Elle a toujours été courageuse.

Est-ce seulement la vérité ? Je me souviens juste qu'elle était passionnée par la politique, à une époque où May et moi ne songions qu'à boire du champagne et à aller danser.

— C'est ce que nous nous disons, Mrs Howell et moi.

— Il faut que vous gardiez espoir, dis-je.

Mr Howell émet un grognement inattendu.

— C'est vous tout craché, Perle… Toujours à voir le bon côté des choses… C'est cela qui vous a sauvée à Shanghai. Et comme tous les gens qui avaient un tant soit peu de jugeote, vous avez réussi à vous enfuir avant que la situation ne se dégrade vraiment.

Voyant que je ne réagis pas, il se tourne vers moi. Au bout d'un long moment, il ajoute :

— Je suis ici à cause de la visite de Mme Tchang Kaï-chek. Je l'accompagne depuis le début de sa tournée américaine. La semaine dernière nous étions à Washington, où elle a parlé devant le Congrès, nous demandant d'aider la Chine dans son combat contre notre ennemi commun. Elle a également rappelé à ceux qui étaient venus l'écouter que la Chine et les États-Unis ne pouvaient pas être de véritables alliés tant que l'Acte d'exclusion figurerait dans notre Constitution. Cette semaine, elle doit prendre la parole à l'Hollywood Bowl et...

— ... participer à une parade à Chinatown.

— Je vois que vous êtes déjà au courant.

— J'irai l'écouter au Bowl, dis-je. Nous nous y rendrons tous et nous espérons la recevoir ici.

À l'énoncé de ce « nous », le père de Betsy prend brusquement conscience du décor qui l'entoure. Je vois son regard s'attarder sur les taches de graisse qui maculent mes vêtements, sur mes mains crevassées et les petites rides qui se sont formées autour de mes yeux. Il semble enfin remarquer l'exiguïté des lieux, les murs à la peinture caca d'oie, le ventilateur poussiéreux qui tourne mollement au plafond et les employés squelettiques, munis du brassard où figure l'inscription JE NE SUIS PAS UN JAP. Tout le monde le regarde comme s'il était une créature étrange, surgie des profondeurs de l'océan.

— Nous vivons à Washington maintenant, Mrs Howell et moi, reprend-il prudemment. Betsy serait extrêmement fâchée si je ne vous invitais pas à venir nous rejoindre là-bas. Je vous trouverai du travail. Avec votre maîtrise du chinois et de l'anglais, vous pourriez participer utilement à l'effort de guerre.

— Ma sœur est également ici, réponds-je sans même y réfléchir.

— May peut venir, elle aussi, nous avons de la place, dit-il en repoussant son assiette. Cela me fait de la peine de vous savoir ici, vous avez l'air...

En cet instant précis, curieusement, j'ai une vision très claire de la situation. Ai-je réellement déchu ? Oui. Ai-je accepté mon rôle de victime ? Plus ou moins. Ai-je encore peur ? Oui. Une partie de moi-même a-t-elle toujours envie de fuir cet endroit ? Absolument. Mais je ne peux pas partir. Nous avons construit ici une vie à l'intention de Joy, Sam et moi. Elle est loin d'être parfaite, mais elle existe. Le bonheur de ma famille m'importe plus que l'idée de recommencer ma vie.

Si je suis souriante sur la photo de la cantine, celle qui a été prise ce jour-là est loin d'être à mon avantage. Mr Howell, revêtu de son pardessus et coiffé d'un chapeau mou, pose à côté de moi devant la caisse, sur laquelle j'ai fixé une pancarte écrite à la main où l'on peut lire : TOUTE RESSEMBLANCE AVEC LES JAPONAIS EST PUREMENT OCCIDENTALE. Cela fait généralement rire nos clients, mais sur cette photo personne ne sourit. Et bien qu'elle soit en noir et blanc, le rouge de la honte qui m'est monté aux joues y est parfaitement perceptible.

Quelques jours plus tard, toute la famille prend le bus et se rend à l'Hollywood Bowl. Étant donné que nous nous sommes dépensées sans compter, Yen-yen et moi, pour récolter des fonds destinés à soutenir la Chine, on nous a réservé de très bonnes places, juste derrière la fontaine qui sépare l'estrade du public. Quand Mme Tchang monte sur scène, vêtue d'une *cheongsam* de brocart, nous l'applaudissons à tout rompre. Sa prestance n'a d'égale que sa beauté.

— Je supplie les femmes qui sont ici présentes de ne pas négliger leur éducation et de s'intéresser à la politique – aussi bien celle de l'Amérique que celle de notre pays natal, lance-t-elle. Vous pouvez faire tourner la roue du progrès sans compromettre vos rôles de mères et d'épouses.

Nous l'écoutons attentivement lorsqu'elle nous demande, à nous et aux Américains, de récolter des fonds afin de soutenir son mouvement pour la Nouvelle Vie des Femmes, mais pendant son discours nous ne cessons de nous extasier sur sa tenue. Je change une nouvelle fois d'avis sur la manière dont je dois m'habiller, comprenant que la *cheongsam* que je suis obligée de porter pour plaire aux touristes de China City et aux consignes de Mrs Sterling peut également être vu comme un symbole patriotique – sans rien perdre de son élégance.

Une fois rentrées à la maison, May et moi, nous sortons de leur commode nos plus précieuses *cheongsam* afin de les essayer à nouveau. Inspirées par l'exemple de Mme Tchang, nous voudrions être aussi élégantes et aussi loyales à la Chine que possible. D'un instant à l'autre, nous sommes redevenues des « jeunes beautés ». Sam nous prend en photo : pendant un bref instant, j'ai l'impression de me retrouver dans le studio de Z. G. Un peu plus tard, cependant, je me demande pourquoi nous n'avons pas chargé Sam de nous photographier, Yen-yen et moi, quand nous avons serré la main de Mme Tchang Kaï-chek après lui avoir été présentées...

Tom Gubbins prend sa retraite et vend sa boutique au Père Louie, qui la rebaptise aussitôt Compagnie Dorée des costumes et des figurants. Il place May à la tête de cette affaire, alors qu'elle ne sait absolument pas comment gérer un commerce. Elle gagne à présent cent cinquante dollars par semaine en tant que « directrice technique », fournissant aussi bien des figurants, des accessoires et des costumes que ses conseils avisés et ses bons offices en matière de traduction. Elle continue parallèlement à tourner dans de nombreux films qui circulent à travers le monde entier, dénonçant le danger que représentent les Japonais. Elle n'y tient jamais que de tout petits rôles : une servante infortunée, la domestique d'un colonel anglais ou une villageoise sauvée par des missionnaires. Mais elle est surtout célèbre pour les plans où elle crie... Avec la guerre qui se poursuit, elle interprète un nombre croissant de victimes dans des films comme *Behind the Rising Sun, Bombs over Burma, The Amazing Mrs Holliday* (dans lequel une Américaine essaie de rapatrier des orphelins chinois aux États-Unis), ainsi que dans *China*, dont l'affiche proclame : « Alan Ladd et vingt jeunes filles – capturés par les Japonais ! » May semble appréciée par les différents studios, notamment par la MGM. « Ils m'ont surnommée la petite cabotine de Canton », se vante-t-elle. Elle prétend avoir une fois gagné cent dollars en une seule journée grâce à ses fameux hurlements.

C'est également à elle que la MGM fait appel pour les figurants de *Dragon Seed*, qui sortira pendant l'été 1944. Elle contacte l'Association des figurants chinois, dont le siège est sur Alameda, afin de réunir la troupe. Elle touche une commission de dix pour cent sur chaque figurant et tourne elle-même dans le film.

— J'ai essayé de convaincre la Metro d'engager Keye Luke pour jouer l'un des capitaines japonais, dit-elle, mais ils ont eu peur que cela ne porte préjudice à son image : il est devenu une sorte de perle rare, en tant que fils de Charlie Chan. Ce n'était pas facile de trouver des acteurs pour tenir tous ces rôles… Il me fallait plusieurs centaines de figurants, rien que pour les paysans chinois. Pour l'armée jap, le studio m'a conseillé d'engager des Cambodgiens, des Philippins et des Mexicains.

Depuis la nuit que j'ai passée sur le plateau de tournage, mon sentiment oscille entre un profond dégoût pour *Haolaiwu* et le désir de mettre de l'argent de côté pour ma fille. Joy n'a pas cessé de tourner depuis le début de la guerre et j'ai déjà réuni une coquette somme, en vue de ses futures études. La possibilité de mettre un terme à cette activité se présente enfin, un jour où May et Joy reviennent du studio. Joy arrive en pleurant et se précipite dans notre chambre, où elle dispose à présent d'un petit lit installé dans un coin de la pièce. May est hors d'elle. Je me suis parfois mise en colère contre ma fille – à quelle mère cela n'arrive-t-il pas de temps à autre ? Mais c'est la première fois que je vois May remontée contre elle.

— Je lui avais décroché un rôle important, fulmine-t-elle, elle devait jouer la fille cadette. Elle avait déjà son costume et elle était ravissante. Mais quand le metteur en scène l'a appelée, elle avait disparu dans les toilettes. On ne l'a évidemment pas attendue ! Quelqu'un d'autre a pris sa place, tu imagines mon embarras… Comment a-t-elle pu me faire un coup pareil ?

— May, lui dis-je, Joy n'a que cinq ans, elle avait tout simplement besoin de faire pipi.

— Je sais, dit May en hochant la tête. Mais je voulais vraiment qu'elle ait ce rôle.

Saisissant l'opportunité qui se présente, je lui réponds :

— Peut-être Joy devrait-elle travailler quelque temps dans l'un des magasins avec ses grands-parents. Cela l'aiderait sans doute à mieux apprécier les efforts que tu fais pour elle.

Je n'ajoute pas que je n'ai aucune intention de la laisser retourner à *Haolaiwu*, qu'elle fera sa rentrée en septembre à l'école américaine et que j'ai déjà réussi – Dieu sait comment – à mettre assez d'argent de côté pour qu'elle puisse aller plus tard à l'université. May est tellement fâchée contre elle qu'elle approuve ma proposition.

*Dragon Seed* marque d'une certaine façon l'apogée de la carrière de May. Elle possède toujours – c'est même l'un de ses biens les plus précieux – une photo qui la montre sur le plateau aux côtés de Katharine Hepburn. Elles sont toutes les deux habillées en paysannes chinoises. Les paupières de Miss Hepburn ont été tirées en arrière et soulignées à grand renfort de mascara. L'actrice n'a rien d'asiatique pour autant – pas plus il est vrai que Walter Huston ou Agnes Moorehead, qui jouent également dans le film.

Sur ma commode, je place une photo représentant Joy devant le stand de jus d'orange que nous avons aménagé pour elle, à l'entrée du Dragon Doré. Elle trône au milieu d'un groupe de soldats souriants, accroupis autour d'elle et brandissant un pouce triomphant. Le cliché a capté un instant fugitif mais qui s'est répété à de multiples reprises, au fil de ces journées. Les militaires adorent regarder ma petite fille presser des oranges : il faut dire qu'elle est adorable avec ses nattes et son pyjama en soie. Pour dix cents, ils peuvent en boire à volonté. Certains vident quatre verres d'affilée, rien que pour le plaisir de regarder notre petite Joy presser ses fruits d'un air concentré. En contemplant cette photo, je me demande parfois si elle se rend compte qu'elle fait un travail fatigant – ou si elle considère cela comme une sorte de détente, après la vie nocturne et les contraintes que lui imposait sa tante. Cerise sur le gâteau : les gens qui s'arrêtent pour regarder cette petite Chinoise ou boire un verre de jus d'orange se décident parfois à entrer pour manger au Dragon Doré.

En septembre, Joy est prête à faire son entrée en primaire. Elle voudrait aller à l'école de Chinatown, en compagnie d'Hazel Lee et des enfants d'un autre voisin. Mais Sam et moi ne voulons pas qu'elle fréquente l'établissement qui a fait passer Vern de classe en classe sans qu'il ait seulement appris à lire, à écrire et à compter. Nous avons de l'ambition pour elle et souhaitons qu'elle soit inscrite en dehors de Chinatown. Cela implique bien sûr que nous lui inculquions l'histoire officielle de la famille. Les mensonges du Père Louie ont été transmis à Sam et aux oncles, ainsi qu'à moi – et ils vont maintenant atteindre la troisième génération. Joy devra toujours faire attention par la suite, lorsqu'elle s'inscrira dans une école, postulera à un emploi – et même lorsqu'elle demandera son certificat de mariage. Mais tout va se mettre en place à présent. Pendant des semaines, nous la faisons répéter comme si elle allait affronter les autorités d'Angel Island. Où habites-tu ? Quel est le nom de la rue voisine ? Où est né ton père ? Pourquoi est-il retourné en Chine durant son enfance ? Quel est le métier de ton père ? Nous n'essayons même pas de faire la part du vrai et du faux dans ce que nous lui racontons. Il est préférable qu'elle ne connaisse que la « vraie fausse » vérité.

— Toutes les petites filles doivent savoir ce genre de choses à propos de leurs parents, expliqué-je à Joy en la bordant dans son lit, la veille de la rentrée des classes. Ne dis jamais rien d'autre à la maîtresse, en dehors de ce que nous t'avons appris.

Le lendemain, Joy enfile une robe verte, un sweater blanc et des collants roses. Sam nous prend toutes les deux en photo devant l'entrée de notre immeuble. Joy porte le petit panier flambant neuf qui contient son repas, orné d'une cowgirl souriante assise à côté de son cheval. Le regard que j'adresse à ma fille est empreint d'amour maternel. Je suis fière d'elle, fière de nous tous qui nous sommes débrouillés pour en arriver là.

Sam et moi accompagnons Joy en tramway jusqu'à l'école élémentaire. Nous remplissons les documents et inscrivons une fausse adresse. Puis nous emmenons notre fille dans la salle de classe. Sam lui dit de tendre la main pour saluer sa maîtresse, Miss Henderson. Celle-ci la considère d'un air méprisant avant de nous dire :

— Pourquoi ne retournez-vous pas dans votre pays, vous et tous les autres étrangers ?

Comme ça, de but en blanc ! Vous vous rendez compte ? Avant que Sam ait vraiment compris ses paroles, je lui réponds du tac au tac :

— Parce que ma fille est née dans ce pays. Et qu'elle est ici chez elle.

Nous la laissons entre les mains de cette mégère. Sam n'ouvre pas la bouche, tandis que nous regagnons China City en tramway. Mais lorsque nous arrivons au restaurant, il me prend à part et me dit, d'une voix tremblante d'émotion :

— Si jamais il lui arrive quoi que ce soit, je ne leur pardonnerai jamais – et je m'en voudrai toute ma vie.

Une semaine plus tard, en allant chercher Joy à l'école, je la trouve en train de pleurer au bord du trottoir.

— Miss Henderson m'a envoyée dans le bureau de la sous-directrice, me dit-elle, le visage sillonné de larmes. Celle-ci m'a posé des tas de questions, je lui ai répondu comme tu m'avais dit de le faire mais elle m'a traitée de menteuse et m'a dit que je n'avais plus le droit de revenir ici.

Je vais trouver la sous-directrice, mais comment pourrais-je la faire changer d'avis ?

— Nous avons l'habitude de détecter ce genre d'infraction, Mrs Louie, me lance la responsable. De toute façon, la place de votre fille n'est pas ici. Inscrivez-la donc à l'école de Chinatown, elle y sera beaucoup plus heureuse.

Le lendemain, j'emmène Joy à l'école Castela, à deux blocs de chez nous et en plein cœur de Chinatown. J'aperçois des enfants originaires de Chine, du Mexique, d'Italie et d'autres pays européens. Sa maîtresse, Miss Gordon, prend la main de Joy en souriant. Elle l'emmène dans la salle de classe et referme la porte derrière elle. Au cours des semaines et des mois qui suivent, Joy qui a été élevée pour être une enfant obéissante et qui n'a même pas été autorisée à faire du vélo, sous prétexte que c'était dangereux, apprend à jouer à saute-mouton, à la marelle et aux osselets. Elle est heureuse d'être dans la même classe que sa meilleure amie et Miss Gordon semble une jeune femme tout à fait charmante.

Nous faisons de notre mieux pour l'aider à la maison. Ce qui signifie que j'essaie de parler le plus possible en anglais avec elle, parce qu'elle est américaine et qu'elle va devoir gagner sa vie dans ce pays. Quand son père, ses grands-parents ou ses oncles s'adressent à elle dans le dialecte de Sze Yup, elle leur répond en anglais. Au fil du temps, Sam fait des progrès et finit par mieux maîtriser la langue, même si sa prononciation ne s'améliore guère. Pourtant, les oncles n'arrêtent pas de la taquiner, sous prétexte qu'elle va à l'école. « Avoir de l'éducation, pour une fille, c'est une source d'ennuis, lui dit l'oncle Wilburt. Que comptes-tu faire par la suite ? Nous laisser tomber ? » Je trouve un allié inattendu dans la personne de son grand-père. Il n'y pas encore si longtemps, il nous menaçait May et moi de nous mettre à l'amende chaque fois que nous parlerions devant lui une autre langue que le dialecte de Sze Yup. Et aujourd'hui, le voilà qui menace sa petite-fille d'une peine identique chaque fois qu'elle s'exprimera autrement qu'en anglais ! Joy parle presque aussi bien anglais que moi, mais je ne vois toujours pas comment elle parviendra à s'échapper un jour de Chinatown.

À la fin de l'automne, nous faisons cercle autour du poste de radio pour écouter le Président Roosevelt, qui a demandé au Congrès d'abroger l'Acte d'exclusion visant les Chinois. « Les nations, comme les individus, commettent des erreurs. Nous devons avoir la grandeur de reconnaître et de corriger celles que nous avons commises dans le passé. » Quelques semaines plus tard, le 17 décembre 1943, toutes les lois d'exclusion sont abolies, comme le père de Betsy l'avait prédit.

Nous écoutons l'émission de Walter Winchell le jour de cette mémorable annonce : « Il s'en est fallu de peu pour que Keye Luke, le fils aîné de Charlie Chan, soit le premier Chinois à obtenir la nationalité américaine. » L'acteur était sur un tournage ce jour-là, c'est un médecin chinois de New York qui lui a volé le titre. Sam commémore ce moment de joie en prenant une photo de sa fille, une main sur la hanche, l'autre sur le sommet du poste de radio. Plus question de *cheongsam* pour elle ! Depuis qu'elle va à l'école et que nous lui avons offert ce petit panier, Joy s'est prise de passion pour les tenues de cowgirl. Son grand-père lui a même acheté une paire de bottes dans Olvera Street : à peine les avait-elle enfilées qu'il n'était plus question de les lui ôter ! Elle sourit d'un air heureux. Même si le reste de la famille ne figure pas sur la photo, je me souviens que nous avions le sourire aux lèvres ce jour-là.

Au cours des jours suivants, nous avons de longues discussions Sam et moi pour savoir si nous devons demander notre naturalisation. Mais nous sommes inquiets, comme tant d'autres fils « sur le papier » et leurs épouses.

— Je dispose déjà de la nationalité américaine grâce à mes faux papiers, qui prétendent que je suis le fils aîné du Père Louie, me dit-il. Tu as ton certificat d'identité, étant donné que tu es ma femme. Pourquoi risquer de perdre ce que nous possédons ? Pouvons-nous faire confiance au gouvernement, alors que nos voisins japonais sont envoyés dans des camps d'internement ? Et que les *lo fan* nous regardent d'un sale œil – comme si nous étions des Japs, nous aussi ?

May se trouve dans une situation différente. Elle est mariée à un authentique c'toyen américain et cela fait cinq ans qu'elle vit dans ce pays. Elle est la première personne de notre immeuble à faire une demande de naturalisation et à obtenir par ce biais la nationalité américaine.

La guerre se poursuit, mois après mois. Nous essayons de faire en sorte que la vie soit la plus normale possible pour Joy et cela donne de bons résultats. Elle réussit si bien à l'école qu'on nous propose de lui faire sauter une classe. Je travaille tout l'été avec ma fille. Miss Gordon, qui manifeste un intérêt croissant pour elle, vient en personne à la maison, une fois par semaine, pour l'aider dans l'apprentissage de la lecture et du calcul.

Peut-être ai-je trop exigé d'elle, car elle attrape un mauvais rhume durant l'été. Puis, deux jours après le bombardement d'Hiroshima, sa fièvre augmente, sa gorge lui fait très mal et elle tousse si violemment que cela la fait vomir. Yen-yen va trouver l'herboriste, qui recommande de lui faire boire du thé amer. Le lendemain, pendant que je suis au travail, Yen-yen emmène Joy chez l'herboriste, qui lui insuffle une décoction d'herbes dans la gorge. À la radio, nous apprenons Sam et moi qu'une deuxième bombe a été lâchée, cette fois-ci sur Nagasaki. Le reporter prétend que les destructions sont immenses et terrifiantes. À Washington, les responsables du gouvernement sont optimistes et pensent que la guerre devrait bientôt s'achever.

Nous fermons le restaurant, Sam et moi, et nous hâtons de rejoindre l'appartement afin d'annoncer la nouvelle. Lorsque nous arrivons, la gorge de Joy est si enflée qu'elle n'arrive plus à respirer et que son visage est devenu bleu. De toutes parts les gens se réjouissent – leurs fils, leurs frères ou leurs maris seront bientôt de retour – mais la peur nous a envahis, Sam et moi. Nous voulons emmener Joy chez un médecin occidental, mais nous n'en connaissons aucun et nous n'avons pas de voiture.

Nous nous apprêtons à aller chercher un taxi lorsque Miss Gordon débarque à la maison. Au milieu de tout cet affolement, entre l'annonce de ce nouveau bombardement atomique et l'angoisse que nous inspire l'état de Joy, nous avions oublié que c'était l'heure de son cours de soutien. À peine Miss Gordon a-t-elle vu Joy qu'elle m'aide à l'envelopper dans une couverture et nous conduit à l'Hôpital général – où, me dit-elle, « ils acceptent les gens comme vous ». Quelques minutes après notre arrivée, un médecin incise la gorge de notre fille pour lui permettre de respirer.

Moins d'une semaine après que Joy a frôlé la mort, la guerre prend fin. Ébranlé par le fait d'avoir failli perdre sa fille, Sam prélève trois cents dollars dans nos économies et achète une vieille Chrysler. Elle est cabossée et passablement déglinguée, mais elle est à nous. Sur notre ultime photo de ces années de guerre, Sam est assis au volant de la Chrysler ; Joy est juchée sur l'aile et je suis appuyée à la portière du passager. Nous nous apprêtons à faire notre première balade dominicale en voiture.

## DIX MILLE BONHEURS

— Quinze cents le gardénia ! lance une voix mélodieuse. Vingt-cinq cents les deux !

Debout derrière son stand, Joy est absolument adorable. Ses cheveux noirs brillent sous les lumières colorées, son sourire est une invitation, ses doigts virevoltent comme des papillons. Ma fille a désormais sa propre « petite boutique », comme elle dit, et s'en occupe remarquablement bien pour une enfant de dix ans. Pendant le week-end, elle vend des gardénias le soir, de 18 heures à minuit, devant le restaurant. Je peux ainsi la surveiller, bien qu'elle n'ait déjà plus besoin de protection. Elle est courageuse (comme un Tigre), persévérante (comme sa mère) et aussi belle que sa tante. J'ai une grande nouvelle à annoncer à May et je l'ai prise à part, mais la vue de Joy en train de vendre ses gardénias nous laisse toutes les deux sans voix.

— Regarde comme elle est belle, me souffle May. Et elle se débrouille bien… Je suis heureuse qu'elle apprenne à gagner un peu d'argent. Cela lui sera toujours utile, tu ne crois pas ?

May est ravissante ce soir : on dirait l'épouse d'un millionnaire dans sa robe en soie vermillon. Elle ne lésine pas sur la dépense concernant ses vêtements, d'autant qu'elle gagne bien sa vie. Elle vient de fêter ses vingt-neuf ans. Quel drame, mon Dieu ! On aurait dit qu'elle était centenaire ! À mes yeux, elle n'a pas changé d'un pouce depuis l'époque où nous étions deux « jeunes beautés ». Pourtant, elle craint tous les jours d'avoir pris des rides ou du poids. Ces temps-ci, elle remplit son oreiller de feuilles de chrysanthème, soi-disant pour empêcher ses yeux de se dessécher pendant la nuit…

— China City est destiné aux touristes, dis-je. Une jolie petite fille, c'est l'idéal pour vendre des fleurs, tu ne crois pas ? De surcroît, Joy est intelligente, elle fait toujours attention à ne pas se faire voler.

— Si vous me donnez un petit pourboire, je vous chanterai *God Bless America*, lance Joy à un couple qui s'est arrêté devant son stand.

Elle n'attend pas la réponse et entonne aussitôt la chanson, d'une voix claire et assurée. À l'école élémentaire, elle a appris tous les chants patriotiques et de nombreux autres airs, comme *My Darling Clementine* ou *She'll Be Comin'Round the Mountain*. À la mission méthodiste chinoise de Los Angeles, on lui a en outre appris à chanter des chants religieux en cantonais. Entre son travail du week-end, son école élémentaire et l'école chinoise – où elle se rend tous les jours de la semaine de 16 h 30 à 19 h 30 et le samedi de 9 heures à midi – son emploi du temps est passablement chargé, ce qui ne l'empêche pas d'être une fillette heureuse et épanouie.

Joy me regarde et m'adresse un grand sourire, tout en tendant la main en direction du couple. C'est son grand-père qui lui a appris ce truc, pour obliger les gens à acheter des choses dont ils n'ont pas forcément envie. L'homme dépose quelques pièces dans la main de Joy, qui la referme aussitôt avec la vivacité d'un singe, avant de glisser les pièces dans une boîte et de tendre un gardénia à la jeune femme. La soirée terminée, elle fait le compte de ses piécettes et les donne à son père, qui convertit la somme en billets et me les confie. Je les ajoute ensuite à l'argent que nous avons déjà mis de côté pour lui permettre d'aller plus tard à l'université.

— Quinze cents le gardénia ! reprend Joy d'une voix cristalline. Vingt-cinq cents les deux !

Je glisse ma main sous le bras de ma sœur.

— Viens, lui dis-je. Allons boire une tasse de thé.

— Pas au restaurant, j'espère.

May n'aime pas être vue au Dragon Doré, l'endroit n'est pas assez chic à ses yeux. Du moins à présent.

— D'accord.

Je fais un petit signe de la tête à Sam, qui se trouve derrière le comptoir et prépare un plat dans un wok pour un client. C'est lui le second cuisinier désormais, mais il peut surveiller notre fille du coin de l'œil pendant que je suis avec May.

Nous traversons toutes les deux les allées de China City jusqu'au magasin de costumes et d'accessoires dont elle a la charge depuis le départ de Tom Gubbins. Cela fait maintenant dix ans que nous sommes arrivées à Los Angeles, dix ans que nous travaillons à China City. La première fois que j'ai franchi la copie miniature de la Grande Muraille, je me sentais parfaitement étrangère en ces lieux. Aujourd'hui je me sens chez moi. Cela ne ressemble pas à la Chine de mon passé – aux rues animées de Shanghai, à la vie mouvementée que je menais – mais j'en perçois tout de même quelques éclats à travers les rires des touristes, les costumes traditionnels que portent les propriétaires des boutiques, les odeurs qui émanent des cafés et des restaurants – sans parler de la femme stupéfiante qui marche à mes côtés et qui est ma sœur. Tandis que nous traversons les lieux, je distingue notre reflet dans les vitrines et cela me rappelle notre jeunesse, l'époque où nous passions des heures à nous habiller dans notre chambre et à nous admirer dans la glace. Je songe aussi aux portraits des « jeunes beautés » que nous affichions sur les murs, à nos promenades dans Nanking Road ou à la manière dont Z. G. parvenait à capter notre moi profond et à donner de nous une image parfaite.

Et pourtant, nous avons changé l'une et l'autre… J'ai aujourd'hui trente-deux ans, je ne suis plus une jeune mère novice mais une femme épanouie, heureuse de son sort. Ma sœur est une fleur qui vient d'atteindre sa pleine éclosion. Le désir qu'elle a d'être admirée brûle toujours profondément en elle : plus elle l'entretient et plus il la dévore. Jamais elle ne sera satisfaite – ce mal est inscrit en elle depuis sa naissance, c'est son principal trait de caractère : native de l'année de la Chèvre, elle a besoin qu'on prenne soin d'elle, qu'on l'admire et qu'on la chérisse. Elle ne connaîtra pas le destin d'Anna May Wong, mais elle décroche encore des rôles et a tourné dans davantage de films que n'importe quel membre de notre communauté. Cela lui confère un statut de star, au moins à Chinatown, et à mes propres yeux.

May ouvre la porte de sa boutique et allume la lumière – et nous voici brusquement environnées par les robes en soie, les broderies, les plumes de martin-pêcheur surgies du passé. Elle va préparer du thé, nous le sert et me demande enfin :

— Quelle est donc cette nouvelle que tu brûlais de m'annoncer ?

— Dix mille bonheurs, lui réponds-je. Je suis enceinte.

May applaudit des deux mains.

— Vraiment ? s'exclame-t-elle. Tu en es sûre ?

— Je suis allée voir le médecin, dis-je en souriant. Il m'a confirmé la chose.

May se lève et vient me prendre dans ses bras. Puis elle recule un peu et me dit :

— Mais comment est-ce possible ? Je croyais que…

— Il fallait bien que j'essaie. L'herboriste m'a donné une préparation à base de baies de chèvrefeuille, de patate douce et de graines de sésame, que j'ai mélangée à nos soupes et à nos autres plats.

— C'est un miracle, dit May.

— Plus qu'un miracle, dis-je.

— Oh, Perle, je suis tellement heureuse ! Raconte-moi tout… Depuis quand es-tu enceinte ? Quand le bébé doit-il naître ?

— Je dois être enceinte de deux mois.

— Tu l'as déjà dit à Sam ?

— Tu es ma sœur, je voulais te l'annoncer en premier.

— Ce sera un fils cette fois-ci, dit May avec un grand sourire.

C'est ce que tout le monde souhaite et je rougis de plaisir, rien qu'en entendant ce mot de « fils ».

Une ombre traverse soudain le visage de May.

— Es-tu certaine de pouvoir y arriver ? me demande-t-elle.

— Le docteur m'a dit que j'étais un peu vieille. Eh bien sûr, il y a mes cicatrices…

— Des tas de femmes plus âgées que toi mettent des enfants au monde !

Peut-être n'est-ce pas la meilleure chose à me dire, étant donné que les problèmes de Vern ont généralement été imputés à l'âge qu'avait Yen-yen au moment de sa naissance… May se rend compte de sa maladresse. Elle ne me pose pas de questions sur mes cicatrices, car nous n'avons jamais évoqué ensemble ce que j'avais vécu cette nuit-là dans la cabane. Elle se rabat donc sur des questions plus terre à terre, concernant mon état :

— As-tu fréquemment sommeil ? As-tu des nausées ? Je me souviens que… (Elle s'interrompt et secoue la tête, comme pour chasser ce souvenir lointain.) On prétend que le seul moyen assuré de vivre longtemps, c'est d'avoir des enfants. (Elle se penche et effleure mon bracelet de jade.) Songe comme maman et papa auraient été heureux… (Cette évocation suscite en nous une brusque tristesse.) Tu sais ce que cela signifie ? reprend-elle. Vous allez devoir acheter une maison, Sam et toi !

— Une maison ?

— Vous économisez de l'argent depuis des années.

— Oui, mais c'est pour que Joy puisse aller à l'université.

Ma sœur balaie l'objection du revers de la main.

— Vous avez encore du temps devant vous ! De surcroît, le Père Louie vous aidera sûrement à acheter cette maison.

— Je ne vois pas pourquoi. Nous avons conclu un accord et…

— Il a changé. Et puis, il s'agit de son petit-fils !

— Peut-être, dis-je. Mais même s'il voulait nous aider, jamais je n'accepterais d'être séparée de toi. Tu es ma sœur et ma meilleure amie.

May m'adresse un sourire rassurant.

— Tu ne me perdras pas, dit-elle. J'ai ma propre voiture à présent. Où que vous alliez vous installer, je viendrai te rendre visite.

— Mais ce ne sera pas la même chose.

— Bien sûr que si. Et puis, tu viendras travailler tous les matins à China City. Yen-yen s'occupera de son petit-fils. Et j'aurai envie de voir mon neveu, moi aussi. (Elle prend mes mains dans les siennes.) Perle, il faut que vous achetiez une maison, Sam et toi. Vous le méritez.

Sam est aux anges. Il a beau m'avoir dit jadis que cela lui était égal de ne pas avoir de fils, il n'en est pas moins un homme et il l'a passionnément souhaité. Joy se met à trépigner en apprenant la nouvelle, tellement elle est excitée. Yen-yen fond en larmes, mais se fait tout de même du souci à cause de mon âge. Le Père Louie voudrait se comporter en patriarche et essaie de maîtriser son émotion en serrant les poings, mais il ne parvient pas à chasser l'expression radieuse qui éclaire son visage. Vern se tient gentiment à mes côtés, mais c'est un bien frêle protecteur. Je ne sais pas si la joie me donne des ailes, mais il me fait l'effet d'avoir rapetissé, comme si sa colonne vertébrale s'était affaissée. J'ai remarqué qu'il se tient souvent le dos courbé, penché en avant et les mains en appui sur les cuisses, comme s'il essayait de s'arracher à la fatigue qui l'accable.

Le dimanche, les oncles viennent dîner à la maison pour célébrer l'heureux événement. Notre famille s'élargit, comme tant d'autres à Chinatown. La population chinoise de Los Angeles a plus que doublé depuis notre arrivée. Cela n'est pourtant pas dû à l'abolition de l'Acte d'exclusion. Nous pensions alors que la situation allait s'améliorer, mais seuls cent cinq nouveaux Chinois sont autorisés à pénétrer dans le pays chaque année, selon le nouveau système de quotas. Comme toujours, les gens se débrouillent pour contourner la loi. L'oncle Fred a fait venir sa femme en profitant de l'Acte relatif aux fiancées de guerre. Mariko est jolie et nous l'avons accueillie sans arrière-pensée, bien qu'elle soit japonaise. (Après tout, la guerre est finie et elle fait désormais partie de la famille.) D'autres se sont débrouillés autrement pour faire venir leurs épouses. Et avec tous ces couples maintenant réunis, inutile de dire que les naissances n'ont pas tardé. Mariko a eu deux filles coup sur coup, Eleanor et Bess, que nous adorons bien qu'elles soient métisses et que nous ne les voyions pas assez souvent à notre goût. Fred et Mariko ne vivent pas à Chinatown. Ils ont profité de la prime accordée aux GI pour acheter une maison à Silver Lake, près du centre-ville.

Les hommes portent des polos à manches courtes et boivent des bouteilles de bière. Vêtue d'un pantalon et d'une veste en coton noir, un magnifique collier de jade autour du cou, Yen-yen s'amuse avec Joy et les filles de Mariko. May virevolte dans la pièce, vêtue d'une ample jupe à l'américaine en coton lustré, retenue à la taille par une ceinture. Le Père Louie claque des doigts et nous nous asseyons pour manger. Tous les membres de la famille déposent les meilleurs morceaux dans mon bol, du bout de leurs baguettes. Chacun a un conseil à me donner. Et curieusement, tout le monde s'accorde à dire que nous devrions chercher une maison où élever le petit-fils des Louie. May avait raison : non seulement le Père Louie est d'accord pour nous aider, mais il est prêt à participer pour moitié à l'achat de cette maison, à condition que son nom figure également sur l'acte de propriété.

— Les couples qui se marient ne vivent plus avec leur belle-famille à présent, dit-il. Il paraîtrait étrange que vous n'ayez pas votre propre foyer.

(Au bout de dix ans, il ne redoute plus que nous prenions la fuite. Nous formons tous une véritable famille à présent.)

— L'air n'est pas très sain dans cet appartement, dit Yen-yen. Notre petit-fils doit pouvoir jouer en plein air plutôt que dans la rue.

(Cela ne l'avait pourtant pas dérangée, quand il s'agissait de Joy…)

— J'espère qu'il y aura assez de place pour un poney, dit Joy.

(Aussi grand soit son désir de ressembler à une cowgirl, il est hors de question que nous achetions un poney.)

— Maintenant que la guerre est finie, tout est en train de changer, proclame l'oncle Wilburt, manifestant pour une fois un optimisme sans faille. Vous pouvez aller nager à la piscine de Bimini. Vous pouvez vous asseoir n'importe où au cinéma. Vous pouvez même épouser un *lo fan* si le cœur vous en dit.

— Mais qui en aurait envie ? demande l'oncle Charley.

(Beaucoup de lois ont été modifiées, mais cela ne signifie pas que les comportements aient profondément changé, que ce soit chez les Asiatiques ou les Occidentaux.)

Joy tend le bras pour attraper un morceau de porc de l'autre côté de la table, du bout de ses baguettes. Sa grand-mère lui donne une tape sur la main.

— On se sert uniquement dans le plat qui est devant soi ! la tance-t-elle.

Joy retire sa main, mais Sam s'empresse de la servir lui-même. C'est un homme – et de surcroît le futur père d'un précieux petit-fils – aussi Yen-yen se garde-t-elle de lui faire la moindre remarque. Mais un peu plus tard, elle prend Joy à part et lui fait tout un sermon en lui répétant qu'elle doit se montrer vertueuse, polie, gracieuse et obéissante, ce qui signifie entre autres qu'elle devrait apprendre à coudre, à broder, à entretenir la maison et à utiliser ses baguettes à bon escient. Tout cela de la part d'une femme qui est loin d'être un exemple en la matière...

— Bien des portes se sont ouvertes, dit l'oncle Fred.

Il est revenu de la guerre couvert de médailles. Son anglais, qui n'était déjà pas mauvais, s'est encore amélioré pendant qu'il était sous les drapeaux, mais il parle toujours le dialecte de Sze Yup quand il est avec nous.

— Regardez-moi, poursuit-il. Le gouvernement m'aide à poursuivre des cours du soir et à acheter une maison. (Il lève sa bouteille de bière.) Merci, oncle Sam, de m'aider à devenir dentiste ! (Il boit une gorgée et ajoute :) La Cour suprême a déclaré que nous pouvions désormais vivre où nous voulions. Alors, où comptez-vous vous installer ?

Sam se passe la main dans les cheveux.

— Là où l'on voudra bien de nous, dit-il. Je ne tiens pas à vivre dans un quartier où je serais rejeté.

— Ne te fais pas de souci pour ça, dit l'oncle Fred. Les *lo fan* nous acceptent mieux aujourd'hui. Beaucoup de jeunes Américains ont participé à cette guerre et se sont retrouvés sous l'uniforme avec des gens comme nous. Tu seras bien accueilli, où que tu ailles.

Plus tard ce soir-là, une fois que tout le monde est parti et que Joy s'est endormie sur le canapé du salon – qui est désormais son lit attitré – nous reprenons cette conversation, Sam et moi, au sujet du bébé et d'un possible déménagement.

— Si nous étions chez nous, dit-il, nous serions libres de faire ce qu'il nous plaît. (Il ajoute en anglais, étant donné qu'il n'y a pas de terme chinois équivalent.) *Dans l'intimité.* De surcroît, toutes les belles-filles rêvent d'être un jour délivrées de leur belle-mère.

La présence de Yen-yen n'a jamais été un fardeau pour moi, mais l'idée de quitter Chinatown et d'élever Joy et notre futur bébé dans de meilleures conditions est évidemment séduisante. Néanmoins, nous ne sommes pas dans la même situation que Fred. Nous ne disposons pas de la prime des GI pour acheter une maison. Aucune banque n'accepterait de nous prêter de l'argent – pas plus qu'à d'autres Chinois – et nous ne ferions de toute façon pas confiance à un établissement de crédit américain. Mais nous avons économisé de l'argent, Sam et moi, que nous avons caché dans l'une de ses chaussettes et dans la doublure du chapeau que je portais quand je suis arrivée de Chine. À condition de rester modestes, nous sommes peut-être en mesure d'envisager un tel achat.

Seulement les choses ne se présentent pas aussi facilement que le disait l'oncle Fred. Je me renseigne du côté de Crenshaw, où l'on me dit que nous ne pourrions acheter une maison qu'au sud de Jefferson. À Culver City, l'agent immobilier ne veut même pas me faire visiter la moindre propriété. J'en trouve une qui me plaît à Lakewood, mais les voisins ont signé une pétition disant qu'ils ne voulaient pas de Chinois dans les environs. Du côté de Pacific Palisades, les conventions municipales interdisent toujours de vendre des maisons à des personnes d'origine africaine ou asiatique. Partout, c'est la même rengaine : « Nous ne vendons pas aux Chinois », « Cette maison ne conviendrait pas à des Asiatiques »… Et pour conclure, inéluctablement : « Au téléphone, je vous avais prise pour une Italienne. »

L'oncle Fred – qui a fait la preuve de sa bravoure pendant la guerre – nous encourage à ne pas baisser les bras, Sam et moi ne sommes cependant pas du genre à porter plainte et à nous battre contre de telles discriminations. Le seul espoir pour acheter une maison en dehors de Chinatown serait de trouver un propriétaire aux abois, qui n'aurait pas peur de se mettre l'ensemble de ses voisins à dos. Mais je commence à me demander s'il est bien raisonnable de déménager, finalement. Peut-être ai-je tout simplement peur d'avoir un jour la nostalgie de ce quartier : après avoir dû abandonner Shanghai, faut-il prendre le risque de perdre ce que nous avons eu tant de mal à édifier ici, à Chinatown ?

Pendant ma grossesse, je m'efforce de suivre les préceptes traditionnels chinois. J'ai bien sûr les mêmes inquiétudes que n'importe quelle future mère, auxquelles s'ajoutent les angoisses liées au terrible préjudice que j'ai subi jadis. Je vais voir l'herboriste qui examine ma langue, écoute attentivement mon pouls et me prescrit du *An Tai Yin* – la formule du « paisible fœtus ». Il me donne également du *Shou Tai Wan* – des pilules pour la « longévité du fœtus ». Je ne serre pas la main des étrangers, car maman avait dit un jour à une voisine que son bébé risquait d'avoir six doigts, dans le cas contraire. Quand May m'offre une petite commode en camphre pour ranger les vêtements que je prépare pour le bébé, je la refuse – toujours à cause des croyances de maman – parce que le meuble ressemble à un cercueil. Je commence à me soucier de mes rêves, me souvenant de ce que maman prétendait à ce sujet : quand on rêve de chaussures, c'est mauvais signe ; quand on rêve qu'on perd ses dents, c'est qu'un membre de la famille est sur le point de mourir ; quand on rêve d'excréments, c'est que de très gros ennuis se préparent. Chaque matin je caresse mon ventre, heureuse que ces rêves de mauvais augure m'aient été épargnés.

Pendant les festivités du Nouvel An, je vais voir un astrologue qui me dit que mon fils naîtra pendant l'année du Bœuf, comme son père. « Votre fils aura un cœur pur, rempli de foi et d'innocence. Il sera fort et ne se plaindra jamais. » Chaque jour, lorsque les touristes ont quitté China City, je me rends au temple de Kwan Yin pour y faire des offrandes, afin que mon bébé se porte bien. Du temps où j'étais une « jeune beauté » à Shanghai, je n'avais que mépris pour ces mères qui se rendaient dans les temples de la vieille ville. Mais maintenant que je suis plus âgée, je comprends que la santé de mon fils est plus importante que ces préjugés de gamine relatifs à la modernité.

D'un autre côté, je ne suis pas idiote. Je serai de toute façon une mère américaine et je vais également voir un médecin d'ici. Je n'aime toujours pas ces docteurs en blouse blanche – la couleur de la mort – mais j'en fais abstraction, je suis prête à tout accepter dans l'intérêt de mon enfant. Ce qui implique que je laisse le médecin m'examiner. Jusqu'alors, les seuls hommes qui ont eu accès à cette partie de mon anatomie sont mon mari, les chirurgiens qui m'ont soignée à Hangchow et les soldats qui m'ont violée. Cela ne me réjouit pas que cet individu mette son nez là-dedans… Mais j'aime encore moins ce qu'il me déclare, après m'avoir examinée : « Vous aurez de la chance, Mrs Louie, si vous parvenez à mener cette grossesse à son terme. »

Sam entrevoit le danger et va discrètement prévenir tous les membres de la famille. Yen-yen m'interdit aussitôt de m'occuper plus longtemps des repas, de repasser et de faire la vaisselle. Le Père Louie m'ordonne de ne plus bouger de l'appartement, de rester étendue et de dormir, les jambes légèrement relevées.

Et ma sœur, dans tout ça ? Elle décide de prendre Joy en charge et de l'accompagner à l'école le matin, puis à ses cours du soir à l'école chinoise. J'ignore comment expliquer cela. Cela fait des années que nous nous disputons à propos de Joy, ma sœur et moi. May offre à sa nièce des vêtements splendides qu'elle achète dans les grands magasins, alors que je lui en couds d'autres, moins élégants mais mieux adaptés à la vie courante. Elle lui achète des escarpins en cuir, alors que je préférerais des chaussures à talons plats. May se donne le beau rôle, tandis que je joue un peu les rabat-joie. Mais pour l'instant, cela m'est égal : je laisse Joy s'éloigner quelque temps de moi et passer sous la coupe de sa tante, convaincue que je n'aurai pas à me battre avec May pour avoir l'amour de mon fils.

Se rendant plus ou moins compte qu'elle est en train de me voler Joy, ma sœur m'offre Vern en échange.

— Il restera auprès de toi, me dit-elle, et s'assurera qu'il n'arrive rien de grave. Il peut te donner un coup de main pour des choses simples, te préparer du thé par exemple. Et en cas d'urgence – mais je suis sûre que cela n'arrivera pas – il pourra toujours nous prévenir.

On aurait pu croire que l'idée de May ferait plaisir à Sam : c'est pourtant loin d'être le cas. Serait-il jaloux ? Comment cela serait-il possible ? Vern est adulte maintenant, mais au fil des jours que nous passons ensemble il semble diminuer de volume à mesure que mon ventre grossit. Sam refuse néanmoins qu'il s'asseye à côté de moi pendant les repas. Nous nous plions à sa décision, étant donné qu'il va bientôt être père pour la deuxième fois.

Nous passons beaucoup de temps à débattre du prénom de ce futur enfant. Les choses ne se passent pas comme lorsque nous avions choisi celui de Joy, May et moi. C'est le Père Louie cette fois-ci qui aura l'honneur et le devoir de baptiser son petit-fils. Mais chacun n'en a pas moins une opinion à ce sujet et essaie de l'influencer.

— Tu devrais l'appeler Gary, dit ma sœur. Comme Gary Cooper.

— J'aime bien mon prénom, dit Vernon.

Nous lui répondons avec un sourire que c'est une excellente idée, mais personne n'a envie de donner à ce bébé le même prénom qu'à un individu souffrant d'un tel handicap... On ne l'aurait même pas laissé vivre, s'il était né en Chine.

— J'aime bien Kit, comme Kit Carson. Ou Annie, comme Annie Oakley.

La suggestion provient évidemment de ma cowgirl de fille.

— Donnons-lui le nom de l'un des bateaux qui ont amené les Chinois en Californie, dit Sam. *Roosevelt*, *Coolidge*, *Lincoln* ou *Hoover*...

— Papa... glousse Joy. Ce ne sont pas des noms de bateaux, mais des présidents des États-Unis.

Joy se moque souvent de son père, à cause de sa mauvaise maîtrise de l'anglais et de son ignorance des mœurs américaines. Il devrait au moins lui en faire la remarque, si ce n'est la punir pour un tel manquement aux règles de la piété filiale. Mais il est tellement heureux à l'idée d'avoir bientôt un fils qu'il ne prête aucune attention aux remarques acerbes de sa fille. Je me dis qu'il va falloir que je la tance sur ce point, si je ne veux pas qu'elle finisse comme May et moi quand nous étions jeunes, autrement dit désobéissante et insolente envers ses parents.

Certains de nos voisins y vont aussi de leurs suggestions. Untel a donné à son fils le prénom du médecin qui l'avait mis au monde. Tel autre a donné à sa fille celui d'une infirmière particulièrement aimable. Je me souviens de Miss Gordon, qui a sauvé la vie de Joy, et je propose qu'on appelle mon fils Gordon Louie. Cela sonne bien, même si cela n'a plus grand-chose de chinois.

Quand j'atteins le cinquième mois, l'oncle Charley nous annonce qu'il va retourner dans son village natal. « La guerre est finie, dit-il, et les Japonais ont quitté la Chine. J'ai mis assez d'argent de côté, je terminerai paisiblement ma vie là-bas. » Nous organisons un banquet, lui disons au revoir et l'accompagnons jusqu'au port. Ceux qui se sont toujours considérés ici comme des gens de passage voient finalement leur aventure prendre fin. Mais malgré ses affirmations répétées, le Père Louie n'a pas manifesté une seule fois l'intention de fermer ses boutiques et de nous ramener en Chine. Pourquoi retournerait-il dans son village natal alors qu'il va enfin avoir un petit-fils qui sera un Américain de naissance et pratiquera pour lui le culte des ancêtres lorsqu'il aura rejoint l'au-delà ? Sans compter qu'il apprendra à jouer au baseball et deviendra médecin...

Au début du sixième mois, je reçois une enveloppe couverte de timbres chinois. Je l'ouvre fébrilement et découvre une lettre de Betsy. Je n'arrive pas à croire qu'elle soit encore en vie. Elle a survécu à son séjour dans le camp d'internement japonais, près de la pagode de Langhua, mais son mari n'a pas eu la même chance. « Mes parents veulent que je les rejoigne à Washington pour me rétablir, écrit-elle, mais je suis née à Shanghai, c'est là qu'est mon foyer. Comment pourrais-je partir d'ici ? N'ai-je pas le devoir d'aider dans ses efforts de reconstruction la ville qui m'a vue naître ? Je travaille depuis quelque temps dans un orphelinat... »

Sa lettre me rappelle qu'il y a une autre personne dont j'aimerais avoir des nouvelles. Même après toutes ces années, le souvenir de Z. G. est toujours présent dans mon cœur. Je pose la main sur mon ventre, qui est enflé à présent comme un beignet à la vapeur, et je sens l'enfant remuer à l'intérieur, tandis que mes pensées se tournent vers Shanghai et le peintre que j'ai tant aimé. Je ne suis pas nostalgique – simplement enceinte et sentimentale, parce que le passé n'est justement que cela : le passé. Mon foyer est ici, auprès de cette famille que j'ai construite sur le désastre et la ruine. Ma valise est déjà prête et m'attend, près de la porte de notre chambre. J'ai cinquante dollars dans mon sac à main pour les frais d'hôpital. Lorsque cet enfant naîtra, ce sera dans un monde où tout le monde est disposé à l'aimer.

## L'AIR DE CE MONDE

On nous répète sans arrêt que les histoires des femmes sont sans importance. Qui se soucie, après tout, de ce qui se passe dans les cuisines, les salons ou les chambres à coucher ? Des relations entre les mères, les filles et les sœurs ? La maladie d'un enfant, les tristesses et les douleurs de l'accouchement, l'énergie qu'il faut déployer pour sauver sa famille lorsque la guerre ou la misère font rage – et même en temps normal – sont considérées comme insignifiantes, comparées aux hauts faits des hommes qui se battent contre la nature pour faire pousser les récoltes, engagent des guerres interminables pour défendre leur patrie ou luttent intérieurement à la recherche de la perfection. On nous dit que les hommes sont forts et courageux, mais je crois pour ma part que les femmes savent davantage accepter la défaite et supporter la souffrance, aussi bien physique que morale. Les hommes qui ont tenu un rôle important dans ma vie – mon père, Z. G., mon mari, mon beau-père et mon fils – ont mené d'une manière ou d'une autre ces grands combats masculins, mais leurs cœurs trop fragiles ont fléchi, confrontés à des pertes que les femmes doivent quotidiennement supporter. En tant qu'hommes, ils ont dû faire preuve de détermination devant les obstacles et les tragédies, mais ils ont été aussi aisément broyés que des pétales de fleurs.

On prétend de même que les événements heureux arrivent par paires, et les mauvaises nouvelles par trois. S'il se produit successivement deux catastrophes aériennes, nous guettons déjà la troisième. À la mort d'une star de cinéma, nous sommes persuadés que d'autres ne tarderont pas à la suivre dans la tombe. Si nous nous tordons un doigt et perdons nos clefs de voiture, nous attendons avec inquiétude la tuile qui va suivre : tout ce que nous pouvons souhaiter, c'est qu'il s'agisse d'une aile froissée, d'une fuite d'eau ou d'un licenciement, plutôt que d'un décès, d'un divorce ou d'une nouvelle déclaration de guerre.

Les tragédies qui frappent la famille Louie déferlent comme une cascade ininterrompue, un barrage qui cède ou une tornade dévastatrice qui détruit tout sur son passage, avant d'engloutir ses débris dispersés dans la mer. Mes hommes essaient de faire front mais ce sont nous, les femmes – May, Yen-yen, Joy et moi – qui allons devoir les aider à supporter leur douleur, leur angoisse et leur honte.

Nous sommes au début de l'été 1949 et la mélancolie propre au mois de juin est encore plus prégnante qu'à l'ordinaire, surtout le soir. Un brouillard humide monte de l'océan et s'étend sur la ville comme une couverture mouillée. Le médecin me dit que les douleurs ne vont plus tarder à présent, mais que ce climat a peut-être endormi mon bébé. À moins qu'il n'ait aucune envie d'émerger dans une telle grisaille et préfère rester bien au chaud là où il est. Je ne m'inquiète pas. Je reste à la maison et j'attends.

Le soir, Vern et Joy me tiennent compagnie. Vern ne se sent pas très bien ces derniers temps, il dort pour l'instant dans sa chambre. Joy n'a plus qu'une semaine de cours avant le début des vacances. D'où je suis, assise à la table du salon, je la vois froncer les sourcils, recroquevillée sur le canapé. Elle n'aime pas répéter ses tables de multiplication ni résoudre les interminables divisions dont sa maîtresse l'accable pour améliorer ses résultats.

Je me replonge dans le journal que je n'ai pas cessé de lire aujourd'hui, refusant d'en croire mes yeux. Mon pays est déchiré par la guerre civile. L'Armée rouge de Mao Tsé-Tung s'est répandue à travers la Chine comme une traînée de poudre, aussi rapidement que les Japonais jadis. En avril, ses troupes se sont emparées de Nanking. En mai, Shanghai tombait à son tour. Je me souviens des révolutionnaires que j'écoutais autrefois dans les cafés, en compagnie de Z. G. et de Betsy. Cette dernière était encore plus remontée qu'eux, mais qui aurait cru que le pays tomberait un jour entre leurs mains ? Nous avons longuement évoqué la question, Sam et moi. Il vient d'une famille de paysans qui ne possédait rien. Si ses parents étaient encore de ce monde, ils auraient tout à gagner de l'instauration d'un régime communiste. J'appartenais quant à moi à la *bu-er-ch'iao-ya* – c'est-à-dire à la classe bourgeoise. Si ma famille était encore en vie, elle aurait souffert de ce changement. Ici, à Los Angeles, personne ne sait ce qui va se passer, mais chacun dissimule son inquiétude derrière des sourires de façade, du moins en présence des Occidentaux, que les communistes effraient bien plus que nous.

Je vais préparer du thé à la cuisine. Je suis devant l'évier, en train de remplir la bouilloire, lorsque je sens brusquement du liquide ruisseler le long de mes cuisses. Ça y est ! Je perds enfin les eaux ! Sauf qu'en baissant les yeux, ce n'est pas de l'eau que j'aperçois sur le carrelage et le long de mes jambes, mais du sang. La peur qui m'étreint d'un seul coup remonte jusqu'à mon cœur, qui se met à battre à tout rompre. Mais cela n'est rien comparé à ce qui se passe ensuite. Une contraction m'élance soudain, avec une telle violence que j'ai l'impression que le bébé va jaillir d'un seul coup. Toutefois, lorsque je saisis mon ventre par dessous et tente de le redresser, du liquide s'écoule à nouveau entre mes jambes. Je serre les cuisses et avance à pas infimes jusqu'à la porte de la cuisine, pour appeler ma fille.

— Joy ! Va vite chercher ta tante...

J'espère que May se trouve dans son bureau à cette heure, et non pas en virée avec des gens des studios.

— Si elle n'est pas au magasin, va jeter un coup d'œil au Chinese Junk's, elle y donne souvent rendez-vous pour le dîner.

— Mais maman...

— Vas-y immédiatement !

Joy me regarde. Heureusement, elle n'aperçoit que ma tête qui émerge de la cuisine. Mais mon visage doit trahir la gravité de la situation, car elle ne cherche pas à discuter comme elle le fait d'ordinaire. Dès qu'elle a quitté l'appartement, j'attrape des torchons et les fourre entre mes cuisses. Je me rassois ensuite dans mon fauteuil et empoigne les accoudoirs pour me retenir de crier à chaque nouvelle contraction. Je me rends bien compte qu'elles sont trop fréquentes et que quelque chose va de travers.

Lorsque Joy revient en compagnie de May, ma sœur me dévisage, empoigne Joy et la repousse aussitôt dans le couloir avant qu'elle ait pu me voir.

— File au restaurant, lui lance-t-elle. Va trouver ton père et dis-lui de nous rejoindre à l'hôpital.

Joy repart et ma sœur s'approche de moi. Le rimmel agrandit ses yeux. Elle arbore un rouge à lèvres pulpeux et porte une robe en satin pervenche qui moule aussi étroitement son corps qu'une *cheongsam*. Je distingue un relent de gin et de viande grillée dans son haleine. Elle me considère durant quelques instants, avant de soulever ma jupe. Elle essaie bien de dissimuler ses émotions, mais je la connais trop bien. Tout en saisissant les torchons imbibés de sang, elle penche la tête sur le côté en se mordillant la lèvre inférieure. Puis elle rabaisse ma jupe et la lisse soigneusement sur mes cuisses.

— Peux-tu marcher jusqu'à ma voiture ? demande-t-elle. Ou préfères-tu que j'appelle une ambulance ?

Sa voix est aussi calme que si elle me demandait de choisir entre son chapeau rose et celui qui est bordé d'hermine. Je ne veux pas d'histoires et je ne tiens pas à dilapider de l'argent.

— Prenons ta voiture, dis-je. Si cela ne te dérange pas.

— Vern ! lance May. J'ai besoin de toi !

Comme il ne répond pas, elle disparaît dans le couloir pour aller le chercher. Ils reviennent quelques instants plus tard. Le Petit Mari a les cheveux en bataille et ses vêtements sont fripés : elle l'a tiré de sa sieste. Lorsqu'il m'aperçoit, il se met à gémir.

— Prends-la de ce côté, lui dit May, je la soutiendrai de l'autre.

Ils m'aident tous les deux à me relever, puis à descendre les escaliers. Ma sœur me tient d'une main ferme, mais Vern est devenu très faible : on a l'impression qu'il va s'effondrer sous mon poids d'un instant à l'autre. Une sorte de fête est organisée sur la Plaza ce soir-là et les gens s'écartent en m'apercevant, encadrée de la sorte et retenant mon ventre à deux mains. Personne n'aime voir une femme enceinte, ni des événements d'une telle intimité exposés au grand jour. May m'installe avec l'aide de Vern sur le siège arrière de sa voiture et me conduit quelques blocs plus loin, jusqu'à l'Hôpital français. Elle se gare devant la porte-cochère et se précipite pour chercher de l'aide à l'intérieur. Je regarde à travers la vitre les lumières qui éclairent le

parking tout en respirant lentement, méthodiquement, et en sou-
tenant mon ventre qui me paraît lourd, inerte. Je me rappelle que
mon bébé est un Bœuf, comme son père. Même enfant, le Bœuf
fait preuve de volonté et d'endurance et je me dis que mon fils
va obéir à sa nature. J'ai tout de même très peur.

Une nouvelle contraction me traverse, la pire que j'aie
jusqu'alors endurée.

May revient vers la voiture en compagnie d'une infirmière et
d'un homme également vêtu de blanc. Ils lancent des ordres,
m'installent sur un lit à roulettes et me conduisent à l'intérieur,
aussi vite qu'ils le peuvent. May marche à mes côtés en me
disant : « Ne t'inquiète pas, tout va bien se passer. C'est toujours
douloureux de mettre un enfant au monde, cela nous enseigne la
gravité de la vie. »

J'ai empoigné les barreaux métalliques, de chaque côté du lit
à roulettes, et je serre les dents. La sueur coule sur mon front,
ma poitrine et le long de mon dos. Je grelotte de froid.

La dernière chose que me lance ma sœur, tandis qu'on
m'emmène dans la salle d'accouchement, c'est : « Bats-toi pour
moi, Perle ! Bats-toi pour vivre, comme tu l'as fait jadis ! »

Mon bébé ne tarde pas à sortir, mais jamais il ne respirera l'air
de ce monde. L'infirmière l'enveloppe dans une couverture et
vient me le montrer : il a de grandes mèches de cheveux, une
petite bouche et un nez allongé. Pendant que je prends mon fils et
contemple son visage, le médecin continue de s'affairer entre mes
jambes. Il finit par se redresser et me dit : « Il va falloir vous opé-
rer, Mrs Louie. Nous allons vous endormir. » L'infirmière emporte
le bébé et je sais que je ne le reverrai jamais. Des larmes coulent
le long de mes joues tandis qu'on m'applique un masque sur le
visage. J'accueille avec soulagement la nuit qui m'environne.


J'ouvre les yeux. Ma sœur est assise à côté de mon lit. Ce
qu'il reste de son maquillage donne à ses lèvres l'apparence
d'une plaie et le rimmel a coulé sur ses joues. Sa somptueuse
robe pervenche paraît toute fripée, mais cela n'ôte rien à sa
beauté et je me sens transportée dans une époque déjà lointaine,
lorsque May se trouvait près de moi dans une autre chambre
d'hôpital. Je pousse un soupir et elle me prend la main.

— Où est Sam ? demandé-je.

— Avec le reste de la famille. Ils sont tous en bas, dans le hall. Je peux lui dire de venir, si tu veux.

J'ai terriblement besoin de voir mon mari, mais comment vais-je pouvoir le regarder en face ? « *Puissiez-vous mourir sans fils* » reste la pire des malédictions.

Le docteur vient prendre de mes nouvelles.

— Je ne sais pas comment vous avez fait pour porter cet enfant aussi longtemps, dit-il. Nous avons bien failli vous perdre.

— Ma sœur est très forte, dit May. Elle a traversé de pires épreuves autrefois. Elle aura un autre enfant.

Le docteur hoche la tête.

— Je crains que cela ne soit impossible, dit-il. (Il se tourne vers moi et ajoute.) Vous avez de la chance d'avoir une sœur pareille.

May serre ma main d'un air confiant.

— Les médecins avaient déjà dit ça jadis et regarde ce qui s'est passé. Vous ferez une nouvelle tentative, Sam et toi.

Je crois que je n'ai jamais rien entendu de pire. J'ai envie de me mettre à hurler : *J'ai perdu mon bébé !* Comment ma sœur peut-elle faire preuve d'une telle cécité devant ce que j'éprouve ? Comment ne comprend-elle pas ce que cela représente d'avoir perdu cet être qui a vécu dans mon ventre pendant neuf mois, que j'ai aimé de toute mon âme et sur lequel j'avais fondé tant d'espoirs ? Mais le pire est encore à venir.

— J'ai peur de vous décevoir, répond le médecin en enveloppant l'horreur de ce qu'il s'apprête à me révéler derrière cet air enjoué et ce sourire rassurant dont les *lo fan* ont le secret. Nous avons dû procéder à une ablation totale.

Je ne supporterais pas de pleurer devant cet homme et je concentre mon regard sur mon bracelet de jade. Il n'a pas changé pendant toutes ces années et restera identique à lui-même longtemps après ma mort : un bloc de pierre dur et froid. C'est pourtant à mes yeux un objet qui me relie au passé, à des êtres et à des lieux disparus à jamais. La constance de sa perfection me rappelle de manière presque physique que je dois continuer à vivre, m'occuper de l'avenir, chérir ce que je possède. La vie se poursuivra pas à pas, un matin après l'autre, tout simplement parce que mon désir est trop fort. Je me tiens intérieurement ce discours et je barde mon cœur d'acier pour étouffer ma peine. Mais tout cela vole en éclats quand ma famille pénètre dans la pièce.

Le visage de Yen-yen pend comme un sac de farine. Les yeux du Père Louie sont aussi sombres que des boulets de charbon. Vern semble physiquement affecté, flétri comme un légume après une tornade. Et Sam… Contrairement à ce qu'il m'avait affirmé dix ans plus tôt, le jour où il m'avait fait sa grande confession, j'ai bien vu ces derniers mois à quel point il désirait avoir un fils qui transmettrait son nom, pratiquerait pour lui le culte des ancêtres et réaliserait les rêves qu'il n'a pas su concrétiser lui-même. J'ai donné cet espoir à mon mari et je l'ai réduit à néant.

May chasse les autres de la pièce, afin que Sam et moi puissions rester seuls. Mais mon mari qui d'ordinaire a l'air si fort, qui peut soulever toutes les charges et endurer toutes les humiliations, n'est pas en mesure d'endiguer ma douleur.

— Pendant que nous attendions…, commence-t-il.

Mais sa voix se brise. Il croise les mains derrière son dos et se met à faire les cent pas dans la chambre pour surmonter son émotion. Au bout d'un moment, il refait une tentative :

— Pendant que nous attendions, j'ai demandé à un médecin d'examiner Vernon. Je lui ai dit que mon frère respirait mal et qu'il avait des problèmes de circulation sanguine.

Je voudrais enfouir mon visage dans sa poitrine, absorber sa force, écouter le battement régulier de son cœur… Mais mon mari refuse de me regarder. Il s'immobilise au pied du lit et fixe un point situé quelque part au-dessus de ma tête.

— Il faut que je retourne les voir. Que je demande aux médecins de faire passer certains tests à Vern. Peut-être peuvent-ils quelque chose pour lui.

Même s'ils n'ont pas réussi à sauver notre fils… Sam quitte la pièce et je plonge mon visage dans mes mains. Mon échec est le pire dont une femme puisse se rendre responsable et mon mari, pour noyer son chagrin, se préoccupe tout à coup de la maladie de son frère. Ma belle-famille ne revient pas me voir, Vern lui-même se tient à l'écart. C'est généralement ainsi que les choses se passent, lorsqu'une femme perd un enfant à la naissance, mais il n'empêche que cela me fait mal.

May en revanche ne m'abandonne pas un seul instant. Elle est assise près de moi lorsque je pleure. Elle m'aide à aller aux toilettes. Lorsque mes seins me font mal et se mettent à gonfler, elle chasse l'infirmière venue m'aider à faire sortir le lait et s'en charge elle-même. Mon mari me manque terriblement. Mais si Sam m'a abandonnée au moment où j'avais le plus besoin de lui, May, de son côté, a abandonné Vern. Au bout de mon cinquième jour d'hôpital, elle m'apprend ce qu'on a découvert.

— Vern a une maladie des os, me dit-elle. Une tuberculose osseuse, comme ils disent ici. C'est pour cela qu'il était de plus en plus faible.

May n'a jamais été économe en matière de larmes, mais cette fois-ci je vois qu'elle se retient : et cela me prouve à quel point elle a fini par aimer son Petit Mari.

— À quoi est-ce dû ?

— Au fait que nous vivons comme des animaux.

Jamais je n'ai perçu une telle amertume dans la voix de ma sœur. Nous avons été élevées dans l'idée que ces maladies étaient liées à la saleté et restaient l'apanage des pauvres. On les considérait chez nous comme plus honteuses encore que celles que transmettent les prostituées. Cette révélation est en soi presque pire que le fait d'avoir perdu un fils : cela revient à proclamer publiquement – face aux *lo fan* comme à l'ensemble de nos voisins – que nous vivons dans la misère, la crasse et la promiscuité.

— Généralement, poursuit May, la maladie touche les jeunes enfants, qui meurent lorsque leur colonne vertébrale finit par s'effondrer. Mais Vern n'est pas un enfant et les médecins ignorent combien de temps il survivra. Tout ce qu'ils savent, c'est que son état va aller en empirant et qu'il s'affaiblira de plus en plus jusqu'à la paralysie totale. Il va devoir rester couché jusqu'à la fin de ses jours.

— Et Yen-yen ? Le Père Louie ?

May secoue la tête, n'arrivant plus à retenir ses larmes.

— C'est leur petit garçon, dit-elle.

— Et Joy ?

— Je me suis occupée d'elle.

La tristesse imprègne la voix de ma sœur. Je ne comprends que trop ce que signifie pour elle la perte de mon bébé. Je vais reprendre auprès de Joy mon rôle de mère à plein temps. Cela devrait peut-être susciter en moi un sentiment de victoire, mais tel n'est pas le cas. Je suis submergée au contraire par le malheur qui nous accable tous.

Plus tard ce soir-là, Sam vient me parler, debout au pied de mon lit. Il a une mine affreuse, son visage est tout gris et ses épaules semblent ployer sous le fardeau de cette double tragédie.

— Je m'étais déjà demandé s'il n'avait pas cette maladie. J'avais reconnu certains symptômes, mon père avait eu les mêmes. Mon frère n'a pas hérité d'un sort favorable. Il ne fait jamais de mal à personne, il a toujours été gentil avec nous – et pourtant, il n'y a aucun moyen de changer le cours du destin.

Il songe à Vern en prononçant ces mots, mais ils pourraient aussi bien s'appliquer à chacun d'entre nous.

Ces tragédies successives contribuent à souder notre famille comme aucun d'entre nous ne l'aurait imaginé. May, Sam et le Père Louie reprennent leur travail, mais la tristesse et le désespoir leur enserrent le cou comme une cangue. Yen-yen reste à l'appartement pour prendre soin de Vern et de moi. Le médecin est hostile à cette solution : « Vern serait mieux dans un sanatorium ou une institution de ce genre », nous a-t-il dit. Mais comment pourrions-nous l'enfermer derrière les grilles d'un tel établissement, alors que les Chinois sont déjà mal traités en pleine rue, à la vue et au su de tous ?

Le destin n'en a pas encore terminé avec nous. En août, un nouvel incendie détruit pratiquement la totalité de China City. Quelques bâtiments ont résisté aux flammes, mais toutes les entreprises du Père Louie ont été réduites en cendres, à l'exception de trois pousse-pousse et de la Compagnie de costumes et de figurants dont s'occupe May. Le problème, c'est que personne ici n'est assuré… Comme la Chine est à nouveau plongée dans la guerre civile, mon beau-père ne peut pas retourner au pays pour reconstituer un stock d'antiquités. Il pourrait sans doute en acheter par ici, mais tout est devenu très cher depuis la fin de la guerre. Et la plupart des économies qu'il avait planquées dans ses différentes boutiques sont elles aussi parties en fumée.

Quoi qu'il en soit, même si nous avions les moyens de regarnir les rayons de nos magasins, Christine Sterling ne souhaite plus reconstruire China City. Convaincue que l'incendie était d'origine criminelle, elle préfère renoncer à l'idée de recréer un Orient de rêve à Los Angeles. Elle a d'ailleurs décidé de ne plus travailler avec des Chinois à l'avenir, craignant qu'ils ne finissent par porter malheur à son marché d'Olvera Street. Elle convainc la municipalité de raser le pâté de maisons compris entre Los Angeles Street et Alameda, ce qui représente un bon morceau de Chinatown, afin de construire une voie rapide à la place. Désormais, il ne restera plus de l'ancien Chinatown que la rangée de bâtiments comprise entre Los Angeles Street et Sanchez Alley, où nous habitons. Les gens essaient bien de se mobiliser contre ce projet, mais sans grand espoir.

Notre immeuble est menacé, mais nous avons pour l'instant d'autres soucis en tête : il s'agit de faire redémarrer les affaires familiales. Certains confrères ont décidé de rouvrir leur commerce dans ce qui reste de China City. Le Père Louie a préféré quant à lui transplanter sa Lanterne Dorée dans le Nouveau Chinatown. Il y vend des bibelots à bas prix – achetés à des grossistes locaux qui font venir leurs marchandises de Taiwan et de Hong Kong. Joy y passe désormais plus de temps, pour vendre ce qu'elle appelle « du bric-à-brac » aux touristes qui n'y connaissent rien, prenant le relais de son grand-père quand celui-ci éprouve le besoin d'aller faire un petit somme. Les clients ne se bousculent pas dans cette nouvelle boutique, mais elle a l'art de les surveiller. Et quand il n'y a personne – ce qui est fréquent – elle en profite pour lire.

Nous avons décidé Sam et moi d'utiliser une partie de nos économies pour monter notre propre entreprise. Sam finit par repérer sur Ord Street un cadre approprié à l'ouverture d'un nouveau restaurant, à quelques dizaines de mètres de China City. L'oncle Wilburt ne nous accompagnera pas, cette fois-ci : il a décidé de profiter de l'intérêt croissant que manifestent les *lo fan* à l'égard de la cuisine chinoise pour ouvrir lui aussi sa propre enseigne. Nous sommes tristes de voir le dernier des oncles nous quitter de la sorte, même si cela signifie que Sam va enfin accéder au grade de cuisinier en chef.

Nous préparons notre grande soirée d'inauguration : il s'agit de procéder aux ultimes aménagements, de concevoir les menus et de songer à notre promotion. Le restaurant comporte à l'arrière un bureau dont May va pouvoir faire le siège de ses affaires. Elle a stocké les costumes et les accessoires dans un petit entrepôt non loin d'ici, sur Bernard Street, déclarant qu'elle n'avait plus besoin de passer ses journées au milieu de ce fatras. Du reste, l'engagement des figurants et ses propres apparitions à l'écran sont plus rentables que la location des costumes. Elle pousse Sam à faire imprimer un calendrier pour la promotion du restaurant. Elle demande à un photographe local de venir faire le cliché officiel. Bien que l'établissement porte mon nom, la photo montre May et Joy devant le comptoir, à côté du présentoir des tartes. La légende proclame : Venez manger au « Perle coffee shop », cuisine chinoise et américaine de qualité.

Le restaurant ouvre au début du mois d'octobre 1949, au moment où Mao Tsé-Tung instaure la République populaire de Chine et où retombe le « rideau de bambou ». Nous ignorons quelle sera la perméabilité de ce rideau et ce que ces événements signifient pour notre pays natal, mais l'ouverture du restaurant est un succès. Le calendrier est aussi apprécié que nos menus, qui combinent des spécialités américaines et sino-américaines : roast-beef, tarte aux pommes accompagnée de glace à la vanille et café ; ou porc à l'aigre-douce, cookies aux amandes et thé. Le Perle Coffee Shop est propre, la nourriture est fraîche et consistante. Les gens font la queue de jour comme de nuit devant l'établissement.


Le Père Louie continue d'envoyer de l'argent dans son village natal en expédiant des fonds à Hong Kong et en chargeant quelqu'un là-bas de franchir la frontière et de les convoyer jusqu'à Wah Hong. Sam le met en garde contre cette pratique :

— Les communistes risquent de confisquer cet argent. Si ça se trouve, tu mets la famille en danger en leur envoyant de telles sommes.

Mes craintes ne sont pas du même ordre.

— Le gouvernement américain va peut-être nous prendre pour des communistes. C'est surtout pour ça que beaucoup de gens ont cessé d'envoyer de l'argent à leur famille.

C'est la vérité. À Chinatown, tout le monde est perplexe et vaguement inquiet. Les lettres qui arrivent de Chine ne font qu'ajouter à cette confusion : « Nous sommes très satisfaits du nouveau gouvernement, écrit régulièrement le cousin de mon beau-père. Tout le monde est sur un pied d'égalité à présent. Le propriétaire terrien a dû partager ses richesses avec le peuple. »

S'ils sont aussi satisfaits, pourquoi les gens cherchent-ils donc à s'enfuir ? Certains, comme l'oncle Charley, sont récemment retournés en Chine avec leurs économies. Ils avaient souffert ici en Amérique, où on les traitait comme des moins que rien, et ils l'avaient supporté en espérant jouir à la fin de leur vie de la prospérité, du bonheur et du respect, une fois rentrés dans leur pays natal. Mais ils ont été amèrement déçus, car le nouveau pouvoir les a traités de capitalistes, de sales propriétaires terriens et de chiens courants de l'impérialisme. Les plus malchanceux sont morts dans les rizières ou ont été exécutés sur les places des villages. Les plus chanceux ont réussi à s'enfuir et à rejoindre Hong Kong, brisés et ruinés. Une poignée d'entre eux sont parvenus à revenir *au pays* – c'est-à-dire ici, en Amérique... L'oncle Charley en fait partie.

— Les communistes t'ont donc tout pris ? lui demande Vern depuis son lit.

— Cela leur aurait été difficile, répond l'oncle Charley en frottant ses yeux gonflés et ses mains couvertes d'eczéma. Quand je suis arrivé là-bas, Tchang Kaï-chek et les nationalistes étaient encore au pouvoir. Ils demandaient à tous les nouveaux arrivants d'échanger leur or et leurs devises étrangères contre des certificats émis par le gouvernement. Ils imprimaient des milliards de *yuan*, qui ne valaient pourtant strictement rien. Le prix d'un sac de riz, qui était de douze *yuan* auparavant, n'allait pas tarder à atteindre la somme de soixante-trois millions de *yuan*. Les gens empilaient leur argent dans une brouette pour aller faire leurs courses. Si tu voulais acheter un timbre, cela te coûtait l'équivalent de six mille dollars américains...

— Tu as tort de dire du mal du Généralissime, rétorque Vern avec nervosité.

— Tout ce que je dis, c'est que quand les communistes sont arrivés, je n'avais plus un sou en poche.

Après toutes ces années de dur labeur dans l'espoir de rentrer un jour en Chine fortune faite, le voilà revenu à son point de départ – à devoir travailler comme plongeur pour la famille Louie.

Je retrouve peu à peu mes forces et travaille aux côtés de Sam, qui se montre adorable à bien des égards. J'ai ainsi la chance d'être auprès de mon mari, mais aussi de May, jusqu'en fin d'après-midi. Je rentre alors à la maison préparer le dîner, tandis que ma sœur se rend au General Lee ou au Soochow – qui ont maintenant déménagé dans le Nouveau Chinatown – afin de rencontrer des directeurs de casting et d'autres personnes de ce genre. Il est parfois difficile de croire que nous sommes sœurs, toutes les deux. Je me raccroche aux souvenirs de notre ancienne demeure familiale, à l'époque où May était une « jeune beauté ». Je porte un tablier graisseux et une petite toque en carton ; elle, des robes splendides aux couleurs de la terre : sienne, améthyste ou céladon.

J'ai un peu honte de mon apparence physique jusqu'au jour où ma vieille amie Betsy franchit le seuil du restaurant. Maintenant que la Chine est un pays fermé, elle s'apprête à rejoindre ses parents sur la côte Est et fait escale à Los Angeles. Nous avons le même âge – trente-trois ans – mais on lui en donnerait facilement vingt de plus. Elle est maigre, presque squelettique, et ses cheveux sont déjà gris. J'ignore si cela est dû aux années qu'elle a passées dans ce camp japonais ou aux dramatiques événements de ces derniers mois.

— Le Shanghai que nous avons connu n'existe plus, me dit-elle. (Je l'ai emmenée dans le bureau de May, à l'arrière du restaurant, et nous buvons du thé toutes les trois.) La ville ne sera plus jamais ce qu'elle a été. Shanghai était mon foyer, mais aucune de nous trois n'y remettra les pieds.

Nous échangeons un regard, ma sœur et moi. Il nous est arrivé de broyer du noir, à l'époque où les Japonais occupaient le pays et où nous pensions ne jamais pouvoir y retourner. Une fois la guerre terminée, nous avions repris confiance et espérions nous y rendre au moins en visite. Mais les choses ont l'air définitivement compromises, cette fois-ci.

# INQUIÉTUDES

Il est presque midi, en ce deuxième samedi du mois de novembre 1950. Je n'ai pas beaucoup de temps devant moi avant d'aller chercher Joy et son amie Hazel Lee à la nouvelle église méthodiste unifiée où elles suivent leurs cours de chinois. Je descends à toute vitesse, ramasse le courrier dans la boîte aux lettres et remonte l'escalier quatre à quatre jusqu'à l'appartement. Au milieu des factures se trouvent deux lettres plus personnelles. La première vient de Washington : je reconnais l'écriture de Betsy sur l'enveloppe et la fourre dans ma poche. L'autre est adressée au Père Louie et provient de Chine : je la laisse avec les factures sur la table du salon afin qu'il la trouve ce soir en rentrant. J'attrape ensuite un pull, un panier à provisions, redescends l'escalier et me dirige vers l'église, où j'attends Joy et Hazel devant l'entrée.

Quand Joy était petite, je voulais qu'elle apprenne à lire et à écrire correctement le chinois. Cela n'était possible que dans l'une des missions religieuses de Chinatown (il faut reconnaître que les missionnaires ont eu le nez creux, dans cette affaire). Non seulement il fallait payer un dollar par mois pour les cours, cinq jours et demi par semaine, mais Joy devait aussi assister à l'office dominical et l'un de ses parents devait obligatoirement l'accompagner ce jour-là. J'ai donc régulièrement assisté à ces offices au cours des sept dernières années. La plupart des parents s'élèvent contre cette exigence, mais j'ai tendance à la considérer comme un échange de bons procédés. Et j'avoue éprouver parfois un certain plaisir à écouter les sermons, qui me rappellent ceux que j'entendais dans mon enfance à Shanghai.

J'ouvre la lettre de Betsy. Cela fait un peu plus d'un an que Mao a pris le pouvoir en Chine et quatre mois et demi que la Corée du Nord a envahi la Corée du Sud, avec le soutien de l'Armée de libération du peuple chinoise. Il y a encore cinq ans, la Chine et les États-Unis étaient alliés. Mais à présent, quasiment du jour au lendemain, la Chine communiste est devenue – après la Russie – le deuxième adversaire déclaré des États-Unis. Ces deux derniers mois, Betsy m'a écrit plusieurs fois pour me dire qu'on la soupçonnait de ne pas se montrer loyale envers son pays, étant donné qu'elle avait vécu si longtemps en Chine et que son père faisait partie des nombreux membres du Département d'État accusés de sympathies communistes. Autrefois, à Shanghai, c'était un compliment d'être considéré comme un « vieil ami de la Chine ». Aujourd'hui, à Washington, c'est devenu presque aussi terrible que d'être un tueur en série... Betsy m'écrit :

Mon père est vraiment sur le grill. Comment peut-on lui reprocher des choses qu'il écrivait voici plus de vingt ans, lorsqu'il critiquait Tchang Kaï-chek et le mal que celui-ci faisait à son pays ? Maintenant, papa est traité de sympathisant communiste et on l'accuse d'avoir participé à « la perte de la Chine ». Nous espérons maman et moi qu'il pourra conserver son poste. Et s'il devait être mis à pied, qu'on ne lui supprimera pas sa pension. Heureusement, il a encore des amis au Département d'État qui savent à quoi s'en tenir à son sujet.

En repliant la lettre et en la remettant dans l'enveloppe, je me demande comment je vais bien pouvoir lui répondre. Je ne pense pas que je lui serais d'un grand secours si je lui avouais que nous sommes tous très inquiets, ici aussi.

Joy et Hazel déboulent dans la rue. Elles ont douze ans et fréquentent le collège depuis un bon moment. Elles pensent être déjà des « grandes », mais elles sont chinoises et leur croissance n'est pas terminée. Je les suis à quelques mètres, tandis qu'elles marchent en se tenant par la main et en se chuchotant leurs secrets avec des mines de conspiratrices. Avant d'arriver au restaurant, nous faisons halte dans une boucherie de Broadway pour acheter un kilo de *char siu*, la viande de porc marinée et grillée qui est l'un des ingrédients secrets de Sam. Il y a du monde aujourd'hui et tous les clients sont inquiets : la peur s'est répandue dans le quartier depuis que cette nouvelle guerre a éclaté. Certains choisissent de se taire, d'autres sombrent dans la dépression. D'autres encore, comme le boucher, laissent éclater leur colère :

— Pourquoi ne nous fiche-t-on pas la paix ? lance-t-il dans le dialecte de Sze Yup, sans s'adresser à personne en particulier. Est-ce de ma faute, si Mao veut propager le communisme ? Je n'y suis strictement pour rien !

Nul ne lui répond. Nous éprouvons tous le même sentiment.

— Sept ans ! s'exclame-t-il en abattant son hachoir dans un quartier de viande. Cela fait exactement sept ans que l'Acte d'exclusion a été aboli. Et aujourd'hui, le gouvernement des *lo fan* vient de faire voter une loi autorisant l'arrestation des communistes en cas de menace nationale. Quiconque a émis un jour la moindre réserve à l'égard de Tchang Kaï-chek est soupçonné d'être un communiste. (Il brandit son hachoir dans notre direction.) Et même si vous n'avez rien dit de mal, on vous considère comme suspect du moment que vous êtes chinois, dans ce satané pays !

Joy et Hazel ont cessé de papoter et regardent le boucher avec de grands yeux. Une mère cherche d'abord à protéger ses enfants, mais je ne peux pas enfermer Joy dans une tour d'ivoire. Quand nous marchons ensemble, je ne parviens pas toujours à détourner son attention de la une des journaux, qu'ils soient anglais ou chinois. Je peux demander aux oncles d'éviter de parler de la guerre lorsqu'ils viennent dîner le dimanche, mais les nouvelles n'en circulent pas moins et tout le monde les commente.

Joy est trop jeune pour comprendre qu'avec la suspension de l'*habeas corpus*, n'importe qui dans ce pays – y compris son père et sa mère – peut être arrêté et détenu pour une période indéterminée. Nous ne voyons pas très bien non plus ce qui pourrait constituer au juste une « menace nationale », mais l'internement des Japonais pendant la guerre est encore dans nos esprits. Récemment, le gouvernement a demandé aux diverses associations de notre communauté de leur fournir dans les vingt-quatre heures la liste de leurs membres : la plupart de nos voisins ont paniqué, sachant que leurs noms apparaîtraient forcément dans l'une ou l'autre de ces listes. Nous avons appris par la suite dans les journaux chinois que le FBI avait mis sur écoutes les bureaux de l'Association des blanchisseurs chinois et décidé de mener une enquête sur l'ensemble des abonnés du *China Daily News*. Je me réjouis depuis cette affaire que le Père Louie soit abonné pour sa part au *Chung Sai Yat Po*, le quotidien qui soutient le Kuomintang, les chrétiens et le principe d'assimilation.

J'ignore quelles diatribes le boucher compte encore tenir, mais je préfère les épargner aux filles. Je suis sur le point de les entraîner hors du magasin lorsqu'il se calme soudain et me demande ce que je désire. Tout en enveloppant le *char siu*, il me confie sur un ton plus modéré :

— La situation n'est pas trop mauvaise à Los Angeles, Mrs Louie. Mais j'ai un cousin à San Francisco qui a préféré se suicider plutôt que d'être arrêté. Et il n'avait rien fait de mal. J'ai entendu parler d'autres personnes qui ont été envoyées en prison et attendent maintenant leur extradition.

— Nous avons tous entendu des histoires de ce genre, dis-je. Mais qu'y pouvons-nous ?

Le boucher me tend mon paquet.

— Cela fait trop longtemps que je vis dans la peur, me dit-il. Et j'en ai assez. J'en ai sacrément assez...

Voyant que le ton s'apprête à remonter, je me hâte de sortir en compagnie des filles. Elles restent silencieuses pendant le reste du trajet. Lorsque nous arrivons au restaurant, nous nous dirigeons aussitôt vers la cuisine. May, qui est dans son bureau et parle au téléphone, nous adresse un signe de la main. Sam est en train de préparer la pâte du porc à la sauce aigre douce, qui remporte un vif succès auprès de nos clients. Je ne peux pas m'empêcher de remarquer qu'il se servait d'un plus grand saladier l'année dernière, quand nous avons ouvert le restaurant. Cette nouvelle guerre nous fait du tort : une partie de nos clients ne viennent plus et certains commerces à Chinatown ont dû se résoudre à fermer. La peur que la Chine inspire est telle que la plupart des sino-américains ont perdu leur emploi ou ne trouvent pas de travail.

Nous n'avons plus autant de clients qu'avant, mais nous nous en sortons tout de même mieux que d'autres. À la maison, nous faisons des économies et réduisons notre consommation de viande : nous mangeons plus de riz à la place. Les affaires de May continuent de bien marcher, heureusement, et il lui arrive encore d'apparaître en chair et en os dans un film ou une émission de télévision. D'ici peu, les studios vont produire des films évoquant la menace communiste : lorsque cela arrivera, May aura du pain sur la planche. L'argent qu'elle gagnera ira dans le pot familial et nous en profiterons tous.

Je donne le *char siu* à Sam, puis je prépare sur un plateau un goûter pour les filles, combinant les saveurs chinoises et occidentales : quelques cacahuètes, quelques quartiers d'orange, quatre cookies aux amandes et deux verres de lait entier. Les filles posent leurs livres sur le plan de travail. Hazel s'assoit et croise les mains sur ses genoux, tandis que Joy va allumer le poste de radio que nous avons installé à la cuisine pour distraire le personnel.

Je lève aussitôt une main menaçante.

— Pas de radio aujourd'hui !

— Mais, maman…

— Inutile de discuter. Vous avez des devoirs à faire, Hazel et toi.

— Mais pourquoi ?

*Parce que je ne veux pas que tu entendes d'autres mauvaises nouvelles*, me dis-je intérieurement. J'ai horreur de mentir à ma fille, mais j'ai dû inventer ces derniers mois toute une série d'excuses pour l'empêcher d'écouter la radio : j'avais la migraine, son père était de mauvaise humeur… J'ai même risqué un jour un lapidaire « Parce que ! » qui s'est avéré efficace, mais dont je ne peux pas me servir à chaque fois. Comme Hazel est ici, je teste une nouvelle réplique :

— Que penserait la mère d'Hazel si je vous laissais écouter la radio ? Ce que nous voulons, c'est que vous récoltiez des « A » au collège.

— Mais avant, tu nous le permettais !

Me voyant secouer la tête, Joy se tourne vers son père :

— Papa…

— Fais ce que te dit ta mère, lui répond Sam sans même relever les yeux de son travail.

Joy éteint la radio et retourne s'asseoir à côté de son amie. C'est une enfant obéissante et je lui en suis reconnaissante, car la vie ces derniers mois n'a pas été facile. Je suis plus moderne d'esprit que la plupart des mères de Chinatown, mais pas suffisamment encore au gré de ma fille. Je l'ai déjà prévenue qu'elle allait bientôt voir arriver pour la première fois la petite visiteuse en rouge – et de ce que cela signifiait, concernant les garçons – mais je n'arrive pas à lui parler comme il le faudrait de cette nouvelle guerre.

May fait son apparition à la cuisine. Elle embrasse Joy, tapote l'épaule de Hazel et va s'asseoir en face d'elles.

— Comment vont mes jeunes filles préférées ? demande-t-elle.

— Très bien, tante May, lui répond Joy d'un air abattu.

— Voilà qui manque singulièrement d'enthousiasme, rétorque May. Réjouissez-vous donc ! C'est samedi, vous revenez de l'école chinoise et vous avez tout le week-end devant vous. Qu'aimeriez-vous faire ? Voulez-vous que je vous emmène au cinéma ?

— Pouvons-nous y aller, maman ? me demande Joy, pleine d'espoir.

Hazel, qui ne demanderait visiblement pas mieux que de passer l'après-midi au cinéma, lui répond à ma place :

— Je ne peux pas. J'ai des devoirs à faire.

— Et Joy est dans le même cas, ajouté-je.

May se range aussitôt de mon côté :

— Le travail passe bien sûr avant tout.

Depuis la mort de mon bébé, nous sommes redevenues très proches, ma sœur et moi. Quand je suis d'humeur sombre, May est enjouée. Quand je suis enjouée, May s'assombrit. Quand je prends du poids, elle maigrit. Quand j'en perds, elle ne bouge pas. Nous ne ressentons pas forcément les mêmes émotions et ne portons pas le même regard sur le monde, mais je l'aime à présent telle qu'elle est. Mes ressentiments se sont évaporés – du moins jusqu'à ce qu'elle me blesse à nouveau d'une manière ou d'une autre ou que je fasse quelque chose qui la mette en colère et l'éloigne une fois encore de moi.

— Je peux vous aider, si vous voulez, propose-t-elle aux filles. Si nous avons fini assez tôt, nous aurons peut-être le temps d'aller manger une glace.

Joy me lance un regard interrogateur, les yeux brillants d'espoir.

— D'accord, dis-je, mais seulement à condition d'avoir fini vos devoirs.

— Qu'est-ce que vous avez à faire ? demande May en posant les coudes sur la table. Je suis assez bonne en maths…

— Nous devons faire un exposé, répond Joy. Sur un problème d'actualité.

— À propos de la guerre, précise Hazel.

Le sang me monte à la tête. Quelle idée… Leur professeur pourrait tout de même faire preuve d'un peu plus de jugeote, concernant un sujet aussi sensible…

Joy sort de son sac un exemplaire du *Los Angeles Times* et le déplie sur la table. Elle désigne l'un des articles.

— Nous pensons nous servir de celui-ci, dit-elle.

May considère l'article et se met à lire à voix haute :

« Le gouvernement des États-Unis a pris aujourd'hui un ensemble de mesures visant à empêcher les étudiants chinois venus faire leurs études en Amérique de retourner chez eux, par crainte qu'ils ne communiquent à leur pays certains secrets scientifiques et technologiques. (Elle marque une pause et me dévisage, avant de poursuivre sa lecture.) Le gouvernement a également interdit tout nouvel envoi de mandats à destination de la Chine continentale et même de la colonie britannique de Hong Kong, d'où l'argent peut aisément passer à l'intérieur du pays. Ceux qui continueraient d'envoyer de l'argent à leur famille en Chine et qui se feraient prendre sont susceptibles d'une amende de dix mille dollars et de dix ans de prison. »

Je glisse la main dans ma poche, où se trouve la lettre de Betsy. Si la situation commence à devenir difficile pour quelqu'un comme Mr Howell, que dire du Père Louie, qui envoie de l'argent depuis des années dans son village natal…

« Pour réagir à cette décision, poursuit May, l'organisation sino-américaine la plus puissante des États-Unis, les Six Compagnies, a lancé une campagne anticommuniste d'une extrême virulence, dans l'espoir d'enrayer les nombreuses critiques et les attaques dont sont victimes les diverses Chinatown du pays. »

May lève les yeux du journal et demande aux filles.

— Et vous, vous avez peur ? (Les voyant acquiescer, elle ajoute :) Eh bien, vous avez tort. Vous ne craignez rien. Vous êtes nées ici. Vous êtes américaines. Vous n'avez aucune raison d'avoir peur.

Je sais bien que Joy et Hazel ne sont pas en situation illégale, mais j'estime pour ma part qu'elles ont tout de même des raisons de s'inquiéter.

— Il faut pourtant que vous fassiez très attention, dis-je d'une voix aussi calme et assurée que possible. Il y a forcément des gens qui, en vous regardant, ne verront que la couleur de votre peau et vous soupçonneront d'être des rouges. Vous comprenez ce que cela signifie ? ajouté-je en fronçant les sourcils.

— Oui, répond Joy. Nous en avons parlé en classe avec la prof. Elle nous a dit qu'en raison de notre physique, certaines personnes risquent de nous considérer comme des ennemis, même si nous sommes des citoyennes américaines.

En écoutant ma fille, je me dis qu'il serait de mon devoir de mieux la protéger. Mais comment ? On ne nous a pas appris à lutter contre les regards ou les propos malveillants que des imbéciles peuvent nous lancer dans la rue.

— Allez toujours au collège ensemble, comme je vous l'ai souvent répété. Faites bien vos devoirs et...

— Ta mère ne changera jamais, dit May. Toujours inquiète, toujours à se faire du souci... Notre propre mère était déjà comme elle. Mais rassurez-vous, les filles ! Tout va bien se passer. Ne croyez surtout pas qu'il faille dissimuler qui vous êtes. Il ne sort jamais rien de bon d'une telle attitude. Et maintenant, terminons cet exposé si nous voulons avoir le temps d'aller manger une glace.

Les filles sourient. Tandis qu'elles se mettent au travail, May continue de parler avec elles, les poussant à creuser davantage les questions que soulève l'article. Peut-être a-t-elle choisi la bonne approche avec elles. Peut-être sont-elles encore trop jeunes pour être véritablement effrayées par la situation. Et qu'en préparant un tel exposé, elles seront moins ignorantes des événements qui se passent autour d'elles que nous ne l'étions autrefois à Shanghai, May et moi. Est-ce que je vois pour autant cela d'un bon œil ? Pas le moins du monde.

Ce soir-là, après le dîner, le Père Louie ouvre la lettre en provenance de Wah Hong. « Nous n'avons besoin de rien, lit-il. N'envoyez plus d'argent, cela ne sert à rien. »

— Penses-tu qu'il puisse s'agir d'un faux ? demande Sam.

Le Père Louie lui tend la lettre. Sam l'examine avant de me la passer. La calligraphie est simple et nette. Le papier ressemble à celui des lettres que nous recevions avant.

— La signature paraît authentique, dis-je en passant la lettre à Yen-yen.

— Elle l'est forcément, dit-elle. Cette lettre a suivi un long chemin avant d'arriver jusqu'à nous.

Une semaine plus tard, nous apprenons que le cousin en question a essayé de s'enfuir et qu'il a été capturé, avant d'être abattu par les autorités chinoises.

Je me dis intérieurement qu'un Dragon ne devrait pas ressentir une frayeur pareille, mais je n'y peux rien. S'il nous arrivait quelque chose – et les hypothèses ne manquent pas – je ne sais pas ce que je ferais. L'Amérique est notre pays à présent et je redoute chaque jour que le gouvernement ne trouve le moyen de nous en chasser.

Juste avant Noël, nous recevons un avis d'expulsion. Il va falloir aller vivre ailleurs. Sam et moi, nous pouvons continuer à mettre de l'argent de côté pour Joy tout en payant un loyer pour nous trois, mais la seule chose que nous possédions, la force qui nous unit, vient de notre famille. Peut-être est-ce une manière un peu démodée ou trop chinoise de voir les choses, mais nous n'avons plus personne au monde, May et moi, en dehors du Père Louie, de Yen-yen, de Vern et de Sam. Tout le monde a son mot à dire sur la question (mis à part Vern et Joy) et je suis finalement chargée de trouver un nouvel appartement pour l'ensemble de la famille.

Il y a encore peu de temps, pleine d'optimisme à l'idée de la naissance de mon fils, je m'étais mise à la recherche d'une maison que nous étions prêts à acheter, Sam et moi : mais les agents immobiliers refusaient de m'en faire visiter, même si les lois avaient changé. J'avais discuté avec des gens qui avaient réussi à en acheter une, avaient emménagé de nuit et retrouvé deux jours plus tard leur jardin jonché de détritus. À l'époque, Sam m'avait dit qu'il était prêt à aller « n'importe où, pourvu qu'on nous accepte ». Nous sommes une famille chinoise dont les trois générations sont décidées à vivre ensemble. Il n'y a qu'un endroit à ma connaissance où nous serons véritablement acceptés : Chinatown.

Je repère un petit bungalow sur Alpine Street. On me dit qu'il comporte trois chambres, deux salles de bains et une véranda protégée par un écran grillagé où l'on peut s'installer pour dormir. Un grillage orné de rosiers grimpants entoure la propriété. Un immense poivrier oscille doucement à l'arrière de la maison. Il y a une pelouse rectangulaire, des parterres de soucis et de chrysanthèmes qui ont l'air de n'avoir jamais été taillés et se dessèchent au soleil. Au-dessus, le ciel d'un bleu infini annonce un nouvel hiver ensoleillé. Je n'ai même pas besoin de pénétrer à l'intérieur pour savoir que j'ai trouvé la maison qu'il nous faut.

J'ai compris à ce stade de ma vie que tout nouvel événement favorable est immanquablement suivi d'un malheur. Pendant que nous emballons nos affaires, avant le déménagement, Yen-yen déclare brusquement qu'elle se sent fatiguée. Elle s'assoit sur le canapé du salon et meurt. Crise cardiaque due au surmenage, déclare le médecin – mais nous savons tous à quoi nous en tenir. Elle est morte le cœur brisé de voir son fils dépérir sous ses yeux, d'avoir perdu son petit-fils et l'essentiel des biens accumulés pendant des années de labeur. L'annonce de ce déménagement lui a porté le coup de grâce. Ses funérailles sont modestes. Après tout, elle n'était pas quelqu'un d'important – simplement une épouse et une mère. Les proches viennent s'incliner trois fois devant son cercueil, avant de se rendre au banquet que nous avons organisé au Soochow : dix tables de dix personnes et un menu de circonstance.

La mort de Yen-yen nous affecte tous profondément. Je n'arrête pas de pleurer, tandis que le Père Louie s'est emmuré dans un silence qui me déchire le cœur. Mais nous n'avons pas le loisir de faire notre deuil dans le calme et le retrait, en jouant aux dominos comme le font la plupart des gens à Chinatown, car nous devons emménager la semaine suivante dans notre nouvelle demeure. May nous annonce qu'elle ne peut plus continuer à dormir dans le même lit que Vern, ce que tout le monde comprend. Aussi tendre et loyal soit-on, qui voudrait dormir aux côtés de quelqu'un qui est sujet à de terribles poussées de sueur, sans parler de l'abcès purulent qu'il a dans le dos et qui suinte parfois en dégageant une odeur aussi infecte que les pieds bandés de maman autrefois. Deux lits jumeaux sont donc installés sur la véranda – l'un pour ma sœur, l'autre pour ma fille. Je n'avais pas prévu cette éventualité, mais je suis bien obligée de m'y plier. May laisse sa garde-robe dans l'armoire de Vern, où ses robes en satin, en soie et en brocart brillent de tous leurs éclats. Les pochettes et les sacs à main assortis occupent l'étagère supérieure et ses chaussures multicolores garnissent le bas de l'armoire. Joy a droit pour sa part aux deux derniers tiroirs du placard installé dans l'entrée, à côté de la salle de bains qu'elle partage avec May et le Père Louie.

Chacun d'entre nous doit maintenant trouver le moyen de subvenir aux besoins de la famille. Je me souviens d'un précepte de Mao dont la presse américaine s'est gaussée : « Quand tout le monde travaille, tout le monde peut manger. » May continue d'engager des figurants pour le cinéma et la télévision ; Sam s'occupe du restaurant, le Père Louie de la boutique de bibelots ; Joy travaille dur au collège et nous donne un coup de main quand elle en a le temps. Yen-yen était censée s'occuper de son fils, dont l'état ne cesse de se dégrader : cette charge me revient. J'aime bien Vern, mais je n'ai pas envie de devenir une infirmière pour autant. Quand je pénètre dans sa chambre, l'odeur de ce corps malade me coupe la respiration. Quand il s'assoit, sa colonne vertébrale ne le soutient plus et il s'effondre comme un nourrisson. Sa peau est inerte et molle. Je tiens une journée, puis je vais trouver mon beau-père et lui demande de reconsidérer sa décision.

— Quand je t'entends refuser d'aider ta famille, dit-il, j'ai l'impression d'être en présence d'une Américaine.

— Je vis effectivement en Amérique. Je me soucie du sort de mon beau-frère, tu le sais très bien. Mais ce n'est pas mon mari. C'est May qui l'a épousé.

— Oui, Perle, mais toi tu as du cœur, me dit-il d'une voix tremblante d'émotion. Tu es la seule à qui je puisse faire confiance pour s'occuper de mon fils.

Je me dis que le cours du destin est inéluctable et que la seule chose dont nous soyons assurés, c'est la mort : mais pourquoi le destin doit-il toujours s'avérer tragique ? Nous autres, Chinois, nous pensons qu'il existe de nombreux moyens de se concilier le sort : en cousant des amulettes sur les vêtements des enfants, en demandant l'aide des maîtres du *feng shui* afin de déterminer des dates favorables ou en s'appuyant sur l'astrologie pour savoir si l'on doit épouser un Rat, un Coq ou un Cheval. Mais ma bonne fortune, où se cache-t-elle – celle qui est censée m'échoir un jour et m'apporter le bonheur ? J'habite désormais dans une nouvelle maison, mais au lieu d'élever mon enfant, je dois m'occuper de Vern. Je suis lasse et épuisée. Et je vis dans une inquiétude constante. J'ai besoin d'être soutenue. J'ai besoin d'être écoutée.

Le dimanche suivant, je me rends comme d'habitude à l'église en compagnie de Joy. En écoutant le pasteur, je me souviens de la première fois où Dieu est apparu dans ma vie. J'étais encore une fillette à Shanghai et un *lo fan* vêtu de noir s'était approché de moi dans la rue, devant notre maison. Il voulait me vendre une bible contre deux piécettes en cuivre. J'étais allée demander l'argent à maman dans la maison mais elle m'avait repoussée en s'exclamant : « Va dire à cet homme qui croit en un Dieu unique qu'il ferait mieux d'honorer ses ancêtres ! Il s'en trouvera mieux dans l'au-delà. »

J'étais ressortie et m'étais excusée auprès du missionnaire de l'avoir fait attendre pour rien, avant de lui rapporter les propos de maman. Entendant cela, il m'avait donné la bible en question. C'était mon premier livre et j'étais toute heureuse de le posséder. Mais le soir même, alors que j'étais endormie, maman me l'avait repris et s'en était débarrassée. Le missionnaire n'avait pourtant pas renoncé à me convaincre : il m'avait invitée à la mission méthodiste, « juste pour venir jouer ». Par la suite, il m'avait proposé de suivre les cours de l'école, toujours gratuitement. Papa et maman ne pouvaient pas refuser une telle opportunité. Quand May avait été assez grande, elle m'avait accompagnée à son tour. Mais nous étions restées étrangères toutes les deux aux prêches des chrétiens. Nous profitions de la nourriture et des cours que nous donnaient ces diables étrangers, sans nous soucier de leurs discours et de leur religion. Lorsque nous étions devenues des « jeunes beautés », le vague vernis chrétien que nous pouvions avoir s'était évaporé. Après tout ce qui était arrivé en Chine, à Shanghai et à ma famille pendant la guerre, puis le sort que nous avions subi maman et moi dans cette cabane, je ne pouvais évidemment pas croire à l'existence d'un Dieu unique, charitable et bienveillant.

Et dernièrement nous avons dû faire face à toutes ces disparitions, dont la pire a bien sûr été la mort de mon fils. Toutes les herbes traditionnelles que j'ai prises, toutes les offrandes que j'ai faites, toutes les questions que je me suis posées sur la signification de mes rêves ne sont pas arrivées à le sauver – et elles ne le pouvaient pas, simplement parce que je cherchais dans la mauvaise direction. Assise dans l'église sur ce banc inconfortable, je souris intérieurement en me souvenant de ce missionnaire rencontré dans la rue, il y a tant d'années. Il disait toujours que la vraie conversion est inéluctable : et maintenant son heure est arrivée. Je me mets à prier – non pas pour le Père Louie, dont la vie de dur labeur touche à son terme ; ni pour mon mari, qui porte le fardeau de la famille grâce à sa volonté ; ni pour mon bébé aujourd'hui dans les limbes ; ni pour Vern, dont les os se désagrègent sous mes yeux… – mais pour que mon esprit connaisse enfin la paix, afin de donner un sens à tous les malheurs dont ma vie a été parsemée. Et dans l'espoir que cette souffrance soit un jour récompensée, au plus haut des cieux.

# D'UNE BEAUTÉ ÉTERNELLE

J'arrose les tomates et les aubergines, puis les plants de concombres qui recouvrent le treillis, près de l'incinérateur. Lorsque j'ai terminé, j'enroule le tuyau d'arrosage, me faufile sous le linge qui est en train de sécher sur l'étendage et regagne le porche. Il est encore tôt, en ce dimanche matin de l'été 1952, mais la journée s'annonce déjà caniculaire. J'aime ce terme de *canicule*, particulièrement adapté à cette ville si proche du désert. À Shanghai, nous avions toujours l'impression de baigner dans une étuve humide et moite.

Lorsque nous avons emménagé ici, j'avais dit à Sam qu'il fallait faire pousser quelques légumes dans le jardin, où je voulais également qu'on sente la présence de la Chine. Mon mari a donc retourné la terre, avec deux des oncles, et j'ai pu y aménager un petit potager. J'ai réussi à faire repartir les chrysanthèmes, qui ont donné des fleurs magnifiques l'automne dernier, et à planter des géraniums le long du porche. Au fil des deux dernières années, j'y ai ajouté un arbre à kumquats, des azalées et des orchidées en pots. J'ai bien essayé de faire pousser des pivoines – la plus appréciée des fleurs chinoises – mais il ne fait jamais assez froid dans la région pour qu'elles prennent correctement. Je n'ai pas eu plus de chance avec mes rhododendrons. Sam a insisté pour que nous ayons un bosquet de bambous : nous devons lutter à présent pour qu'ils ne prolifèrent pas de tous les côtés, sans compter que nous voyons régulièrement surgir de nouvelles pousses dans les recoins les plus inattendus.

Je grimpe les marches et franchis l'écran grillagé de la véranda. Je laisse mon tablier sur la machine à laver et longe les lits de May et de Joy avant de pénétrer dans la cuisine. Sam et moi sommes copropriétaires des lieux avec les autres membres de la famille, mais je suis désormais la femme la plus âgée de la maisonnée. La cuisine est mon domaine et abrite toutes mes richesses. Sous l'évier se trouve la vieille boîte de café où Sam et moi rangeons l'argent que nous mettons de côté pour les études de Joy. Une toile cirée couvre la table et un thermos rempli d'eau chaude y trône en permanence, pour la préparation du thé. Un wok reste également posé sur la cuisinière. Sur l'un des feux, une décoction d'herbes destinée à Vern est en train de bouillir. Je prépare le plateau de son petit déjeuner et l'emporte, traversant le salon avant de m'engager dans le couloir.

La chambre de Vern est celle d'un homme qui est resté à jamais un enfant. En dehors de l'armoire qui abrite la garde-robe de May – seul signe attestant que Vern est marié – la pièce est entièrement occupée par les modèles réduits qu'il a construits au fil des années. Des bombardiers suspendus à des fils pendent du plafond. Des bateaux, des sous-marins et des voitures de course occupent les étagères qui recouvrent les murs, du sol au plafond.

Vern est réveillé, il écoute une émission à la radio concernant la guerre en Corée du Nord et la menace communiste, tout en travaillant à un nouveau modèle réduit. Je dépose son plateau, relève les stores de bambou et ouvre la fenêtre afin que les effluves de colle ne lui montent pas à la tête.

— Tu as besoin d'autre chose ? lui demandé-je.

Il me sourit gentiment. Trois ans après le diagnostic de sa tuberculose osseuse, il ressemble à un petit garçon que la maladie oblige à rester au lit, au lieu d'aller à l'école.

— Mes peintures et mes pinceaux ? demande-t-il.

Je les place auprès de lui, afin qu'ils soient à portée de sa main.

— C'est ton père qui restera avec toi aujourd'hui, dis-je. Si tu as besoin de quoi que ce soit, tu n'auras qu'à l'appeler.

Je n'éprouve aucune inquiétude à les laisser tous les deux seuls à la maison, sachant exactement comment se déroulera leur journée : Vern travaillera sur son modèle réduit, prendra un déjeuner léger, souillera son pantalon et poursuivra la construction de son engin. Le Père Louie s'occupera dans la maison, préparera le déjeuner de son fils, ira acheter son journal au coin de la rue et reviendra faire la sieste jusqu'à notre retour.

Je salue Vern de la main et retourne au salon, où Sam s'incline devant l'autel des ancêtres et la photo de Yen-yen. Comme nous ne possédons pas les portraits de tous ceux qui nous ont quittés, il a disposé sur l'autel l'une des petites bourses en tissu de maman, ainsi qu'un pousse-pousse miniature qui représente papa. Il a placé quelques cheveux de mon fils dans une boîte minuscule, à côté des fruits en céramique dont il se sert pour honorer l'ensemble de la famille.

J'ai fini par aimer cette pièce. J'ai encadré certaines de nos photos de famille et les ai suspendues au mur, au-dessus du canapé. Chaque hiver, depuis que nous sommes ici, nous avons installé dans un coin de la pièce un sapin de Noël synthétique décoré de boules rouges. Nous avons disposé des guirlandes lumineuses sur le rebord des fenêtres, afin que l'annonce de la naissance de Jésus éclaire l'intérieur de la maison. Le soir, lorsqu'il fait froid, nous allons nous placer à tour de rôle – May, Joy et moi – devant la grille du radiateur, ce qui fait gonfler nos robes de chambre comme de gros ballons et nous fait ressembler à des bonshommes de neige.

Je regarde Joy, qui aide son grand-père à s'installer sur sa chaise longue et lui sert du thé. Je suis fière que ma fille soit une vraie Chinoise. Elle éprouve un respect tout particulier pour son grand-père, qui est le patriarche de notre famille. Elle comprend que tout ce qu'elle peut faire le regarde aussi et qu'il a le droit de prendre les décisions qu'il juge utiles à son égard. Il voudrait qu'elle apprenne la broderie et la couture, ainsi qu'à s'occuper du ménage et de la cuisine. Dans la boutique où elle se rend l'après-midi après ses cours, elle accomplit la plupart des tâches dont je me chargeais jadis : balayer, nettoyer, astiquer les meubles de fond en comble... « Elle apprend son futur métier d'épouse et de mère de mes arrière-petits-enfants », dit le Père Louie. Bien que nous n'ayons plus le moindre espoir de retourner un jour dans notre pays, il lui arrive encore d'ajouter qu'il ne faut pas que sa petite-fille soit trop américanisée, car la famille finira bien par repartir en Chine. Ce genre de réflexion nous montre qu'il décline. Il est difficile de croire qu'il nous menait jadis d'une poigne de fer et que nous avions tous peur de lui. Nous l'appelions alors le Vieux – mais il est vraiment très âgé à présent et s'affaiblit inexorablement, perdant lentement la mémoire ainsi que son attrait pour ce qui le motivait depuis toujours : l'argent, les affaires, la famille.

Joy s'incline pour saluer son grand-père, puis nous sortons toutes les deux et nous rendons à l'église méthodiste afin d'assister à l'office dominical. Dès que le sermon a pris fin, nous rejoignons Central Plaza, dans le Nouveau Chinatown, et retrouvons Sam, May, l'oncle Fred, Mariko et leurs filles, dans l'une des salles de réunion du district. Nous sommes désormais affiliés à une association qui regroupe certains membres des Églises méthodiste, presbytérienne et congrégationaliste de Chinatown. Nous nous réunissons une fois par mois. Nous commençons par réciter le serment d'allégeance, la main sur le cœur, puis toutes les familles regagnent Bamboo Lane et s'engouffrent dans des berlines pour rejoindre la plage de Santa Monica. Nous prenons place à l'avant de notre Chrysler, Sam, May et moi, tandis que Joy et les deux sœurs Yee – Hazel et Rose, la cadette – se tassent sur la banquette arrière. Les véhicules démarrent et descendent Sunset Boulevard à la queue-leu-leu. Des voitures aux ailes gigantesques déboulent en sens inverse, leurs pare-brise reflètent les rayons aveuglants du soleil. Nous longeons les vieilles maisons à bardeaux d'Echo Park, les demeures en stuc rose et les palmiers de Beverly Hills, puis nous rejoignons Wilshire Boulevard et poursuivons notre route en direction de l'ouest, le long de supermarchés aussi vastes que des hangars d'aviation, de pelouses plus larges que des terrains de football et de cascades de bougainvilliers et de belles-de-jour.

Joy hausse le ton en poursuivant sa conversation avec Hazel et Rose et je souris intérieurement. Tout le monde affirme que ma fille a le don des langues. À quatorze ans, elle parle le dialecte de Sze Yup et celui de Wu à la perfection – aussi bien que l'anglais – et elle a une excellente maîtrise écrite du chinois. À chaque Nouvel An chinois, ou lors d'une célébration quelconque, c'est à elle qu'on demande d'écrire les couplets de circonstance, de sa calligraphie appliquée. Mais je ne me satisfais pas de ces louanges. Je sais que Joy peut encore développer ses capacités et en apprendre davantage sur les Occidentaux, en fréquentant d'autres églises que celles de Chinatown – comme nous le faisons une fois par mois.

— Dieu aime également tous les hommes, rappelé-je souvent à ma fille. Il souhaite que tu sois heureuse et que tu gagnes dignement ta vie. Et aux États-Unis, on peut tout faire. Ce qui n'est pas exactement le cas en Chine.

Je tiens le même genre de discours à Sam, parce que les croyances et les paroles chrétiennes se sont profondément inscrites en moi. Ma foi en Dieu et en Jésus doit également beaucoup au patriotisme et à la loyauté que j'éprouve à l'égard du pays natal de ma fille. De surcroît, le fait d'être chrétienne en ce moment précis de l'histoire n'est pas étranger à la vague anticommuniste qui déferle sur le pays. Nul ne tiendrait dans ces conditions à être taxé d'athéisme. Lorsqu'on nous demande notre opinion sur la guerre de Corée, nous répondons que nous sommes opposés à l'ingérence chinoise. Lorsqu'on nous interroge sur Taiwan, nous affirmons soutenir le Généralissime Tchang Kaï-chek et son épouse. Nous prétendons haut et fort être pour le réarmement moral, pour la défense de Jésus et de la liberté. Fréquenter une église occidentale est une décision de bon sens, comme l'était celle de fréquenter une mission étrangère à Shanghai autrefois. « Il faut tenir compte de ces choses », dis-je souvent à Sam. Mais au fond de moi, je suis devenue une fidèle du Dieu unique et il le sait.

Cela ne l'enchante peut-être pas, mais il assiste tout de même à ces réunions religieuses par amour pour moi, pour notre famille, pour l'oncle Fred et ses filles – et pour les pique-niques qui s'ensuivent. Ces sorties lui donnent l'impression d'être américain. En fait, même si notre fille a fini par renoncer à son engouement pour les cowgirls, presque tout ce que nous faisons vient renforcer ce sentiment. Lors de telles journées, Sam fait abstraction de l'aspect religieux et se concentre sur ce qu'il adore : préparer de la nourriture, manger des tranches de pastèque sans avoir peur d'attraper la dysenterie et profiter de notre communauté familiale. Il considère ces sorties sous l'angle des relations sociales, en sachant qu'elles sont d'abord destinées aux enfants.

Sam gare la Chrysler le long de la jetée de Santa Monica et nous déchargeons les affaires. Le sable nous brûle les pieds tandis que nous déroulons nos couvertures et installons nos parasols. Sam et Fred vont creuser un fossé pour le barbecue avec les autres hommes. May, Mariko et moi aidons les femmes à disposer les jattes remplies de pommes de terre, de haricots et de salade de fruits, les assiettes de crudités et les récipients en plastique garnies de guimauve, de noix et de carottes râpées. Dès que le feu est prêt, nous passons aux hommes les plateaux d'ailes de poulet marinées dans un mélange de sauce de soja, de miel et de graines de sésame, ou de travers de porc aux cinq épices macérés dans la sauce *hoisin*. L'air du large se mêle aux effluves de la viande en train de cuire. Les enfants font du surf, les hommes se penchent pour humer les relents du barbecue et les femmes papotent, assises sur les couvertures. Mariko se tient légèrement à l'écart, serrant contre elle la petite Mamie qui vient de naître, tout en surveillant ses deux autres filles, Eleanor et Bess, qui édifient un château de sable un peu plus loin.

Ma sœur, qui n'a pas d'enfant, a droit au sobriquet généralisé de « tante May ». Pas plus que Sam elle n'est une adepte du Dieu unique – loin de là ! Elle travaille souvent tard le soir pour procurer des figurants à un studio quelconque, quand elle ne doit pas se rendre en personne sur le plateau. Du moins est-ce ce qu'elle me raconte. Honnêtement, j'ignore où elle passe ses soirées et je ne cherche pas à le savoir. Même quand elle est à la maison et qu'elle est depuis longtemps endormie, il arrive que le téléphone se mette à sonner en pleine nuit, à 4 heures du matin : il s'agit généralement de quelqu'un qui vient de perdre tout son argent au jeu et qui a désespérément besoin qu'elle lui trouve un emploi. Rien de tout cela n'est vraiment compatible avec mes nouvelles croyances et c'est pourquoi je suis heureuse qu'elle nous accompagne lors de ces excursions au bord de l'océan.

May rajuste son chapeau et ses lunettes de soleil tout en dévisageant Violet Lee, qui se protège les yeux du revers de la main et regarde l'océan, dans la direction de Joy et de ses amies, qui sautent par-dessus les vagues en se tenant par la main. Beaucoup de femmes dans notre groupe sont arrivées aux États-Unis depuis peu. Près de quarante pour cent de la population chinoise de Los Angeles est désormais féminine, mais Violet n'est pas une « fiancée de guerre ». Son mari et elle étaient venus étudier à l'université de UCLA – lui dans l'ingénierie, elle dans la bio-ingénierie. Lorsque la Chine a fermé ses frontières, ils se sont retrouvés coincés ici avec leur enfant. Ce ne sont pas des fils « sur le papier » ni des travailleurs clandestins, mais ils n'en sont pas moins des *wang k'uo nu* – des esclaves du pays perdu.

Nous nous entendons bien, Violet et moi. Elle a des hanches étroites – ce qui, d'après les critères de maman, caractérise les femmes qui ont la langue bien pendue. Est-elle pour autant ma meilleure amie ? Non : je l'apprécie, simplement, comme j'appréciais Betsy jadis. En plus d'être ma sœur – et même, ma belle-sœur – May restera à jamais ma meilleure amie. Cela dit, s'il est vrai que la plupart des femmes qui nous entourent sont arrivées depuis peu en Amérique, elles sont pour l'essentiel dans la même situation que Violet : c'est-à-dire qu'elles ont un certain niveau d'éducation et ne sont nullement dans le besoin. Leurs maris ont presque tous acheté des bungalows ou des maisons à Silver Lake, Echo Park ou Highland Park, où les Chinois sont relativement bien acceptés. Non seulement ils ne vivent pas à Chinatown, mais ils n'y travaillent pas non plus. Ils ne sont ni blanchisseurs, ni employés de maison, ne font pas la plonge dans les restaurants et ne vendent pas des babioles aux touristes. Ils appartenaient à l'élite en Chine – à ceux en tout cas qui ont eu les moyens de partir. Et ils ont déjà grimpé dans l'échelle sociale, bien au-delà de ce que nous pourrions espérer quant à nous. Violet enseigne maintenant à l'USC et Rowland, son mari, travaille dans l'industrie aérospatiale. Ils ne viennent à Chinatown que pour faire leurs courses et se rendre à l'église. Ils ont rejoint notre groupe afin que leur fils puisse rencontrer d'autres enfants chinois.

Le regard de May s'attarde sur un jeune homme.

— Crois-tu que ce nouveau venu ait des vues sur notre jeune autochtone ? me demande-t-elle d'un air soupçonneux.

Le nouveau-venu auquel elle fait allusion est le fils de Violet. La jeune autochtone est évidemment ma fille, qui est à la fois chinoise et citoyenne américaine.

— Leon est un gentil garçon et il travaille bien, dis-je en regardant le jeune homme qui surfe avec souplesse sur une vague. Il est premier de sa classe, comme Joy l'est dans la sienne.

— J'ai l'impression d'entendre maman me parler de Tommy, répond May pour me taquiner.

— Je n'ai rien contre le fait que Leon et Joy fassent plus ample connaissance, rétorqué-je.

Pour une fois, je ne suis pas vexée qu'elle m'ait comparée à notre mère. Après tout, nous avons organisé ces sorties pour que les jeunes gens et les jeunes filles de notre communauté puissent se rencontrer – et dans l'espoir qu'ils se marient un jour. L'idée sous-jacente étant bien sûr que nous leur souhaitons à tous un conjoint chinois.

— Elle a de la chance d'échapper aux mariages arrangés, dit May en poussant un soupir. Mais même chez les animaux, on préfère un pur-sang à un bâtard.

Quand on a définitivement quitté son pays, qu'est-ce qu'on cherche à préserver au juste, et qu'est-ce qu'on accepte d'abandonner ? Nous n'avons réussi à sauver que ce qui pouvait l'être : la langue et la cuisine chinoises, sans parler de l'argent que nous mettons de côté et que nous envoyons à la famille du Père Louie, dans son village natal. Mais pourquoi ne pas envisager un mariage arrangé pour ma fille ? Si Sam n'est pas Z. G., il est bon et généreux. Quant à Vern, malgré sa terrible maladie, jamais il n'a battu May ni perdu d'argent au jeu.

— Ne t'empresse pas de la marier, reprend May. Occupe-toi plutôt de ses études. (J'y pense quasiment tous les jours depuis la naissance de ma fille.) Je n'ai pas eu la chance d'en faire autant que toi, mais il faut qu'elle aille à l'université. (May marque une pause pour me laisser méditer ses paroles, comme si je ne l'avais pas déjà entendue cent fois me tenir ce discours.) Mais c'est bien qu'elle ait beaucoup d'amis. Tu te souviens du temps où nous riions comme elle, avec une égale insouciance ? Nous pensions qu'il ne pourrait jamais rien nous arriver de mal.

— L'essence du bonheur ne réside pas dans l'argent, dis-je. (C'est ma conviction. May se mordille la lèvre et je comprends que je n'ai pas fait la réponse qu'elle attendait.) Nous pensions que le monde allait s'écrouler quand papa a tout perdu…

— Et c'est ce qui s'est passé, m'interrompt-elle. Nous aurions mené des vies bien différentes si cet argent ne s'était pas envolé.

C'est la raison pour laquelle je travaille d'arrache-pied pour en gagner à présent.

*Et le dilapider en bijoux et en vêtements*, pensé-je intérieurement. Mais je garde ma réflexion pour moi. Le fait que nous n'ayons pas la même conception de l'argent est l'une des choses qui exaspèrent ma sœur.

— Ce que je veux dire, c'est que Joy a de la chance d'avoir des amis, tout comme j'ai de la chance de t'avoir à mes côtés. Après son mariage, maman n'a jamais revu ses sœurs. Mais toi et moi, nous sommes toujours restées unies. (Je la prends par l'épaule et la serre affectueusement contre moi.) Je me dis parfois que nous finirons par partager à nouveau la même chambre, comme dans notre enfance – sauf que ce sera dans une maison de retraite, cette fois-ci. Nous prendrons nos repas ensemble, nous vendrons des billets de tombola et nous participerons à un atelier d'artisanat côte à côte…

— Nous irons au spectacle en matinée ensemble, ajoute May avec un sourire.

— Nous chanterons des psaumes…

May fait la moue. Je me suis encore une fois trompée de réplique et me hâte d'ajouter :

— Et nous jouerons au mah-jong ! Nous serons deux vieilles femmes retirées des affaires, bouffies et empâtées, jouant au mah-jong et nous plaignant de tout.

May opine du menton, tout en fixant d'un air rêveur un point invisible à l'horizon, de l'autre côté de l'océan.

Lorsque nous rentrons, nous trouvons le Père Louie endormi dans sa chaise longue. Je donne des pailles à Joy, Hazel et Rose et les envoie jouer à l'arrière de la maison, où elles peuvent ramasser des grains de poivre et s'en servir comme projectiles pour leurs sarbacanes improvisées. Je les entends pousser des cris et rire aux éclats, en se pourchassant entre les plantations. Sam et moi nous rendons dans la chambre de Vern, afin de changer sa couche. Malgré la fenêtre ouverte, les relents d'urine, de pus et d'excréments stagnent dans la pièce. May nous rejoint en apportant du thé et nous restons un moment ensemble, racontant à Vern ce que nous avons fait pendant la journée. Je retourne ensuite à la cuisine et commence à préparer le dîner : je lave le riz, découpe l'ail et le gingembre, débite le bœuf en fines lamelles.

Avant de faire cuire la viande, je renvoie les sœurs Yee chez elles. Pendant que je prépare du *lo mein* – du bœuf aux tomates et au curry – Joy met la table, travail qui était toujours confié à nos domestiques, sous l'œil attentif de maman, quand nous vivions à Shanghai. Joy dispose les baguettes avec soin, en s'assurant qu'il n'y a pas de paire dépareillée – ce qui impliquerait que celui ou celle qui s'en servirait aurait de fortes chances de manquer un bateau, un train ou un avion (bien qu'aucun d'entre nous n'ait le moindre déplacement en vue). Pendant que j'installe les plats sur la table, Joy va chercher sa tante, son père et son grand-père. J'essaie de transmettre à ma fille ce que ma mère cherchait à m'enseigner jadis. La grande différence, c'est qu'elle y prête attention et tient compte de mes leçons. Elle ne parle jamais pendant les repas – consigne que nous étions bien incapables de respecter, May et moi… Elle ne laisse jamais tomber ses baguettes (ce qui serait de mauvais augure), pas plus qu'elle ne les plante à la verticale dans son bol de riz – geste réservé aux funérailles et qui serait fort irrespectueux à l'égard de son grand-père, lequel pense beaucoup à sa propre mort ces derniers temps.

Une fois le dîner terminé, Sam aide le Père Louie à s'extraire de son fauteuil. Je range la cuisine pendant que May apporte une assiette à Vern. Les mains plongées dans l'eau de vaisselle, je suis en train de regarder par la fenêtre les contours du jardin qui s'estompent dans la lumière déclinante de ce soir d'été lorsque j'entends le bruit familier des pas de ma sœur, qui traverse le salon. Puis je l'entends soudain pousser un cri strident, qui me glace le sang. Est-il arrivé quelque chose à Vern ? Au Père Louie ? À Joy ? À Sam ?

Je me précipite hors de la cuisine et émerge dans le salon. May est debout au milieu de la pièce, l'assiette vide de Vern à la main. Le rouge lui est monté au visage et elle a un regard étrange, que je n'arrive pas à déchiffrer. Ses yeux sont fixés sur le fauteuil du Père Louie et je me dis que celui-ci vient probablement de mourir. Si tel est le cas, sa mort aura été douce. À plus de quatre-vingts ans, il a passé la journée au calme avec son fils et a dîné avec sa famille – sans compter que ses relations avec chacun d'entre nous sont au beau fixe depuis bien longtemps.

Je m'avance dans la pièce pour faire face à ce triste événement et m'immobilise sur-le-champ, aussi tétanisée que ma sœur par le spectacle qui s'offre à mes yeux. Mon beau-père est bien en vie : il est étendu sur son fauteuil, sa longue pipe à la bouche, en train de lire un numéro de *La Chine en construction* dont nous distinguons parfaitement la couverture. Il est déjà choquant en soi de le voir lire un tel magazine, qui est imprimé par le régime de Mao et n'est qu'un tissu de propagande communiste. Certaines rumeurs affirment que le gouvernement américain a des espions à Chinatown, cherchant à repérer tous ceux qui achètent des publications de ce genre. Le Père Louie, qui ne saurait être taxé de la moindre sympathie à l'égard du régime communiste, nous a recommandé d'éviter le marchand de journaux où le magazine est vendu sous le comptoir.

Mais le véritable choc n'est pas la présence de ce magazine entre ses mains : c'est sa couverture, que mon beau-père nous expose avec une évidente fierté. Même si nous évitons ces publications, nous n'en connaissons pas moins leur rhétorique : la louange de la Chine nouvelle est incarnée par deux jeunes femmes en tenues de paysannes, les joues bien rouges et les bras chargés de fruits et de légumes, qu'on imagine en train d'entonner un chant à la gloire du nouveau régime – tout cela sur un fond de ciel rougeoyant. Or, on s'aperçoit au premier coup d'œil que ces deux jeunes femmes ne sont autres que May et moi... Quant à l'artiste – qui a adopté sans sourciller l'esthétique grandiloquente qu'affectionnent les communistes – il est lui aussi aisément reconnaissable, grâce à la précision et à la délicatesse de ses coups de pinceau : de toute évidence, Z. G. est toujours en vie et il ne nous a pas oubliées, ma sœur et moi...

— Je suis allé au kiosque pendant que Vern faisait sa sieste, nous dit le Père Louie. Regardez-moi ça...

La fierté qui perce dans sa voix est évidente. Son regard se pose à nouveau sur la couverture du magazine. Il s'agit bien de ma sœur et moi, impossible de s'y tromper – sauf que nous ne vendons plus du savon, de la poudre de riz ou du lait en poudre pour les nourrissons, mais les mérites d'une récolte exceptionnelle, devant la pagode de Lunghua où nous étions allés un jour – Z. G., May et moi – essayer un cerf-volant.

— Vous êtes restées des « jeunes beautés », finalement, ajoute le Père Louie.

Il y a un air de triomphe dans sa voix. Il a travaillé dur sa vie durant – et tout cela pourquoi ? Il n'est pas retourné en Chine, sa femme est morte, son fils est aussi prostré qu'une punaise (et à peu près aussi fréquentable). Il n'a pas eu de petit-fils, ses affaires ont décliné au point qu'il ne possède plus aujourd'hui qu'une médiocre boutique de bibelots. Mais il a au moins réussi une chose dans sa vie : il a permis à Vern et à Sam d'épouser deux « jeunes beautés ».

May et moi avançons d'un pas hésitant dans sa direction. J'aurais de la peine à décrire ce que je ressens, en cet instant précis : je suis à la fois surprise et déconcertée de nous voir telles que nous étions il y a quinze ans, ma sœur et moi, avec nos joues bien rouges, notre regard joyeux et nos sourires charmeurs. Je suis également un peu inquiète de savoir que nous recelons désormais chez nous un objet si compromettant. Mais surtout, je suis bouleversée à l'idée que Z. G. soit toujours en vie.

Je m'aperçois tout à coup que Sam nous a rejoints et s'exclame d'un air excité, en faisant de grands gestes :

— Mais c'est vous ! May et toi !

Je me mets à rougir, comme si j'avais été prise en flagrant délit. Et tel est bien le cas. Je relève les yeux et regarde May, en cherchant son aide.

— Ce doit être Z. G. Li qui a peint cette image, lance-t-elle d'un ton désinvolte. C'est gentil à lui de s'être souvenu de nous. Il a particulièrement fait ressortir la beauté de Perle, vous ne trouvez pas ?

— Il vous a peintes toutes les deux exactement telles que je vous vois, dit Sam, irréprochable comme à son habitude dans son rôle de beau-frère et de mari. Toujours aussi belles – d'une beauté éternelle.

— Assez belles en effet, reconnaît May d'une voix légère. Sauf que nous n'avions pas aussi fière allure quand nous avons dû nous déguiser en paysannes.

Plus tard ce soir-là, une fois que tout le monde est allé se coucher, je vais rejoindre ma sœur sur la véranda. Assises sur le bord de son lit, nous regardons le magazine en nous tenant la main. Une partie de moi-même frissonne à l'idée que de l'autre côté de l'océan, quelque part à Shanghai – car je suis sûre que Z. G. vit toujours là-bas – dans un pays qui m'est à jamais fermé, l'homme pour lequel j'ai jadis nourri une telle passion m'aime encore.

À peine une semaine plus tard, nous apprenons que la faiblesse et la léthargie du Père Louie ne sont pas simplement dues à son âge. Il est malade. Le médecin nous déclare qu'il est atteint d'un cancer du poumon et qu'il n'y a strictement rien à faire. La mort de Yen-yen avait été si brusque et elle était survenue à un moment si inopportun que nous n'avions pas plus eu le temps de nous y préparer que de la pleurer comme nous l'aurions dû. Cette fois-ci, chacun d'entre nous peut réfléchir à toutes les erreurs commises au fil des années et essayer de faire amende honorable pendant le peu de temps qui nous reste imparti. Au cours des mois suivants, de nombreuses personnes viennent nous rendre visite et je les écoute parler en termes élogieux de mon beau-père : il est considéré par tous comme un homme de la Montagne d'Or à la réussite exemplaire. Mais en le contemplant durant ces ultimes semaines de sa vie, je ne vois qu'un homme ruiné. Malgré ses efforts, il a perdu toutes ses usines et l'ensemble des biens qu'il possédait en Chine – et pratiquement tout ce qu'il avait laborieusement édifié ici. Au terme de son existence, il doit s'en remettre à son fils « sur le papier » qui le loge, le nourrit, lui fournit son tabac pour sa pipe du soir et achète pour lui, sous le comptoir, des exemplaires de *La Chine en construction*.

Les seules consolations de mon beau-père au cours de ces derniers mois, tandis que le cancer ronge ses poumons, sont en effet les photos que je découpe dans le magazine et épingle sur le mur, à côté de sa chaise longue. Je le surprends bien des fois le visage inondé de larmes, contemplant ces images du pays qu'il a quitté dans sa jeunesse : les montagnes sacrées, la Grande Muraille, la Cité interdite… Il a beau dire qu'il déteste les communistes, puisque c'est ce qu'on attend de lui, il porte toujours au fond de lui l'amour de son pays, de l'art, de la culture et du peuple de Chine – ce qui n'a rien à voir avec Mao, le rideau de bambou ou la crainte des rouges. Il est loin d'être le seul à éprouver cette nostalgie du pays natal. La plupart des anciens qui passent à la maison – comme l'oncle Wilburt ou l'oncle Charley – contemplent eux aussi avec fascination ces images furtives de leur pays perdu. Leur amour de la Chine est toujours aussi profond, indépendamment de ce qu'elle est devenue. Mais le Père Louie ne tarde malheureusement pas à mourir.

Les funérailles sont l'événement le plus important de la vie d'un individu – davantage même que sa naissance ou son mariage. Étant donné que le Père Louie est un homme et qu'il a dépassé les quatre-vingts ans, ses funérailles sont beaucoup plus importantes que celles de Yen-yen. Nous louons une Cadillac décapotable qui traverse tout Chinatown, chargée d'un immense portrait du défunt encadré de fleurs et dressé sur le siège arrière. Le chauffeur du corbillard lance par la fenêtre des poignées de faux billets pour écarter les esprits malfaisants et les fantômes de basse extraction, qui seraient tentés de lui barrer la route. Derrière le corbillard, un orchestre de cuivres joue des marches militaires et des airs populaires chinois. Dans la salle où a lieu la cérémonie, trois cents personnes viennent s'incliner à trois reprises devant sa dépouille, puis à trois reprises encore devant nous. Nous distribuons des pièces aux employés des pompes funèbres pour qu'ils dispersent le *sa hee* – l'air infecté par le trépas – et des bonbons pour adoucir le goût amer de la mort. Tout le monde est vêtu de blanc, couleur du deuil pour les Chinois. Nous nous rendons ensuite au restaurant Soochow pour le *gaai wai ran* – le grand banquet traditionnel de sept plats à base de poulet à la vapeur, de fruits de mer et de légumes – destiné à « balayer la tristesse », à souhaiter au défunt une longue vie et à nous aider à laisser derrière nous les vapeurs de la mort avant de regagner notre demeure.

Au cours des trois mois suivants, beaucoup de femmes viennent nous voir, May et moi, pour jouer aux dominos avec nous tandis que nous respectons cette période officielle de deuil. Je me surprends souvent à regarder les photos que j'ai épinglées sur le mur, au-dessus de la chaise longue de mon beau-père. Curieusement, je ne me résous pas à les enlever.

# Une pépite d'or

— Pourquoi ne puis-je pas y aller ? demande Joy en haussant la voix. Tante Violet et oncle Rowland ont permis à Leon d'y aller.

— Leon est un garçon, dis-je.

— L'entrée ne coûte que vingt-cinq cents. *S'il te plaît…*

— Nous estimons, ton père et moi, qu'il n'est pas souhaitable qu'une jeune fille de ton âge se promène seule en ville.

— Je ne serai pas seule. Toutes les filles y vont…

— Tu n'es pas la première venue, dis-je. As-tu envie que les gens te considèrent plus tard comme une porcelaine brisée ? Tu dois préserver ton corps aussi précieusement qu'une statue de jade.

— Maman… Tout ce que je veux, c'est aller à cette surprise-partie à l'International Hall.

Yen-yen disait parfois qu'on n'achète pas une pépite de vie avec une pépite d'or, mais j'ai attendu ces derniers mois pour comprendre à quel point le temps est une denrée précieuse – et à quelle vitesse il passe. Nous sommes en été 1956. Joy vient de terminer sa dernière année de lycée. À l'automne, elle sera inscrite à l'université de Chicago où elle suivra des études d'histoire. Chicago est horriblement loin, mais nous avons tout de même accepté de la laisser partir. Ses frais d'inscription se sont avérés plus élevés que nous ne l'escomptions, mais Joy a bénéficié d'une bourse et May va nous aider. Tous les jours ou presque, ma fille me demande si elle peut sortir pour se rendre ici ou là. Si j'accepte qu'elle aille à cette surprise-partie – quel que soit le sens de ce terme – il faudra ensuite que je lui dise oui pour tout le reste, y compris pour cette soirée d'anniversaire à MacArthur Park où les invités doivent se rendre en autocar…

— Que crains-tu qu'il m'arrive ? reprend Joy qui n'a pas baissé les bras. Il ne s'agit que de danser un peu et d'écouter des disques.

Nous racontions le même genre d'histoires quand nous étions à Shanghai, May et moi, et cela ne nous a pas particulièrement réussi.

— Tu es encore trop jeune pour fréquenter des garçons, dis-je.

— Trop jeune ? J'ai dix-huit ans ! À mon âge, tante May avait déjà épousé l'oncle Vern.

*Et elle était enceinte*, songé-je intérieurement.

Sam a tenté de me raisonner l'autre jour en me disant que j'étais trop stricte.

— Tu t'inquiètes trop, m'a-t-il dit, Joy ne s'intéresse pas aux garçons.

Mais quelle fille ne s'y intéresse pas, à son âge ? Moi en tout cas, je m'y intéressais – et May pareillement. Pourtant, lorsque Joy me répond, ignore l'une de mes remarques ou quitte la pièce alors que je lui ai demandé de rester, ma sœur elle-même se moque de moi, en me disant que j'ai tort de me fâcher.

— Nous agissions comme elle à son âge, me dit-elle.

*Et regarde où cela nous a menées*, ai-je envie de lui répondre.

— Je n'ai jamais assisté à un match de football ni à la moindre soirée dansante, se plaint à nouveau Joy. Toutes les autres filles sont allées au moins une fois au Palladium ou au Biltmore. Tu ne me laisses jamais rien faire.

— Nous avons besoin que tu nous donnes un coup de main au restaurant et au magasin. Et ta tante a besoin de ton aide, elle aussi.

— Pourquoi devrais-je vous aider ? Vous ne me donnez jamais un centime.

— Tout l'argent…

— … va dans le pot familial, oui, *je sais*… Et vous mettez de l'argent de côté depuis des années pour que je puisse aller à l'université. Mais je n'ai plus que deux mois à passer ici avant de partir à Chicago. Je ne verrai plus mes amies, après ça. Tu ne veux donc pas que je m'amuse un peu ?

Joy croise les bras sur la poitrine et pousse un long soupir, comme si elle était la créature la plus accablée du monde.

— Tu es libre de faire ce que tu veux, lui dis-je, mais il faut d'abord que tu réussisses tes études. Sinon tu te retrouveras…

— … le bec dans l'eau, achève-t-elle d'un air las, comme si elle supportait le poids des siècles sur son dos.

Je vois bien sûr ma fille avec les yeux d'une mère. Ses longs cheveux noirs ont le reflet bleuté des montagnes dans le lointain et ses yeux d'ébène la profondeur d'un lac en automne. Elle n'a pas été suffisamment nourrie lorsqu'elle était dans le ventre de sa mère et elle est plus petite que moi. Cela lui donne l'allure d'une jeune fille des anciens temps, aussi frêle que les branches du saule agitées par la brise et aussi délicate qu'un vol d'hirondelles – mais à l'intérieur, elle n'en a pas moins l'âme bien trempée du Tigre. Quoi que je fasse, ma fille n'échappera pas davantage à sa nature profonde que moi à la mienne. Ces derniers temps, elle se plaint des vêtements que je fabrique pour elle et me dit qu'elle a honte de les porter. Je les ai pourtant faits avec amour et parce qu'il n'y a aucune boutique à Los Angeles qui soit l'équivalent de celle de Mme Garnet à Shanghai, où l'on pouvait se faire tailler des vêtements sur mesure. Ce qui pèse le plus à Joy, c'est ce qu'elle ressent comme un manque de liberté. Mais je me souviens parfaitement de ce que nous étions capables de faire à son âge, May et moi – surtout May, d'ailleurs – du temps où nous étions à Shanghai.

Les choses ne se passeraient pas ainsi si le Père Louie était encore en vie. Cela fait maintenant quatre ans qu'il est mort et nous aurions pu en profiter – Sam, Joy et moi – pour voler alors de nos propres ailes, mais nous ne l'avons pas fait. Sam avait fait une promesse au Père Louie, lorsque celui-ci lui avait conféré un autre statut que celui de fils « sur le papier ». Je ne crois peut-être plus à cette histoire de culte des ancêtres, en ce qui me concerne, mais Sam fait brûler de l'encens et lui offre de la nourriture et des vêtements en papier lors de chaque Nouvel An et des fêtes importantes. De surcroît, comment pourrions-nous abandonner Vern, dont la vie s'est prolongée au-delà de toute espérance ? Et laisser May s'occuper seule de son mari, de la maison, de la Compagnie asiatique et de la boutique de bibelots ? Mais cela va bien au-delà des engagements pris et des devoirs familiaux. La vérité, c'est que nous continuons de vivre dans la crainte.

Chaque jour nous apporte de mauvaises nouvelles, du côté des autorités gouvernementales. Le consul américain de Hong Kong vient d'accuser la communauté chinoise d'être par nature encline à la fraude et au parjure, attendu que nous ne disposerions pas, selon lui, de « l'équivalent du concept occidental du serment ». Il prétend que tous ceux qui passent par ses bureaux et cherchent à se rendre aux États-Unis sont munis de faux papiers. Le centre d'Angel Island est fermé depuis belle lurette, mais le consul a imaginé de nouvelles procédures qui nécessitent de répondre à des centaines de questions, de remplir des dizaines de formulaires et de fournir des déclarations sur l'honneur, des radios, des tests sanguins et toute une série d'empreintes – tout cela pour empêcher les Chinois de se rendre aux États-Unis. Il prétend par ailleurs que tous les Chinois ou presque qui se trouvent actuellement sur le territoire américain – en remontant à ceux qui sont arrivés au moment de la Ruée vers l'or, il y a plus d'un siècle, avant de participer à la construction du chemin de fer transcontinental – sont entrés dans le pays de manière illégale et qu'on ne peut donc pas leur faire confiance. Il affirme que nous nous livrons au trafic de drogue, que nous utilisons de faux passeports, fabriquons de la fausse monnaie et détournons à notre profit, sans y avoir droit, l'argent de la Sécurité sociale et les pensions des vétérans. Pire encore, il prétend que depuis des décennies les communistes ont envoyé en Amérique des quantités de fils « sur le papier » qui sont en fait autant d'agents à leur solde. Et qu'il conviendrait de mener une enquête serrée sur l'ensemble des Chinois résidant actuellement aux États-Unis.

Depuis des années, Joy nous a raconté les exercices qu'on leur faisait faire en classe pour les préparer à une éventuelle attaque aérienne. Il semble à présent que nous devions tous vivre à l'abri, repliés dans le cocon de nos foyers en espérant que les murs tiendront bon, que les portes et les fenêtres ne voleront pas en éclats et que nos demeures ne seront pas réduites en cendres. Pour toutes ces raisons, nous sommes toujours restés soudés pour mieux affronter la situation. Mais depuis la mort du Père

Louie, nous partons tous un peu à la dérive – ma fille en particulier.

— Tu n'es pas obligée de laver les vêtements des *lo fan*, de leur faire la cuisine ni d'être leur larbin, lui dis-je. Tu n'es pas condamnée non plus à passer ta vie dans un bureau ou derrière le comptoir d'un magasin. Quand nous sommes arrivés dans ce pays, ton père et moi, tout ce que nous pouvions espérer c'était d'ouvrir plus tard un restaurant et, qui sait, de posséder un jour notre propre maison.

— C'est bien ce qui est arrivé...

— Oui, mais toi tu peux viser plus haut. À l'époque où nous sommes arrivés en Amérique, ta tante et moi, seule une poignée de Chinois avaient réussi, socialement parlant. On pouvait les compter sur les doigts de la main : Y. C. Hong, le premier avocat sino-américain de Californie ; Eugene Choy, le premier architecte sino-américain de Los Angeles ; Margaret Chung, la première femme médecin sino-américaine du pays...

— Tu me l'as déjà dit cent fois...

— Ce que je veux dire, c'est que tu as le choix : tu peux devenir médecin, avocate, comptable, chimiste...

— Voire réparatrice de lignes téléphoniques ? lance-t-elle d'un air sarcastique.

— Nous voulons juste que tu sois au sommet, répliqué-je calmement.

— C'est bien pour cela que je vais à l'université. Je n'ai jamais eu l'intention de travailler toute ma vie au restaurant ou dans cette boutique de bibelots.

Je ne le lui ai jamais souhaité non plus – c'est justement ce que j'essaie de lui dire. Néanmoins, une partie de moi-même accepte mal qu'elle éprouve un tel sentiment de honte devant l'activité de ses parents – sans laquelle elle n'aurait jamais pu être élevée, nourrie ni logée. J'essaie pour la centième fois de le lui faire comprendre.

— Les fils de la famille Fong sont devenus médecins ou avocats, lui dis-je, mais cela ne les empêche pas d'aider de temps en temps leurs parents dans leur restaurant. Et le fils Wong est allé à l'USC, mais il n'a pas honte de donner un coup de main à son père le week-end dans sa station-service.

— Je n'arrive pas à croire que tu me fasses aujourd'hui l'éloge d'Henry Fong… Tu lui reproches généralement d'être devenu « trop continental » parce qu'il s'est marié avec une fille dont la famille est originaire d'Écosse. Quant à Gary Wong, je te rappelle qu'il a brisé le cœur de sa famille (selon tes propres termes) en épousant une *lo fan* et en allant s'installer à Long Beach, où il mène en toute quiétude l'existence « eurasienne » dont il rêvait. Je constate avec satisfaction que tu fais désormais preuve d'une plus grande ouverture d'esprit.

Voilà comment se déroule le dernier été de Joy à la maison, de disputes en discussions. Lors de l'une de nos réunions paroissiales, Violet me dit qu'elle doit affronter le même genre de situation avec son fils Leon, qui ira à Yale cet automne.

— Il lui arrive d'être franchement odieux, m'avoue-t-elle. Les gens parlent ici de l'oiseau qui prend son envol pour quitter le nid familial : c'est bien ce qui lui arrive. Leon est mon fils, la chair de ma chair, mais il ne se rend pas compte qu'une partie de moi-même ne demande qu'à le voir s'en aller. Va-t'en donc ! ai-je envie de lui dire. Et emporte avec toi ton mauvais caractère !

L'autre soir, Violet m'a téléphoné. Elle était en larmes parce que son fils lui a déclaré qu'avec son accent, on la considérerait toujours comme une étrangère. Et qu'elle avait intérêt à laisser croire qu'elle était originaire de Taiwan plutôt que de la République populaire de Chine, sinon J. Edgar Hoover et ses agents du FBI pourraient bien l'accuser d'être une espionne à la solde de son pays.

— C'est de notre faute, lui ai-je dit. Nous avons élevé nos enfants pour qu'ils soient américains, mais nous voudrions qu'ils restent en même temps des fils et des filles respectueux de la tradition chinoise.

Consciente de la discorde qui règne à la maison, May a proposé à Joy de travailler comme figurante. Ma fille trépigne d'excitation.

— Maman ! S'il te plaît ! Tante May m'a dit que si je travaillais pour elle, j'aurais un peu d'argent à moi pour m'acheter des livres et des vêtements chauds.

— Nous avons suffisamment d'économies pour ça, lui dis-je.

Ce qui n'est pas tout à fait exact. Cet argent supplémentaire serait en fait le bienvenu, mais on ne peut pas dire que l'idée de voir Joy batifoler avec sa tante m'enchante particulièrement.

— Tu ne veux jamais que je m'amuse, se plaint ma fille.

Je remarque que May se garde bien d'intervenir dans la discussion. Elle se contente de nous observer, sachant que la malice du Tigre finira bien par l'emporter. C'est ainsi que, pendant plusieurs semaines, ma fille accompagne sa tante à son travail. Chaque soir, de retour à la maison, elle fait à son père et à son oncle le récit de ses aventures sur les plateaux de tournage, en trouvant toujours le moyen de me critiquer. May me dit que je ferais mieux d'ignorer l'attitude rebelle de Joy, que cela fait partie de la culture d'aujourd'hui et qu'elle se contente d'adopter l'attitude de la plupart des jeunes gens de sa génération. Mais ma sœur ne comprend pas la nature du combat qui se livre chaque jour en moi : d'un côté, je veux que ma fille se sente américaine et qu'elle puisse profiter de tout ce qui s'offre à elle, par le simple fait d'être née dans ce pays ; de l'autre, j'ai peur de ne pas avoir réussi à lui enseigner les règles du devoir filial et de la tradition chinoise.

Deux semaines avant que Joy ne rejoigne l'université de Chicago, je sors sur la véranda pour lui souhaiter bonne nuit. May est déjà couchée et feuillette un magazine. Joy est assise sur son lit et écoute un disque de cet horrible Elvis Presley sur son électrophone. À côté d'elle, le mur est couvert de photos qu'elle a découpées dans des magazines – essentiellement de cet Elvis, mais aussi de James Dean, l'acteur qui est mort l'an dernier.

— Maman, me dit-elle après que je l'ai embrassée, j'ai pensé à quelque chose.

J'ai désormais appris à me méfier de ce genre de déclaration.

— Tu m'as toujours dit que tante May était la plus belle des « jeunes beautés » de Shanghai autrefois.

— Oui, dis-je en regardant ma sœur, qui a relevé les yeux de son magazine. Tous les peintres l'adoraient.

— Dans ce cas, poursuit Joy, pourquoi est-ce toujours ton visage qui est mis en avant dans ces magazines qu'achète Papa ? Tu sais, ceux qui viennent de Chine…

— Oh, tu te trompes, dis-je.

Mais je sais qu'elle a raison. Durant les quatre années qui se sont écoulées depuis que le Père Louie avait acheté ce fameux numéro de *La Chine en construction*, Z. G. a illustré six autres couvertures sur lesquelles le visage de May et le mien sont parfaitement reconnaissables. Autrefois, les artistes se servaient des « jeunes beautés » pour vanter les mérites de la vie des nantis et des produits de luxe. Aujourd'hui, ils produisent des affiches, des calendriers et des publicités qui traduisent la vision du Parti communiste, tant auprès des masses illettrées que du reste du monde. Le décor des boudoirs, des salles de bains et des salons rutilants a cédé la place à des thèmes patriotiques : on nous voit, May et moi, les bras tendus vers l'avenir radieux ou poussant des brouettes remplies de cailloux lors de la construction d'un barrage, les cheveux retenus par un foulard – ou encore les pieds dans l'eau, repiquant du riz dans une rizière. Sur chacune de ces couvertures, c'est en effet mon visage avec ses joues bien rouges et ma silhouette élancée qui sont au centre de l'image ; ma sœur figure quant à elle au second plan, tenant un panier que je remplis de légumes, maintenant ma bicyclette ou courbant la tête sous le poids de sa charge, tandis que je fixe le ciel d'un air triomphant. On trouve toujours dans le décor de ces peintures une petite touche qui rappelle Shanghai : les méandres du Whangpoo à travers les fenêtres d'une usine, le jardin de Yu Yuan dans la vieille ville où des soldats en uniforme s'entraînent à la carabine – ou le vénérable Bund, bien terne et utilitaire à présent avec ses cohortes d'ouvriers. Les nuances subtiles, les poses romantiques, les contours flous dont Z. G. raffolait jadis ont été remplacés par des lignes épaisses et des aplats aux couleurs mates – et surtout par du rouge, du rouge, un rouge omniprésent...

Joy se lève et traverse la véranda pour regarder à nouveau les couvertures des magazines que May a affichées près de son lit.

— Il devait vraiment t'aimer, dit ma fille.

— Oh, cela me paraît bien improbable, répond May pour me protéger.

— Tu devrais les regarder de plus près, poursuit Joy. Vois-tu comment l'artiste a procédé ? La jeune fille au teint clair, menue et élégante comme tu l'étais à l'époque, tante May, cède toujours le pas à une femme robuste et vigoureuse comme maman.

Ne me disais-tu pas que votre père lui reprochait souvent d'avoir un visage de paysanne, avec ses joues bien rouges ? Voilà qui convient parfaitement à l'imagerie communiste actuelle.

Les filles sont parfois cruelles. Leurs paroles dépassent souvent leur pensée, mais n'en font pas moins mal pour autant. Je tourne la tête du côté du potager, en espérant dissimuler ainsi les sentiments qui m'agitent.

— C'est pour cela que je pense qu'il t'aime toujours, tante May. Je suis sûre que tu t'es déjà fait la même réflexion.

Je retiens mon souffle, en songeant à ce que ma fille disait à l'instant. Lorsqu'elle prétendait que le peintre « devrait vraiment t'aimer », ce n'était pas à moi qu'elle s'adressait, mais à ma sœur.

— Regarde, poursuit-elle. Maman est bien au premier plan, incarnant l'image de la paysanne idéale. Mais vois comment il t'a représentée, tante May : ton visage ressemble à celui d'une déesse ou d'une créature céleste.

May ne répond pas, mais je sens bien qu'elle observe à nouveau ces images.

— S'il te voyait aujourd'hui, reprend Joy, il ne te reconnaîtrait probablement pas.

Avec cette dernière réplique, ma fille s'est arrangée pour blesser à la fois sa mère et sa tante, en décochant ses flèches là où nous sommes vulnérables. Je serre violemment les poings pour contrôler les émotions qui m'agitent. Après avoir réussi à afficher un sourire de façade, je fais volte-face et saisis les épaules de ma fille.

— J'étais venue te dire bonsoir, lui dis-je. Tu devrais te coucher à présent. May, ajouté-je d'un ton léger, peux-tu m'aider à vérifier la comptabilité du restaurant ? Je n'arrive pas au bout de ces additions.

Nous avons ma sœur et moi une longue pratique des feintes et des sourires calculés destinés à nous sortir des situations les plus embarrassantes. Nous quittons la véranda comme si les propos de Joy ne nous avaient nullement touchées, mais à peine avons-nous rejoint la cuisine que nous tombons dans les bras l'une de l'autre. Comment les mots de Joy peuvent-ils nous faire si mal, au bout de tant d'années ? Sans doute portons-nous au fond de nous le rêve de ce qui aurait pu ou dû advenir – et dont nous espérons peut-être encore la réalisation. Cela ne veut pas dire que nous soyons mécontentes de notre sort : mais les espoirs romantiques que nous nourrissions dans notre adolescence ne nous ont pas totalement abandonnées. Comme Yen-yen le disait souvent : « Quand je me regarde dans la glace, je suis surprise par le visage que j'y découvre. » Quand je me regarde dans la glace, je m'attends toujours à revoir la jeune fille que j'étais à Shanghai – non l'épouse et la mère que je suis devenue. Et May ? À mes yeux, elle n'a absolument pas changé. Elle est toujours aussi belle – de cette beauté sans âge qui est le propre des Chinoises.

— Joy est encore jeune, dis-je à ma sœur. Nous tenions des propos aussi stupides à son âge.

— Les choses reviennent toujours à leur point de départ, dit May.

Je me demande si elle fait allusion au sens initial de cet apho-risme – quoi que nous fassions dans la vie, nous sommes tou-jours ramenés à nos origines : nous aurons à notre tour des enfants qui nous désobéiront, nous blesseront et nous décevront comme nous avions jadis blessé et déçu nos parents – ou si elle pense plus précisément à Shanghai, à la manière dont nous sommes restées prisonnières des derniers mois que nous avons passés là-bas, destinées à revivre à jamais la perte de nos parents, de notre maison, de Z. G., ainsi qu'à supporter les conséquences de mon viol et de la grossesse de May.

— Joy a tenu des propos blessants afin de nous souder davan-tage, toi et moi, lui dis-je avant de répéter une réflexion que Violet m'a faite l'autre jour : Elle sait que notre solitude sera grande après son départ.

May détourne la tête, des larmes dans les yeux.

Le lendemain matin, quand je sors sur la véranda, les couver-tures de *La Chine en construction* ont été ôtées du mur.


Nous sommes sur le quai, à Union Station, pour dire au revoir à Joy. Nous portons May et moi de longues jupes bouffantes, serrées à la taille par de fines ceintures en cuir. La semaine der-nière, nous avons teint nos chaussures à talons aiguille pour qu'elles soient assorties à nos robes, à nos gants et à nos sacs à main. Nous sommes allées nous faire coiffer au Palace Salon et nos cheveux bouclés, d'une longueur maintenant impressionnante, sont protégés par des écharpes aux couleurs vives, négligemment nouées sous le menton. Sam arbore son plus beau costume et une mine sombre. Quant à Joy, elle est tout simplement... joyeuse.

May ouvre son sac à main et en sort la petite bourse contenant trois piécettes en cuivre, trois grains de sésame et trois graines de haricot que maman lui avait donnée jadis. Elle me demande si elle peut l'offrir à Joy. Je n'y vois aucune objection, mais je regrette de ne pas y avoir pensé moi-même. May la passe autour du cou de Joy et lui dit :

— Je t'avais donné cette bourse le jour où tu es née, afin de te protéger. J'espère que tu la porteras, maintenant que tu vas vivre loin de nous.

— Merci, tante May... Plus jamais je ne presserai d'oranges ni ne vendrai de gardénias, dit-elle en étreignant son père. Plus jamais je ne porterai tes robes en feutre, ajoute-t-elle après m'avoir embrassée. Et plus jamais je ne veux revoir de ma vie le moindre bibelot en porcelaine.

Nous écoutons ses résolutions et lui prodiguons nos derniers conseils : il faut qu'elle nous écrive tous les jours, nous l'aimons tous tendrement, elle peut nous appeler en cas d'urgence, il vaut mieux qu'elle mange en premier les raviolis à la vapeur que son père lui a préparés et qu'elle garde pour plus tard les sandwichs au beurre de cacahuètes et les crackers qui sont dans son panier. Elle est déjà à bord du train, séparée de nous par la vitre, elle nous fait de grands signes et s'écrie : « Je vous aime ! Vous allez me manquer ! » Nous marchons le long du quai tandis que le train se met en branle et s'apprête à quitter la gare, nous agitons la main dans sa direction mais elle est déjà hors de vue.

Lorsque nous nous retrouvons à la maison, c'est comme si l'électricité avait été coupée. Nous ne sommes plus que quatre à vivre ici désormais et le calme qui règne à l'intérieur est tellement insupportable que May s'achète une Ford Thunderbird rose flambant neuve, tandis que Sam et moi faisons l'acquisition d'un poste de télévision. May revient rapidement manger à la maison le soir, après son travail, avant de dire bonsoir à Vern et de ressortir. En souvenir de la passion de Joy pour les cowgirls dans son enfance, nous passons quant à nous la soirée au salon, à regarder *Gunsmoke* et *Cheyenne*.

— *Chère maman, cher papa, tante May et oncle Vern*, lis-je à voix haute. (Nous sommes assis en cercle autour du lit de Vern.) *Vous m'avez écrit en me demandant si vous me manquiez. Comment pourrais-je répondre à une telle question sans vous faire de la peine ? Si je vous dis que je m'amuse bien, cela vous blessera. Et si je vous dis que je me sens seule, vous vous ferez du souci pour moi.*

Je regarde les autres. Sam et May opinent du menton d'un air approbateur. Vern tortille le bord de son drap entre ses doigts. Il n'a pas vraiment assimilé le fait que Joy était partie, pas plus qu'il n'avait complètement réalisé jadis que ses parents étaient morts.

— *Mais je crois que papa préférerait que je vous dise la vérité*, continué-je. *Je suis très heureuse et je m'amuse bien. Mes cours sont intéressants. Je prépare en ce moment un exposé sur un écrivain chinois du nom de Lu Hsün, dont vous n'avez probablement jamais entendu parler...*

— Ah ! m'interrompt ma sœur. Nous pourrions lui en raconter de belles à ce sujet ! Tu te souviens de sa diatribe contre les « jeunes beautés » ?

— Continue ta lecture, me presse Sam.

Joy ne revient pas à la maison pour Noël et nous renonçons à faire un vrai sapin cette année. Sam se contente d'acheter un arbre minuscule, d'à peine cinquante centimètres de haut, que nous installons sur la commode de Vern.

À la fin du mois de janvier, l'enthousiasme initial de ma fille commence à retomber et cède la place à un début de nostalgie :

Comment peut-on vivre à Chicago ? Il fait un froid... Le soleil ne se montre jamais et le vent n'arrête pas de souffler. Merci pour les sous-vêtements chauds et les caleçons longs des surplus de l'armée que vous m'avez envoyés, mais même avec ça je grelotte sans arrêt. Ici tout est blanc – le ciel, le soleil, le visage des gens – et les jours sont beaucoup plus courts. Je ne sais pas ce qui me manque le plus : de pouvoir aller à la plage ou de traîner sur les plateaux de cinéma en compagnie de tante May. J'en arrive même à regretter le porc à l'aigre-douce que papa prépare au restaurant.

Cette dernière remarque en dit long. Le porc à l'aigre-douce est le pire des plats destinés aux *lo fan* : la viande est enrobée de pâte et la sauce beaucoup trop sucrée.

En février elle écrit :

J'espérais décrocher un petit boulot grâce à l'un de nos professeurs pendant les vacances de printemps. Comment se fait-il qu'aucun d'eux n'ait le moindre travail à me proposer ? Je suis assise au premier rang pendant le cours d'histoire, mais c'est toujours aux autres que le prof donne des conseils. Et quand je lui pose une question, il ne trouve jamais rien à me dire.

Je lui réponds :

Les gens te diront toujours qu'ils ne peuvent rien pour toi, mais n'oublie pas que tu es libre de tes actes. N'oublie pas d'aller à l'église. Tu y seras toujours bien accueillie et il est bon que les gens sachent que tu es chrétienne.

Réponse de Joy :

Les gens n'arrêtent pas de me demander pourquoi je ne retourne pas en Chine. Je leur réponds qu'il me serait difficile de retourner dans un endroit où je ne suis jamais allée.

En mars, l'humeur de Joy est de nouveau au beau fixe. « Peut-être est-ce dû au retour du printemps », suggère Sam. Mais ce n'est pas le cas, car elle se plaint toujours que l'hiver est interminable. En revanche, un jeune homme a fait son apparition…

Mon ami Joe m'a conseillé de m'inscrire à l'Association des étudiants chinois démocrates chrétiens. J'apprécie les jeunes qui en font partie. Nous parlons de l'intégration, des mariages inter-ethniques et des relations familiales. J'apprends des tas de choses et c'est agréable d'être entourée de visages amicaux, de faire la cuisine et de manger tous ensemble.

Hormis la présence de ce Joe, dont j'ignore tout, je suis contente qu'elle ait décidé de rejoindre une communauté chrétienne : je sais qu'elle y trouvera chaleur humaine et soutien.

Après avoir lu sa lettre au reste de la famille, je lui réponds en notre nom à tous :

Ton père aimerait que tu lui dises comment se déroulent tes cours ce semestre. Est-ce que tu arrives à suivre ? Tante May veut savoir ce que portent les jeunes filles à Chicago et si elle peut t'envoyer quelque chose. Je ne vois pas quoi ajouter. Ici les choses suivent leur cours habituel, sans changement notable. Ah, si : nous avons décidé de fermer le magasin. Il n'était plus rentable d'employer quelqu'un pour vendre ce « bric-à-brac », comme tu as toujours dit. Le restaurant marche bien et ton père est très occupé. Quant à l'oncle Vern, il aimerait en savoir un peu plus sur Joe.

À vrai dire, Vern n'a pas émis la moindre question à ce sujet. Mais Sam, May et moi brûlons de curiosité…

Ta tante travaille toujours autant, tu la connais. Quoi d'autre ? Ah, tu sais comment les choses se passent ici, tout le monde redoute à présent d'être pris pour un communiste. Et la rumeur va bon train, surtout s'il s'agit de compromettre un concurrent ou un rival amoureux : « Vous avez entendu la nouvelle ? Il parait que Untel est communiste… » Tu sais comment sont les gens. Il suffit que les affaires du voisin marchent un peu mieux ou qu'Unetelle vous ait tourné le dos pour qu'ils soient aussitôt communistes. Heureusement, ton père n'a pas d'ennemis et personne ne courtise ta tante pour l'instant.

C'est une manière détournée – et passablement alambiquée – de l'amener à nous parler davantage de ce Joe. Mais si je suis la mère de Joy, elle n'est pas ma fille pour rien et voit parfaitement clair dans mon jeu. Quand sa lettre arrive, j'attends comme d'habitude que tout le monde soit rentré à la maison et que nous ayons pris place autour du lit de Vern.

« *Joe vous plairait* », écrit-elle.

Il est en première année de médecine. Nous allons à l'église ensemble le dimanche. Tu me recommandes de dire mes prières, mais nous ne passons pas notre temps à prier ni à parler de Jésus dans mon association chrétienne. Nous parlons plutôt de l'injustice dont ont été victimes des gens comme papa et toi, ou mes grands-parents. De la manière dont les Chinois ont été traités dans le passé et dont les Noirs sont encore traités de nos jours. Le week-end dernier, nous avons manifesté ensemble devant les bureaux de Montgomery Ward, parce qu'ils refusent d'embaucher des Noirs. Joe dit que les minorités doivent se serrer les coudes. Nous avons fait signer une pétition aux passants. C'est agréable de penser aux problèmes des autres, pour changer un peu.

Lorsque j'ai fini de lire sa lettre, Sam demande :

— Pensez-vous que ce Joe parle le dialecte de Sze Yup ? Je ne voudrais pas qu'elle épouse quelqu'un qui parle un autre dialecte.

— Qui te dit qu'il s'agit d'un Chinois ? lance May.

— Ils font partie d'une association chinoise, répond Sam. Il est forcément chinois.

— Et ils vont à l'église ensemble, ajouté-je.

— Et alors ? dit May. Tu l'as toujours encouragée à fréquenter des églises en dehors de Chinatown afin qu'elle rencontre d'autres gens.

Trois paires d'yeux accusatrices se posent sur moi.

— Il s'appelle Joe, dis-je. C'est un prénom courant chez les Chinois.

— Oui, rétorque ma sœur avec un sourire sardonique. Comme Joe DiMaggio, Joseph Staline, Joseph McCarthy…

— Réponds-lui, l'interrompt Vern, et dis-lui de ne pas fricoter avec les communistes. Sinon elle aura des ennuis.

Mais lorsque j'écris à ma fille, ma question s'avère beaucoup moins subtile : « Quel est le nom de famille de Joe ? », lui demandé-je.

La réponse de Joy arrive au milieu du mois de mars :

Oh, maman, vous êtes trop drôles tous les quatre ! Je vous imagine – papa, tante May et toi – assis autour du lit de l'oncle Vern, en train de vous ronger les sangs à ce sujet… Le nom de famille de Joe est Kwok – j'espère que cela vous convient ? Nous envisageons souvent de partir en Chine pour participer à la reconstruction du pays. Joe me dit que pour nous, le fait d'être chinois est souvent un lourd fardeau, mais aussi une source de bonheur et de fierté. Et que nous ne devrions pas rester à l'écart de ce qui se passe dans notre pays natal. Il m'a même convaincue d'aller me faire faire un passeport.

Je me fais du souci pour Joy depuis qu'elle nous a quittés. Je me suis inquiétée lorsqu'elle avait le mal du pays et lorsque j'ai appris qu'elle fréquentait un jeune homme dont j'ignorais tout. Mais ce qu'elle nous écrit là est franchement préoccupant.

— La Chine n'est pas son pays natal, grommelle Sam.

— C'est un communiste, dit Vern.

Il est vrai qu'à ses yeux tous les gens sont des communistes.

— Elle est amoureuse, dit May d'une voix légère où je sens tout de même poindre un soupçon d'inquiétude. Les filles disent et font des choses stupides quand elles sont amoureuses.

Je replie la lettre et la remets dans l'enveloppe. Nous ne pouvons strictement rien faire pour l'instant, à une telle distance, mais je commence à entonner intérieurement une sorte de prière, de complainte ou de mélopée : *Faites qu'elle revienne, qu'elle revienne, qu'elle revienne…*

# DOMINOS

L'été arrive et Joy revient à la maison. Nous nous laissons bercer par la douce musique de sa voix. Nous essayons bien de nous retenir, mais nous n'arrêtons pas de lui prendre la main, de caresser ses cheveux, de redresser le col de son chemisier. Sa tante lui offre des magazines de cinéma dédicacés par les acteurs, des serre-tête aux couleurs vives et une paire de mules violine, ornées de plumes d'autruche. Je lui prépare ses plats préférés : du porc à la vapeur avec des œufs de canne salés, du bœuf à la tomate et au curry, des ailes de poulet aux haricots noirs et du tofu aux amandes servi avec des fruits au sirop. Sam lui ramène chaque jour une spécialité différente : du canard laqué de la boucherie Sam Sing, du gâteau aux fraises et à la crème fouettée de la pâtisserie Phénix et des *pao* à la viande achetés dans les petites échoppes de Spring Street qu'elle aime tant.

Mais comme elle a changé au cours de ces neuf mois ! Elle porte des corsaires et des chemisiers en coton sans manches qui lui couvrent à peine le nombril. Elle s'est fait couper les cheveux et les porte à présent très courts, surmontés d'une mèche qui lui donne l'air d'un lutin. Mais c'est surtout intérieurement qu'elle a changé. Je ne veux pas dire par là qu'elle passe son temps à nous défier ou à nous rabrouer comme avant son départ. Elle est plutôt revenue avec l'idée qu'elle en sait désormais bien plus long que nous en matière de voyages (elle est la seule de la famille à avoir jamais pris le train, surtout pour se rendre aussi loin), de finances (elle dispose désormais d'un compte en banque et d'un chéquier, alors que Sam et moi cachons toujours notre argent à la maison, à la portée du premier voleur venu) et surtout en ce qui concerne la Chine. Ah, qu'est-ce que nous n'entendons pas à ce sujet !

Elle s'acharne en particulier sur le plus doux d'entre nous, c'est-à-dire sur son oncle. Si les gens nés sous le signe du Cochon ont bien un défaut – lié à leur innocence naturelle – c'est de croire tout ce qu'on leur dit, même lorsque ces propos sont tenus par de parfaits étrangers, voire par des imposteurs ou de simples speakers à la radio. Après avoir écouté des émissions anticommunistes pendant des années, Vern s'est forgé de la République populaire de Chine une opinion que rien ne saurait ébranler. Mais à quoi bon s'en prendre à lui ? Lorsque Joy proclame que « Mao est venu en aide au peuple de la Chine », tout ce que son oncle trouve à répliquer, c'est « qu'il n'y a pas de liberté là-bas ».

— Mao souhaite que les paysans et les ouvriers puissent bénéficier des mêmes avantages que ceux dont papa et maman rêvaient pour moi, rétorque Joy d'un air catégorique. Il permet pour la première fois aux habitants des campagnes de faire des études secondaires et d'aller à l'université. Et cela ne concerne pas seulement les garçons ! Il affirme qu'à travail égal, les femmes doivent recevoir le même salaire que les hommes.

— Tu n'es jamais allée là-bas, dit Vern. Tu n'y connais absolument rien…

— Je m'y connais fort bien ! J'ai tourné dans tous ces films sur la Chine quand j'étais petite…

— La Chine n'a rien à voir avec ça.

C'est son père, qui se tient généralement à l'écart de ces querelles, qui vient d'intervenir de la sorte. Joy s'abstient de lui répondre, non pour manifester son obéissance comme est censée le faire une fille bien élevée, mais parce que son père l'aime tellement qu'elle peut difficilement se passer de son soutien.

Percevant un léger flottement, May tente de mettre un point final à la discussion.

— La Chine n'est pas un décor de cinéma, dit-elle. On ne peut pas en sortir et rentrer chez soi lorsque la caméra a fini de tourner.

C'est l'une des remarques les plus sévères que je l'aie jamais entendu faire à Joy. Cette saillie pourtant bien anodine agit comme un bouquet d'orties dans le cœur de ma fille : elle nous lance soudain un regard noir, à May et moi – ces deux sœurs que rien n'a jamais séparées, unies par un lien plus profond qu'elle ne saurait l'imaginer.

— En Chine, me dit-elle quelques jours plus tard, tandis que je repasse des chemises sur la véranda, les jeunes filles ne sont pas habillées comme ici. On peut difficilement être en robe quand on conduit un tracteur... Et elles n'apprennent plus à broder. Elles ne sont pas obligées non plus d'aller à l'église ou aux cours du soir de l'école chinoise. Ni de respecter toutes ces règles et d'obéir à leurs parents comme vous me le répétiez sans arrêt, papa et toi.

— Peut-être, dis-je. Mais elles sont bien obligées d'obéir au président Mao. En quoi est-ce différent ?

— En Chine, les gens ne manquent de rien. Tout le monde a de quoi manger.

Ce n'est pas une réponse, mais un simple slogan qu'elle a entendu pendant l'un de ses cours ou dans la bouche de ce Joe.

— Ils ont peut-être de quoi manger, dis-je, mais qu'en est-il de leur liberté ?

— Mao croit à la liberté, dit-elle. Tu n'as pas entendu parler de sa nouvelle campagne : « Que cent fleurs s'épanouissent » ? Tu sais ce que cela signifie ? (Elle n'attend pas ma réponse.) Il a invité l'ensemble du peuple à critiquer la nouvelle société...

— Tout cela finira mal.

— Oh, maman, tu es tellement... (Elle me dévisage un instant, avant d'ajouter :) Tu mises toujours sur le mauvais cheval. Tu soutiens Tchang Kaï-chek comme tous les gens de Chinatown qui estiment que c'est la bonne solution. Mais tout le monde sait que c'est un escroc. Il a pillé la Chine et emporté des milliards et des tonnes d'œuvres d'art en quittant le pays. Regarde sur quel pied sa femme et lui vivent aujourd'hui ! Pourquoi l'Amérique soutient-elle Taiwan et le Kuomintang ? Ne vaudrait-il pas mieux nouer des liens avec la Chine de Mao ? C'est un pays tellement vaste et aux ressources immenses. Joe prétend qu'il est toujours préférable de discuter avec le peuple, plutôt que de l'ignorer.

— Joe, Joe, Joe..., dis-je en poussant un soupir. Nous ne le connaissons même pas et toi tu prends pour argent comptant tout ce qu'il te raconte sur la Chine. Est-il seulement allé là-bas ?

— Non, reconnaît Joy à contrecœur. Mais il compte bien s'y rendre. Et moi aussi, j'aimerais voir un jour le quartier où vous viviez à Shanghai, tante May et toi, ainsi que notre village natal…

— Aller en Chine populaire ? Laisse-moi te dire une chose : il est difficile pour un serpent de retourner en enfer une fois qu'il a goûté du paradis. Et tu n'es pas un serpent, en l'occurrence, mais une jeune fille qui ne sait même pas de quoi elle parle.

— J'ai étudié le…

— Oublie ce que t'ont dit tes professeurs, ou ce que ce garçon t'a raconté. Sors un peu et va donc voir ce qui se passe autour de nous. Tu n'as pas remarqué qu'il y avait de nouveaux étrangers à Chinatown ?

— Il y aura toujours de nouveaux *lo fan*, répond Joy sur la défensive.

— Ce ne sont pas des *lo fan* ordinaires, dis-je. Ce sont des agents du FBI.

Je lui raconte qu'un de ces hommes arpente quotidiennement Chinatown depuis quelque temps et interroge tout le monde. Il commence par l'Épicerie Internationale de Spring Street, passe par notre restaurant sur Ord Street et remonte Broadway jusqu'à la Central Plaza du Nouveau Chinatown, où il fait un crochet par le restaurant du General Lee. De là, il poursuit son circuit par l'épicerie de Jack Lee sur Hill Street, puis remonte jusqu'à la partie la plus récente du quartier et va visiter les commerces de la famille Fong avant de redescendre vers le centre-ville.

— Qu'est-ce qu'ils recherchent ? demande Joy. La guerre de Corée est finie…

— Mais les craintes du gouvernement concernant la Chine communiste ne se sont pas dissipées pour autant. La situation a même empiré. Est-ce qu'on t'a parlé dans tes cours de la théorie des dominos ? Un pays tombe entre les mains des communistes, puis un autre, puis un troisième… Les *lo fan* ont peur. Et quand ils ont peur, ils se retournent contre les gens comme nous. C'est pour cela que nous devons soutenir le Généralissime.

— Tu te fais du souci pour rien.

— J'ai dit la même chose à ma mère quand j'avais ton âge et c'était elle qui avait raison. D'ailleurs, les ennuis ont déjà commencé. (Je pousse un nouveau soupir. Comment lui faire comprendre la gravité de la situation ?) Pendant ton absence, le gouvernement a lancé une opération baptisée « programme des confessions ». Elle a lieu dans l'ensemble du pays et je ne pense pas que Chicago ait été épargné. On nous demande, ou plus exactement on nous intimide pour nous contraindre de dénoncer tous ceux qui parmi nous sont arrivés en Amérique en tant que fils « sur le papier ». Le gouvernement a émis sa théorie des dominos. Eh bien ici, à Chinatown, on constate un phénomène du même genre : dès qu'on dénonce quelqu'un, ce n'est pas seulement tel membre de telle ou telle famille qui est touché, mais l'ensemble de ses associés, de ses voisins et de ses proches. Mais ce qu'ils traquent avant tout, ce sont les communistes. Si tu leur dis : « Untel est communiste », tu es sûre d'obtenir ensuite la nationalité américaine.

— Nous sommes tous citoyens américains, dit Joy. Nous ne sommes pas coupables et nous ne craignons rien.

Pendant des années, nous avons été partagés Sam et moi entre notre désir américain de transparence et d'honnêteté, qui nous poussait à avouer la vérité à Joy, et nos convictions chinoises, profondément enracinées en nous, qui nous conseillaient de ne rien lui révéler. Le côté chinois l'a finalement emporté et notre fille ignore donc tout du statut de son père et du mien, ainsi que de celui de ses oncles et de son grand-père. Et cela pour deux raisons simples : nous voulions éviter qu'elle se fasse du souci à ce sujet, mais aussi qu'elle en parle à tort et à travers. Elle a évidemment grandi depuis le temps de l'école maternelle, toutefois l'expérience nous a appris que la moindre erreur – fût-elle infime – peut avoir des conséquences désastreuses.

Je dispose sur un cintre la chemise repassée de Sam et viens m'asseoir à côté de ma fille.

— Il faut que tu saches comment ils mènent leurs enquêtes, afin de pouvoir leur répondre au cas où ils t'interrogeraient. Ils cherchent les gens qui ont illégalement envoyé de l'argent en Chine…

— Le grand-père Louie le faisait…

— Absolument, dis-je. Et ils cherchent les gens qui sont arrivés à faire sortir leur femme de Chine depuis la fermeture du pays, y compris de manière légale. Ils veulent savoir quel pays nous soutenons réellement : la Chine ou les États-Unis. (Je marque une pause pour m'assurer qu'elle me suit bien.) Notre mentalité chinoise ne s'adapte pas toujours très bien au contexte américain. Nous croyons que le fait de se montrer humble, loyal et respectueux, nous permettra de faire face à toutes les situations et s'avérera finalement bénéfique. Mais c'est loin d'être toujours le cas et les dégâts sont parfois immenses.

Je prends une profonde inspiration et me décide à lui révéler quelque chose que j'avais jugé préférable de ne pas confier au papier.

— Tu te souviens de la famille Yee ?

Bien sûr qu'elle s'en souvient… L'aînée des filles, Hazel, était sa grande amie jadis et Joy a passé d'innombrables journées avec ses autres sœurs lors des réunions de notre association.

— Mr Yee est un fils « sur le papier », lui dis-je. Il a fait venir son épouse aux États-Unis en la faisant passer par Winnipeg.

— C'est un fils « sur le papier » ? demande Joy, surprise et un peu impressionnée.

— Il a décidé d'avouer la vérité afin de pouvoir rester ici avec sa famille, étant donné que ses quatre enfants ont la nationalité américaine. Il a dit à l'INS qu'il avait fait venir sa femme en se servant de son faux statut. Du coup, il a bien été naturalisé, mais l'INS a entamé une procédure d'extradition à l'encontre de Mrs Yee, en tant qu'épouse « sur le papier ». Deux de leurs enfants vivent encore avec eux et ont moins de dix ans : comment pourraient-ils se débrouiller sans leur mère ? Mais l'INS veut la renvoyer au Canada. Du moins ne devra-t-elle pas retourner en Chine.

— Peut-être cela serait-il préférable pour elle, dit Joy.

En l'entendant s'exprimer ainsi, je me demande si c'est bien ma fille qui parle, ou un perroquet sans cervelle qui se contente de répéter les bêtises qu'on lui a fourrées dans la tête.

— Tu parles de la mère de Hazel ! m'exclamé-je. Aimerais-tu que la famille Yee tienne les mêmes propos à mon sujet, si c'était moi qui devais repartir en Chine ?

J'attends sa réponse. Comme elle ne vient pas, je me lève, replie la table de repassage et rentre dans la maison pour m'assurer que Vern n'a besoin de rien.

Ce soir-là, Sam transporte Vern sur le canapé du salon, afin que nous puissions regarder *Gunsmoke* tous ensemble. Il fait particulièrement chaud, aussi le dîner est-il réduit au minimum : de grandes tranches de pastèque que nous avons laissées refroidir dans notre Frigidaire. Nous essayons de suivre l'histoire que miss Kitty raconte à Matt Dillon lorsque Joy se lance à nouveau dans l'un de ses discours dithyrambiques à la gloire de la République populaire de Chine. Pendant neuf mois, son absence a creusé un grand vide dans notre famille. Le son de sa voix comme la vue de son beau visage nous ont profondément manqué. Mais durant cette longue période, nous avons meublé cette absence en regardant la télévision et en discutant paisiblement tous les quatre – sans parler des propos plus routiniers que nous échangeons constamment, May et moi. Cela fait à peine deux semaines que Joy est rentrée, mais elle prend déjà trop de place avec ses opinions tranchées, sa volonté d'attirer l'attention et de nous faire sentir que nous ne sommes qu'une bande d'arriérés à l'esprit borné – alors que tout ce qui nous intéresse, pour l'instant, c'est de savoir si le shérif va enfin se décider à embrasser miss Kitty, oui ou non...

Sam, qui supporte généralement sans sourciller les discours de sa fille, n'en peut finalement plus et lui demande dans le dialecte de Sze Yup, avec le flegme qui le caractérise :

— As-tu honte d'être chinoise ? Parce qu'une jeune Chinoise bien élevée se tiendrait tranquille et laisserait ses parents, sa tante et son oncle regarder en paix leur feuilleton préféré.

De toute évidence, c'était la remarque à ne pas faire, car Joy se lance aussitôt dans une diatribe incendiaire, égratignant au passage notre sens de l'économie : « Je ne vois pas pourquoi le fait d'être chinois nous obligerait à mettre de côté tous ces bidons de sauce de soja vides, soi-disant pour en faire des poubelles. » Elle se moque de moi, en prétendant que seuls les Chinois superstitieux croient encore à l'influence des signes du zodiaque : « Tu es franchement ridicule, à rappeler sans cesse les attributs du Tigre, du Bœuf ou du Dragon. » Elle attaque ensuite sa tante et son oncle, en critiquant le principe des mariages arrangés : « Regardez tante May, qui a dû passer toute sa vie aux côtés de… d'un… ». Elle hésite un instant, comme cela nous est tous arrivé un jour ou l'autre, avant de reprendre : « Avec quelqu'un qui ne lui a jamais témoigné la moindre marque d'amour ou d'affection. » Elle nous considère enfin tous les quatre, avec un mépris évident : « Il suffit de voir dans quelles conditions vous vivez », conclut-elle d'un air dégoûté.

En l'écoutant, j'ai l'impression de nous entendre vingt ans plus tôt, May et moi. Je suis triste en songeant à la manière dont nous avons jadis traité nos parents, mais Joy s'en prend maintenant à son père :

— S'il faut se comporter comme toi pour être chinois… La nourriture que tu prépares au restaurant a le goût de tes vieux vêtements. Tes clients te rabrouent. Et tes plats sont trop gras, trop salés et saturés de glutamate.

Ces paroles blessent profondément Sam. Contrairement à May ou à moi, il a toujours aimé Joy du fond de son cœur, sans la moindre restriction.

— Regarde-toi dans la glace, lui dit-il lentement. Pour qui te prends-tu ? Que crois-tu que pensent les *lo fan* en te voyant ? Tu n'es qu'un bout de *jook sing* – une tige de bambou creuse.

— Tu ferais mieux de t'exprimer en anglais, papa. Cela fait vingt ans que tu vis dans ce pays, pourquoi n'as-tu pas appris à en parler correctement la langue ? (Elle cligne des yeux à plusieurs reprises et ajoute :) Tu es tellement… tellement… arriéré !

Le silence qui plane à cet instant dans la pièce est aussi tendu que palpable. Mesurant brusquement la portée de ses paroles, Joy penche la tête sur le côté, redresse sa mèche et esquisse un petit sourire qui ressemble comme deux gouttes d'eau à celui que May avait l'habitude de faire autrefois. C'est un sourire qui signifie : *Je suis une méchante fille, je le sais, et je vous désobéis, mais vous ne pouvez pas vous empêcher de m'aimer quand même.* Je comprends évidemment que tout ceci n'a plus grand-chose à voir avec Mao, Tchang Kaï-chek, la guerre de Corée ou le FBI, mais témoigne de la manière dont notre fille perçoit sa propre famille. Nous trouvions autrefois, May et moi, que nos parents étaient un peu démodés, mais il est évident aujourd'hui que Joy a honte de nous.

« On a souvent l'impression d'avoir l'avenir devant soi, disait parfois maman. Mais quand le soleil brille, il vaut mieux penser au moment où il sera couché : car même lorsqu'on s'est barricadé chez soi, le malheur peut frapper à l'improviste. » Je ne faisais guère attention à ma mère quand elle était en vie et je n'ai pas pensé suffisamment à elle en vieillissant, mais au bout de toutes ces années, je dois bien reconnaître que c'est sa prévoyance qui nous a sauvé la vie. Sans l'argent qu'elle avait mis de côté, nous serions mortes toutes les trois à Shanghai. Un instinct inné l'a poussée à agir, alors que May et moi étions tétanisées par la peur. Elle s'est comportée comme une gazelle qui, dans des circonstances désespérées, se bat pour éviter que sa progéniture ne tombe dans les griffes du lion. Je sais que je dois protéger ma fille – aussi bien d'elle-même que de ce Joe et du regard romantique qu'elle porte sur la Chine communiste – si je veux éviter qu'elle ne commette le même genre d'erreurs qui nous ont tant coûté, à May et moi : mais j'ignore comment m'y prendre.

Je passe au restaurant pour ramener le repas de Vern lorsque j'aperçois l'agent du FBI en conversation sur le trottoir avec l'oncle Charley. Je les dépasse, ignorant délibérément celui-ci (comme lui-même m'ignore) et je pénètre dans la salle, laissant la porte grande ouverte derrière moi. À l'intérieur, Sam et les employés vaquent à leurs affaires tout en tendant l'oreille dans l'espoir de capter quelques bribes de la conversation qui se déroule à l'extérieur. May sort de son bureau et vient me rejoindre au comptoir : nous faisons mine de parler tout en surveillant ce qui se passe.

— Alors comme ça, Charley, vous êtes retourné en Chine ? lance brusquement l'agent dans le dialecte de Sze Yup et d'une voix si forte que je dévisage ma sœur, intriguée : on dirait qu'il fait exprès de s'exprimer ainsi, non seulement pour que nous entendions ce qu'il dit mais pour nous faire savoir qu'il parle couramment le dialecte de notre district.

— Je suis allé en Chine en effet, reconnaît l'oncle Charley d'une voix si tremblante qu'elle en est presque inaudible. Mais j'ai perdu toutes mes économies et je suis revenu ici.

— Nous avons entendu dire que vous avez tenu des propos désobligeants à l'égard de Tchang Kaï-chek.

— C'est inexact.

— Il y a pourtant des gens qui le prétendent.

— Quels gens ?

L'agent ne répond pas à cette question.

— N'est-il pas exact que vous ayez accusé Tchang Kaï-chek de la perte de vos économies ?

Charley se contente de gratter sa nuque couverte d'eczéma. L'agent attend, puis lui demande :

— Où sont vos papiers ?

L'oncle Charley jette un coup d'œil à travers la vitre du restaurant comme s'il cherchait de l'aide, des renforts – ou un moyen de s'enfuir.

L'agent – qui est un grand *lo fan* aux cheveux dorés et au visage constellé de taches de rousseur – lui adresse un large sourire et lui dit :

— Oui, c'est une excellente idée. Entrons donc, j'aimerais faire la connaissance de votre famille.

L'agent pénètre dans le restaurant et l'oncle Charley le suit, la tête basse. Le *lo fan* se dirige aussitôt vers Sam, lui brandit son insigne sous le nez et lui dit dans le dialecte de Sze Yup :

— Je suis l'agent spécial Jack Sanders. Vous êtes Sam Louie, c'est bien ça ? (Voyant Sam acquiescer, il poursuit :) Comme je le dis toujours, inutile de perdre du temps et autant aller droit au but. Quelqu'un nous a dit qu'il vous arrivait d'acheter le *China Daily News*.

Sam reste d'une immobilité de marbre, le visage dénué d'émotion, et considère l'étranger tout en réfléchissant à la réponse qu'il s'apprête à lui faire. Les rares clients, qui n'ont pas compris cette entrée en matière mais qui ont aperçu l'insigne et se doutent bien que tout cela n'est pas de très bon augure, semblent retenir leur souffle, dans l'attente de la réaction de Sam.

— J'achetais ce journal pour mon père, répond-il enfin dans le dialecte de Sze Yup (à la grande déception des clients, qui ne vont pas pouvoir suivre cet échange comme ils le souhaitaient). Cela fait plus de cinq ans qu'il est mort, ajoute-t-il.

— Ce journal soutient les communistes.

— Il arrivait à mon père de le lire. Mais il était abonné au *Chung Sai Yat Po*.

— Il semble que votre père ait eu de la sympathie pour la pensée de Mao.

— Pas le moins du monde. Pourquoi l'aurait-il soutenu ?

— Dans ce cas, pourquoi achetait-il *La Chine en construction* ? Et pourquoi avez-vous continué de le faire, après son décès ?

J'ai brusquement envie d'aller aux toilettes... De toute évidence, Sam ne peut pas lui avouer la vérité – à savoir que les portraits de son épouse et de sa belle-sœur figuraient en couverture du magazine. À moins que le type du FBI ne le sache déjà... Mais il est plus probable qu'il ait considéré ces jeunes filles en uniforme vert et coiffées d'une casquette ornée de l'étoile rouge comme deux Chinoises parmi tant d'autres, ne différant en rien de leurs compatriotes.

— Je me suis laissé dire que dans votre salon, au-dessus du canapé, vous avez affiché des images provenant de ce magazine – des photos de la Grande Muraille et du palais d'Été...

Cela signifie que quelqu'un – un voisin, un ami, un concurrent quelconque – nous a dénoncés. Pourquoi n'avons-nous pas ôté ces photos à la mort du Père Louie ?

— Dans les derniers mois de sa vie, mon père aimait regarder ces images, cela le distrayait.

— Peut-être avait-il une telle sympathie pour la Chine communiste qu'il avait l'intention de rentrer au pays...

— Mon père était un citoyen américain. Il était né aux États-Unis.

— Dans ce cas, montrez-moi ses papiers.

— Il est mort, répète Sam. Et je ne les ai pas ici.

— Peut-être pourrais-je passer chez vous pour les voir ? À moins que vous ne préfériez les apporter vous-même à nos bureaux ? Vous en profiterez pour amener les vôtres. Je ne demande qu'à vous croire, mais il faut que vous m'apportiez la preuve de votre innocence.

— De mon innocence, ou du fait que je suis un citoyen américain ?

— Les deux vont de pair, Mr Louie.

Lorsque je rentre à la maison avec le dîner de Vern, je m'abstiens de lui rapporter cette conversation, ainsi qu'à Joy, pour leur éviter de se faire du souci. Lorsque ma fille me demande si elle peut sortir ce soir, je lui réponds d'un air détaché : « Entendu, mais tâche d'être rentrée avant minuit ». Elle part en croyant avoir remporté une victoire sur sa mère, mais c'est moi qui suis soulagée de la voir hors de la maison.

Dès que Sam et May sont revenus, nous commençons par ôter des murs les photos dont parlait l'agent. Sam fourre dans un sac les exemplaires du *China Daily News* que mon beau-père avait mis de côté, pour une raison ou pour une autre. Je demande à May d'aller chercher dans sa commode tous les magazines où nous sommes représentées en couverture, sous le pinceau de Z. G.

— Je ne crois pas que ce soit nécessaire, dit May.

Je lui réponds vertement :

— Pour une fois, je t'en prie, fais ce que je te demande et abstiens-toi de discuter ! (Voyant qu'elle ne réagit pas, je pousse un soupir exaspéré.) Ce ne sont que des images reproduites dans des magazines, lui dis-je. Si tu ne vas pas les chercher, je m'en chargerai moi-même.

May fait la moue et se dirige d'un air pincé vers la véranda. Une fois qu'elle est sortie, je recherche parmi nos photos celles qui pourraient s'avérer compromettantes – un terme que je ne pensais pas avoir un jour l'occasion d'utiliser.

Tandis que Sam passe une nouvelle fois la maison au peigne fin, May et moi transportons jusqu'à l'incinérateur ce que nous avons déjà rassemblé. Je jette ma pile de photos dans le feu et j'attends que May fasse de même avec les couvertures des magazines qu'elle serre contre sa poitrine. Ne la voyant pas bouger, je les lui arrache des mains et les jette dans le fourneau. Tout en regardant le visage – *mon* visage – que Z. G. avait peint à la perfection se tordre dans les flammes, je me demande pourquoi nous avons pieusement conservé toutes ces images à la maison. Je connais la réponse, naturellement : Sam, May et moi ne valons pas mieux que le Père Louie. Nous avons adopté le langage, la nourriture, les vêtements américains et souhaité que Joy aille à l'université pour construire son avenir ici, mais pas un seul instant durant toutes ces années nous n'avons cessé de regretter notre pays natal.

— Ils ne veulent pas de nous ici, murmuré-je, les yeux rivés sur les flammes. Ils n'ont jamais voulu de nous. Ils vont essayer de nous coincer, mais c'est à nous de nous montrer plus malins qu'eux et de les piéger à notre tour.

— Peut-être Sam devrait-il tout leur avouer et en finir une bonne fois pour toutes, avance May. De cette façon, il obtiendrait sa naturalisation et nous n'aurions plus de soucis à nous faire.

— Tu sais bien qu'il n'est pas seul en cause, dis-je. S'il avoue la vérité concernant son statut, tout le monde sera impliqué : l'oncle Wilburt, l'oncle Charley, moi...

— Vous devriez tous avouer la vérité, cela vous permettrait de vous faire naturaliser en toute légalité. N'est-ce pas ce que tu souhaites ?

— Bien sûr que je le souhaite. Mais si le gouvernement nous mentait ?

— Pourquoi nous mentirait-il ?

— Quand ne nous a-t-il PAS menti ? Imagine qu'ils décident de nous expulser... S'ils estiment que Sam est en situation illégale, ils m'expulseront moi aussi.

Ma sœur considère la question, avant de répondre :

— Je ne veux pas te perdre. J'ai promis au Père Louie que je ne resterais pas les bras croisés s'il t'arrivait des ennuis de ce genre. Mais Sam doit avouer la vérité – dans l'intérêt de Joy, du tien et de nous tous. Il y a une possibilité d'amnistie : nous serions enfin réunis et libérés de tous ces secrets.

Je ne comprends pas pourquoi ma sœur ne voit pas, refuse même de voir le problème dans son entier. Mais il est vrai qu'elle est mariée à un authentique citoyen américain et qu'elle entrée légalement dans ce pays, après l'avoir épousé. Elle n'est pas confrontée à la même menace que Sam et moi.

Ma sœur passe le bras autour de mon épaule et me serre contre elle.

— Ne t'inquiète pas, Perle, me dit-elle comme si j'étais sa *moy moy* et elle ma *jie jie*. Nous allons engager un avocat qui s'occupera de cette affaire et...

— Non ! Nous avons déjà affronté toutes les deux une situation de ce genre, à Angel Island. Nous ne les laisserons pas nous faire du mal – pas plus à Sam ou à moi qu'à aucun d'entre nous.

Nous allons faire front ensemble et leur retourner leurs accusations, comme nous l'avons fait jadis. Il faut que nous arrivions à brouiller leurs cartes. Le plus important, c'est de nous en tenir à notre version des faits et de ne pas en dévier d'un pouce.

— Absolument, dit Sam.

Il vient de surgir des ténèbres et jette une nouvelle pile de journaux dans l'incinérateur.

— Mais avant toute chose, ajoute-t-il, nous devons leur montrer qu'il n'y a jamais eu d'Américains plus loyaux que nous.

Cela ne plaît guère à May. Mais comme elle est ma *moy moy* et la belle-sœur de Sam, elle est bien obligée d'obéir.


Nous avons évité dans la mesure du possible de parler à Joy de toute cette affaire, en nous disant que moins elle en saurait et plus notre histoire aurait des chances de passer. Ni May ni elle ne sont convoquées aux bureaux de l'INS et personne ne vient interroger Vern à la maison. Mais au cours des quatre semaines suivantes, nous devons subir Sam et moi d'incessants interrogatoires. Nous sommes le plus souvent ensemble, ce qui me permet de servir d'interprète à mon mari, surtout depuis que notre dossier est passé des mains de l'agent spécial Sanders à celles de l'agent Mike Billings, qui ne parle pas un mot de chinois et se montre à peu près aussi amical à notre égard que le président Plumb autrefois. On me pose des questions au sujet de mon village natal, où je n'ai jamais remis les pieds. Sam est sommé d'expliquer pourquoi ses soi-disant parents l'avaient laissé en Chine lorsqu'il avait sept ans. On nous interroge sur la naissance du Père Louie et on nous demande avec des sourires condescendants si nous ne serions pas en relation avec des gens qui ont gagné de l'argent en vendant de faux certificats de naissance.

— Il y a bien quelqu'un qui profite de cette combine, dit l'agent Billings. Dites-moi simplement qui.

Nos réponses ne font guère progresser son enquête. Nous lui disons que nous avons récupéré du fer-blanc et vendu des bons pour soutenir l'effort de guerre. Nous lui révélons même que nous avons serré la main de Mme Tchang Kaï-chek.

— Avez-vous une photo qui l'atteste ? demande Billings.

Mais c'est justement celle que nous avons oublié de prendre ce jour-là...

Au début du mois d'août, Billings change de tactique :

— Si votre soi-disant père était bien né ici, pourquoi n'a-t-il jamais cessé d'envoyer de l'argent en Chine, y compris lorsque c'était interdit ?

Je n'attends pas que Sam lui réponde.

— L'argent était destiné à son village ancestral, où sa famille est établie depuis quinze générations.

— Est-ce pour cela que votre mari a continué à faire sortir de l'argent du pays ?

— Nous essayons de venir en aide à nos proches qui se trouvent bloqués là-bas, intervient Sam.

Lorsque je lui ai traduit sa réponse, Billings fait le tour de la table, saisit Sam par le revers de sa veste et lui hurle au visage :

— Avouez-le ! Vous avez envoyé de l'argent en Chine parce que vous êtes un communiste !

Je n'ai nullement besoin de traduire cette interjection, que Sam a parfaitement comprise. Je le fais pourtant, de la même voix calme que précédemment, pour montrer à Billings que rien ne nous ébranlera ni ne nous contraindra à modifier notre version des faits. Mais voilà que Sam, qui n'est plus tout à fait le même depuis que Joy s'est moquée de lui, de sa cuisine et de son anglais – et qui ne dort quasiment plus depuis le jour où l'agent Sanders a débarqué au restaurant – se lève brusquement, pointe Billings du doigt et le traite à son tour de communiste ! Les deux hommes se renvoient la balle à tour de rôle : « Espèce de communiste ! — Non, le communiste, c'est vous ! » Billings est hors de lui, mais Sam demeure étrangement calme. Finalement, l'agent de l'INS se tait, va s'effondrer sur sa chaise et nous lance un regard noir. Il n'a pas davantage de preuves contre Sam que Sam n'en a contre lui.

— Si vous ne voulez rien avouer, finit-il par dire, et si vous refusez de me donner le nom de celui qui vous a vendu de faux papiers à Chinatown, vous pourriez au moins me fournir quelques renseignements concernant vos voisins.

D'un air parfaitement serein, Sam lui récite un aphorisme que je traduis pour Billings :

— Balayez la neige qui est devant votre porte et ne vous souciez pas de celle qui recouvre le toit du voisin.

Nous avons apparemment remporté la partie, mais dans ce genre d'affrontement, que peuvent quelques faibles créatures contre une armée de gros bras ? Le FBI et l'INS interrogent l'oncle Wilburt et l'oncle Charley, qui refusent d'avouer quoi que ce soit, de témoigner contre nous ou de dénoncer le Père Louie, qui leur avait vendu leurs papiers. *Ceux qui ne repoussent pas le chien qui se noie sont déjà au nombre des hommes de bien.*

Lorsque l'oncle Fred vient dîner un dimanche avec sa famille, nous demandons à Joy d'emmener ses trois filles hors de la pièce afin qu'il puisse nous raconter la visite que lui a faite l'agent Billings dans sa maison de Silver Lake. Les efforts déployés par Fred quand il était à l'armée, pendant ses études et depuis qu'il exerce son métier de dentiste, ont pratiquement effacé chez lui toute trace d'accent. Il mène une vie heureuse et paisible avec Mariko et leurs petites métisses. Il a un visage rond et joufflu et commence à prendre un peu d'embonpoint.

— Je lui ai dit que j'étais un vétéran, raconte-t-il, que j'avais fait la guerre et m'étais battu pour les États-Unis. Il m'a regardé et m'a rétorqué : « Et vous avez été naturalisé ». Bien sûr, que j'ai été naturalisé ! Le gouvernement nous l'avait promis. Il a ensuite sorti un dossier et m'a invité à y jeter un coup d'œil. C'était mon dossier d'immigration, celui qui a été constitué lors de mon passage à Angel Island... Vous vous rappelez ces histoires qu'on nous avait demandé d'apprendre par cœur ? Eh bien, tout y était... Il y avait des renseignements concernant le Père Louie et Yen-yen, la liste de nos dates de naissance et les grandes lignes de nos histoires respectives, étant donné que nos destins sont liés. Il m'a demandé pourquoi je n'avais pas dit la vérité au sujet de mes soi-disant frères lorsque je m'étais engagé dans l'armée. Mais je ne lui ai rien révélé.

Il prend la main de Mariko, qui est blanche comme un linge.

— Cela m'est égal qu'ils nous cherchent des histoires, reprend-il. Mais ils s'en prennent maintenant à nos enfants, qui sont nés ici. (Il hoche la tête d'un air dégoûté.) La semaine dernière, Bess est revenue à la maison en larmes. Son professeur a passé un film dans leur classe, dénonçant la menace communiste.

On y voyait des Russes avec leurs toques en fourrure et des Chinois qui… ma foi, qui nous ressemblaient comme deux gouttes d'eau. À la fin du film, on demandait aux élèves d'appeler la CIA ou le FBI si jamais ils apercevaient quelqu'un qui leur paraissait suspect. Et qui avait l'air suspect dans la classe ? Ma petite Bess… Désormais ses amies refusent de jouer avec elle. Je me demande comment cela va se passer pour Eleanor et la petite Mamie. Je n'arrête pas de répéter aux filles que nous leur avons donné des prénoms de *first ladies* et qu'elles n'ont rien à craindre.

Mais elles ont évidemment toutes les raisons de s'inquiéter. Et nous partageons tous cette appréhension.

Quand on maintient quelqu'un la tête sous l'eau, il ne pense qu'à respirer. Je me rappelle le sentiment que j'avais éprouvé à l'égard de Shanghai après la série d'événements qui avaient bouleversé nos vies – comment les rues jadis lumineuses et animées m'avaient paru dégradées par la puanteur de la nuit, comment les belles passantes n'avaient brusquement plus semblé être que des prostituées, comment l'argent et la prospérité ambiante donnaient à la ville un air de tristesse, de déchéance et de futilité. La vision que j'ai aujourd'hui de Los Angeles et de Chinatown ne pourrait pas être plus différente. Les palmiers, les fruits et les légumes de mon jardin, les pots de géraniums devant les magasins et sur les porches des maisons – tout cela semble briller et vibrer d'une vie profonde, même dans la chaleur de l'été. Au lieu du brouillard, de la laideur et de la corruption, je ne vois que splendeur, ouverture, liberté… Je ne supporte pas que le gouvernement nous persécute avec ces accusations terribles – et malheureusement fondées, il faut bien le reconnaître – mais je supporte encore moins l'idée que ma famille et moi soyons obligées de quitter cet endroit. Ce n'est peut-être que Chinatown, mais c'est désormais mon foyer, notre foyer à tous.

En songeant à tout ça, je regrette d'avoir si longtemps éprouvé une telle nostalgie à l'égard de Shanghai. Ces souvenirs enjolivés concernent des lieux, des personnes, des choses qui ont depuis longtemps disparu et n'existeront plus jamais, comme me l'a écrit Betsy. Je m'en veux *a posteriori* : comment ai-je pu ne pas voir les choses que j'avais sous les yeux pendant toutes ces années ? Et ne pas savourer leur douceur, au lieu de brasser des souvenirs qui n'étaient que cendres et poussière ?

En désespoir de cause, j'appelle Betsy à Washington pour savoir si son père ne pourrait pas intervenir en notre faveur, d'une manière ou d'une autre. Bien qu'il soit lui-même sur la sellette, Betsy me promet qu'il jettera un coup d'œil dans le dossier de Sam.


— Mon pèle est né à San Flancisco, dit Sam dans son affreux anglais.

Quatre jours se sont écoulés depuis que nous avons dîné avec Fred et les agents Sanders et Billings ont débarqué chez nous à l'improviste. Sam est assis sur le bord de la chaise longue du Père Louie. Les deux autres ont pris place sur le canapé. Je suis quant à moi assise sur une chaise et j'espère que Sam me laissera parler. J'ai exactement la même impression qu'en ce jour lointain où le malfrat de la Triade Verte nous avait menacées, May et moi, dans le salon de la maison familiale : *nous y sommes, les dés sont jetés.*

— Dans ce cas, prouvez-le-moi, dit l'agent Billings. Montrez-moi son certificat de naissance.

— Mon pèle est né à San Flancisco, répète Sam d'un air obstiné.

— À *San Flancisco*, hein ? lui lance Billings d'un air moqueur. À cause de l'incendie et du tremblement de terre, cela va sans dire… Nous ne sommes pas idiots, Mr Louie. Il y a tellement de Chinois qui sont censés être nés aux États-Unis avant 1906 que, compte tenu du nombre de Chinoises qui vivaient alors sur le territoire américain, chacune d'elles aurait dû mettre au monde plus d'un demi-millier d'enfants. Et même si par miracle cela s'était avéré possible, comment se fait-il qu'elles n'aient engendré que des garçons ? Qu'avez-vous fait des filles ? Vous les avez noyées ?

— Je n'étais pas né à cette époque, dit Sam en repassant au dialecte de Sze Yup.

— J'ai ici le dossier qui a été établi à votre nom, lors de votre passage à Angel Island. Nous aimerions vous montrer quelques photographies.

Billings place deux photos sur la table basse du salon. La première représente un enfant, c'est celle que le président Plumb m'avait montrée il y a des années. L'autre représente Sam à son arrivée à Angel Island, en 1937. En plaçant les deux images côte à côte, on voit clairement qu'il ne peut s'agir de la même personne.

— Avouez donc la vérité et parlez-nous ensuite de vos soi-disant frères. Ne mettez pas votre femme et votre fille en danger par loyauté envers des hommes qui ne lèveront pas le petit doigt pour vous aider.

Sam considère un moment les photos et déclare d'une voix tremblante :

— Je suis vraiment le fils de mon père. Mon frère Vern vous le confirmera.

Je sens que sa volonté est en train de faiblir mais je ne comprends pas pourquoi. C'est en me levant et en allant me placer derrière lui pour l'assurer de mon soutien que j'en saisis la raison : Joy vient d'apparaître dans l'encadrement de la porte de la cuisine, juste en face de son père. Il a à la fois peur pour elle et honte de lui-même.

— Papa ! s'exclame Joy en se précipitant dans la pièce. Fais ce qu'ils te demandent ! Dis-leur la vérité, tu n'as rien à cacher.

Notre fille n'a pas la moindre idée de ce que recouvre cette vérité, mais elle est d'une telle innocence – et, il faut bien l'avouer, d'une telle stupidité – qu'elle ajoute dans la foulée :

— Si tu dis la vérité, il ne peut en sortir que du bien. C'est ce que tu m'as toujours dit.

— Vous voyez, insiste Billings. Même votre fille vous pousse à dire la vérité.

Mais Sam ne démord pas de sa version.

— Mon pèle est né à San Flancisco, répète-t-il d'une voix laconique.

Joy continue de pleurer. Vern gémit dans la pièce à côté. Et j'assiste impuissante à la scène. Quant à ma sœur, elle doit être sur un tournage, en train de faire du shopping – ou que sais-je encore.

Billings ouvre son cartable, en sort une feuille imprimée et la tend à Sam, qui ne lit pas l'anglais.

— Si vous signez ce document reconnaissant que vous êtes entré illégalement dans notre pays, lui dit l'agent, nous vous reprendrons vos papiers, qui sont faux de toute façon. Lorsque vous aurez terminé votre confession, nous lèverons les charges qui pèsent contre vous et vous donnerons de nouveaux papiers – de *vrais* papiers, cette fois-ci, à condition que vous nous ayez raconté *tout* ce que vous savez à propos de *tous ceux* qui parmi vos proches, vos voisins, vos amis, sont entrés illégalement aux États-Unis. Nous nous intéressons particulièrement aux autres fils « sur le papier » que votre soi-disant père a fait venir ici.

— Il est mort, dit Sam. Quelle importance à présent ?

— Mais nous avons son dossier. Comment a-t-il pu avoir autant de fils ? Autant d'associés ? Où sont-ils à présent ? Et ne vous faites pas de souci au sujet de Fred Louie. Son dossier n'a pas de secret pour nous. Il a obtenu sa naturalisation d'une manière tout à fait légale. Ce sont les autres qui nous intéressent.

— Qu'allez-vous leur faire ?

— Ne vous souciez pas de ça. Occupez-vous plutôt de vous.

— Et vous me donnerez de vrais papiers ?

— Vous serez légalement naturalisé, comme je viens de vous le dire. En revanche, si vous ne vous mettez pas à table, nous serons obligés de vous renvoyer en Chine, votre épouse et vous. Ne préférez-vous pas rester ici, ne serait-ce que pour veiller sur votre fille et l'empêcher de faire des bêtises ?

Joy sursaute en entendant cette dernière réplique.

— C'est peut-être une excellente étudiante, poursuit Billings, mais elle est à l'université de Chicago – qui est comme chacun sait un nid de communistes. Avez-vous la moindre idée des gens qu'elle fréquente ? Savez-vous ce qu'elle fabrique au juste ? Elle est membre de l'Association des étudiants chinois démocrates chrétiens.

— C'est une association chrétienne, dis-je.

Mais en regardant ma fille, je m'aperçois que son regard s'est assombri.

— Ils se prétendent chrétiens, Mrs Louie, mais il s'agit en vérité d'une organisation communiste. Ce sont les liens de votre fille avec ce groupe qui nous ont mis la puce à l'oreille et qui nous ont conduits à nous intéresser au dossier de votre mari.

Elle a participé à des manifestations, fait signé des pétitions… Si vous acceptez de nous aider, nous fermerons les yeux là-dessus. Elle est née ici et c'est encore une enfant, ajoute-t-il en regardant Joy, qui pleure au milieu de la pièce. Elle ne se rendait probablement pas compte de ce qu'elle faisait. Mais si votre mari et vous étiez renvoyés en Chine, comment pourriez-vous l'aider ? Voulez-vous que sa vie soit brisée, elle aussi ?

Billings fait signe à Sanders, qui se lève à son tour.

— Nous allons maintenant vous laisser, Mr Louie, mais ces discussions ne peuvent pas se prolonger à l'infini. Soit vous acceptez de nous dire ce que vous savez, soit nous mènerons une enquête approfondie sur votre fille. Est-ce bien clair ?

Sitôt qu'ils sont partis, Joy se précipite vers son père, s'effondre à ses côtés et fond en larmes, la tête sur ses genoux.

— Pourquoi nous font-ils une chose pareille ? sanglote-t-elle. Pourquoi ?

Je m'agenouille à côté de ma fille et la prends dans mes bras. Je cherche en même temps le regard de Sam, espérant y discerner la force et l'espoir dont il a toujours fait preuve jusque-là.

— J'ai quitté mon pays dans l'espoir de gagner ma vie, dit-il d'une voix lointaine, le regard dans le vide. Je suis venu en Amérique en pensant que ce serait une chance pour moi. J'ai fait tout ce que j'ai pu…

— Bien sûr, lui dis-je.

Sam me regarde d'un air résigné.

— Je ne veux pas être renvoyé en Chine, dit-il d'une voix désespérée.

Je pose la main sur son bras.

— Les choses n'iront pas jusque-là, lui dis-je. Mais si jamais cela devait arriver, je partirai avec toi.

Son regard se pose sur moi.

— Tu es bonne, dit-il. Mais qu'arrivera-t-il à Joy ?

— Je viendrai avec vous, papa. Je connais bien la Chine à présent et je n'ai pas peur.

Tandis que nous nous serrons ainsi les uns contre les autres, une phrase que Z. G. avait dite autrefois me revient à l'esprit : il parlait de la différence entre le *ai kuo*, l'amour qu'on porte à son pays, et le *ai jen*, l'amour qu'on éprouve pour la personne qu'on aime. Sam a lutté contre son destin en fuyant la Chine. Et même après tout ce qui s'est passé, il n'a jamais cessé de croire en l'Amérique. Mais l'amour qu'il a pour Joy passe pour lui au-dessus de tout.

— Ça va aller, dit-il en tapotant la tête de sa fille. Vous devriez vous occuper de l'oncle Vern : il a besoin d'aide, comme vous l'entendez. Tous ces événements l'ont bouleversé.

Nous nous relevons, Joy et moi. J'essuie les larmes qui coulent encore sur le visage de ma fille. Tandis qu'elle se dirige vers la chambre de Vern, Sam me saisit la main et effleure du doigt mon bracelet de jade.

— N'aie pas peur, Zhen Long, me dit-il.

Il me relâche et contemple un instant sa propre main, encore humide des larmes de sa fille.

Vern est dans un piteux état quand je pénètre dans sa chambre. Il marmonne des propos incohérents concernant la campagne des Cent Fleurs, que Mao a lancée à seule fin d'éliminer ceux qu'il avait encouragés à critiquer le gouvernement. Vern est tellement perturbé qu'il n'arrive pas à faire la différence entre ces derniers rebondissements de l'actualité et la conversation qu'il vient d'entendre. Il est si agité et si troublé qu'il a souillé sa couche : chaque fois qu'il gigote ou tape du poing sur le lit, une odeur infecte me monte aux narines… J'aimerais que ma sœur soit là : ce serait tout de même à elle de s'occuper de son mari, me répété-je pour la millième fois. Il nous faut un certain temps, à Joy et moi, pour calmer Vern et le changer. Lorsque nous quittons sa chambre, Sam a disparu du salon.

— Il faut que nous parlions de cette fameuse organisation, dis-je à Joy. Mais nous attendrons pour cela le retour de ton père.

Elle n'a pas un mot de regret, pas une parole d'excuse à mon endroit. Avec la certitude absolue que lui confèrent sa jeunesse et le fait d'avoir été élevée en Amérique, elle me répond :

— Nous sommes tous des citoyens égaux et nous vivons dans un pays libre. Ils ne peuvent rien contre nous.

Je pousse un soupir.

— Nous reparlerons de tout cela avec ton père, dis-je.

Je me dirige vers la salle de bains attenante à ma chambre, pour chasser l'odeur de Vern qui me colle à la peau. Je me lave le visage et les mains dans le lavabo et c'est en relevant la tête que j'aperçois dans la glace, au-dessus de mon épaule, le reflet du placard grand ouvert...

— Sam ! hurlé-je.

Je me précipite vers le placard où Sam s'est pendu. Je serre dans mes bras ses jambes qui se balancent dans le vide et les soulève pour alléger la traction qu'exerce son corps. Tout devient noir devant mes yeux, mon cœur s'éparpille comme de la poussière qui s'effrite et mes oreilles bourdonnent, tandis que je pousse des cris horrifiés.

# L'OCÉAN INFINI DE LA MISÈRE HUMAINE

Je ne relâche pas Sam jusqu'à ce que Joy soit montée sur un tabouret et ait tranché la corde qui le retenait. Je reste auprès de lui lorsque les pompes funèbres arrivent pour l'emmener. Je m'occupe de son cadavre avec autant d'amour et de tendresse que lorsqu'il était en vie. May vient ensuite me chercher et me ramène à la maison. Dans la voiture, elle me dit : « Sam et toi étiez comme un couple de canards mandarins. Vous étiez toujours ensemble, telle une paire de baguettes, parfaitement associés et en constante harmonie. » Je la remercie pour ses formules traditionnelles, mais elles ne me sont d'aucun secours.

Je reste éveillée toute la nuit. J'entends Vern qui s'agite dans la pièce à côté et May qui tente de consoler ma fille sur la véranda. Mais tous ces bruits s'estompent peu à peu et la maison est bientôt plongée dans le silence. Comme dit l'adage : *quinze seaux pour tirer l'eau du puits, sept qui remontent et huit qui descendent.* Ce qui signifie que je suis pétrie d'angoisse et dans l'incapacité absolue de dormir, par crainte que de mauvais rêves ne viennent me hanter. Je me tiens devant la fenêtre, une brise légère agite ma chemise de nuit. J'ai l'impression que la lune brille seulement pour moi. On dit souvent que les mariages sont arrangés par le Ciel, que le destin finit par réunir des êtres qu'une distance infinie sépare, que tout cela était décidé avant leur naissance et que, quels que soient les vicissitudes du chemin et les caprices de la destinée, nous devons nous contenter d'accomplir le décret que le sort nous a réservé.

Je suis déchirée par les regrets et bourrelée de remords. Je n'ai pas suffisamment pratiqué le devoir conjugal avec Sam. Je l'ai trop souvent considéré comme un simple conducteur de pousse-pousse. Je me suis fréquemment laissé envahir par ma nostalgie du passé, au point de lui faire croire que sa présence et notre vie commune à Los Angeles ne combleraient jamais ce vide. Pire encore, je ne l'ai pas suffisamment soutenu durant les derniers jours de sa vie. J'aurais dû me montrer plus combative, résister davantage au FBI, à l'INS et à toutes ces embrouilles autour de notre statut d'immigrants. Comment ai-je pu ne pas voir qu'il n'arrivait plus à supporter ce fardeau ?

Au petit matin, j'évite la véranda et sors par l'entrée principale pour faire le tour de la maison. Je sais que de nombreux suicides sont venus endeuiller notre communauté, ces derniers temps, mais j'ai l'impression que la mort de Sam ajoute un nouvel atome de sel à l'océan infini de la misère humaine. Derrière ma clôture couverte de rosiers grimpants, j'imagine que mes voisins se lamentent eux aussi sur cette tristesse séculaire. Dans ce moment de calme et de douleur, je sais ce qu'il me reste à faire.

Je retourne dans ma chambre, déniche une photo de Sam et vais l'installer au salon sur l'autel des ancêtres dont il avait la charge, à côté de celles de Yen-yen et du Père Louie. Je regarde les autres objets que Sam y avait placés, pour représenter tous ceux que nous avons perdus : mes parents, les siens, ses frères et sœurs, ainsi que notre fils. J'espère pour Sam que sa propre croyance en l'au-delà était fondée, qu'il les a rejoints à présent et qu'il est en train de nous regarder depuis la Terrasse des Esprits, dans les hauteurs du Ciel. J'allume de l'encens et je me prosterne à trois reprises. Peu importent mes propres croyances : je me promets intérieurement d'accomplir ce geste tous les jours jusqu'à ce que je meure à mon tour et parte le rejoindre, dans son au-delà ou dans le mien.

Je crois au Dieu unique, mais je n'en suis pas moins chinoise et je respecte donc les deux traditions pour les funérailles de Sam. Aux yeux des Chinois, ce rite est le plus important de tous : il nous permet de témoigner pour la dernière fois notre respect à la personne qui vient de nous quitter et d'enseigner aux plus jeunes les mérites de celui qui est désormais leur nouvel ancêtre. Je ne veux pas que Sam en soit privé. Je choisis le costume qu'il portera dans son cercueil. Je place des photos de Joy et de moi dans ses poches, afin que nous l'accompagnions lorsqu'il gagnera le Ciel chinois. Je veille à ce que Joy, May, Vern et moi soyons tous habillés en noir – et non en blanc, comme le voudrait la tradition chinoise. Des prières sont récitées, des bénédictions prononcées, ainsi que des mots de soutien pour les vivants. Il n'y a pas d'orchestre de cuivres, juste une organiste qui joue *Plus près de toi mon Dieu* et *America the Beautiful*. La cérémonie est suivie d'un banquet funéraire au Soochow, réduit au minimum : cinq tables, soit une cinquantaine de convives, ce qui n'a rien de comparable avec les funérailles du Père Louie ou même celles de Yen-yen. Cela tient évidemment à l'atmosphère ambiante et aux craintes qu'éprouvent nos voisins, nos amis et nos clients. Comme dit le vieil adage : *quand vous êtes au sommet de la gloire, soyez assurés que vos amis seront présents à vos fêtes ; mais n'espérez pas qu'ils vous offrent du charbon quand vous en serez réduits à dormir sous la neige.*

Je suis assise à la table principale, entre ma sœur et ma fille. Elles se comportent toutes les deux comme il le faut, mais leur sentiment de culpabilité est encore palpable : May, pour avoir été absente lorsque le drame s'est produit ; et Joy, qui se sent responsable de la mort de son père. Je sais que je devrais leur dire de chasser ces pensées : personne, absolument *personne* n'aurait pu prévoir que Sam allait accomplir ce geste insensé. Mais en agissant de la sorte, il a brutalement mis un terme à l'enquête dont les oncles, Joy et moi-même pouvions encore faire l'objet. Comme me l'a dit l'agent Billings, lorsqu'il est passé me voir à la maison après le drame :

— Maintenant que votre mari et votre beau-père sont morts, nous ne pourrons jamais rien prouver, dans un sens ou dans l'autre. Il est d'ailleurs possible que nous nous soyons trompés, concernant l'organisation dont fait partie votre fille. C'est une bonne nouvelle en ce qui vous concerne, mais que cela vous serve de leçon : quand elle reprendra les cours en septembre, conseillez-lui de se tenir à l'écart de *toutes* les associations chinoises. De la sorte, elle ne risquera pas de se retrouver du mauvais côté de la barrière.

Je l'ai dévisagé, avant de répondre :

— Mon beau-père est né à San Francisco. Mon mari a toujours été un authentique citoyen américain.

Comment ai-je pu me montrer si tranchante avec l'agent de l'INS et ne pas trouver les mots qui conviennent pour parler à ma sœur et consoler ma fille ? Je sais qu'elles souffrent, toutes les deux, mais je suis incapable de leur venir en aide. J'aurais besoin qu'elles me soutiennent, moi aussi. Mais même lorsqu'elles s'y essaient – en me servant du thé, en me regardant de leurs yeux rougis et gonflés par les larmes ou en venant s'asseoir auprès de moi quand je pleure en silence dans ma chambre – je ne sens monter en moi qu'une vague de tristesse, suivie… d'une immense colère. Pourquoi ma fille a-t-elle rejoint cette organisation ? Pourquoi n'a-t-elle pas témoigné à son père le respect qu'elle lui devait au cours de ces dernières semaines ? Pourquoi ma sœur a-t-elle toujours encouragé le côté américain de Joy en matière de vêtements, de coiffure et de comportement ? Pourquoi ne nous a-t-elle pas davantage aidés, Sam et moi, dans ces pénibles circonstances ? Et pourquoi ne s'est-elle jamais occupée de son mari comme elle l'aurait dû – notamment lors de cette fatale journée ? Si elle avait été présente, comme une épouse digne de ce nom, j'aurais pu empêcher Sam de commettre ce geste. Je sais que ce sont ma peine et mon chagrin qui suscitent ces pensées en moi. Il m'est plus facile de retourner ma colère contre elles que d'affronter la douleur suscitée par cette disparition.

Violet et son mari, qui sont assis à notre table, emballent la nourriture qui reste pour que je la rapporte à la maison. L'oncle Wilburt vient me dire au revoir. L'oncle Fred, Mariko et leurs filles rentrent à leur tour chez eux. L'oncle Charley s'attarde un moment, mais que pourrait-il bien me dire ? J'opine du menton, je leur serre la main à tous, à la manière américaine, et je les remercie d'être venus, en essayant de me conformer du mieux possible à mon nouveau statut de veuve. Oui, de veuve…


Pendant la période de deuil, les gens sont censés vous rendre visite, vous apporter de la nourriture, jouer aux dominos avec vous… Mais comme pour les funérailles, la plupart des gens que nous connaissons s'en gardent bien. La rumeur les paralyse, et ils ne comprennent pas qu'ils pourraient se trouver confrontés du jour au lendemain aux mêmes ennuis que ceux auxquels j'ai dû faire face. Seule Violet se risque à venir me voir. Pour la première fois de ma vie, je suis heureuse d'avoir auprès de moi quelqu'un d'autre que May pour me soutenir.

À bien des égards, avec le métier qu'elle exerce et sa maison à Silver Lake, Violet est mieux intégrée que nous. Pourtant, Rowland et elle ont bien plus de raisons de redouter une enquête que nous ne pouvions en avoir, Sam et moi. Après tout, leur famille s'est retrouvée bloquée ici lorsque la Chine a fermé ses frontières. Et leurs professions – qui paraissaient si prestigieuses dans un premier temps – risquent maintenant de se retourner contre eux : on pourrait les accuser d'être des espions à la solde de leur pays, venus dérober le savoir et la technologie américaine. Elle a pourtant surmonté ses craintes pour venir me voir.

— Sam était l'incarnation même du Bœuf, me dit-elle. D'une grande intégrité et supportant son fardeau avec droiture, il obéissait aux règles de sa nature, poussant patiemment la roue de sa destinée. Et il n'a pas reculé devant son devoir : il savait ce qu'il devait faire pour vous sauver, Joy et toi. Un Bœuf se doit de protéger sa famille et…

— Ma sœur ne croit pas à l'astrologie chinoise, l'interrompt May.

Je me demande pourquoi elle a dit ça. Il y a bien eu une époque où j'étais un peu sceptique à l'égard de ces choses, mais elle est révolue depuis longtemps. Je sais au fond de moi que ma sœur est à jamais une Chèvre, Joy à jamais un Tigre, que je suis pour toujours un Dragon comme mon mari était un Bœuf – calme, fiable, méthodique et sachant supporter bien des fardeaux, comme vient de le dire Violet. À l'image de tant d'autres propos de May ces derniers temps, cette saillie me prouve que ma sœur me connaît décidément bien mal. Pourquoi ne m'en suis-je pas aperçue plus tôt ?

Violet ignore l'intervention de May. Elle me tapote le genou et me récite à la place un vieux proverbe : *Tout ce qui est pur et léger flotte dans les hauteurs et constitue le Ciel.*

Au cours de ma vie, il est rare que le chemin que je devais parcourir ait été plat bien longtemps et le soleil n'a jamais brillé plus de trois jours d'affilée. J'ai su faire preuve de courage par le passé, mais aujourd'hui je suis anéantie. Mon chagrin a l'étendue d'un ciel chargé de nuages que rien ne saurait chasser. Je suis incapable d'envisager quoi que ce soit au-delà de mon deuil et des ténèbres qui se sont abattues sur moi.

Plus tard ce soir-là – les lumières sont éteintes dans la chambre de Vern et Joy est sortie avec deux des sœurs Yee – May vient frapper à la porte de ma chambre. Je me lève et vais lui ouvrir. Je suis en chemise de nuit, mes cheveux sont hirsutes et mon visage encore baigné de larmes. Ma sœur porte un fourreau de satin vert émeraude, sa coiffure bouffante forme un curieux halo au-dessus de sa tête et des pendentifs en diamant et en jade se balancent à ses oreilles. De toute évidence, elle est sur le point de sortir. Je ne me donne même pas la peine de lui demander où elle compte aller.

— L'assistant du cuisinier ne s'est pas présenté au restaurant aujourd'hui, me dit-elle. Que veux-tu que je fasse à ce sujet ?

— Cela m'est égal, dis-je. Prends la décision qui te semblera la meilleure.

— Je sais que tu traverses un moment difficile et je suis sincèrement désolée pour toi. Mais j'ai besoin de ton aide. Tu ne te rends pas compte de la pression que je subis en ce moment, entre le restaurant, Vern, la bonne marche de la maison et mes propres affaires…

Je l'écoute se plaindre de la charge que représente pour elle ce surcroît de travail, ainsi que du nouveau barème de location de son stock de costumes et d'accessoires : brouettes, charrettes, pousse-pousse et j'en passe… Je vois bien qu'elle essaie de me tirer de la léthargie où j'ai tendance à me replier et de me reconnecter avec la vie réelle afin que je puisse lui venir en aide, comme je l'ai toujours fait. Mais je ne comprends rien à ses histoires de location et, pour être tout à fait honnête, je m'en fiche royalement.

— Les studios veulent me louer certains articles plusieurs mois d'affilée, poursuit-elle, mais il y en a parmi eux qui sont irremplaçables, comme les pousse-pousse par exemple. Combien devrais-je les facturer, à ton avis ? Chaque pousse-pousse coûte à lui seul dans les deux cent cinquante dollars et je pourrais aisément les louer vingt-cinq dollars par semaine. Mais je me dis que je devrais leur demander plus, car comment parviendrais-je à les remplacer si jamais ils sont détériorés ?

— Ta décision sera la bonne, lui dis-je en repoussant ma porte.

May s'interpose, m'empêchant de la refermer.

— Pourquoi ne me laisses-tu pas entrer ? dit-elle. Tu devrais prendre une douche… Je t'aiderai à te coiffer, tu enfileras une robe et nous irons faire un tour ensemble.

— Ne modifie pas tes plans pour moi, lui dis-je.

Et tout en disant cela, je pense au nombre de fois où par le passé elle m'a abandonnée à la maison de la sorte – que ce soit avec nos parents à Shanghai, avec Yen-yen dans notre ancien appartement et aujourd'hui avec Vern – pour aller faire… ce qu'elle avait à faire…

— Tu dois réintégrer le monde des vivants, ajoute-t-elle.

— Cela fait à peine deux semaines…

May me considère sans aménité.

— Il faut que tu sortes de ta coquille pour t'occuper de ta famille. Joy va bientôt repartir à Chicago. Elle a besoin que tu lui parles et…

— Ne me dis pas comment je dois élever ma fille !

May saisit mon poignet, serrant du même coup le bracelet de maman.

— Perle… dit-elle en me secouant la main. Je sais que tu vis quelque chose de terrible et que ces événements sont d'une tristesse infinie. Mais tu es encore jeune, tu es belle, tu as une fille. Et tu m'as, moi. Tu possèdes absolument *tout*. Regarde l'amour que Joy a pour toi. Regarde combien Sam t'a aimée.

— Oui, mais à présent il est mort.

— Je sais, je sais, dit-elle d'un air compatissant. Je voulais simplement vous aider. Je ne pensais pas qu'il allait se tuer.

Ses mots restent en suspens, comme des signes élégamment calligraphiés dans l'air… Le silence s'épaissit peu à peu, tandis que je les relis à plusieurs reprises, avant de lui demander :

— Que veux-tu dire au juste ?

— Rien, dit-elle. Rien du tout.

Ma sœur n'a jamais su mentir.

— May !

— C'est bon, c'est bon…

401

Elle relâche mon poignet, lève les bras au ciel et prend un air accablé. Puis elle pivote sur ses talons aiguille et se dirige vers le salon. Je me précipite derrière elle. Elle s'immobilise alors, se retourne vers moi et lâche enfin le morceau :

— C'est moi qui ai dit la vérité sur Sam à l'agent Sanders.

— Tu as... quoi ?

Mes oreilles refusent d'accepter l'aveu d'une telle trahison.

— J'ai parlé de Sam au FBI. Je pensais que cela pouvait être utile.

— Pourquoi as-tu fait une chose pareille ?

— À cause du Père Louie. Juste avant de mourir, il semblait redouter qu'une telle chose n'arrive et il m'a fait jurer que je ferais tout ce qui serait en mon pouvoir pour vous sauver, Sam et toi. Il ne voulait pas que la famille soit séparée.

— Il voulait surtout éviter que Vern se retrouve seul avec toi, dis-je.

Mais là n'est pas la question. Ce qu'elle vient de dire au sujet de Sam ne peut pas être vrai. Mon Dieu, faites que ce ne soit pas vrai...

— Je suis désolée, Perle... Absolument désolée...

Après avoir balbutié cette excuse, May n'hésite plus et vide le reste de son sac.

— L'agent Sanders me raccompagnait parfois jusqu'à la maison, après mon travail. Il me posait des questions sur Joy, ainsi que sur Sam et toi. Il disait que vous aviez la possibilité d'être amnistiés – que si je lui disais la vérité sur Sam et son statut de fils « sur le papier », nous pourrions facilement obtenir ensuite sa naturalisation et la tienne. Je me suis dit que si je montrais à l'agent Sanders que j'étais une bonne Américaine, il vous considérerait peut-être aussi comme de bons Américains. Tu comprends ? Il fallait que je protège Joy mais j'avais également peur de te perdre – parce que tu es ma sœur, la seule personne qui m'a jamais aimée telle que je suis, qui m'a toujours aidée et soutenue. Si vous aviez écouté mes conseils, pris un avocat et avoué la vérité, vous n'auriez eu aucune difficulté l'un et l'autre à obtenir cette naturalisation. Vous n'auriez plus eu à vous faire de souci à ce sujet, ni à craindre d'être un jour séparés. Mais au lieu de ça, vous vous êtes obstinés à mentir. L'idée que Sam allait se pendre ne m'a pas effleurée un instant.

Si j'ai aimé ma sœur cadette depuis le jour de sa naissance, je me suis trop longtemps considérée comme un simple satellite autour de sa planète enchantée. La colère que j'ai contenue pendant ma vie entière bout maintenant en moi et s'apprête à déborder. Ma sœur, ma stupide et inconséquente petite sœur...

— Fiche le camp d'ici ! lancé-je.

Elle me dévisage avec son regard de Chèvre – à la fois sûre d'elle et interloquée.

— J'habite ici, Perle. Où veux-tu que j'aille ?

— Fiche-moi le camp ! hurlé-je.

— Non !

C'est l'une des rares fois de sa vie où elle s'oppose aussi frontalement à moi. Elle poursuit, d'une voix ferme et rauque :

— Non, et c'est toi qui vas m'écouter, pour une fois. La perspective de cette amnistie était réelle. C'était la meilleure chose à faire, et la plus sûre.

Je secoue la tête, refusant de l'entendre.

— Tu as détruit ma vie, dis-je.

— Non, c'est Sam qui a détruit la sienne.

— C'est toi tout craché, May ! Toujours à accuser les autres des fautes que tu as commises...

— Jamais je n'aurais parlé à l'agent Sanders si j'avais imaginé un seul instant que cela puisse s'avérer dangereux pour vous. Je n'arrive pas à croire que tu me soupçonnes d'une chose pareille ! (Elle semble reprendre des forces, debout devant moi dans son fourreau en satin.) L'agent Sanders et son collègue vous offraient la possibilité de...

— Ils nous menaçaient ! Tu appelles cela offrir...

— Sam était un fils « sur le papier », poursuit May. Il était bel et bien en situation illégale. Je me reprocherai son suicide jusqu'à la fin de mes jours, mais cela ne change rien au fait que j'ai agi pour votre bien à tous les deux et dans l'intérêt de toute la famille. Tout ce que vous aviez à faire, c'était d'avouer la vérité.

— Tu ne t'es donc pas rendu compte des conséquences que cela pouvait avoir ?

— Bien sûr que si. Mais je te le répète : l'agent Sanders m'avait affirmé que si vous lui avouiez la vérité, vous seriez tous les deux amnistiés. *Amnistiés !* Cela veut dire que vous auriez reçu des papiers officiels, que vous seriez devenus d'authentiques citoyens américains et que toute cette affaire aurait été réglée. Mais vous étiez trop bornés, Sam et toi, trop ignorants et trop arriérés avec votre mentalité de paysans chinois pour devenir de vrais Américains.

— Tu me rends maintenant responsable de ce qui s'est passé ?

— Ce n'est pas ce que je voulais dire, Perle.

C'est pourtant ce qu'elle vient d'affirmer. Je suis tellement en colère que je n'arrive pas à réfléchir calmement.

— Je veux que tu quittes immédiatement cette maison, dis-je. Je ne veux plus jamais te revoir.

— Tu m'as toujours rendue responsable de tout, dit May.

Sa voix est d'un calme olympien.

— Parce que tu es responsable de tous les malheurs de ma vie, rétorqué-je.

Ma sœur me dévisage sans répondre, comme si elle attendait que j'aille au bout de ma pensée. Ma foi, si elle y tient…

— Tu as toujours été la préférée de papa, dis-je. Il exigeait de s'asseoir près de toi. Et maman t'aimait tant qu'elle se plaçait en face, afin de pouvoir contempler la beauté de sa fille cadette et s'épargner du même coup le visage rougeaud de l'aînée.

Ma sœur émet un reniflement dédaigneux, comme si mes accusations étaient de peu de poids.

— Tu es depuis toujours rongée par la jalousie, dit-elle, et tu n'as cessé de m'envier, mais c'était *toi* que papa et maman chérissaient. C'était *toi* que papa voulait regarder en mangeant, à côté de *toi* que maman s'asseyait. Vous parliez entre vous le dialecte de Sze Yup – votre langage secret à tous les trois, dont j'étais constamment exclue.

Cette remarque me laisse un instant sans voix. J'avais toujours cru que mes parents employaient ce dialecte pour protéger May de ceci ou de cela. Est-il possible qu'ils s'en soient servis comme d'une marque d'affection à mon endroit, une façon de me faire sentir que j'avais une valeur particulière à leurs yeux ?

— Non ! lancé-je, autant à May qu'à moi-même. Les choses ne se sont pas passées ainsi !

— Papa se souciait de toi au point de te faire des remarques. Et maman t'achetait une crème spéciale à base de perle. Jamais elle n'a eu une telle attention pour moi, qu'il s'agisse de cette fameuse crème ou de son bracelet de jade. Et ils t'ont envoyée à l'université, alors que personne ne m'a jamais demandé si j'avais envie d'y aller ! Pourtant, on ne peut pas dire que tu en aies tiré profit... Regarde ton amie Violet : elle est devenue professeur, elle au moins. Mais toi ? Tu as toujours préféré ton rôle de victime, de *fu yen*... Enfin, peu importe aujourd'hui que papa et maman t'aient plus aimée que moi, ou que je n'aie pas eu les mêmes opportunités que toi : ils sont morts à présent, et cela remonte à si longtemps...

Mais cela demeure important, à mes yeux autant qu'à ceux de May, je le sens bien. Il suffit de penser à la manière dont la compétition qui nous opposait jadis vis-à-vis de nos parents s'est ensuite reproduite à l'égard de Joy. Aujourd'hui, après avoir constamment vécu côte à côte, nous osons enfin nous dire ce que nous avons sur le cœur. Nos voix se font tour à tour menaçantes, ironiques ou accusatrices, et nous nous reprochons mutuellement toutes les erreurs et tous les malheurs dont nous avons été victimes. Je ne perds pas pour autant de vue la mort de Sam – pas davantage que ma sœur – mais nous sommes incapables l'une et l'autre d'enrayer ce grand déballage. Peut-être est-il plus facile de nous renvoyer à la figure les injustices dont nous avons souffert pendant toutes ces années que d'affronter la trahison de May et le suicide de Sam.

— Maman savait-elle que tu étais enceinte ? lancé-je, formulant un soupçon qui n'a cessé de me ronger depuis cette lointaine époque. Elle t'aimait et m'avait fait promettre de m'occuper de toi, de ne jamais abandonner ma *moy moy* – et c'est ce que j'ai fait. Je t'ai amenée jusqu'à Angel Island, où j'ai subi la pire des humiliations. Et après cela, je me suis retrouvée prisonnière à Chinatown, à m'occuper de Vern et à faire tous les travaux domestiques pendant que tu allais à *Haolaiwu* et prenais du bon temps au milieu de tous ces hommes... (Et comme je suis en colère, j'ajoute en sachant que je vais le regretter toute ma vie, mais parce que ces paroles contiennent une part de vérité et que je n'arrive pas à les retenir :) J'ai même dû m'occuper de ta fille après la mort de mon propre enfant.

— Tu as toujours traîné les pieds pour t'occuper de Joy, mais en même temps tu as tout fait pour m'éloigner d'elle. Quand elle était encore bébé, tu préférais que Sam la garde à la maison au lieu de l'emmener avec nous quand nous allions faire un tour.

— Ce n'était pas à cause de ça.

Quoique…

— Par la suite, poursuit May, tu nous as toujours reproché – à moi comme aux autres – de t'obliger à rester à la maison pour t'occuper d'elle. Mais quand nous te proposions de prendre le relais, tu nous envoyais promener.

— Ce n'est pas vrai. Je t'ai laissée l'emmener sur ces tournages…

— Mais tu m'as par la suite privée de ce bonheur, dit-elle avec tristesse. J'aimais Joy, mais on aurait dit qu'elle était toujours un fardeau pour toi. Tu avais une fille, je n'avais rien. J'avais tout perdu – ma mère, mon père, ma fille…

— Et moi, je me suis fait violer par je ne sais combien de soldats pour te protéger !

Ma sœur opine du menton, comme si elle s'attendait à cette repartie.

— Je vais donc une fois de plus avoir droit à l'évocation de ce grand sacrifice… (Elle reprend son souffle et je vois qu'elle essaie de retrouver son calme.) Tu es en colère, je le comprends. Mais ces histoires n'ont rien à voir avec ce qui est arrivé à Sam.

— Bien sûr que si ! Tout ce qui s'est passé entre nous a un lien soit avec ta fille illégitime, soit avec le traitement que les macaques m'ont fait subir.

Je vois les muscles de son cou se raidir et sa colère enfle à nouveau, aussi violente que la mienne.

— Si tu tiens vraiment à parler de ce qui est arrivé cette nuit-là, eh bien d'accord, parlons-en ! Cela fait des années que j'attends ce moment. Personne ne t'avait demandé de sortir de ta cachette : au contraire, maman t'avait clairement dit de rester auprès de moi. C'était *toi* qu'elle voulait épargner, à *toi* qu'elle s'était adressée en te murmurant combien elle t'aimait – dans le dialecte de Sze Yup, évidemment, afin que je ne puisse pas comprendre ce qu'elle te disait. Mais je déchiffrais suffisamment vos conciliabules pour comprendre que c'était *toi* qui avais droit à ses paroles d'amour, et non moi.

— Tu déformes la vérité à ta guise, selon ta bonne habitude, lui dis-je. Mais cela ne marchera pas. Maman t'aimait tellement qu'elle a voulu affronter les soldats seule. Je ne pouvais pas la laisser faire. Il fallait que je l'aide, il fallait que je te sauve moi aussi.

Tandis que je parle, les images de cette soirée cauchemardesque défilent à nouveau devant mes yeux. Où que soit maman aujourd'hui, a-t-elle conscience de tout ce qu'il m'a fallu sacrifier pour ma sœur ? Maman m'aimait-elle – ou l'ai-je une fois de plus déçue dans ces derniers instants de sa vie ? Mais je n'ai pas le loisir de m'attarder sur ces questions : ma sœur se tient devant moi, les poings sur les hanches et les traits crispés par la colère.

— Une nuit ! s'exclame-t-elle. Une nuit en regard de toute une vie ! Pendant combien d'années t'a-t-elle servi de prétexte, Perle ? Et ne l'as-tu pas utilisée pour maintenir cette distance entre Sam et toi, Joy et toi ? Quand tu étais encore à moitié inconsciente, au cours des jours suivants, tu m'as dit des choses dont tu ne te souviens visiblement pas. Que maman avait gémi de douleur lorsque tu étais apparue dans la pièce au milieu des soldats. Tu dis qu'elle t'en voulait de m'avoir laissée seule, au lieu d'être restée pour me protéger. Mais je crois que tu te trompes : elle a dû avoir le cœur brisé en te voyant surgir ainsi au lieu de rester à l'abri. Tu es une mère. Tu sais très bien que ce que je dis correspond à la vérité.

Je reçois ces paroles comme une gifle en pleine figure. May a raison. Si je m'étais trouvée avec Joy dans la même situation...

— Tu estimes avoir eu du courage et avoir dû ensuite renoncer à beaucoup de choses, poursuit-elle. (Je ne perçois plus de condamnation dans sa voix, mais une angoisse intemporelle, comme si c'était elle qui avait souffert.) La vérité, c'est que tu as été d'une lâcheté et d'une faiblesse exemplaires, pendant toutes ces années. Pas une fois tu ne m'as demandé ce qui s'était ensuite passé dans la cabane, cette nuit-là. Pas une fois tu ne t'es souciée de savoir ce que j'avais ressenti en voyant mourir maman dans mes bras. T'es-tu interrogée ne serait-ce qu'une fois sur l'endroit où elle avait été enterrée ? Et qui s'en est chargé, d'après toi ? Qui nous a tirées toutes les deux de cet enfer, alors que le plus simple – et le plus sensé – aurait été de t'abandonner sur place ?

Je n'aime pas ses questions. Et j'aime encore moins les réponses qu'elles m'inspirent.

— Je n'avais que dix-huit ans, poursuit May. J'étais enceinte et je tremblais de peur. Mais je t'ai poussée dans cette charrette, je t'ai conduite dans un hôpital et je t'ai sauvé la vie, Perle… Mais toi, tu n'éprouves que du ressentiment à mon égard et tu n'as que des reproches à me faire, au bout de toutes ces années. Tu crois que tu t'es sacrifiée pour prendre soin de moi, mais tes sacrifices t'ont tenu lieu d'excuses. C'est moi qui me suis sacrifiée à ton profit.

— Tu mens.

— Vraiment ? (May marque une courte pause et reprend.) As-tu réfléchi un instant à ce qu'a été ma vie, dans ces conditions ? À ce que représentait le fait de voir quotidiennement ma fille tout en devant maintenir avec elle une certaine distance ? Et mes relations avec Vern, y as-tu songé, Perle ? Il n'a jamais été en mesure de tenir son rôle de mari, si tu vois ce que je veux dire.

— Que sous-entends-tu au juste ?

— Simplement que nous n'aurions jamais échoué dans cet endroit qui semble t'avoir tant pesé si cela n'avait pas tenu à toi. (L'agressivité retombe dans sa voix, tandis que ses paroles s'inscrivent douloureusement en moi.) Tu as laissé une nuit, une seule et terrible nuit, guider le reste de ta vie et ta perpétuelle fuite en avant. Et moi, comme j'étais ta *moy moy*, je t'ai suivie. Parce que je t'aimais et que je savais que tu avais été blessée, détruite à tout jamais, et que tu ne serais plus en mesure de voir la beauté et les bons côtés de la vie.

Je ferme les yeux en essayant de retrouver mon calme. Je ne veux plus jamais entendre cette voix, plus jamais revoir son visage…

— Peux-tu t'en aller maintenant, l'imploré-je.

Mais ma sœur revient à l'attaque.

— Essaie de me répondre avec sincérité, dit-elle. Est-ce que nous nous serions retrouvées en Amérique si cela n'avait pas tenu à toi ?

Ses questions me labourent comme autant de poignards, car une grande partie de ce qu'elle vient de me dire est vrai. Mais je suis tellement furieuse qu'elle ait dénoncé Sam que je lui réponds de manière venimeuse :

— Nous ne nous serions assurément pas retrouvées en Amérique si tu n'avais pas batifolé avec un inconnu ! Et si tu ne m'avais pas obligée à passer pour la mère de ton bébé...

— Ce n'était pas un inconnu, dit May avec une extrême douceur. C'était Z. G.

Je pensais avoir encaissé le plus dur. Je me trompais.

— Comment... comment peux-tu... balbutié-je. Comment peux-tu me dire une chose pareille ? Tu sais que j'aimais Z. G.

— Oui, je le sais, reconnaît-elle. Z. G. trouvait cela du plus haut comique : les yeux doux que tu lui faisais pendant les séances de pose, la manière dont tu quémandais ses faveurs... Il n'empêche que je n'étais pas fière de moi.

Je recule de quelques pas, abasourdie. Les trahisons succèdent aux trahisons...

— C'est encore un de tes mensonges, dis-je.

— Tu crois ? Pourtant, cela n'a pas échappé à Joy. Qui avait le visage rougeaud d'une paysanne, sur ces couvertures de *La Chine en construction* ? Et qui était au contraire représentée avec amour et tendresse ?

Tandis qu'elle parle, des images d'autrefois se bousculent dans mon esprit : May en train de danser avec Z. G., la tête appuyée contre sa poitrine ; Z. G. disposant des pétales autour de son corps dénudé...

— Je sais que c'était cruel, dit-elle, et que tu as conservé son souvenir dans ton cœur pendant toutes ces années. Mais ce n'était qu'un entichement de gamine, tu aurais dû le comprendre. Z. G. et moi... (Sa voix se brise.) Tu as passé toute ta vie avec Sam. Z. G. et moi n'avons eu droit qu'à quelques semaines.

— Pourquoi ne m'en as-tu rien dit ?

— Je savais que tu étais amoureuse de lui. C'est pour cela que je ne t'en ai pas parlé. Je ne voulais pas te blesser.

La vérité qui est sous mon nez depuis vingt ans m'apparaît en un éclair.

— Z. G. est le père de Joy, dis-je.

— Qui est Z. G. ?

Voilà une intervention dont nous nous serions assurément passées, ma sœur et moi. Je me retourne et aperçois Joy dans l'encadrement de la porte de la cuisine, les yeux plus noirs que des cailloux au fond d'une coupe de narcisses. À son regard froid, sévère, inexpressif, je comprends qu'elle suit la conversation depuis un bon moment. J'étais déjà anéantie par la mort de Sam et les propos que vient de me tenir ma sœur, mais le fait que Joy ait pu entendre ne serait-ce qu'une partie de cette discussion soulève en moi un sentiment d'horreur absolue. Je fais deux pas dans sa direction, mais elle s'écarte aussitôt.

— Qui est Z. G. ? répète-t-elle.

— Ton véritable père, répond May d'une voix douce et remplie d'amour. Et je suis ta véritable mère.

Nous restons figées comme des statues toutes les trois dans la pièce. J'imagine sans peine le regard que Joy est en train de porter sur nous : d'un côté sa « fausse » mère – qui a essayé de lui enseigner la piété filiale, à la manière chinoise, mais aussi les valeurs américaines – dans sa vieille chemise de nuit, les cheveux en bataille et le visage empourpré par les larmes, la colère et le désespoir ; de l'autre sa « vraie » mère – qui l'a toujours gâtée et lui a fait découvrir les paillettes et l'éclat d'*Haolaiwu* – radieuse et rayonnante dans son fourreau de satin. Libérée du secret qu'elle gardait depuis deux décennies, May paraît apaisée, malgré la terrible scène qui vient de se dérouler. Nous nous sommes souvent disputées au cours de notre vie, ma sœur et moi, pour savoir qui avait les plus jolies chaussures ou menait la meilleure vie, qui était la plus belle ou la plus intelligente – mais cette fois-ci, je n'ai pas la moindre chance. Je sais qui va l'emporter. Je me suis longtemps interrogée sur le sens de ma destinée, mais il ne suffisait donc pas de perdre mon bébé, puis mon mari... Et mes larmes se mettent à couler, pour déplorer la perte la plus cruelle de toute mon existence.

## QUAND NOS CHEVEUX AURONT BLANCHI

Je suis étendue sur mon lit. Il y a un grand trou dans ma poitrine, à la place de mon cœur. Je me sens très exactement détruite. J'entends May et Joy discuter à voix basse. Un peu plus tard le ton monte, des portes claquent, mais je ne bouge pas, je n'ai plus l'énergie de me battre, même pour reconquérir ma fille. À moins que je n'aie jamais eu cette force… May a raison, je suis un être faible. Peut-être ai-je toujours été ainsi : craintive, repliée sur moi-même dans une posture de victime, de *fu yen*. Nous avons grandi dans la même maison, auprès des mêmes parents, mais ma sœur a toujours mieux su se débrouiller que moi et saisir les occasions qui se présentaient : mon désir d'adopter sa fille, la proposition de Tom Gubbins et tout ce qui en a découlé pour elle, sans parler de sa perpétuelle envie de sortir et de s'amuser. Alors que moi, de mon côté, j'acceptais le malheur et considérais qu'il faisait partie de mon triste destin.

Encore plus tard, j'entends de l'eau couler à la salle de bains, suivi du bruit de la chasse. Joy brasse ensuite un moment dans les tiroirs de sa commode, puis le silence retombe dans la maison et mes pensées se portent vers des contrées plus obscures. May vient de me dire des choses qui m'obligent à reconsidérer l'ensemble de la situation sous un angle radicalement nouveau, mais cela ne change rien au drame que constitue pour moi la mort de Sam. Jamais je ne pardonnerai à ma sœur d'avoir agi comme elle l'a fait. Quoique… quoiqu'elle avait peut-être raison, concernant cette affaire d'amnistie. Qui sait si nous n'avons pas commis une terrible erreur, Sam et moi, en refusant de nous engager dans cette voie – une erreur qui lui aura finalement été fatale. Mais pourquoi May ne nous a-t-elle pas dit qu'elle avait dénoncé Sam, si c'était dans notre intérêt ? Je connais malheureusement la réponse : parce que nous étions toujours effrayés par ce qui était nouveau et dérangeait nos habitudes. Nous avions eu peur de quitter notre famille pour nous installer de notre côté, peur d'aller vivre en dehors de Chinatown, peur que notre fille finisse par devenir une Américaine – alors que c'était pourtant ce que nous avions souhaité pour elle. Si May nous avait informés de sa démarche, nous n'aurions probablement rien voulu entendre.

Je sais que je peux faire preuve d'une fierté et d'un entêtement ridicules, poussant à l'extrême les pires tendances du Dragon. *Croisez une femme Dragon et le ciel vous tombera sur la tête*… À vrai dire, c'est bien ce qui m'est arrivé ce soir… Mais il faut absolument que je dise à Joy qu'elle est et restera toujours ma fille – et qu'en dépit de tout ce qu'elle peut désormais penser de moi, de Sam et de sa tante, je l'aimerai jusqu'à mon dernier souffle. Je dois lui faire comprendre à quel point elle a été aimée, entourée, protégée, et quelle fierté je ressens à son égard maintenant que sa vie s'apprête à commencer. J'espère du fond du cœur qu'elle saura me pardonner. Quant à May, j'ignore si je parviendrai à l'absoudre – à supposer que je le souhaite un jour. Je ne sais pas si j'ai envie de rester en relation avec elle, mais je veux bien lui donner une chance de s'expliquer encore une fois devant moi.

Je devrais me lever, aller les trouver toutes les deux sur la véranda et les réveiller pour régler cette affaire dès à présent. Mais il est tard, la maison est plongée dans un profond silence et il s'est déjà passé trop de choses en cette terrible nuit.


— Réveille-toi ! Vite ! Joy est partie !

J'ouvre les yeux. Ma sœur me secoue l'épaule, le visage crispé par l'angoisse. Je me redresse, mon cœur bat déjà à tout rompre.

— Que se passe-t-il ?

— C'est Joy… Elle est partie !

Je suis aussitôt debout et me précipite sur la véranda. Les deux lits sont défaits, ma fille et ma sœur y ont visiblement passé la nuit. Je prends une profonde inspiration, en essayant de me détendre.

— Elle est sans doute allée faire un tour, dis-je. Peut-être du côté du cimetière.

May secoue la tête, avant de baisser les yeux sur le bout de papier qu'elle tient à la main.

— J'ai trouvé ça sur son lit à mon réveil, dit-elle.

Elle défroisse le papier et me le tend. Je lis :

Maman,

Je ne sais plus qui je suis. Je ne comprends plus ce pays qui a fini par tuer papa. Je sais que tu vas me juger confuse et irréfléchie, sans doute est-ce le cas, mais j'ai besoin de trouver les réponses aux questions que je me pose. Peut-être la Chine est-elle au fond ma véritable patrie… Après tout ce que tante May m'a raconté hier soir, je crois qu'il faut que je rencontre mon père. Ne te fais pas de souci pour moi, maman. J'ai pleinement confiance dans la Chine et dans tout ce que le président Mao a entrepris pour son redressement.

Joy

J'inspire profondément et les battements de mon cœur s'apaisent. Je sais que Joy ne peut pas avoir sérieusement pris la décision qu'elle m'annonce. Il est dans sa nature de Tigre de ruer dans les brancards, comme elle le fait dans sa lettre, mais il lui est impossible de mettre ses projets à exécution. May ne semble toutefois pas de mon avis.

— Tu crois qu'elle est partie pour de bon ? demande-t-elle.

— Je n'ai aucune inquiétude à ce sujet, lui réponds-je, et tu ne devrais pas en avoir davantage.

Je suis irritée que May entame cette journée de manière aussi dramatique, alors que j'avais espéré reprendre avec elle notre conversation de la veille. Mais je pose sur son bras une main rassurante, en essayant de préserver ne serait-ce qu'une apparence de détente entre nous.

— Joy était bouleversée hier soir. Nous l'étions toutes les trois. Sans doute est-elle allée chez les Yee pour parler de tout ça avec Hazel. Je te parie qu'elle sera de retour pour le petit-déjeuner.

— Perle… Hier soir, Joy m'a interrogée au sujet de Z. G. et je lui ai dit qu'il devait d'après moi toujours vivre à Shanghai, étant donné que les illustrations qu'il avait faites pour ce magazine montraient généralement certains secteurs de la ville. Je suis pratiquement certaine qu'elle a décidé de partir là-bas.

Je chasse cette idée d'un revers de la main.

— Comment veux-tu qu'elle aille en Chine pour retrouver Z. G. ? Il lui est tout bonnement impossible de prendre un avion pour Shanghai. Je te rappelle que Mao est au pouvoir depuis huit ans et que la Chine est fermée aux Occidentaux. Les États-Unis n'ont pas de relations diplomatiques avec elle et…

— Elle peut se rendre en avion à Hong Kong, m'interrompt May. C'est une colonie britannique. Et de là, elle peut passer la frontière et pénétrer en Chine, comme les gens que le Père Louie chargeait de convoyer son argent jusqu'au village de Wah Hong.

— Tu n'y penses pas ! Joy n'est pas communiste. Ses beaux discours n'étaient que… des discours, justement.

— Elle veut rencontrer son véritable père, insiste May.

Mais je refuse d'accepter ce que ma sœur me dit.

— Elle n'a pas de passeport, pour commencer.

— Mais si, elle en a un ! rétorque May. Tu ne te souviens pas ? Ce Joe l'avait poussée à en demander un.

En entendant ces mots, mes genoux se mettent à trembler. May me soutient et m'aide à regagner mon lit, sur lequel nous nous asseyons côte à côte. Je me mets à pleurer.

— Pas ça…, murmuré-je. Pas après ce qui est arrivé à Sam…

May essaie de me réconforter, mais je suis inconsolable. Et mon sentiment de culpabilité ne tarde pas à prendre le dessus.

— Elle n'est pas seulement partie pour retrouver son père, dis-je d'une voix brisée. C'est l'ensemble de son univers qui vient de s'écrouler. Tout ce qu'elle tenait jusqu'alors pour vrai s'est révélé faux. Elle cherche aussi à nous fuir, sa véritable mère… et moi.

— Ne dis pas de bêtises, répond May. Sa véritable mère, c'est toi. Regarde ce qu'elle écrit dans sa lettre : elle t'appelle « maman », et moi « tante May ». Elle est bel et bien ta fille, non la mienne.

Mon cœur est déchiré et plein d'appréhension, mais je me raccroche à ce petit mot : *maman*. May essuie mes larmes.

— Elle est ta fille, répète-t-elle. Et maintenant, cesse de pleurer. Il faut que nous réfléchissions.

Elle a raison. Il faut que je reprenne le dessus et que nous trouvions le moyen d'empêcher ma fille de commettre cette terrible erreur.

— Joy va avoir besoin d'argent, de *beaucoup* d'argent si elle veut aller en Chine, dis-je en réfléchissant à voix haute.

May semble comprendre ce que je veux dire. Il y a longtemps qu'elle est convertie à la modernité et qu'elle met son argent à la banque. Mais Sam et moi avons suivi la tradition du Père Louie et gardons le nôtre à la maison. Nous nous précipitons toutes les deux à la cuisine et cherchons sous l'évier la boîte en fer-blanc dans laquelle je range la plupart de mes économies. Elle est vide. Joy a tout emporté. Mais je ne perds pas espoir pour autant.

— Quand est-elle partie, à ton avis ? demandé-je à May. Vous avez discuté un long moment hier soir.

— Comment se fait-il que je ne l'aie pas entendu se lever ni rassembler ses affaires ?

Je me fais le même genre de reproches et une partie de moi-même est toujours en colère à cause des révélations d'hier, mais je lui rétorque :

— Nous n'avons pas de temps à perdre avec de tels regrets. Il faut nous concentrer sur Joy. Elle ne peut pas être allée bien loin. Nous pouvons encore la retrouver.

— Oui, dit May, tu as raison. Habillons-nous. Nous prendrons les deux voitures.

— Et Vern ? lancé-je.

Même dans ce moment de deuil et d'affolement, je n'en oublie pas mes responsabilités pour autant.

— File à Union Station, me lance May, et regarde si elle ne traîne pas dans les parages. Pendant ce temps, je préviendrai Vern et j'irai voir à la gare routière.

Mais Joy n'est pas plus à la gare ferroviaire qu'à la gare routière. May et moi nous retrouvons à l'arrière de la maison. À vrai dire, nous n'avons aucune idée de l'endroit où Joy a pu se rendre. Il est difficile de croire qu'elle ait réellement l'intention d'aller en Chine, néanmoins nous devons agir comme si tel était le cas si nous voulons parvenir à l'en empêcher. Nous échafaudons donc un nouveau plan : je me rends en voiture à l'aéroport tandis que May passe des coups de téléphone depuis la maison. Elle appelle la famille Yee, pour savoir si Joy n'aurait pas parlé à leurs filles ; les oncles, au cas où elle aurait songé à se renseigner auprès d'eux sur la manière de pénétrer en Chine ; mais aussi Betsy et son père, pour voir s'il n'y aurait pas officiellement moyen de l'interpeller avant qu'elle ne quitte le pays. Je ne trouve pas Joy à l'aéroport, mais ma sœur a récupéré entretemps deux informations aussi capitales qu'alarmantes. D'abord, Hazel Yee lui a appris que Joy l'avait appelée en larmes depuis l'aéroport, tôt dans la matinée, pour lui annoncer qu'elle quittait le pays. Hazel ne l'avait pas crue et n'avait même pas songé à lui demander où elle se rendait. Ensuite, le père de Betsy a déclaré à May que Joy pouvait parfaitement obtenir un visa d'entrée pour Hong Kong une fois débarquée là-bas.

Comme nous n'avons pas encore mangé, May ouvre deux boîtes de soupe Campbell aux nouilles et au poulet et les fait réchauffer sur la cuisinière. Je m'assois devant la table en regardant ma sœur et en me rongeant les sangs pour ma fille. Ma belle et impétueuse Joy s'est jetée dans la gueule du loup en décidant de partir pour la République Populaire de Chine... Mais même si elle croit tout savoir de ce pays à cause des films dans lesquels elle a joué jadis, de ce Joe, de son organisation à la noix et de tout ce que ses professeurs ont pu lui dire à Chicago, elle ne mesure absolument pas la portée d'une telle décision. Elle a obéi à sa nature de Tigre et agi sous le coup de la colère, du trouble et d'un enthousiasme mal placé. Sans parler des drames et des révélations de la nuit dernière. Comme je l'ai dit à May, je suis convaincue que Joy a autant décidé de se rendre en Chine pour nous fuir que pour aller retrouver son père. Et elle ne se rend évidemment pas compte de l'effet dévastateur que pourrait avoir sur elle la découverte de Z. G. – outre les dangers bien réels que représente une telle opération.

Mais je ne suis pas plus capable d'échapper à ma nature que Joy à la sienne. L'instinct maternel est trop fort. Je songe à ma propre mère et à tout ce qu'elle avait fait pour nous tirer des griffes de la Triade Verte, puis de celles des Japonais. Elle avait sans doute souffert d'abandonner notre père à son sort, mais cela ne l'avait pas empêchée d'agir. Et elle devait être terrifiée en se retrouvant au milieu des soldats japonais, mais elle n'avait pas reculé pour autant. Ma fille a besoin de moi. Quels que soient les dangers et les risques d'un tel voyage, je dois aller la retrouver. Il faut qu'elle sache que je serai toujours à ses côtés, quoi qu'il advienne, et sans me poser la moindre question.

Un léger sourire me vient aux lèvres : je suis en train de réaliser que, pour une fois, le fait de ne pas avoir la nationalité américaine va m'être profitable. Je n'ai pas de passeport américain, mais un simple certificat d'identité : il me permettra de quitter ce pays qui n'a jamais voulu de moi. J'ai encore un peu d'argent, caché dans la doublure de mon chapeau, mais cela ne suffira pas à payer le billet d'avion. Vendre le restaurant prendrait trop de temps. Je pourrais aller trouver le FBI et leur faire tous les aveux qu'ils voudront, y compris que je suis une communiste de la pire espèce, dans l'espoir de me faire extrader...

May remplit trois bols de soupe et nous nous rendons dans la chambre de Vern. Celui-ci ignore son bol et s'agite nerveusement entre ses draps.

— Où est Sam ? dit-il. Où est Joy ?

— Je suis désolée, Vern, mais Sam est mort. (Ce doit bien être la vingtième fois que May le lui répète aujourd'hui.) Et Joy nous a quittés. Tu comprends, Vern ? Elle n'est plus là. Elle est partie en Chine.

— La Chine n'est pas un bon endroit, dit Vern.

— Je le sais bien, dit May.

— Je veux Sam. Je veux Joy.

— Essaie de manger ta soupe, dit May.

— Je vais aller à la recherche de Joy, annoncé-je. Peut-être arriverai-je à l'intercepter à Hong Kong. Sinon, j'irai la chercher en Chine.

— La Chine n'est pas un bon endroit, répète Vern. Tu mourras là-bas.

— May, dis-je en reposant mon bol, peux-tu me prêter l'argent nécessaire ?

— Bien sûr, me répond-elle sans l'ombre d'une hésitation. Mais je ne sais pas si j'en aurai assez.

Comment pourrait-elle avoir mis de l'argent de côté après en avoir dépensé autant pour ses vêtements, ses bijoux, ses sorties – sans parler de sa luxueuse voiture… Mais j'écarte ces pensées, en me rappelant qu'elle a également participé à l'achat de cette maison et aux frais d'inscription de Joy à l'université.

— J'en ai, dit Vern. Amenez-moi mes bateaux. Tous mes bateaux.

Nous nous dévisageons sans comprendre, May et moi.

— Mes bateaux ! s'écrie Vern. Mes bateaux !

Je lui passe le plus proche. Il le prend et le jette par terre. Le modèle réduit se brise : à l'intérieur se trouve une liasse de billets retenus par un élastique.

— C'est mon argent, dit Vern. Donnez-moi d'autres bateaux !

Nous voici bientôt en train de faire voler en éclats toute la collection de navires, d'avions et de voitures de course que Vern a fabriqués au fil des ans. Le Père Louie avait beau être près de ses sous, il n'en était pas moins honnête : il a continué de donner à Vern la part de l'argent familial qui lui revenait, même après que son invalidité l'avait immobilisé. Mais contrairement à nous, Vern n'a jamais rien dépensé. La seule fois où j'ai le souvenir de l'avoir vu se servir de son argent, c'est lorsque nous avions pris le tramway avec lui pour aller à la plage, lors du premier Noël que nous avons passé à Los Angeles.

Ma sœur et moi rassemblons les billets sur le lit de Vern avant de les compter : il y a largement de quoi payer mon billet – ainsi que quelques pots-de-vin, en cas de besoin.

— Je vais partir avec toi, dit May. Nous nous sommes toujours tirées d'affaire quand nous étions ensemble.

— Il faut que tu restes ici pour t'occuper de Vern. Sans parler du restaurant, de la maison et de l'autel des ancêtres…

— Que se passera-t-il si tu retrouves Joy et que les autorités chinoises refusent de vous laisser repartir ?

Elle s'inquiète pour ceci, Vern s'inquiète pour cela… et je suis moi-même dévorée d'inquiétude. Nous serions d'ailleurs de fieffés imbéciles si nous réagissions autrement. Je m'autorise un léger sourire.

— Tu es ma sœur, dis-je, et tu as plus d'un tour dans ton sac. Ce sera à toi de te débrouiller pour nous tirer de là.

May réfléchit un instant, je vois presque les rouages se mettre en branle dans son cerveau.

— Je rappellerai Betsy et son père, dit-elle. Et j'écrirai au vice-président Nixon. Il a aidé d'autres personnes à sortir de Chine lorsqu'il était sénateur. Je lui demanderai de nous venir en aide.

*Ce ne sera pas une mince affaire*, songé-je intérieurement, mais je m'abstiens de le lui faire remarquer. Il s'agit après tout de la Chine communiste, et je n'ai pas la nationalité américaine... Je lui fais néanmoins confiance pour tout mettre en œuvre afin de nous faire sortir de Chine, Joy et moi. Après tout, elle a déjà réussi un pareil exploit dans notre jeunesse.

— J'ai passé les vingt et une premières années de ma vie en Chine et les vingt suivantes à Los Angeles, dis-je. Pourtant, je n'ai pas l'impression de retourner chez moi, mais au contraire d'abandonner ma maison. Je compte sur toi pour t'en occuper pendant mon absence afin que nous soyons sûres d'avoir un toit quand nous rentrerons, Joy et moi.

Le lendemain, je prépare mes affaires. Je mets dans ma valise le certificat d'identité qu'on m'a donné jadis à Angel Island et les vêtements de paysanne que May avait achetés quand nous avons quitté la Chine. J'emporte des photos de Sam (pour me donner du courage) et de Joy (pour les montrer aux gens). Je me rends devant l'autel des ancêtres pour dire au revoir à Sam et aux autres défunts. Je me souviens d'une remarque que May avait faite voici quelques années : *On en revient toujours au point de départ.* C'est en entreprenant ce nouveau voyage que je comprends ce qu'elle voulait dire : non seulement nos erreurs se répètent, mais nous avons la possibilité de les amender. Je retourne en Chine en tant que mère, afin de clarifier un certain nombre de choses. J'ouvre le coffret où Sam avait rangé la petite bourse de maman et la place autour de mon cou. Elle m'a protégée jadis et j'espère que celle que May a donnée à Joy lorsqu'elle est partie à l'université la protège elle aussi, en cet instant précis.

Je fais mes adieux au Petit Mari, puis May me conduit en voiture à l'aéroport. Tandis que les palmiers et les maisons en stuc défilent au bord de la route, je me répète intérieurement les grandes lignes de mon plan : une fois à Hong Kong, je me déguiserai en paysanne et je passerai la frontière. Je me rendrai d'abord dans les villages dont les Louie et les Chin sont originaires – et dont Joy connait l'existence – afin de m'assurer qu'elle n'y a pas trouvé refuge. Mais mon cœur de mère me dit que ce n'est pas là-bas que je la découvrirai. Elle est allée à Shanghai pour rechercher son véritable père et en apprendre davantage sur sa mère et sa tante – et il va falloir que je la suive à la trace. Je redoute bien sûr de rencontrer la mort en cours de route, mais j'ai surtout peur de tout ce que nous risquons de perdre par ailleurs.

Je regarde ma sœur qui conduit sa voiture d'un air déterminé. Il lui arrivait d'avoir la même expression dans son enfance, je m'en souviens parfaitement, et elle avait ce regard lorsqu'elle a caché notre argent et les bijoux de maman dans la cale du bateau de pêche, avant l'arrivée des pirates. Nous avons encore beaucoup de choses à nous dire et la situation est loin d'être éclaircie entre nous. Il y a certaines choses que je ne lui pardonnerai jamais et dont elle aura à s'excuser un jour devant moi. Je sais qu'elle se trompe complètement quant à la nature du sentiment que j'éprouve pour les États-Unis. Je n'ai peut-être pas de papiers, mais je me sens totalement américaine au bout de toutes ces années. Et je n'ai aucune envie d'y renoncer, après tout ce que j'ai dû traverser pour y parvenir. J'ai mérité d'être une citoyenne de ce pays, je me suis battue pour le devenir et pour que Joy en profite.

À l'aéroport, May m'accompagne jusqu'à la porte d'embarquement. Une fois arrivée là, elle me dit :

— Je ne m'excuserai jamais assez pour ce qui est arrivé à Sam, mais sache au moins que j'essayais sincèrement de vous aider, tous les deux.

Nous nous étreignons, sans verser de larmes. Malgré tout ce qu'elle a pu dire ou faire de mal, elle est ma sœur. Les parents meurent, les filles grandissent et se marient – mais on reste sœurs pour la vie. Elle est la seule personne sur cette terre qui partage avec moi les souvenirs de notre enfance, de nos parents, du Shanghai où nous avons vécu, de nos combats, de nos tristesses – et aussi, mais oui, de nos moments de triomphe et de bonheur. Ma sœur est la seule personne qui me connaisse vraiment, comme je suis la seule à la connaître. Avant que je la quitte, May me dit :

— Quand nos cheveux auront blanchi, il nous restera notre amour de sœurs.

Après l'avoir laissée et être montée à bord de l'avion, je me demande si j'aurais pu agir différemment, à un moment ou un autre de mon parcours. J'aurais bien voulu que *tout* se passe autrement, je sais pourtant qu'au bout du compte le résultat aurait été le même. Tel est le sens du destin. Mais si les cartes sont tirées d'avance, et si certains connaissent un sort plus favorable, il est vraisemblable que je n'aie pas encore accompli ma destinée. Parce que je suis convaincue que je retrouverai Joy, d'une manière ou d'une autre, et que je ramènerai ma fille, *notre* fille à la maison.

# Remerciements

*Filles de Shanghai* est un roman historique. Huang le Grêlé, Christine Sterling et Tom Gubbins ont réellement existé. Mais Perle, May et les autres personnages sont parfaitement fictifs, tout comme l'ensemble de l'intrigue. (Ce n'était pas à la famille Louie qu'appartenaient la Pagode Dorée, le stand de pousse-pousse et les autres boutiques, même s'il n'était pas rare que des familles aient possédé comme elle plusieurs magasins dans China City. Et ce n'est pas May, mais la famille Lee, qui a racheté la Compagnie du costume asiatique de Tom Gubbins.) Néanmoins, certains pourront reconnaître au fil des pages des anecdotes, des expériences et de nombreux détails réels. Au cours des vingt dernières années – si ce n'est de ma vie entière – j'ai eu la chance de rencontrer des gens qui ont connu une partie des décors et des événements décrits dans ce roman. La plupart évoquaient des souvenirs heureux. Mais d'autres ont fait preuve d'un certain courage en me racontant leur histoire, parce qu'ils étaient encore traumatisés par ce qui leur était arrivé en Chine durant les années de guerre, par les humiliations qu'ils avaient subies à Angel Island ou à l'époque du « Programme des Confessions » – sans parler de la honte qu'avaient représentée pour eux les épreuves et la misère auxquelles ils avaient dû faire face, une fois établis dans le Chinatown de Los Angeles. Certains n'ont accepté de me parler que sous le couvert de l'anonymat. Sans eux, sans leurs récits et leur attachement à la vérité, ce livre n'existerait pas.

Un grand merci à Michael Woo, qui m'a confié un exemplaire manuscrit des souvenirs de sa mère, Beth Woo : celle-ci avait notamment enseigné l'anglais à des soldats japonais et racontait ce que cela avait représenté de fuir la Chine à bord d'un bateau de pêche et de vivre à Hong Kong pendant la guerre. Le mari de Beth, Wilbur Woo, qui vivait à Los Angeles séparé de sa femme, m'a raconté de nombreuses anecdotes relatives à cette époque et m'a présentée à Jack Lee : c'est ce dernier qui m'a parlé de l'agent du FBI qui traînait à Chinatown à l'époque du « Programme des Confessions ». Phil Young m'a présentée à sa mère, Monica Young, dont les souvenirs de jeune orpheline renvoyée en Chine pendant la guerre sino-japonaise m'ont été infiniment précieux. C'est également elle qui m'a prêté un exemplaire des souvenirs d'Alice Lan et Betty Hu : *We Flee from Hong Kong*, où les deux missionnaires décrivent la décoction à base de crème de beauté et de poudre de cacao qui leur a servi à se déguiser pour échapper aux Japonais.

Ruby Ling Louie et Marian Leng, dont les familles possédaient des commerces à China City, m'ont ouvert leurs collections de photos, de cartes postales, de brochures et de souvenirs divers – dont la remarquable série de diapositives réalisée par Paul Louie. Je suis particulièrement reconnaissante à Marian pour la discussion que nous avons eue autour de la différence entre *fu yen* et *yen fu*. D'autres ont généreusement partagé leurs souvenirs avec moi, notamment le Dr Wing, Joyce Mar, Gloria Yuen, Mason Fong et Akuen Fong. Ruth Shannon m'a autorisée à me servir du prénom de son époux bien aimé. (En apparence, mon Edfred ne pourrait différer davantage du mari de Ruth, mais ils ont tous les deux un cœur d'or.) Eleanor Wong Telemaque et Mary Yee m'ont raconté de leur côté des histoires survenues à leurs ancêtres à l'époque du « Programme des Confessions ».

Je me suis également servie des entretiens que j'avais faits il y a un certain nombre d'années, à l'époque où je préparais *On Gold Mountain*. Deux sœurs aujourd'hui disparues, Mary et Dill Louie, avaient évoqué pour moi l'histoire des Chinois à Hollywood. Jenny Lee m'avait parlé du temps où son mari travaillait pour Tom Gubbins et expliqué ce que cela représentait, après la guerre, de posséder la Compagnie du costume asiatique. J'aimerais remercier une fois encore les National Archives de San Bruno. Les interrogatoires qui figurent dans *Filles de Shanghai* reprennent presque mot pour mot ceux qu'avait dû subir à son arrivée Mrs Fong Lai (Jung-shee), l'épouse de l'un des associés « sur le papier » de mon arrière-grand-père, ainsi que des comptes-rendus d'audiences qui appartenaient à mon arrière-grand-père, Fong See, et à son frère Fong Yun.

J'ai une immense gratitude à l'égard d'Yvonne Chang, de la Chinese Historical Society of Southern California (CHSSC), qui m'a permis de consulter les transcriptions d'un projet d'histoire « orale » du Chinatown de Los Angeles, mené de 1978 à 1980. Certaines des personnes qui y participèrent sont aujourd'hui disparues, mais leurs récits avaient été enregistrés et ont donc été préservés. La CHSSC collabore actuellement avec le Los Angeles Chinatown Youth Council afin de produire le *Chinatown Remembered Community History Project*, un projet d'histoire orale et filmée, essentiellement consacré aux années 1930 et 1940. Je voudrais remercier la CHSSC ainsi que Will Grow, le responsable de ce projet, qui m'ont autorisée à consulter les transcriptions des entretiens déjà réalisés. Les publications de la CHSSC – *Linking our Lives, Bridging the Centuries* et *Duty and Honor* – m'ont beaucoup aidée à constituer l'arrière-plan et les décors de ce roman. Suellen Cheng, du Chinese American Museum et du El Pueblo de Los Angeles Historical Monument, m'a une fois de plus prodigué ses encouragements, ses conseils et ses avis éclairés.

Étant donné que je ne suis ni historienne ni universitaire, je me suis basée sur les travaux de Jack Chen, Iris Chang, Ronald Takaki, Peter Kwong, Dusanka Miscevic et Icy Smith. Le documentaire d'Amy Chen : *The Chinatown Files*, m'a aidée à me représenter le mélange de tristesse, d'amertume et de culpabilité qu'avait pu engendrer le « Programme des Confessions ». Un salut tout particulier à Kathy Ouyang Turner, de la Angel Island Immigration Station Foundation, qui m'a accompagnée sur l'île ; à Casey Lee, qui nous y a guidées ; à Emma Woo Louie, pour sa recherche sur les patronymes sino-américains ; à Sue Fawn Chung et Priscilla Wegars, pour leurs travaux sur les rites funéraires des Chinois d'Amérique ; à Theodora Lau, pour sa remarquable étude sur l'horoscope chinois ; à Liz Rawlings, qui vit aujourd'hui à Shanghai, pour avoir procédé pour moi à quelques vérifications de détail ; et à Judy Young, l'auteur de *Unbound Feet*, pour avoir bien voulu répondre à mes questions ainsi que pour sa collecte de nombreux récits liés à Angel Island et aux années de guerre. Je dois également beaucoup à l'amitié, aux recommandations et aux conseils de Ruthanne Lum McCunn. Him Mark Lai, le parrain des études sino-américaines, a bien voulu répondre à mes e-mails, avec la vivacité d'esprit qu'on lui connaît. Leurs deux ouvrages : *Island* (écrit et compilé par Him Mark Lai, Genny Lim et Judy Yung) et *Chinese Amercican Portraits* (de Ruthanne Lum McCunn) m'ont une fois encore inspirée, comme ils l'avaient déjà fait par le passé.

J'ai séjourné plusieurs fois à Shanghai, mais les travaux de Hallet Abend, Stella Dong, Hanchao Lu, Pan Ling, Lynn Pan et Harriet

Sergeant ont largement contribué à l'arrière-plan de ce roman. Dans une série d'e-mails, Hanchao Lu m'a également aidée à clarifier un certain nombre de questions que je me posais, quant aux limites territoriales de Shanghai dans les années 1930. Bien qu'il ait un destin extrêmement différent, le personnage de Sam a été influencé par le roman prolétarien de Lao She : *Le Pousse-pousse*. Pour l'histoire de la publicité, de la mode et des « jeunes beautés » de Shanghai, je me suis appuyée sur les travaux de Ellen Johnston Laing, Anna Hestler et Beverley Jackson. Je me suis également imprégnée des romans qu'ont composés les écrivains chinois entre 1920 et 1940, notamment ceux de Eileen Chang, Xiao Hong, Luo Shu et Lu Xun.

J'aimerais remercier Cindy Bork, Vivian Craig, Laura Davis, Mary Healey, Linda Huff, Pam Vaccaro et Debbie Wright – qui ont participé avec moi à un forum en ligne de Barnes & Noble – pour leurs réflexions et leurs suggestions ; le « 12th Street Book Group », pour m'avoir rappelé que nous sommes toutes sœurs pour la vie ; et Jean Ann Balassi, Jill Hopkins, Scottie Senalik et Denise Chitteaker – pour m'avoir aidée d'une manière ou d'une autre à mieux cerner l'émotion et le cœur même de ce roman.

J'ai la chance extraordinaire d'avoir Sandy Dijkstra comme agent. Avec toute son équipe, elle n'a jamais cessé de se battre pour moi, de m'encourager et de me pousser à aborder de nouveaux territoires. Michael Cendejas m'a aidée à naviguer dans l'univers du cinéma. De l'autre côté de l'Atlantique, Katie Bond, mon éditeur chez Bloomsbury, a toujours su faire preuve d'un enthousiasme sans faille. Quant à mon éditeur chez Random House, Bob Loomis, il est la gentillesse incarnée et j'adore nos conversations. Mais je voudrais vraiment remercier *tout le monde* chez Random House – avec une mention particulière pour Gina Centrello, Jane von Mehren, Tom Perry, Barbara Fillon, Amanda Ice, Sanyu Dillon, Avideh Bashirrad, Benjamin Dreyer et Vincent La Scala.

Quelques mots de gratitude, enfin, à l'intention de Larry Sells, qui s'occupe de tout ce qui concerne Wikipédia et de mon « Google Group » ; de Sasha Stone, qui dirige mon site web avec beaucoup de professionnalisme ; de Susan M.S. Brown, qui a supervisé l'édition du manuscrit ; de Suzy Moser, de la Huntington Library, qui a fait en sorte que je puisse être photographiée dans leur Jardin chinois ; de Patricia Williams, qui a fait la photo ; de Tyrus Wong, qui fabrique toujours des cerfs-volants traditionnels, à l'âge de quatre-vingt-dix-huit ans ; de ma cousine Leslee Leong, qui a partagé tout ce passé avec moi ; de ma mère, Carolyn See, pour son regard aigu et son jugement ; de mes sœurs – Clara, Katharine et Ariana – pour toutes les raisons qu'on peut imaginer, et quantité d'autres ; de mes fils, Christopher et Alexandre, dont je suis si fière et qui m'ont soutenue de tant de façons ; et enfin de mon mari, Richard Kendall, pour la force qu'il me donne quand je me débats, son humour quand je suis au plus bas et son amour infini, jour après jour.

Composition et mise en page

NORD COMPO
m u l t i m é d i a

CET OUVRAGE
A ÉTÉ REPRODUIT
ET ACHEVÉ D'IMPRIMER
SUR ROTO-PAGE
PAR L'IMPRIMERIE FLOCH
À MAYENNE EN AVRIL 2010

N° d'édition : L.01ELHN000203.N001. N° d'impression : 76397.
Dépôt légal : mai 2010.
*(Imprimé en France)*